GLÓRIAS DE MARIA

SANTO AFONSO MARIA DE LIGÓRIO
Doutor da Igreja e Fundador
da Congregação do Santíssimo Redentor
1696-1787

GLÓRIAS DE MARIA

Com indicação de leituras e orações para dois meses marianos

Versão da 11ª edição italiana, última revista pelo autor,
de acordo com a edição crítica dos PP. Krebs e Litz, C.Ss.R.,
pelo Pe. GERALDO PIRES DE SOUSA, C.Ss.R. (1895-1969)

EDITORA
SANTUÁRIO

Dados Internacionais de Catalogação na Publicação (CIP)
(Câmara Brasileira do Livro, SP, Brasil)

Afonso Maria de Ligório, Santo, 1696-1787.
  Glórias de Maria: com indicação de leituras e orações para dois meses marianos / Santo Afonso de Maria de Liguori; versão da 11ª edição italiana pelo Pe. Geraldo Pires de Souza. – 3ª ed. – Aparecida, SP: Editora Santuário, 1989.

  1. Maria, Virgem, Santa – Culto 2. Maria, Virgem, Santa – Livros de oração.

  ISBN 85-7200-116-6
  ISBN 978-85-369-0251-7 (ebook)

  I. Título.

89.0694

CDD-232.91
-242.74

Índices para catálogo sistemático:
1. Culto a Maria: Teologia dogmática cristã 232.91
2. Devoção a Maria: Teologia dogmática cristã 232.91
3. Maria Mãe de Jesus: Teologia dogmática cristã 232.91
4. Orações marianas: Religião cristã 242.74

39ª impressão

Todos os direitos reservados à **EDITORA SANTUÁRIO** – 2025

Rua Pe. Claro Monteiro, 342 – 12570-045 – Aparecida-SP
Tel.: 12 3104-2000 – Televendas: 0800 0 16 00 04
www.editorasantuario.com.br
vendas@editorasantuario.com.br

APRESENTAÇÃO

Era o dia 25 de outubro de 1784, numa pobre cela do convento redentorista de Pagani. O velho Padre Afonso de Ligório, todo recurvado pela artrose, ouvia atentamente o Irmão Romito, que lia para ele um livro de piedade. O velhinho parecia cochilar. Mas, de repente, interrompeu a leitura: "Irmão, quem é o autor desse livro tão belo sobre Maria?" O Irmão enfermeiro arqueou as sombrancelhas, sorriu levemente e, com uma ponta de malícia, leu: "'As Glórias de Maria', pelo ilustríssimo Dom Afonso de Ligório..."

Padre Afonso ficou um instante com os lábios entreabertos, ligeiramente desconcertado, e acabou dizendo: "Meu Deus, eu vos agradeço o terdes me inspirado essa obra em honra de vossa Mãe Santíssima. Como é bom, às portas da eternidade, poder pensar que fiz alguma coisa para semear nos corações a devoção a Maria!"

Foi muito tempo antes, em 1734, que o livro começou a germinar no coração de Afonso. Naquele tempo, ele ainda era um padre moço, na força de seus 38 anos. Havia dois anos tinha reunido um grupo de missionários, padres e leigos, para a evangelização dos mais abandonados, principalmente dos mais pobres. Naquela ocasião estava tentando fundar uma nova residência que, ao mesmo tempo, possibilitasse a convivência com os moradores das regiões rurais e fosse um ponto de partida para atingir outros povoados. Para isso tinha escolhido "Villa degli Schiavi" (Vila dos Escravos), um povoado sem nenhuma importância e que hoje ainda não é maior do que naquele tempo. Nada mais do que um punhado de casas, no alto de uma colina, em torno de uma pequena igreja. Isso era "Villa". O outro núcleo, "Schiavi", ficava a mais ou menos um quilômetro, em torno da igreja paroquial.

Padre Afonso e seus companheiros estavam alojados em alguns quartos anexos ao lado esquerdo da igreja de Nossa Senhora da Anunciação. Como sempre fazia, todas as tardes de sábado o missionário pregava sobre Maria. E foi por isso que, conforme conta a tradição, na pequena sacristia começaram os estudos e as pesquisas que iriam estender-se por uns quinze anos. Estudos que levariam Afonso a ler praticamente tudo quanto fora escrito sobre Maria, desde a Bíblia, passando pelos Santos Padres da Igreja, pelos grandes teólogos, até os autores mais recentes. Trabalho imenso, realizado nos poucos dias que mediavam entre uma missão e outra, ou nas horas tardas da noite roubadas ao sono.

Havia fortes motivos para que o missionário se pusesse a escrever. Em primeiro lugar estava a sua devoção à Virgem Maria, a quem aprendera a amar desde a infância. Sentia-se também obrigado pela gratidão, pois atribuía a Maria a sua "conversão", e queria colocar à disposição dos pregadores uma obra bem-documentada que os ajudasse a instruir os fiéis. Finalmente, sentia-se na obrigação de combater as ideias e tantos que se opunham à piedade popular para com a mãe de Deus.

Queria escrever um livro de piedade que fosse atraente, sedutor, mas que também estivesse baseado numa sólida teologia.

O livro foi nascendo aos poucos, cuidadosamente estruturado, escrito ao mesmo tempo com a mente e o coração. Numa primeira parte seria apresentado um comentário sobre a "Salve-Rainha". Na segunda, ele haveria de escrever sobre as principais festas de Maria, suas dores, suas virtudes e também sobre as principais práticas de devoções para com ela. Seria um livro tecido quase como uma grinalda, onde as reflexões do autor fossem entrelaçando-se com as passagens mais belas da Sagrada Escritura, dos santos e dos teólogos. Um livro que fosse envolvendo o leitor, para que ele aos poucos fizesse seus os pensamentos e os afetos do autor. Um livro em que as reflexões se transformassem em orações. Um livro que falasse uma linguagem acessível ao povo, usando as comparações e os exemplos vividos que tornassem a doutrina bem concreta. Para sua Rainha, Afonso queria um livro simples e belo. Quando, depois de quase quinze anos, o original estava pronto, ali estavam citados uns 170 autores antigos e contemporâneos. Com um floreio, o autor escreveu na primeira página: "AS GLÓRIAS DE MARIA".

Em fins de 1749, Pe. Afonso começou a tratar da publicação de seu livro. A primeira dificuldade foi vencer a barreira da censura. Dupla censura, aliás: a civil e a eclesiástica, sendo difícil dizer qual a mais meticulosa e exigente. E o caso era mais quente em se tratando de um livro sobre Nossa Senhora. Em 1747, na sequência de um debate que se arrastava havia muito tempo, tinha sido publicado o livro de Luis Antônio Muratori "A Devoção bem-ordenada". Apesar de autor muito respeitado por sua erudição e piedade, Muratori despertou violenta polêmica na imprensa, nos púlpitos e até nas ruas. Polêmica não arrefecida mesmo depois de sua morte, em janeiro de 1750. Acontece que a obra de Dom Afonso se opunha às ideias de Muratori em vários pontos, principalmente no tocante à Imaculada Conceição e à Mediação de Maria. Era natural que os censores, civis e eclesiásticos, duvidassem quanto à oportunidade de lançar mais lenha à fogueira. Essa era a dúvida principalmente do censor eclesiástico, já enfarado de tanta discussão. Afonso levou uns oito meses para escapar da tesoura desse censor e conseguir que a decisão fosse confiada a outro mais confiável.

Finalmente a obra pôde ser mandada para o editor. No começo de outubro de 1750 apareceu a primeira edição das "GLÓRIAS DE MARIA" em dois pequenos volumes, formato quase de bolso, um com 360 páginas e o outro com 408. Numa carta Afonso escreveu ao Cônego Fontana, no dia 12 de outubro: "Mando-lhe minha obra sobre Nossa Senhora. Finalmente esse pobre livro, tão combatido, foi publicado depois de muitos dissabores. E depois também de tantos anos de trabalho para condensar a matéria".

Até que as polêmicas acabaram favorecendo a difusão das "GLÓRIAS DE MARIA", despertando interesse até mesmo fora da Itália. Em 1758 Afonso escrevia ao editor Remondini, de Veneza: "Muito me admira que ainda não tenha impresso o livro sobre a Virgem... Aqui em Nápoles já foi reeditado várias vezes e geralmente agrada a todos...". E noutra carta insistia, pressionando o editor: "Peço-lhe que me diga se quer ou não imprimir o livro sobre a Virgem... Se não lhe interessa, vou cedê-lo ao editor Zatta, que está insistindo comigo. Mas não quero decidir sem sua concordância. Repito: tenho o maior interesse que, para a glória de Cristo, essas obras (as *Glórias* e as *Visitas*) sejam impressas. Garanto-lhe que terão muita aceitação e muita saída".

E o Pe. Afonso não estava exagerando; o futuro confirmou plenamente suas previsões. Ainda durante sua vida, as "GLÓRIAS DE MARIA" tiveram 16 edições na Itália, uma na Alemanha (1772) e uma na Espanha (1773). Até 1952 houve 111 edições italianas, 82 alemãs, 36 inglesas, 60 espanholas, 328 francesas, 64 holandesas e 80 em outras línguas. Setecentos e sessenta e uma edições: sem dúvida um sucesso que pode encher de inveja a maioria dos autores!

Também no Brasil não faltaram edições das "GLÓRIAS DE MARIA". Pelo que sei, a primeira edição foi publicada em 1907 (H. Garnier, Livreiro-Editor, Rio de Janeiro e Paris), em dois pequenos volumes encadernados (9 x 14,5) sem nome do tradutor. Deve ter havido uma ou outras edições portuguesas antes, porque nessa edição de 1907 consta: "Nova tradução conforme ao texto italiano". Em 1935 a Editora Vozes publicou uma nova tradução, feita pelo Pe. Geraldo Pires de Sousa, C.Ss.R., conforme à edição crítica de Krebs e Litz. A sexta edição, e parece que também a última, foi publicada pela Vozes em 1964.

Concluindo seu livro, Afonso assim dizia a Maria: "Agora posso dizer que morro contente, por deixar na terra este meu livro que continuará a louvar-vos e a pregar o vosso amor, como tenho sempre procurado fazer durante estes anos que têm seguido a minha conversão, que por meio de vós alcancei de Deus, ó Maria Imaculada. Eu vos encomendo todos os que vos amam, especialmente aqueles que lerem este meu livro, e mais particularmente aqueles que tiverem a caridade de encomendar-me a vós..."

Afonso de Ligório morreu há mais de 200 anos, mas através das "GLÓRIAS DE MARIA" sua voz ainda continua cantando a Mãe do Cristo.

Fl. Castro, C.Ss.R.

No ano de 1987 celebrou-se o bicentenário da morte de Santo Afonso Maria de Ligório (27 de setembro de 1696 – 1º de agosto de 1787), Doutor da Igreja e Fundador da Congregação dos Missionários Redentoristas.

Prestando homenagem filial, a Província Redentorista de São Paulo e a Editora Santuário reeditam as "GLÓRIAS DE MARIA", uma das obras mais conhecidas do santo doutor. Um livro que, em 237 anos, teve 800 edições, ainda que marcado pelo tempo, não precisa de justificativas para ser reeditado.

A presente tradução foi feita, em 1933, pelo missionário redentorista Pe. Geraldo Pires de Sousa (1895-1969), para a Editora Vozes, que graciosamente cedeu os direitos. O texto foi integralmente reproduzido, feitas apenas as necessárias adaptações ortográficas.

Acrescentamos no final uma seleção de textos e orações que poderão servir para dois meses marianos.

Os Editores

PREFÁCIO DO TRADUTOR

Ao benévolo leitor, servo da Mãe de Deus, vamos apresentar em frases sucintas:

1. *O autor do livro*
O autor do livro que o leitor tem em mãos chama-se Afonso Maria de Ligório. Afonso foi um grande Santo, foi um zeloso missionário, foi um abençoado fundador, foi um fecundíssimo escritor. Deixou exemplos de virtude, deixou normas para a Congregação religiosa que fundara, deixou uma centena de livros, e ainda hoje deixa abrasados os corações de quantos lhe percorrem os escritos.

Em vida, a Igreja o honrou, elevando-o à dignidade episcopal. Morto, elevou-o aos altares, deu-lhe a auréola do Doutor zelosíssimo, aprovou-lhe os escritos, depois de percorrê-los cuidadosamente.

Os Papas o distinguiram, chamando-o coluna do templo, estrela nas nebulosas do erro, mestre em Israel.

2. *O valor do livro*
Com as "Glórias de Maria" ergueu Afonso um perene monumento de seu terno e vivíssimo amor à Mãe de Deus. Em 1750 aparecia o livro pela primeira vez, dando começo à sua

tarefa: orientar, avivar, popularizar a devoção à Mãe de Deus no meio do povo fiel.

Em pouco tempo o livro alcançava onze edições. O próprio Santo corrigiu ainda a última edição, da qual temos a ventura de possuir um exemplar.

Hoje está o livro traduzido em todas as línguas cultas, vive espalhado pelo mundo afora.

Especialmente das "Glórias de Maria" vale a observação feita pelo Papa Bento XV: é um livro perene. Tem a perenidade do borbulhar das fontes, do frescor de suas águas. Não passam, como outros, os livros de S. Afonso. Grandes e pequenos, simples e instruídos o apreciam sempre.

Já velho e alquebrado, pediu uma vez o Santo que lhe fizessem a leitura de um livro piedoso. O Irmão que o assistia pôs-se a ler as "Glórias de Maria". Interrompeu-o de repente o Santo com a pergunta: Mas quem terá escrito coisas tão belas sobre a Mãe de Deus? – Leu-lhe o Irmão o nome do autor: Afonso Maria de Ligório. Ferido na sua modéstia, Afonso tratou de outro assunto.

3. *O estilo do livro*

O livro de S. Afonso é riquíssimo em citações. É com palavras de outros que descreve a grande misericórdia, o extraordinário poder de Maria. Como ele mesmo confessa, passou *dez anos* colhendo citações nos livros de numerosos autores, tirando deles os trechos mais belos, mais tocantes, mais convincentes sobre a Mãe de Deus.

Formou assim um colar de pérolas que se estende pelas páginas afora da obra. Reuniu as vozes dos Santos

Padres, dispersas pelos escritos, e delas fez uma sinfonia em honra da Virgem. S. Afonso vive bateando no caudal da Tradição e por isso há tanto ouro nas citações que faz. Cita com agudez de juízo e com fineza de inteligência. Recolhe, mas como operosa abelha, e apresenta-nos favos saborosos.

O estilo de S. Afonso tem mais uma particularidade. É simples, belo, humilde. O sábio teólogo, o afamado advogado, o admirável pregador, estão ocultos na modéstia da frase. O santo, nota-se, a cada passo esconde a luz da sua inteligência sob a repetição de frases simples.

Por isso, também seu estilo fala ao coração. É cordial, é recordativo de toda a pessoa do Santo. Afonso repete-se, repete sentenças sobre o poder, sobre a misericórdia de Maria. Que fazer? Nisso está o "tema iterativo" do seu hino em honra da excelsa Mãe de Deus.

4. *As Revelações no livro*

São frequentes no presente livro as referências a Revelações. Que pensar sobre tais Revelações? Tais Revelações feitas por Deus mesmo, ou por meio de anjos e santos, *são possíveis, são reais, e sempre existiram na Igreja.* Pertencem à categoria das graças extraordinárias de Deus.

Ao contrário da graça santificante destina-se, primeiramente, para o bem de outros. Como o Espírito Santo iluminou os profetas e os primeiros cristãos antigamente, também hoje ilumina a quem quer.

Vejamos, entretanto, umas diferenças, que devem ser bem acentuadas.

Há uma diferença essencial entre a Revelação relatada na Escritura Sagrada e na Tradição e as revelações particulares.

A primeira, terminando com a pregação de Jesus Cristo e dos apóstolos, encerra a doutrina da fé, tal como o magistério da Igreja a ensina e a conserva. São revelações feitas pelo Espírito Santo, que também cuidou para que fossem escritas e guardadas sem erro.

As Revelações privadas não pertencem ao depósito da fé, de cuja conservação, explicação, pregação se acha encarregada a Igreja Católica. Por isso nunca anunciam um novo dogma para a Igreja universal, e jamais podem ser objeto da fé católica, isto é, não podem impor sua aceitação *a todos os fiéis*. Apenas formam "objeto de uma fé humana", de acordo com as normas da prudência que as tornam prováveis, piedosas, críveis. Por isso não servem para provas em questões de fé e de moral.

Tais Revelações podem ser objeto de fé divina *para quem as recebe*, caso tal pessoa esteja *convicta* de sua *divina origem*.

Além disso, não se destinam à orientação do magistério da Igreja, embora lhe possam servir de estímulo, mas orientam e edificam a pessoas particulares.

Os escritores dos Livros da Sagrada Escritura foram assistidos pelo Espírito Santo, para que ouvissem, comunicassem e escrevessem acertadamente as revelações que lhes eram feitas.

De igual assistência não gozam as pessoas que recebem revelações particulares. Em nenhuma delas, portanto, está excluída a *possibilidade de erro*.

Quando a Igreja as aprova, não lhes garante com isso a origem divina; apenas declara que nelas não se encontra algo em oposição à doutrina da fé, às normas da moral cristã; que são edificantes e podem ser lidas com proveito para a alma.

Portanto, nessas Revelações são possíveis pequenos erros, desacertos, afirmações discrepantes sobre certos pontos, que até então não tinham sido esclarecidos e sobre os quais só mais tarde a Igreja se pronunciou.

A estas Revelações devemos prestar respeito, de acordo com os motivos externos e internos em que se apoiam. O papa Bento XIV escreve o seguinte:

"Nas Revelações particulares, ainda que aprovadas pela Igreja, não se deve crer do mesmo modo como se crê nas verdades reveladas por Deus. Elas podem ser aceitas com uma fé humana. Pode cada um, sem dano para sua fé, livremente aceitar ou rejeitá-las, contanto que não ultrapasse os limites da modéstia e conveniência, e se acautele de desprezá-las".

Acatadíssimas eram no tempo de S. Afonso as Revelações de eras antigas. As passagens referentes à Santíssima Virgem demonstram claramente a grande estima e veneração que lhe consagravam as almas piedosas. Entretanto o próprio S. Afonso afirma "que todas as revelações e visões de pessoas piedosas não impressionam tanto às almas, como uma só palavra dos Livros Sagrados". Referem-se essas palavras às Revelações que não foram ainda examinadas pela Igreja.

As Revelações de S. Hildegardis († 1179) foram em parte aprovadas pelo Papa Eugênio III; as de S. Gertrudes († 1302), por Inocêncio IX; as de S. Brígida de Suécia († 1373), por Bonifácio IX; as de Santa Catarina de Sena († 1380), por Gregório XI. As Revelações da Venerável Maria de Ágreda († 1665) são de leitura permitida pela Igreja, mas não foram ainda aprovadas. Muitos são, entretanto, os bispos e teólogos que as louvam e recomendam.

5. *Os exemplos no livro*

Os exemplos citados por S. Afonso, na última edição que reviu, foram em parte modificados na presente publicação. Vários deles não puderam vencer uma crítica mais severa, já que provinham de fontes de dúbio valor histórico.

Substituímo-los por outros, plausíveis e pios, genuinamente afonsinos. Tiramo-los da coleção mencionada pelo Santo Escritor.

Querem muitos censurar S. Afonso por ter sido muito crédulo e pouco cauteloso em procurar fontes para citações. Mas é uma injustiça tal censura.

S. Afonso era de índole severa em referir fatos históricos. Basta ler o que escreve no livro "Triunfos dos Mártires": "Ninguém se admire de aqui não encontrar todas as circunstâncias que vêm referidas por outros autores. Quis referir tão somente aqueles fatos que são certíssimos e que procedem de escritores dignos de confiança. Por isso omiti vários fatos que, embora não os considere falsos, se me antolham como duvidosos porque procedem de atas suspeitas e incertas... Quando um escritor não é geralmente considerado como inverossímil e exagerado, mas é tido como consciencioso, douto e criterioso, não é justo rejeitar-lhe os fatos que então refere". Estas palavras do Santo nos mostram seu cuidado nas citações, seus escrúpulos de escritor. Não são próprias de um espírito de credulidade infantil.

Quanto ao valor crítico das fontes citadas, está S. Afonso isento de censura também. Ele tira seus exemplos das obras que naquele tempo estavam em alto conceito nos círculos científicos. Eram coleções de Tritêmio, Súrio, particularmente dos jesuítas Canísio, Nieremberg, Patrignani, Auriema, Rho, Nadasi, Engelgrave etc. Se esses autores se enganaram na citação ou na apreciação de suas fontes, não incorre por isso numa culpa S. Afonso, que tinha o direito de apoiar-se nesses homens, tidos e havidos por doutos e criteriosos.

Naqueles tempos a crítica histórica não falava como hoje em tom de oráculo. Não estava tão desenvolvida como hoje, circunstância que os escritores de amanhã poderão anotar sobre nós que escrevemos presentemente.

Se tal fora o progresso, certamente S. Afonso lhe daria atentos ouvidos, como sábio de nomeada que era. Deixaria muitos exemplos que transcreveu de outros, após um exame possível e prudente para os tempos de então.

6. *Nossa tradução*

O presente trabalho apoia-se na edição crítica dos Padres Krebs e Litz. Deles provém a subdivisão dos parágrafos em vários pontos, o que facilita a leitura e a meditação.

Livremente citamos as observações e notas que fazem em vários lugares, bem como o que ficou exposto sobre as Revelações e exemplos do livro. Nosso intuito era oferecer uma edição popular. Omitimos por isso as citações em latim, a indicação das fontes nas citações dos Santos Padres. Para os interessados no assunto, não faltam os meios de encontrar o que desejam.

A presente tradução sai como lembrança do segundo centenário da fundação da Congregação do Santíssimo Redentor.

Que S. Afonso cumpra a fio as belas promessas que faz a quantos lerem as piedosas páginas de seu precioso livro!

O Tradutor

Araraquara, Estado de São Paulo,
2 de fevereiro de 1933.

NOTA DOS AUTORES

Para o estudo aprofundado das questões referentes ao estabelecimento do texto crítico, às fontes usadas, às citações, aos exemplos, confira-se: S. ALFONSO M. DE LIGUORI, *OPERE ASCETICHE, Introduzione Generale,* a cura di O. GREGORIO, G. CACCIATORE e D. CAPONE.

PROTESTAÇÃO DO AUTOR

Obedecendo ao decreto de Urbano VIII, de santa memória, protesto que os milagres, revelações, graças e exemplos referidos neste livro, assim como os títulos de Santo ou Bem-aventurados dados a servos de Deus ainda não canonizados, só têm uma autoridade meramente humana. É esta a minha intenção, exceto no que já tem sido confirmado pela Santa Igreja Católica Romana, e pela Santa Sé Apostólica, da qual me declaro filho obediente; por isso, submeto a seu juízo minha pessoa e tudo o que vem em meu livro.

PRECE DO AUTOR A JESUS E A MARIA

Ó amantíssimo Redentor e Senhor meu, Jesus Cristo, eu, vosso miserável servo, sei quanto vos agrada quem procura glorificar vossa Mãe Santíssima, que tanto amais e tanto desejais ver amada e honrada por todos. Por isso resolvi publicar este meu livro que fala de suas glórias.

Não sei, portanto, a quem melhor recomendá-lo do que a vós que tanto prezais a glória desta Mãe. Por conseguinte vo-lo recomendo e dedico. Aceitai este insignificante tributo de meu amor para convosco e vossa Mãe querida. Protegei-o; a quantos o lerem enchei com a luz de confiança, inflamai-os nas chamas do amor para com essa Virgem Imaculada, por vós colocada como esperança e refúgio de todos os remidos.

Em recompensa dos meus débeis esforços, concedei-me, imploro-vos, aquele amor a Maria que eu desejo ver ateado, por meio deste pequeno livro, em todos os meus leitores.

Dirijo-me também a vós, ó Maria, minha Mãe dulcíssima e Senhora. Sabeis que, depois de Jesus, em vós tenho colocado toda a esperança de minha eterna salvação. Reconheço e confesso que toda a minha ventura, minha conversão, minha vocação para deixar o mundo e as demais graças de Deus recebidas, tudo me tem sido dado por vossa mediação.

Bem sabeis quanto tenho buscado exaltar-vos sempre e em toda parte, em público e em particular, a todos insinuando a doce e salutar devoção para convosco. E tudo isso no empenho de ver-vos amada pelo mundo inteiro, como o mereceis. Assim procedo para também de algum modo mostrar meu agradecimento pelos insignes benefícios que a mim tendes dispensado.

Espero continuar a fazê-lo até ao último suspiro de minha vida. Minha idade avançada, minha saúde enfraquecida advertem-me, entretanto, que anda perto a minha entrada na eternidade. Pensei por isso em deixar ao mundo este livro, antes da minha morte, que não demora. Em meu lugar continuará ele a exaltar-vos, animando também os outros na celebração de vossa glória e da grande misericórdia que usais para com os vossos servos.

Ó minha caríssima Rainha, espero que esta minha oferta – inferior embora ao vosso merecimento – seja benignamente acolhida por vosso sempre grato coração, sendo, como é, um obséquio de amor.

Estendei, portanto, essa tão benigna mão que me libertou do mundo e do inferno. Aceitai esse livro e protegei-o como propriedade vossa. Mas ficai ciente de que por este pequeno obséquio exijo uma recompensa: a de amar-vos doravante mais do que pelo passado, e que cada um daqueles, em cujas mãos for parar este livro, fique abrasado no vosso amor. Que nele de repente se aumente o desejo de amar-vos e de amada vos ver por todo o mundo. Que de todo coração se ocupe em espalhar e promover vossos louvores e a confiança em vossa poderosíssima intercessão. Amém. Assim espero. Assim seja.

Vosso amantíssimo, embora indigníssimo servo,

Afonso de Liguori
Da Congregação do Santíssimo Redentor

ADVERTÊNCIA AO LEITOR

Para poupar ao presente trabalho a censura de uma crítica exagerada, julgo de utilidade esclarecer algumas proposições que nele se acham.

Poderiam elas parecer a muitos como temerárias ou obscuras. Aqui aponto algumas. Se o leitor encontrar outras semelhantes, peço-lhe acreditar que foram emitidas e hão de ser interpretadas de acordo com uma verdadeira e sólida teologia, e segundo a Santa Igreja Católica Romana, cujo filho obedientíssimo protesto ser.

Na introdução, referindo-me ao capítulo quinto, disse que Deus quer que pelas mãos de Maria nos cheguem todas as graças. Ora, essa verdade é muito consoladora para as almas, ternamente afeiçoadas à Santíssima Virgem, e para os pecadores desejosos da conversão. A ninguém isso pareça contrário à sã teologia. Pois, S. Agostinho, autor dessa proposição, estabelece como sentença, geralmente aceita, que Maria tem cooperado por sua caridade para o nascimento espiritual de todos os membros da Igreja. E um afamado autor, nada suspeito como exagerado ou como inclinado à falsa devoção, acrescenta: "Como foi propriamente no Calvário que Jesus Cristo formou sua Igreja, claro está que a Santíssima Virgem cooperou de um modo excelente e singular nessa formação. Por isso dizer se pode que Maria, sem padecer dores, deu à luz Jesus Cristo, cabeça da Igreja. Mas não lhe aconteceu o mesmo com o corpo místico dessa cabeça, isto é, com os fiéis. No Calvário começou, portanto, de um modo particular, a ser Mãe de toda a Igreja". Em poucas palavras, Deus, para glorificar a Mãe do Redentor, determinou e dispôs que, em sua grande caridade, ela intercederia em favor daqueles por quem seu divino Filho satisfez e ofereceu o preço superabundante de seu precioso sangue, "no qual unicamente está nossa salvação, vida e ressurreição". Baseado nesta doutrina e em outras mais que com ela concordam, estabeleci eu minhas proposições, e os Santos enunciaram-nas sem hesitação em seus afetuosos colóquios e inflamados discursos em honra de Maria. Assim escreve um antigo autor, citado pelo célebre Contenson: A plenitude da graça estava em Cristo como sendo nossa cabeça; estava em Maria por ser ela medianeira entre Cristo e nós, tal como o pescoço transmite ao corpo a vida que vem da cabeça.[1] O mesmo encontramos claramente ensinado pelo autor angélico, S. Tomás. Eis como ele resume tudo: "A Santíssima Virgem é chamada cheia de graça em tríplice sentido... Terceiro, porque

---

[1] De modo semelhante têm falado vários Papas, especialmente nos últimos séculos. Leão XIII, na encíclica dirigida a todos os Bispos, aos 22 de setembro de 1892, tratando do Santo Rosário, enuncia a seguinte doutrina: Do imenso tesouro de graças que o Senhor nos trouxe – a graça e a verdade nos foram dadas por Jesus Cristo (Jo 1,17) – pode-se realmente dizer que, segundo a vontade de Deus, nada nos é concedido senão por Maria. Como ao Pai celeste só chegamos por meio do Filho, assim, semelhantemente, só por meio de Maria chegamos ao Filho – (nota um escritor que a citada encíclica do Papa outra coisa não é do que um resumo das "Glórias de Maria").

comunica a todos os homens a graça. Já é grandeza possuir um santo tanta graça que possa reparti-la com muitos; se a tivesse, porém, tão grande que pudesse distribuí-la ao mundo inteiro, seria coisa extraordinária. Mas este é o caso de Cristo e sua bendita Mãe. Pois em todo perigo podemos obter salvação por meio da gloriosa Virgem Maria. Dela por conseguinte valem as palavras: Mil escudos, isto é, meios de defesa nos perigos, ela oferece (Ct 4,4). Igualmente podemos tê-la como auxiliar em toda e qualquer prática da virtude, pois está escrito: Em mim está a esperança da vida e da virtude (Eclo 24,25)".

INTRODUÇÃO QUE MUITO IMPORTA LER

Caro leitor e irmão em Maria Santíssima! – A devoção que me incita a escrever e te leva a ler este livro faz a nós ambos ditosos filhos desta boa Mãe. Talvez ouças alguém dizer que é inútil este meu trabalho. Pois já não existem tantos livros, célebres e doutos, sobre o mesmo assunto? Responde-lhe, peço-te, com estas palavras do Abade Franco: O louvor de Maria é um tão abundante manancial que quanto mais se escoa, mais aumenta, e quanto mais aumenta mais se escoa (Biblioteca dos Padres). Em outras palavras: Esta Virgem é tão grande e sublime, que, quanto mais a louvamos, mais nos resta a louvar. Tanto é isso verdade, que – diz S. Agostinho – todas as línguas dos homens não bastariam para exaltá-la, ainda que eles só línguas tivessem no corpo.

Eu mesmo tenho examinado muitos livros, grandes e pequenos, que tratam das glórias de Maria. Mas, por considerá-los, ou raros ou volumosos, ou menos correspondentes à minha intenção, apliquei-me em compor este trabalho. Em breve compilação tirei de todos os autores, ao meu alcance, as mais belas e edificantes sentenças dos Santos Padres e dos teólogos. Quero com isso facilitar aos fiéis, com pouca fadiga e despesa, a posse de um livro cuja leitura os abrase no amor de Maria.

Especialmente há de oferecer aos sacerdotes material conveniente para suas pregações sobre a Mãe de Deus.

No mundo é uso dos que se amam falar muitas vezes e tecer frequentemente o panegírico da pessoa amada. Pois querem vê-la louvada e aplaudida por todos. Bem mesquinho é, portanto, o amor daqueles que se gabam de amar a Maria e não obstante mal se lembram de falar dela muitas vezes, e tão pouco procuram torná-la amada por outros. Os verdadeiros servos desta amabilíssima Senhora não procedem assim. Preferem celebrá-la por toda parte e vê-la amada pelo mundo inteiro. Quer em público, quer em particular, procuram sempre atear nos corações as abençoadas chamas de que eles mesmos se sentem abrasados para com sua querida Rainha.

A propagação da devoção a Maria Santíssima é de muita importância para cada um de nós e para o povo. Convencer-nos-ão dessa verdade as palavras de sábios e acatados doutores. É recomendável ouvi-las. Na frase de S. Boaventura,*[1] têm o paraíso seguro todos os que anunciam as glórias de Maria. E isso confirma Ricardo de S. Lourenço, dizendo: Venerar a Rainha dos anjos é adquirir a vida eterna; pois essa gratíssima Senhora saberá honrar na outra vida quem nesta a procurou celebrar. Quem haverá que desconheça a promessa feita, pela própria Virgem, a quantos se empenham em torná-la conhecida e amada neste mundo? Possuirão a vida os que me esclarecem (Eclo 24,31), – eis as palavras que lhe aplica a Santa Igreja na festividade de sua Imaculada Conceição. Exulta, minha alma

---

[1] Assinalaremos com este sinal um autor que não é São Boaventura (Nota do tradutor).

– exclama S. Boaventura*, o solícito cantor dos louvores de Maria – exulta e alegra-te em Maria, porque muita ventura está prometida aos que a louvarem. E já que as Sagradas Escrituras, ajunta ele, cantam os louvores de Maria, empenhemo-nos também nós em louvar sempre a Mãe de Deus, com a língua e com o coração, para que por ela sejamos um dia introduzidos na mansão dos bem-aventurados.

Lemos nas revelações de S. Brígida que o Beato Hemingo, bispo, costumava celebrar os louvores de Maria no começo de cada sermão. Um dia, apareceu, pois, a Santíssima Virgem, à referida Santa e disse-lhe: Faz ciente ao Bispo, que sempre começa os sermões por meus louvores, de que lhe quero servir de Mãe e apresentarei sua alma a Deus, depois da boa morte que lhe alcançarei. De fato, o bispo morreu como um Santo, orando na mais celeste paz. A um religioso dominicano, cujos sermões terminavam sempre com Maria, apareceu a Virgem na hora da morte, defendeu-o contra os demônios, confortou e consigo levou-lhe a alma ao céu. O devoto Tomás de Kempis representa Maria Santíssima assim encomendando a seu Filho quantos lhe publicam os louvores: Meu Filho, compadecei-vos da alma daquele por quem fostes amado e eu fui louvada!

Quanto ao proveito do povo em geral, diz Eádmero (discípulo de S. Anselmo), ser impossível que se não salvem e convertam os pecadores pelos sermões sobre a Santíssima Virgem. Para isso, estriba-se no fato de ter sido o puríssimo seio de Maria o caminho por onde passou a salvação dos pecadores. Provarei no capítulo V que todas as graças são dispensadas pelas mãos de Maria, e que todos os eleitos só se salvam pela mediação dessa divina mãe. E se esta sentença tem a verdade por si, tal é minha firme convicção, dizer então se pode, como necessária consequência, que, da pregação sobre Maria e sobre a confiança em sua intercessão, depende a salvação de todos. Foi assim, todos o sabem, que S. Bernardino de Sena santificou a Itália e que S. Domingos converteu tantas províncias. Em seus sermões, nunca S. Luís Beltrão deixava de exortar os fiéis à devoção para com Nossa Senhora. Assim praticaram igualmente muitos outros.

Li que também o Padre Paulo Ségneri Júnior, afamado missionário, fazia em todas as suas missões um sermão em honra de Maria. Dava-lhe o nome de "sermão predileto". Jamais omitir o sermão sobre Nossa Senhora é igualmente uma regra impreterível em nossas missões. E podemos atestar, com toda a verdade, que nada opera tanto proveito e compunção do povo, como o sermão sobre a misericórdia de Maria. Digo, sobre a *misericórdia de Maria*. Pois louvamos, S. Bernardo, sua humildade, admiramos sua virgindade, mas, sendo pobres pecadores, o que mais nos deleita é ouvir falar de sua misericórdia. A esta apegamo-nos com mais ternura, mais vezes a recordamos e invocamo-la com mais frequência. A outros autores remeto o cuidado de escrever sobre as demais prerrogativas de Maria. Neste livrinho, quero falar principalmente de sua grande misericórdia e poderosa intercessão. Nesse sentido, tenho escolhido, durante muitos anos, tudo quanto os Santos Padres e os mais célebres autores têm dito sobre a bondade e o poder da mãe de Deus.

Ora, nós temos a bela oração *Salve-Rainha*, que a Igreja aprovou e impôs durante a maior parte do ano a todo clero secular e regular. Maravilhosamente nela estão descritos o poder e a misericórdia da Santíssima Virgem. Resolvi, por isso, explicar em vários capítulos essa devota antífona. Em seguida, apresento algumas leituras sobre as principais festas e virtudes de nossa divina Mãe. Julgo fazer com isso uma coisa agradável aos seus fiéis servos. Finalmente, enumero as práticas de devoções mais usadas e mais recomendadas pela Igreja.

Devoto leitor, se este trabalho te agradar, como espero, peço-te que me recomendes à Santíssima Virgem, para que ela me dê uma grande confiança em sua proteção. Suplica-me essa graça! Eu, por minha vez, prometo pedi-la a cada um que me fizer essa caridade.

Feliz aquele que se abraça amorosa e confiadamente a essas duas âncoras de salvação: Jesus e Maria! Não perecerá eternamente. Digamos, pois, devoto leitor, do fundo de nosso coração, como o Beato Afonso Rodríguez: Jesus e Maria, doces objetos do meu amor, por vós quero sofrer, por vós morrer; fazei que eu deixe de pertencer-me para ser todo vosso. – Amemos a Jesus e Maria, e santifiquemo-nos. Eis a maior fortuna a que podemos aspirar e esperar. Adeus! Até a vista no paraíso, aos pés dessa Mãe suavíssima e desse Filho muito amado. Juntos haveremos então de louvá-los e, de agradecer-lhes, de amá-los, face a face, por toda a eternidade. Assim seja.

ORAÇÃO A NOSSA SENHORA PARA OBTER UMA BOA MORTE

Ó Maria, doce refúgio dos pobres pecadores, quando soar para minha alma a hora de sair deste mundo, vinde em meu socorro com vossa misericórdia, ó Mãe cheia de doçura. Fazei-o pelas dores que sentistes ao pé da cruz na qual morria vosso Filho. Afastai então de mim o infernal inimigo, e vinde receber minha alma e apresentá-la ao eterno Juiz.

Ó minha Rainha, não me desampareis. Vós haveis de ser, depois de Jesus, meu conforto neste terrível momento. Obtende-me da bondade de vosso Filho a graça de morrer eu abraçado a vossos pés e de exalar minha alma dentro de suas sacratíssimas chagas, dizendo: Jesus e Maria, eu vos dou o meu coração e a minha alma.

PARTE I

EXPLICAÇÃO DA SALVE-RAINHA

AS ABUNDANTES E NUMEROSAS GRAÇAS DISPENSADAS PELA MÃE DE DEUS AOS QUE A SERVEM DEVOTAMENTE

Esta bela e graciosa oração da Salve-Rainha, por alguns atribuída ao Bispo Ademar de Puy († 1098), tem por autor a Hermano Contracto († 1054), monge beneditino do convento de Reichenau, no lago de Constança. Dele temos também certamente a admirável melodia. Já os primeiros Cruzados cantaram-na em 1099, o que mostra que o povo também a conhecia. Durante os séculos XII e XIII, mais e mais se espalhou o costume de cantá-la logo após as Completas. Assim faziam os Cistercienses desde 1218 e os Dominicanos desde 1226. Em 1239 o Papa Gregório IX introduziu esse cântico nas Igrejas de Roma. Encaminhavam-se os monges, de velas acesas, para um altar lateral e aí o entoavam. No começo, o hino dizia: Salve, Rainha de Misericórdia. No século XVI, introduziu-se-lhe a palavra *mãe*. Desde então se lê no Breviário romano: Salve, Rainha, mãe de misericórdia (Nota do tradutor).

CAPÍTULO I

SALVE, RAINHA, MÃE DE MISERICÓRDIA

I. Nossa confiança em Maria deve ser ilimitada porque ela é Rainha de Misericórdia

1. *Maria é Rainha*

Tendo sido a Santíssima Virgem elevada à dignidade de Mãe de Deus, com justa razão a Santa Igreja a honra, e quer que de todos seja honrada com o título glorioso de Rainha. Se o Filho é Rei, diz Pseudo-Atanásio, justamente a Mãe deve considerar-se e chamar-se Rainha. Desde o momento em que Maria aceitou ser Mãe do Verbo Eterno, diz S. Bernardino de Sena, mereceu tornar--se Rainha do mundo e de todas as criaturas. Se a carne de Maria, conclui Arnoldo, abade, não foi diversa da de Jesus, como, pois, da monarquia do Filho pode ser separada a Mãe? Por isso deve julgar-se que a glória do reino não só é comum entre a Mãe e o Filho, mas também que é a mesma para ambos.

Se Jesus é Rei do universo, do universo também é Maria Rainha, escreve Roberto, abade. De modo que, na frase de S. Bernardino de Sena, quantas são as criaturas que servem a Deus, tantas também devem servir a Maria. Por conseguinte, estão sujeitos ao domínio de Maria os anjos, os homens e todas as coisas do céu e da terra, porque tudo está também sujeito ao império de Deus. Eis por que Guerrico abade lhe dirige estas palavras: Continuai, pois, a dominar com toda a confiança; disponde a vosso arbítrio dos bens de vosso Filho; pois, sendo

Mãe, e Esposa do Rei dos reis, pertence-vos como Rainha o reino e o domínio sobre todas as criaturas.

2. Maria é Rainha de Misericórdia

Maria é, pois, Rainha. Mas saibamos todos, para consolação nossa, que é uma Rainha cheia de doçura e de clemência, sempre inclinada a favorecer e fazer bem a nós, pobres pecadores. Quer por isso a Igreja que a saudemos nesta oração com o nome de Rainha de Misericórdia. O próprio nome de rainha, considera S. Alberto Magno,[1] denota piedade e providência para com os pobres, enquanto que o de imperatriz dá ares de severidade e rigor. A magnificência dos reis e das rainhas consiste em aliviar os desgraçados, diz Sêneca. Enquanto que os tiranos governam tendo em vista seu interesse pessoal, devem os reis procurar o bem de seus vassalos. Por isso na sagração dos reis se lhes unge a testa com óleo. É o símbolo da misericórdia e benignidade de que devem estar animados para com seus súditos.

Devem, pois, os reis principalmente empregar-se nas obras de misericórdia, mas sem omitir, quando necessária, a justiça para com os réus. Não assim Maria. Bem que seja Rainha, não é rainha de justiça, zelosa do castigo dos malfeitores. É Rainha de Misericórdia, inclinada só à piedade e ao perdão dos pecadores. Por isso quer a Igreja que expressamente lhe chamemos Rainha de Misericórdia.

Eu ouvi – diz o Salmista – estas duas coisas: que o poder é de Deus e que é vossa a misericórdia (Sl 61,12,13). Considerando o afamado chanceler de Paris, João Gerson, as palavras de Davi,

---

[1] Canonizado e declarado Doutor da Igreja, por Pio XI, em 1931.

disse: Consistindo o reino de Deus na justiça e na misericórdia, o Senhor dividiu: o reinado da justiça reservou-o para si, e o reinado da misericórdia o cedeu a Maria. E ainda o Senhor ordenou que pelas mãos de Maria passariam, e a seu arbítrio seriam conferidas todas as misericórdias dispensadas aos homens. Isto mesmo confirma um escritor no prefácio das Epístolas canônicas, escrevendo: Quando a Santíssima Virgem concebeu o Divino Verbo e deu à luz, obteve metade do reino de Deus; tornou-se Rainha de Misericórdia e Jesus ficou sendo Rei da justiça.

O Eterno Pai constituiu Jesus Cristo Rei de justiça e fê-lo, por conseguinte, Juiz universal do mundo. Vem daí a exclamação do Salmista: Dai, ó Deus, ao rei a vossa equidade, e ao filho do rei a vossa justiça (Sl 71,2). Pelo que diz um douto intérprete; Senhor, destes ao vosso Filho a justiça, porque à Mãe do rei entregastes a misericórdia. Aqui S. Boaventura tece belo comentário à citada passagem, dizendo: Dai, ó Deus, vosso juízo ao Rei e vossa misericórdia à sua Mãe. Ernesto, Arcebispo de Praga, também diz que o Eterno Pai deu ao Filho o ofício de julgar e punir, e à Mãe o ofício de socorrer e aliviar os miseráveis. Por isso profetizou o mesmo profeta Davi que o próprio Deus (por assim dizer) consagrou Maria Rainha de misericórdia, ungindo-a com óleo de alegria. "Por isso te ungiu o teu Deus com o óleo da alegria" (Sl 44,8). E isso para que todos nós, miseráveis filhos de Adão, nos alegrássemos, considerando que temos no céu esta Rainha toda cheia de unção, misericórdia e piedade para conosco, observa Conrado de Saxônia.

Muito bem aplica S. Alberto Magno a este propósito a história da rainha Ester, que foi figura de Maria, nossa Rainha. No cap. 4 do livro de Ester, lê-se que, reinando Assuero, saiu um decreto condenando à morte todos os judeus. Então, Mardoqueu, que era um dos condenados à morte, recomendou sua salvação a Ester. Pediu-lhe que interpusesse o seu valimento junto ao rei, a fim de que revogasse a sentença. Ao princípio, Ester recusou fazer este favor, temendo irritar ainda mais Assuero. Repreendeu-a Mardoqueu, mandando-lhe dizer que não pensasse só em salvar-se a si, pois o Senhor a tinha posto sobre o trono para obter a salvação de todos os judeus. "Não te persuadas de que, por isso que estás na casa do rei, salvarás tu só a vida entre todos os judeus" (Est 4,13). Essas palavras de Mardoqueu a Ester, nós, pobres pecadores, podemos repeti-las a Maria, nossa Rainha, se ela em algum tempo se recusar alcançar-nos de Deus o perdão do castigo, de nós bem merecido. Não cuideis, senhora, que Deus vos elevou a ser Rainha do mundo só para bem vosso. Se tão grande vos fez, é para que mais vos compadecêsseis, e melhor pudésseis socorrer nossas misérias.

Assuero, quando viu Ester, na sua presença, lhe perguntou com agrado o que lhe vinha pedir: Qual é o teu pedido? Respondeu-lhe a rainha: Meu rei, se em algum tempo achei graça a teus olhos, dá-me o meu povo, pelo qual te rogo (7,3). E Assuero a ouviu e atendeu, ordenando logo que se revogasse a sentença. Ora, se Assuero, por amor a Ester, lhe concedeu a salvação dos judeus, como poderá Deus, cujo amor por Maria é sem medida, deixar de ouvi-la quando pede pelos pobres pecadores, que a ela se recomendam? Se em algum tempo achei graça aos teus olhos, dá-me o meu povo – repete-lhe a Virgem Santíssima. Bem sabe a divina Mãe, que é bendita e bem-aventurada, que é a única entre as criaturas que achou a graça perdida pelos homens. Bem sabe que é a predileta de seu Senhor, por ele querida acima de todos os anjos e santos. Se me amais, Senhor, – diz-lhe então – dai-me esses pecadores pelos quais vos rogo. E é possível que o Senhor a deixe desatendida? Quem ignora o poder das preces de Maria junto de Deus? A lei da clemência está em sua língua, diz o Sábio (Pr 31,26). Toda súplica sua é como uma lei estabelecida pelo Senhor, para que se use de misericórdia com todos aqueles por quem Maria interceder. O autor dos Sermões sobre a *Salve-Rainha* indaga por que motivo a Igreja intitula Maria Santíssima Rainha de Misericórdia. E responde: Para que acreditemos que Maria abre o oceano imenso da misericórdia de Deus a quem quer, quando quer e como quer. Pelo que não há pecador, nem o maior de todos, que se perca, se Maria o protege. □

3. *Maria é Rainha de Misericórdia
   até para os mais miseráveis* *

Podemos, porventura, temer que Maria desdenhe empenhar-se pelo pecador, por vê-lo tão carregado de pecados? Ou acaso nos devem intimidar a majestade e a santidade desta grande Rainha? Não, diz o Papa S. Gregório; porque quanto ela é mais excelsa e mais santa, tanto é mais doce e mais piedosa para com os pecadores, que se querem emendar e a ela recorrem. A majestade dos reis e das rainhas causa temor e faz com que os súditos temam chegar à presença deles. Mas onde estão, pergunta S. Bernardo, os infelizes que podem ter medo de apresentar-se a esta Rainha de Misericórdia? Nela nada há de terrível e severo. É toda benigna e amável para os que a procuram. Maria não só dá quanto lhe pedimos, mas ela mesma nos oferece a todos nós leite e lã. Leite de misericórdia para animar-nos à confiança, e lã e refúgio para nos defender dos raios da justiça divina.

Narra Suetônio, do imperador Tito, que ele não sabia negar favor algum a quem lho pedia. Acontecia-lhe às vezes prometer mais do que se podia esperar. Disto advertido, respondia que o príncipe não devia deixar ir descontente nenhum daqueles que admitisse à sua presença.

Tito assim o dizia; porém, muitas vezes, ou mentia ou faltava à promessa. Nossa Rainha não pode, entretanto, mentir; pode sim alcançar quanto quiser para os seus devotos. Tão bom e compassivo lhe é o coração, que não deixa voltar de mãos vazias quem a invoca, observa Landspérgio. Mas como podereis vós, ó Maria, lhe diz S. Bernardo, deixar de socorrer os infelizes, se vós sois a Rainha de Misericórdia? E quem são os súditos da misericórdia, senão os miseráveis? Sois a Rainha da misericórdia e eu, entre os pecadores, sou o mais miserável. Logo, se eu, por ser o mais miserável, sou o maior dos vossos súditos, vós deveis ter mais cuidado de mim que de todos os outros.

Tende, pois, piedade de nós, ó Rainha de misericórdia, e cuidai em salvar-nos. Não digais, ó Virgem Santíssima, parece acrescentar S. Gregório de Nicomedia, que não vos é possível socorrer-nos, por ser grande a multidão de nossos pecados. Pois não há número de culpas que possa exceder ao vosso poder e amor. Tão grande são eles! Nada resiste ao vosso poder. Pois nosso comum Criador, honrando-vos como sua Mãe, estima como sua a vossa glória. Alegra-se o Filho com vossa glorificação e atende a vossos pedidos, como se estivera saldando uma dívida. Quer o Santo dizer: Maria deve uma obrigação infinita ao Filho por havê-la destinado para sua Mãe. Contudo, não se pode negar que também o Filho é muito obrigado a esta Mãe, por lhe ter dado o ser humano. Por isso, estando agora na sua glória como em recompensa do que deve a Maria, Jesus a honra, especialmente ouvindo sempre todos os seus rogos.

Quanta não deve ser, pois, a nossa confiança nesta Rainha, sabendo nós quanto é ela poderosa perante Deus e cheia de misericórdia para com os homens! Tão misericordiosa é Maria, que não há na terra criatura que não deixe de participar--lhe dos favores e das bondades. Assim o revelou esta mesma Virgem amabilíssima a S. Brígida. Eu sou – lhe disse – Rainha do céu e Mãe de Misericórdia; para os justos sou alegria e para os pecadores sou a porta por onde entram para Deus. Não há no mundo pecador tão perdido, que não participe de minha misericórdia; pois, por minha intercessão, todos são menos tentados do que, aliás, haviam de ser. Nenhum deles, continuou dizendo, a não ser o que de todo esteja repudiado por Deus (o que se deve entender da última e irrevogável sentença sobre os réprobos), nenhum deles é tão abandonado por Deus, que não consiga reconciliar-se com ele e conseguir misericórdia, se implora a minha intercessão. Mãe de Misericórdia me chamam todos. Em verdade, a misericórdia de Deus para com os homens me fez também tão misericordiosa para com eles. Infeliz, portanto, conclui a Virgem, infeliz será eternamente na outra vida, aquele que podendo nesta vida recorrer a mim, tão compassiva com todos, não me invoca e se perde!

Recorramos, pois, e recorramos sempre à proteção desta dulcíssima Rainha, se queremos seguramente salvar-nos. Espanta e desanima-nos a vista de nossos pecados? Lembremo-nos então de que Maria foi feita Rainha de Misericórdia, precisamente para com sua proteção salvar os maiores e mais abandonados pecadores que a ela se recomendam. Estes hão de ser a sua coroa no céu, como disse o seu divino Esposo: "Vem do Líbano, esposa minha, vem do Líbano; serás coroada das cavernas dos leões, dos montes dos leopardos" (Ct 4, 8). Quem são esses covis de feras e de monstros, senão os pecadores? Suas almas realmente transformam-se em antros de pecados que são os monstros mais disformes que se podem achar. Justamente destes miseráveis pecadores, salvos por vosso intermédio, ó grande Rainha, sereis coroada no paraíso, observa Roberto, abade. Pois a sua salvação, diz ele, será coroa vossa, coroa bem digna e própria da Rainha de Misericórdia.

A propósito do exposto aqui, leia-se o seguinte exemplo:

EXEMPLO

Lê-se na vida de sóror Catarina de S. Agostinho que havia, no lugar em que morava esta serva de Deus, uma mulher chamada Maria. A infeliz levara uma vida de pecados durante a mocidade. E já envelhecida, de tal forma se obstinara na sua perversidade, que fora expulsa pelos habitantes da cidade, e obrigada a viver numa gruta abandonada. Aí morreu finalmente, sem os sacramentos e sem a assistência de ninguém. Sepultaram-na no campo como um bruto qualquer. Sóror Catarina costumava recomendar a Deus com grande devoção as almas de todos os falecidos. Mas, ao saber da terrível morte da pobre velha, não cuidou de rezar por ela, pensando, como todos os outros, que já estivesse condenada. Eis que, passados quatro anos, em certo dia se lhe apresentou diante uma alma do purgatório, que lhe dizia: Sóror Catarina, que triste sorte é a minha! Tu encomendas a Deus as almas de todos os que morrem e só da minha alma não tens tido compaixão? – Mas quem és tu? – disse a serva de Deus. – Eu sou, – respondeu ela – aquela pobre Maria que morreu na gruta.

– E como te salvaste? – replicou sóror Catarina. – Sim, eu me salvei por misericórdia da Virgem Maria. – E como? – Quando eu me vi próxima à morte estando juntamente tão cheia de pecados e desamparada de todos, me voltei para a Mãe de Deus e lhe disse: Senhora, vós sois o refúgio dos desamparados. Aqui estou neste estado abandonada por todos. Vós sois a minha única esperança, só vós me podeis valer; tende piedade de mim. Então a Santíssima Virgem obteve-me a graça de eu poder fazer um ato de contrição; depois morri e fui salva. Além disso, esta minha Rainha alcançou-me a graça de ser abreviada minha pena por sofrimentos mais intensos, porém menos demorados. Só necessito de algumas missas para me livrar mais depressa do purgatório. Rogo-te que as faças celebrar. Em troca, prometo-te pedir sempre a Deus e à Santíssima Virgem por ti.

Sóror Catarina logo fez celebrar as missas. Depois de poucos dias lhe tornou a aparecer aquela alma mais resplandecente do que o sol e lhe disse: Agora vou para o paraíso cantar as misericórdias do Senhor e rogar por ti.

ORAÇÃO

Ó Mãe de meu Deus e Senhora minha, ó Maria, tal como se apresenta a uma excelsa soberana um pobre chagado e repugnante, me apresento eu a vós, que sois a Rainha do céu e da terra. Rogo-vos, lá do alto trono, em que estais sentada, vos digneis volver os vossos olhos para este pobre pecador. Deus vos fez tão rica, a fim de socorrerdes aos pecadores; elegeu-vos Rainha para que pudésseis aliviar os miseráveis. Olhai, pois, para mim e compadecei-vos de minha miséria. Olhai-me e não me abandoneis enquanto de pecador não me tiverdes mudado em santo. Bem sei que nada mereço. Antes por minha ingratidão mereceria ser privado de todas as graças que do Senhor recebi por vosso intermédio. Mas vós, que sois Rainha de Misericórdia, buscais de preferência misérias e não méritos para socorrer os necessitados. Ora, quem há mais necessitado e miserável do que eu?

Ó Virgem excelsa, sei que sois Rainha do universo e minha Rainha também. Quero, porém, de um modo mais especial, consagrar-me ao vosso serviço, para que disponhais de mim segundo vosso beneplácito. Exclamo, pois, com S. Boaventura: Ó minha soberana, à vossa soberania me entrego, para que domineis conforme o vosso arbítrio sobre tudo quanto tenho e sou; não me abandoneis. Governai-me, dai-me vossas ordens, de mim disponde à vossa vontade. Castigai-me, até quando for desobediente, porque muito salutares me serão os vossos castigos. Considero maior ventura ser um vosso servo que ser senhor do universo. Sou vosso; salvai-me. Aceitai-me, ó Maria, como vosso servo e cuidai da minha salvação. Já não quero pertencer-me a mim mesmo; a vós me dou. E se mal até agora vos tenho servido, deixando de honrar-vos em tantas ocasiões, quero para o futuro associar-me a vossos mais devotados servos. Sim, ó amabilíssima Rainha, de hoje em diante mais do que ninguém vos hei de amar e honrar. Assim o prometo e assim espero executá-lo com o vosso auxílio. Amém.

II. Da confiança ainda maior que devemos
 ter em Maria por ser nossa Mãe

1. *Maria é nossa Mãe espiritual*   *
Não é sem motivo e sem boa razão que os servos de Maria a chamam de Mãe. Parece até que não sabem invocá-la com outro nome, nem se fartam de sempre lhe chamar de Mãe. Sim,

Mãe, porque é verdadeiramente nossa Mãe, não carnal, mas espiritual, das nossas almas e da nossa salvação.

O pecado, quando privou a nossa alma da divina graça, a privou também da vida. Estávamos, pois, miseravelmente mortos, quando veio Jesus, nosso Redentor, com excessiva misericórdia e amor, restituir-nos a vida pela sua morte na cruz. Ele mesmo o declarou: Eu vim para elas (as ovelhas) terem a vida, e para a terem em maior abundância (Jo 10,10).

"Em maior abundância", porque, dizem os teólogos, Jesus Cristo com a redenção trouxe-nos maior bem, do que Adão mal nos causou com o seu pecado. Assim, reconciliando-nos ele com Deus, se fez Pai das almas na nova Lei da graça como já estava profetizado por Isaías ao chamá-lo de "Pai do futuro e príncipe da paz" (Is 9, 6). Mas, se Jesus é pai de nossas almas, Maria é a Mãe. Pois em nos dando Jesus, deu-nos ela a verdadeira vida. Em seguida proporcionou-nos a vida da divina graça, quando ofereceu no Calvário a vida do Filho pela nossa salvação. Em duas diferentes ocasiões tornou-se, portanto, Maria nossa Mãe espiritual, como ensinam os Santos Padres.

Primeiramente, quando mereceu conceber no seu ventre virginal o Filho de Deus, conforme diz S. Alberto Magno. E mais distintamente nos adverte S. Bernardino de Sena com as palavras: Quando a Santíssima Virgem deu à anunciação do anjo seu consentimento, pediu a Deus vigorosissimamente a nossa salvação; e de tal modo a procurou, que desde então nos trouxe nas suas entranhas como Mãe amorosíssima.

Falando do nascimento do Salvador, diz S. Lucas que Maria deu à luz o seu Filho primogênito (Lc 2,7). Logo, observa certo autor, se o evangelista afirma que então a Virgem deu à luz o primogênito, deve-se supor que depois teve outros filhos? Mas é de fé, continua o mesmo autor, que Maria não teve outros filhos carnais além de Jesus. Deve, por conseguinte, ser Mãe de filhos espirituais e esses somos todos nós. Isto mesmo revelou o Senhor a S. Gertrudes.

Depois de ler um dia a citada passagem do Evangelho, ficou a santa completamente perturbada. Não podia entender como, sendo Maria Mãe somente de Jesus Cristo, se pudesse dizer que ele foi o seu primogênito. E Deus lho explicou, dizendo-lhe que Jesus foi o seu primogênito segundo a carne, mas que os homens foram os outros filhos seus, segundo o espírito.

E com esta explicação se entende o que se diz de Maria nos Sagrados Cânticos: "O teu seio é como um monte de trigo, cercado de açucenas" (7,2). O que explica S. Ambrósio, dizendo: No seio puríssimo de Maria havia um só grãozinho de trigo, que era Jesus Cristo. Não obstante, é ele comparado a um monte de trigo, porque naquele grãozinho estavam todos os eleitos, dos quais Maria também havia de ser Mãe. Por este motivo escreve S. Guilherme, abade: Maria, dando à luz Jesus, que é nosso Salvador e nossa vida, nos fez nascer a todos nós para a vida.

Pela segunda vez Maria nos gerou para a graça, quando no Calvário ofereceu ao Eterno Pai, por entre muitos sofrimentos, a vida de seu amado Filho pela nossa salvação. Porque ela então cooperou com o seu amor para que os fiéis nascessem para a vida da graça, por isso mesmo, segundo S. Agostinho, veio a ser Mãe espiritual de todos nós, que somos membros da nossa cabeça, Jesus Cristo. Isto é precisamente o que se diz da Bem-aventurada Virgem nos Sagrados Cânticos: "Eles (meus irmãos) me puseram por guarda nas vinhas. Eu não guardei a minha vinha" (1,5). Maria, para salvar as nossas almas, sacrificou com amor a vida de seu Filho. Ou, como diz Guilherme, abade: Imolou a sua alma para a salvação de muitas almas. E quem era a alma de Maria, senão o seu Jesus, o qual era a sua vida e o seu amor? Por isso lhe anunciou Simeão que a sua alma bendita havia de ser transpassada com uma espada (Lc 2,36). Falou da lança que transpassou o lado de Jesus, que era a alma de Maria. E então ela com as suas dores nos proporcionou a vida eterna. Por isso todos podemos chamar-nos filhos das dores de Maria.

Esta nossa amorosíssima Mãe sempre esteve toda unida à vontade de Deus. Assim viu o quanto o Eterno Pai amava os homens, observa S. Boaventura; conheceu também sua vontade de entregar o próprio Filho à morte pela nossa salvação; soube do amor do Filho em querer morrer por nós. Para conformar-se com este amor do Pai e do Filho para com o gênero humano, ela também com toda a sua vontade ofereceu e consentiu que o seu Filho morresse, a fim de que fôssemos salvos.

Verdade é que Jesus quis ser o único a morrer pela redenção do gênero humano. "Eu calquei o lagar sozinho" (Is 63,3). Mas viu como Maria desejava ardentemente tomar parte na salvação dos homens. Decidiu então que ela, com o sacrifício e a oferta da vida do seu mesmo Jesus, cooperasse para nossa salvação, e deste modo viesse a ser Mãe de nossas almas. E isto quis dizer o nosso Salvador, quando, antes de expirar, olhando da cruz para sua Mãe e para o discípulo S. João, que estavam ao lado deles, primeiramente disse a Maria: Eis o teu Filho! (Jo 19,26). Queria dizer-lhe: Eis o homem que, pela oferta que fazes da minha vida pela sua salvação, já nasce para a graça. E depois, voltando-se para o discípulo, lhe disse: Eis a tua Mãe! (Jo 19,27). Com tais palavras, disse S. Bernardino de Sena, Maria foi feita Mãe, não só de S. João, mas também de todos os homens, por causa do amor que teve para com eles. No parecer de Silveira, é este o motivo por que S. João, ao consignar a cena no seu Evangelho, escreve: Em seguida disse *ao discípulo*: Eis a tua Mãe! Note-se que Jesus Cristo não disse isto a João, mas ao discípulo. Fê-lo para significar que o Salvador nomeou Maria por Mãe universal de todos aqueles que, sendo cristãos, têm o nome de seus discípulos.

2. Maria é Mãe muito solícita e desvelada

"Eu sou a Mãe do belo amor" – diz Maria (Eclo 24,24). O amor de Maria, observa certo autor, embeleza nossas almas aos olhos de Deus e leva essa amorosa Mãe a nos ter por filhos. Onde está a Mãe, pergunta S. Boaventura, que ame seus filhos e vele sobre eles como vós, dulcíssima Rainha, nos amais e cuidais de nosso adiantamento espiritual?

Bem-aventurados aqueles que vivem debaixo da proteção de uma Mãe tão amante e tão poderosa! Já antes do nascimento de Maria, procurava o profeta Daniel obter de Deus a salvação, confessando-se filho de Maria com as palavras: Salva o filho da tua serva! (Sl 85,16). Mas de que serva? Daquela que disse: Eis aqui a serva do Senhor – assim pergunta e responde S. Agostinho. E quem jamais ousará, diz o Cardeal S. Roberto

Belarmino,[2] tirar estes filhos do seio de Maria, depois que a ele se tiverem acolhido em busca de salvação contra os inimigos? Que fúria do inferno ou das paixões poderá vencê-los, se puserem esta confiança no patrocínio desta grande Mãe?

Conta-se que a baleia guarda na boca seus filhos, quando os vê ameaçados pela tempestade ou pelos caçadores.[3] E que faz nossa boa Mãe, quando vê seus filhos em perigo no meio da tempestade da tentação? Esconde-os amorosamente como dentro de suas próprias entranhas, escreve Novarino, e ali os guarda até que os coloca no seguro porto do paraíso. Ó Mãe amantíssima, ó Mãe piedosíssima, bendita sejais e bendito seja para sempre aquele Deus que vos deu a nós todos por Mãe e refúgio seguro em todos os perigos desta vida! Revelou esta mesma Virgem a S. Brígida que uma mãe, se visse seu filho entre as espadas dos inimigos, faria todo o esforço para salvá-lo. Assim, disse, faço e farei eu com meus filhos, por maiores pecadores que sejam, sempre que a mim recorrerem.

Eis como em todas as batalhas com o inferno seremos sempre vencedores seguramente, se recorrermos à Mãe de Deus, e nossa, dizendo e repetindo: Sob a tua proteção nos refugiamos, ó Santa Mãe de Deus! Oh! quantas vitórias têm os fiéis alcançado do inferno com o recorrerem a Maria por meio desta breve, mas poderosíssima oração! Aquela grande serva de Deus, sóror Maria Crucifixa, religiosa beneditina, assim vencia sempre o demônio.

---

[2] Canonizado e declarado Doutor da Igreja, em 1932, por Pio XI.
[3] É conhecido o apego da baleia à sua prole. À vista de algum temporal fá-la fugir ou a esconde debaixo de uma barbatana. Daí a comparação de Santo Afonso.

Alegrai-vos, portanto, todos os que sois filhos de Maria. Sabei que ela aceita por filhos seus quantos o querem ser. Exultai! Como temer por vossa salvação, tendo esta Mãe que vos defende e protege? Todo aquele que ama essa boa Mãe e em seu patrocínio confia, afirma S. Boaventura, deve reanimar-se e dizer: Que temes, minha alma? Não; não temas, porque a tua causa não se perderá. Pois a sentença está na mão de Jesus, que é teu irmão, e na de Maria, que é tua Mãe! A este mesmo respeito exclama cheio de alegria e nos anima S. Anselmo: Ó bem-aventurada confiança, ó seguro refúgio! A Mãe de Deus é minha Mãe! Que certeza tem a nossa esperança, já que nossa salvação depende da sentença de um irmão tão bom, e de uma tão compassiva Mãe! – Eis pois a nossa Mãe que nos chama e diz: Quem for pequeno vem a mim (Sb 9,4). As crianças têm sempre na boca o nome da mãe. Em qualquer perigo que se vejam, ou medo que tenham, logo se lhes ouve gritar: mamãe, mamãe! Ah! Maria dulcíssima, ah! Maria amorosíssima, isto é justamente o que desejais de nós. Quereis que nos tornemos crianças e chamemos sempre por vós em todos os perigos. Pois é vossa vontade socorrer e salvar-nos, como já o tendes feito a todos os vossos filhos, que recorreram a vós. ◻

EXEMPLO

A História das fundações da Companhia de Jesus no reino de Nápoles conta-nos de um jovem fidalgo escocês, chamado Guilherme Elfinstônio. Era ele parente do rei Jaime e protestante desde o nascimento. Mas, iluminado pela graça divina que lhe fez conhecer os erros de sua seita, foi à França e aí, ajudado por um bom padre jesuíta, também escocês, e mais com a intercessão da bem-aventurada Virgem, reconheceu a verdade e fez-se católico.

Passou-se depois a Roma, onde mais ainda se afervorou na devoção à Mãe de Deus, escolhendo-a por sua única Mãe. Inspirou-lhe a Virgem a resolução de ser religioso, de que fez voto. Mas, achando-se doente, veio a Nápoles a fim de recuperar a saúde com a mudança dos ares. Em Nápoles, porém, quis o Senhor que ele morresse, e morresse religioso. Pouco depois de sua chegada adoeceu gravemente, correndo perigo sua vida. À custa de muitas lágrimas e rogos obteve dos superiores a graça de ser recebido na Companhia. Pelo que na presença do Santíssimo Sacramento, quando recebeu o Viático, fez os votos, e foi declarado religioso da Companhia. Depois disto a todos enternecia com os fervorosos afetos, com que dava graças a Maria, sua amada Mãe, por tê-lo arrancado da heresia, e conduzido para morrer na casa de Deus entre seus irmãos religiosos. Por isso exclamava: Oh! como é glorioso morrer no meio de tantos anjos! Exortam-no a que procure repousar, e ele: Ah! agora que já chega o fim da minha vida, não é tempo de repousar. Antes de expirar, disse aos assistentes: Irmãos, não vedes os anjos do céu que me assistem? E havendo um daqueles religiosos percebido que ele proferia entre os dentes algumas palavras, lhe perguntou o que dizia. Respondeu que o seu anjo da guarda lhe tinha revelado que pouco tempo havia de estar no purgatório, e que logo depois passaria para o paraíso. Recomeçou em seguida os colóquios com Maria, sua doce Mãe, repetindo: Minha Mãe, minha Mãe! E assim expirou placidamente, como uma criança que se entrega aos braços da mãe, para neles repousar. Pouco depois foi revelado a um devoto religioso que ele já estava no paraíso.

ORAÇÃO

Como é possível, ó Maria, minha Mãe Santíssima, que, tendo uma Mãe tão santa, tenha eu sido tão mau? Uma Mãe que toda arde no amor para com Deus, e eu ame as criaturas? Uma Mãe tão rica de virtudes, e que delas seja eu tão pobre? Ó Mãe amabilíssima, já não mereço, é verdade, ser o vosso filho, porque de o ser me tenho feito indigno com as minhas culpas. Contento-me, pois, com que me aceiteis por vosso servo. Para ser o último de vossos servos, pronto estaria a renunciar a todos os reinos da terra. Sim, com este favor me contento. Entretanto, não me recuseis o de vos chamar também minha Mãe. Este nome consola-me, enternece-me, recorda-me o quanto sou obrigado a vos amar. Inspira-me também grande confiança em vós. Quando a lembrança dos meus pecados e da justiça divina me enche de terror, sinto-me reanimado ao pensar que sois minha Mãe. Permiti que vos chame minha Mãe, minha Mãe amabilíssima. Assim vos chamo e assim quero sempre chamar-vos. Vós, depois de Deus, haveis de ser sempre a minha esperança, o meu refúgio e o meu amor neste vale de lágrimas. Assim espero morrer, entregando naquele último instante a minha alma nas vossas santas mãos, e dizendo: Minha Mãe, minha Mãe, ajudai-me tende piedade de mim. Amém.

III. Grandeza do amor de Maria para conosco

1. *Maria não pode deixar de amar-nos*
Se, pois, Maria é nossa Mãe, consideremos quanto ela nos ama. O amor dos pais para com os filhos é um amor necessário. E esta é a razão, adverte S. Tomás, por que, pondo a divina lei preceito aos filhos de amarem os pais, não pôs preceito expresso aos pais de amarem os filhos. Pois o amor aos próprios filhos é amor com tanta força imposto pela mesma natureza, que as mesmas feras mais cruéis, como disse S. Ambrósio, não podem deixar de amá-los.

Contam os naturalistas que até o tigre, ouvindo a voz dos filhos capturados pelos caçadores, se lança ao mar e vai nadando até ao navio em que os levam. Se, pois, diz nossa Mãe terníssima, nem os próprios tigres se esquecem de sua prole, como poderei eu esquecer-me de meus filhos? "Pode acaso uma mulher esquecer sua criança de braço, de sorte que não tenha compaixão do filho de suas entranhas? Mas se ela a esquecer, eu todavia não me esquecerei de ti" (Is 49,15). E se em algum tempo, continua a Virgem, por impossível se desse o caso de uma mãe se esquecer de um filho, não é possível que eu cesse de amar uma alma, de quem sou Mãe.

Maria é nossa Mãe, não carnal, mas de amor. Eu sou a Mãe do belo amor (Eclo 24,24). Tão somente o amor que nos tem é que a faz ser nossa Mãe. Por isso a Virgem ufana-se, diz certo autor, de ser Mãe do belo amor, porque é toda caridade para conosco, por ela aceitos como filhos. E quem poderá algum dia descrever o amor que consagra a nós, miseráveis? Haroldo de Chartres diz que a Virgem, na morte de Jesus, ardentemente desejava imolar-se com o Filho por nosso amor. Ao mesmo tempo que o Filho agonizava na cruz, ajunta por isso S. Ambrósio, a Mãe se oferecia aos algozes para dar a vida por nós.

□

2. *Os motivos do amor de Maria para conosco*

Consideremos também as razões deste amor e melhor entenderemos quanto nos ama essa boa Mãe.

a) A primeira razão do seu grande amor para com os homens é o seu grande amor para com Deus. O amor a Deus e o amor ao próximo, como disse S. João, se contêm debaixo do mesmo preceito. "E nós temos de Deus este mandamento, que o que ama a Deus, ame também a seu irmão" (1Jo 4,21). De sorte que quanto cresce um, tanto o outro aumenta. Não foi porque muito amaram a Deus, que tanto fizeram os santos por amor do próximo? Chegaram ao ponto de expor e perder a liberdade e até a própria vida pela sua salvação. Leia-se o que fez S. Francisco Xavier nas Índias. Lá galgava montanhas, enfrentava mil perigos em busca de miseráveis criaturas dentro das cavernas, onde habitavam como feras. E tudo fazia para converter e socorrer as almas desses gentios. Um S. Francisco de Sales, quanto não fez para converter os hereges da província de Chablais! Por espaço de um ano se arriscou a passar todos os dias um rio, de gatinhas por cima de uma trave gelada, a fim de ir à outra banda catequizar aqueles obstinados.

Para alcançar a liberdade ao filho de uma pobre viúva, entregou-se um S. Paulino por escravo. S. Fidélis pregava aos hereges de uma localidade para levá-los a Deus e alegremente perdeu a vida pregando. Coisas tão grandes fizeram os santos pelo amor do próximo, porque amavam ardentemente a Deus. Mas quem jamais amou a Deus como Maria? Ela amou-o mais no primeiro instante da sua vida, do que o têm amado todos os anjos e santos em todo o decurso da sua existência. Vê-lo-emos mais difusamente, quando falarmos das virtudes de Maria.

A própria Virgem revelou a sóror Maria Crucifixa quão grande era o fogo de seu amor para com Deus. Nele colocado todo o céu e toda a terra, em um instante seriam consumidos por suas labaredas. Disse-lhe também que, em comparação dele, todos os ardores dos Serafins eram como fresca aragem. Não havendo, portanto, entre os espíritos bem-aventurados um só que no amor a Deus exceda a Maria Santíssima, não temos nem podemos ter quem abaixo de Deus mais nos queira, do que essa amorosíssima Mãe. Reuníssemos nós, enfim, o amor de todas as mães a seus filhos, de todos os esposos a suas esposas, de todos os anjos e santos para com seus devotos, não igualaria todo esse amor ao amor que Maria tem a uma só alma. É mera sombra o amor de todas as mães a seus filhos, quando comparado ao de Maria para conosco, diz o Padre Nieremberg. Muito mais nos ama ela só, diz o mesmo padre, do que amam uns aos outros os anjos e os santos.

b) Além disso, nossa Mãe ama-nos muito, porque lhe fomos entregues por filhos pelo seu amado Jesus. Isto aconteceu quando, antes de expirar, lhe disse: "Mulher, eis o teu filho", indicando-lhe na pessoa de S. João a todos os homens, como já acima dissemos. Foram estas as últimas palavras que lhe dirigiu o Filho. As últimas instruções, porém, deixadas por entes queridos na hora da morte, muito se estimam, e jamais se riscam da memória.

De mais a mais somos filhos muito queridos de Maria, porque lhe custamos muitas dores. Em geral as mães têm mais predileções pelos filhos cuja vida mais trabalhos e dores lhes custou. Somos nós como estes filhos de dores. Pois Maria obteve nosso nascimento para a vida da graça, oferecendo à morte, ela mesma, a amada vida do seu Jesus, consentindo em vê-lo expirar diante de seus olhos, à força de sofrimentos. Desta grande imolação de Maria nascemos então nós à vida da divina graça. Somos-lhe por conseguinte filhos mui queridos, porque lhe custamos muitas dores.

Do Eterno Pai diz o Evangelho que amou os homens a ponto de por eles entregar à morte seu Filho Unigênito (Jo

3,16). O mesmo também, diz S. Boaventura, se pode dizer de Maria: Tanto amou os homens, que por eles entregou seu Filho Unigênito.

E quando foi que a nós o entregou? Deu-o, diz o Padre Nieremberg, quando lhe concedeu licença para entregar-se à morte. Deu-o, quando não defendeu a vida de seu Filho perante os juízes, deixando os outros de a defender ou por ódio, ou por temor. Pois com certeza as palavras de tão sábia e desvelada Mãe teriam causado grande impressão, pelo menos sobre o espírito de Pilatos. E ele não ousaria condenar à morte um homem, do qual ele próprio reconhecera e declarara a inocência. Mas, não; Maria não quis dizer nem uma só palavra a favor do Filho, por não impedir a sua morte, da qual dependia a nossa salvação. Deu-o, finalmente, milhares de vezes, naquelas três horas, em que ao pé da cruz lhe assistiu à morte. Então com suma dor e com intenso amor para conosco, estava sacrificando por nós a vida de seu Filho. E era-lhe tanta a constância, que, se então faltassem algozes, ela mesma o crucificaria para obedecer à vontade do Eterno Pai, que decretara aquela morte para nossa salvação. Assim discorrem S. Anselmo e S. Antonino.

Já em Abraão vemos um semelhante ato de fortaleza, querendo sacrificar o filho com as próprias mãos. Ora, devemos crer certamente que com maior constância o teria executado Maria, mais santa e mais obediente que Abraão. Mas voltemos ao nosso assunto. Qual não deve ser nossa gratidão para com Maria Santíssima por tanto amor, por tanto sacrifício que fez da vida do Filho, com tão grande dor sua, a fim de nos alcançar a salvação? Largamente remunerou o Senhor a Abraão o sacrifício que quis fazer-lhe do seu Isaac. Mas nós, que poderemos dar a Maria pela vida que nos deu do seu Jesus, Filho muito mais nobre e amado que o filho de Abraão? Este amor de Maria muito nos obriga a amá-la, observa S. Boaventura. Pois não vemos como ela nos amou mais do que todas as criaturas, como entregou por nós seu Filho único, a quem amava mais do que a si mesma?

c) Daí resulta um outro motivo do amor da Virgem para conosco. É que ela sabe que somos o preço da morte de Jesus Cristo. Quanto não estimaria a um servo a mãe que o soubesse resgatado por seu filho querido, a preço de vinte anos de penoso cativeiro! Bem sabe Maria que o Filho não veio à terra senão para salvar-nos, como ele mesmo protestou: Eu vim salvar o que tinha perecido (Lc 19,10). E para salvar-nos despendeu até a própria vida, fez-se obediente até a morte na cruz. Se Maria nos amasse pouco, mostraria que pouco amava o sangue do Filho, que é o preço da nossa salvação. Foi revelado a S. Isabel da Hungria que a Virgem, durante sua estadia no templo, toda se entregava em rogar a Deus se dignasse apressar a vinda de Jesus Cristo. Ora, tanto maior devemos julgar seu amor para conosco, depois que viu quanto valemos para seu Filho, que se dignou resgatar-nos por um preço tão elevado. □

3. *Grandeza de seu amor para conosco* *

E porque todos os homens foram remidos com o sangue de Jesus, por isso Maria a todos ama e favorece. Viu-a S. João vestida de sol: Apareceu também um grande sinal do céu, uma mulher vestida de sol (Ap 12,1). Pois assim como não há na terra quem se possa esconder do calor do sol, assim também nela não há vivente que seja privado do amor de Maria, escreve o Abade de Celes.

"Não há quem se esconda de seu calor" (Sl 18,7), isto é,

da chama de seu amor. Pergunta aqui S. Antonino: Quem será capaz de compreender a solicitude do bem-querer de Maria a todos nós? Por isso a todos oferece e dispensa a sua misericórdia. Nossa Mãe sempre desejou a salvação de todos, e sempre para ela cooperou. Afirma-o também S. Bernardo com as palavras: É notório que Maria foi solícita para com todo o gênero humano. É, portanto, muito recomendável a prática de alguns devotos de Maria, os quais, como refere Cornélio a Lápide, costumam pedir ao Senhor lhes conceda aquelas graças, que para eles lhe pede a Santíssima Virgem. E com razão, diz o citado a Lápide, pois a nossa Mãe deseja-nos bens maiores do que nós mesmos poderíamos desejar. O devoto Bernardino de Busti afirma que Maria deseja fazer-nos bem, e conceder-nos favores, ainda mais do que nós desejamos recebê-los. Aplica-lhe por isso S. Alberto Magno estas palavras da Sabedoria: Ela se antecipa aos que a desejam e se lhes patenteia primeiro (Sb 6,14). Antecipa-se Maria a quantos a ela recorrem, para que a encontrem antes que a busquem. É tal o bem-querer alvoroçoso desta Mãe, diz Ricardo, que vem logo ao nosso socorro, mal descobre as nossas precisões. Tão boa Mãe é, pois, Maria para todos, até para os ingratos e indiferentes que pouco a invocam e amam! Que Mãe será então para aqueles que a amam e com frequência a invocam? "Facilmente é achada pelos que a amam" (Sb 6,13).

Oh! quanto é fácil, continua S. Alberto Magno, àqueles que amam a Maria, o achá-la e achá-la toda cheia de piedade e de amor! "Eu amo aos que me amam" (Pr 8,17). Ela protesta que não pode desamar a quem a ama. E ainda que esta amantíssima Senhora ame a todos os homens como seus filhos, contudo, diz S. Bernardo, que sabe reconhecer e preferir os que com mais ternura a querem. Esses ditosos servos não só dela são amados, mas também servidos, assevera o Abade de Celes.

A Crônica da Ordem Dominicana conta-nos que o irmão Leodato de Montpellier usava recomendar-se duzentas vezes por dia a essa Mãe de Misericórdia. Jazendo ele moribundo, apareceu-lhe uma bela rainha e assim lhe falou: Leodato, queres morrer e vir para junto de meu Filho e de mim? Quem sois vós? – perguntou-lhe o religioso. – Sou, respondeu ela, a Mãe de Misericórdia; invocaste-me tantas vezes! Agora venho buscar-te para ires comigo ao céu. Faleceu Leodato nesse mesmo dia e com a Virgem seguiu, como esperamos, ao reino dos bem-aventurados. ☐

4. *Nosso amor para com Maria* *

Feliz, feliz aquele que vos ama, ó Maria, Mãe dulcíssima! S. João Berchmans,[4] da Companhia de Jesus, costumava dizer: Se amo a Maria, estou certo da minha perseverança e de Deus obtenho tudo o que quiser. Renovava por isso sem cessar este propósito: Quero amar a Maria, quero amá-la sempre. Dizia-o seguidamente, a sós e baixinho. – Oh! como esta boa Mãe excede em amor a todos os seus filhos! Amem-na estes quanto puderem, sempre serão vencidos pelo amor que lhes consagra Maria, observa Pseudo-Inácio, mártir.

Cheguem a amá-la como um S. Estanislau Kostka, tão terno em seu amor para com esta Mãe. Dela falando, abrasava os corações de quantos o ouviam. Imaginaram-se novos títulos e novas

---

[4] Canonizado em 1888, por Leão XIII.

palavras em seu louvor. Não começava trabalho algum, sem primeiro pedir-lhe a bênção voltado para alguma de suas imagens. Ao recitar o ofício, o rosário, ou outras orações em sua honra, com tanta cordialidade o fazia, como se estivesse falando com a Virgem, face a face. Os sons da *Salve-Rainha*, afogueavam-lhe as faces em santo amor. Visitando certa vez com um padre jesuíta uma imagem da Santíssima Virgem, perguntou-lhe o companheiro se também a amava. – Ó meu padre – respondeu o Santo –, que mais posso dizer-vos? É minha Mãe! E tanta ternura notava-se então, diz o padre, na sua voz e no seu semblante, que parecia menos um jovem do que um anjo a falar do amor de Maria Santíssima.

Cheguem a amá-la como um Beato Hermano, que a chamava de esposa amada e por Maria em retorno foi honrado com o título de esposo; como um S. Filipe Néri, a quem só o pensar em Maria já consolava, e por isso chamava-lhe suas delícias. Que a amem como um S. Boaventura, o qual, para testemunhar-lhe a ternura de seu afeto, não só a chamava de Senhora e Mãe, senão também de seu coração e de sua alma. Abrasado em santo amor, dizia-se até roubadora dos corações. Pois não roubaste meu coração, minha boa Mãe?, perguntava-lhe então.

Chamem-na de sua namorada, como um S. Bernardino de Sena. Todos os dias ia visitar-lhe uma das imagens devotas, para em ternos colóquios entreter-se com a sua Rainha. Se lhe perguntavam aonde ia diariamente, respondia andar visitando sua namorada.

Cheguem a querê-la tal como um S. Luís Gonzaga, tão abrasado em seu amor que, em lhe ouvindo pronunciar o nome, tinha do amor as chamas no coração e os rubores na face.

Por que não amá-la como um S. Francisco Solano? Em

santa simplicidade (que ao mundo parece loucura) punha-se ele a cantar, ao som de um instrumento de música, diante de alguma imagem da Senhora. Alegava que, a exemplo dos apaixonados no mundo, queria fazer "uma serenata" à sua diletíssima Rainha.

Tenham-lhe a mesma ternura de amor com que a têm amado tantos de seus servos, que já nem sabiam o que mais fazer como prova do muito que lhe bem-queriam. Jerônimo de Trexo, padre da Companhia de Jesus, exultava de júbilo ao chamar-se escravo de Maria. Em sinal desta escravidão ia visitá-la muitas vezes em algumas de suas igrejas. Em chegando à igreja, primeiramente derramava lágrimas de um terno amor à Virgem. Depois beijava o pavimento muitas e muitas vezes, com grande amor, considerando que aquela era a casa da sua Senhora. Seu confrade, Padre Diogo Martínez, que pela devoção a Maria Santíssima nas suas festas era levado em espírito ao céu pelos anjos, para ver com quanta honra eram elas aí celebradas, este dizia: Desejara ter todos os corações dos anjos e dos santos para com eles amar a Maria; desejara ter as vidas de todos os homens para oferecê-las todas ao amor de Maria.

Amem-na como um Carlos, filho de S. Brígida. Nada o consolava tanto neste mundo – dizia – como saber que Maria era tão amada por Deus. Acentuava que de bom grado sofreria todos os tormentos, para impedir que perdesse Maria um só grau de sua grandeza. Que, caso lhe pertencera a grandeza da Virgem Santíssima, a tudo renunciaria por ser ela sumamente mais digna do que ele. Desejem também dar a vida em protestação do seu amor para com Maria, como desejava Afonso Rodríguez. Cheguem finalmente a esculpir-se com agudos ferros sobre o peito o nome amável de Maria, como fizeram Francisco Binânzio, religioso, e Radegundes, esposa do rei Clotário. Cheguem também com ferros em brasa a imprimir sobre a carne o mesmo nome, para que se conserve mais impresso e mais durável.

Levados por amor, assim fizeram os servos de Maria: Batista Arquinto e Agostinho de Espinosa, ambos da Companhia de Jesus.

Façam, pois, ou procurem fazer quanto é possível a um esposo amante que pretende, quanto pode, dar a conhecer o seu afeto à esposa querida, jamais conseguirão amar a Maria tanto quanto ela os ama. Sei, ó minha Rainha, exclama S. Pedro Damião, que de quanto vos amam sois a mais amante, e que vosso amor por nós não se deixa vencer por nenhum outro amor. Estava uma vez ao pé de uma imagem de Maria o Venerável Afonso Rodríguez, da Companhia de Jesus. Abrasado de amor para com a Virgem Santíssima, lhe disse: Minha Mãe amabilíssima, bem sei que vós me amais; mas vós não me quereis tanto quanto eu vos amo. Então, Maria, como que ofendida em seu amor, lhe respondeu: Que dizes, Afonso, que dizes? Oh! quanto é maior o meu amor por ti do que o teu por mim! Sabe, lhe disse, que do meu amor ao teu há mais distância que do céu à terra.

Tem, pois, razão S. Boaventura ao exclamar: bem-aventurados aqueles que têm a dita de ser fiéis servos e amantes desta Mãe amantíssima! Sim, porque esta gratíssima Rainha não admite que em amor a vençam os seus devotos servidores. Maria, imitando nisto a Nosso Senhor Jesus Cristo, com seus benefícios e favores dá a quem a ama o seu amor duplicado. Exclamarei, pois, com o inflamado S. Anselmo: Sempre arda por vós o meu coração, e toda a minha alma se consuma no vosso amor, ó Jesus, meu amado Salvador, ó Maria, minha amada Mãe. Concedei, pois, ó Jesus e Maria, a graça de amar-vos, já que sem a vossa graça não posso fazê-lo. Concedei à minha alma pelos vossos merecimentos, não pelos meus, que eu vos ame quanto vós mereceis. Ó Deus tão amante dos homens, vós pudestes morrer pelos vossos inimigos. E a quem vo-la pede, poderíeis negar a graça de amar a vós e a vossa Mãe? □

EXEMPLO

Conta o Padre Auriema que uma pastorinha de ovelhas tinha muito amor a Maria Santíssima. Todas as suas delícias eram ir a uma capela da Virgem, que estava no monte, e aí entreter-se sossegadamente com sua boa Mãe, enquanto pastavam as ovelhas. E porque a pequena estátua da Mãe de Deus estava sem enfeite algum, pôs-se a fazer-lhe um manto, com suas pobres mãozinhas. Um dia, colhendo do campo algumas singelas flores, delas compôs uma grinalda. Depois, subindo ao altar, a pôs na cabeça da imagem, dizendo: Minha Mãe, eu quisera pôr-vos na cabeça uma coroa de ouro, mas não posso porque sou pobre. Assim recebei de mim esta pobre coroa de flores; aceitai-a em sinal do amor que vos tenho. Com estes e semelhantes obséquios buscava a piedosa pastorinha servir e honrar a sua amada Rainha. Ora, vejamos agora como a boa Mãe recompensou as visitas e o afeto desta sua filha.

Caiu ela enferma e chegou a termos de morrer. Sucedeu que dois religiosos passando por aquele lugar, e cansados da viagem, se puseram a descansar debaixo de uma árvore. Um dormia e o outro estava acordado. Mas ambos tiveram a mesma visão. Viram um grupo de belíssimas virgens, e entre elas estava uma que em beleza e majestade excedia a todas. A esta perguntou um dos religiosos: Quem sois vós, Senhora, e aonde ides? – Eu – respondeu a Virgem – sou a Mãe de Deus e vou com estas santas virgens visitar aqui na aldeia uma pastorinha moribunda, que muitas vezes me visitou a mim. Assim disse e desapareceu. Disseram então aqueles bons servos de Deus: Vamos nós também vê-la! Prepararam-se; e, chegando à casa onde estava a pastorinha moribunda, entraram na pobre choupana e ali a viram deitada sobre um pouco de palha. Saudaram-na; ela fez o mesmo e lhes disse: Irmãos, rogai a Deus que vos faça ver quem me está assistindo. Logo ajoelharam-se eles e viram a Mãe de Deus que estava ao lado da pastorinha com uma coroa na mão, e a consolava. Eis que as virgens começaram a cantar, e ao som daquele suave canto saiu do corpo a bendita alma da pastorinha. Maria colocou-lhe então a coroa na cabeça, tomou-lhe a alma e levou-a consigo ao paraíso.

ORAÇÃO

Ó doce Soberana, vós, conforme a expressão de S. Boaventura, arrebatais os corações dos que vos servem, cumulando-os de vossa ternura e liberalidade. Eu vos suplico: arrebatai-me também o meu pobre coração que muito deseja amar-vos. Pela vossa beleza, ó minha Mãe, atraístes o vosso Deus, ao ponto de fazê-lo descer do céu à terra; e eu viverei sem vos amar? Não; antes vos digo com vosso amante filho João Berchmans: "Não me darei repouso, enquanto não tiver obtido amor terno e constante a vós, ó minha Mãe", que com tanta ternura me tendes amado, ainda quando eu não vos amava. E que seria de mim, se vós, ó Maria, não me tivésseis amado e alcançado tantas misericórdias? Se, pois, me amastes quando eu não a amava, que devo esperar da vossa bondade agora que vos amo? Sim, amo-vos, ó minha Mãe, e quisera ter um coração capaz de vos amar por todos os infelizes que não vos amam. Quisera ter uma língua capaz de louvar-vos por mil línguas, para fazer conhecer a todo mundo a vossa grandeza, a vossa santidade, a vossa misericórdia, e o amor com que amais os que vos amam. Se tivera riquezas, todas quisera empregar em vos honrar; se tivera súditos, todos quisera fossem cheios de amor para convosco; quisera enfim sacrificar pelo vosso amor e glória, se fosse mister, até a minha vida! – Amo-vos, pois, ó minha Mãe; mas ao mesmo tempo receio que vos não ame, porque ouço dizer que o amor faz os que amam semelhantes à pessoa amada. Devo então crer que bem pouco vos amo, vendo-me tão longe de parecer convosco. Vós sois tão pura, eu tão imundo! Vós tão humilde, eu tão soberbo! Vós tão santa, eu tão mau! Mas isto, ó Maria, é o que vós haveis de fazer: já que me tendes tanto amor, tornai-me semelhante a vós. Para mudar os corações, tendes todo o poder; tomais, pois, o meu e mudai-o. Conheça o mundo o que podeis em favor dos que amais. Tornai-me santo e fazei-me digno filho vosso. Assim espero, assim seja.

IV. Maria também é Mãe dos pecadores arrependidos

1. *Condições para o amor de Maria aos pecadores* *

Maria garantiu a S. Brígida que é Mãe não só dos justos e inocentes, mas também dos pecadores que se querem emendar. Se, desejoso de emenda, recorre um pecador a esta Mãe de Misericórdia, oh! como a encontra pronta para abraçar e socorrer, ainda mais do que se fosse sua mãe corporal. Era justamente o que o Papa Gregório VII escrevia à princesa Matilde: Desiste da vontade de pecar e acharás Maria, eu o garanto, mais pronta em amar-te do que tua própria mãe.

Portanto, quem aspira a ser filho desta grande Mãe, é preciso que primeiro deixe o pecado, e depois será sem dúvida aceito por filho.

Lemos nos livros Sagrados: Levantaram-se seus filhos e aclamaram-na ditosa (Pr 31,28). Refletindo Ricardo sobre estas palavras, nota que nelas primeiro se diz *levantaram-se,* e depois *filhos*. E isso porque, diz ele, não pode ser filho de Maria quem não procura primeiro levantar-se da culpa em que está caído. Quem procede de modo contrário ao de Maria diz por seus atos que não quer ser seu filho, observa S. Pedro Crisólogo. Maria é humilde, e ele quer ser soberbo? Maria pura, e ele desonesto? Maria cheia de amor, e ele cheio de ódio para com o próximo? Isto é sinal de que nem é nem deseja ser um filho desta santa Mãe. Os filhos de Maria, escreve Ricardo, imitam-lhe a pureza, a humildade, a mansidão, a misericórdia. Mas como ousará chamar-se filho de Maria quem tanto a desgosta com a sua má vida? Certo pecador disse um dia a Maria: Mostra que és minha Mãe! E a virgem lhe respondeu: Mostra que és meu filho! Um outro, invocando-a, chamava-lhe Mãe de Misericórdia. Mas ela lhe disse: Vós, os pecadores, quando quereis que vos ajude, me chamais Mãe de Misericórdia; e depois por vossos pecados não cessais de me fazer Mãe de misérias e de dores.

É amaldiçoado de Deus o que aflige sua mãe, diz o Espírito Santo (Eclo 3,18). Sua mãe, isto é, Maria, comenta Ricardo. Deus amaldiçoa quem com sua má vida e ainda mais com sua obstinação aflige essa boa Mãe.

Digo com sua obstinação. Pois, quando o pecador, embora ainda em pecados, se esforça por abandoná-los e para isso procura o socorro de Maria, esta Mãe não deixará de o socorrer e de fazê-lo voltar à graça de Deus. Assim, um dia o ouvia S. Brígida da boca de Jesus Cristo, que, falando com sua Santíssima Mãe, lhe disse: Ajudas aquele que procura converter-se e a ninguém deixas retirar-se sem consolo. Enquanto, pois, o pecador está obstinado, Maria não pode amar. Mas se ele, achando-se nas cadeias de alguma paixão que o faz escravo do inferno, ao menos se encomendar à Virgem e lhe pedir, com perseverança e confiança, que o ajude a sair do pecado, sem dúvida esta boa Mãe lhe estenderá a sua poderosa mão, quebrará suas cadeias, conduzi-lo-á pelas veredas da salvação.

Afirmar que todas as obras feitas por quem está em pecado são pecados, é heresia já condenada pelo Concílio de Trento. Disse S. Bernardo que a oração na boca do pecador, ainda que não seja especiosa, porque lhe falta a companhia da caridade, contudo é útil e frutuosa para tirá-lo do pecado. Porque, como ensina S. Tomás, a oração do pecador na verdade não tem merecimento, mas é muito apta para impetrar a graça do perdão. Funda-se esta sua força não tanto no merecimento daquele que ora, mas na bondade divina e nos méritos e promessas de Jesus Cristo, que disse: Todo aquele que pede recebe (Lc 11,10). O mesmo se deve dizer das preces dirigidas à Mãe de Deus. Se aqueles que oram, diz Eádmero, não merecem ser ouvidos, os merecimentos de Maria, a quem eles se encomendam, farão que o sejam. Exorta por isso S. Bernardo todo pecador a invocar a Santíssima Virgem e a ter confiança na sua intercessão. Pois, continua o santo, se o pecador desmerece ser atendido, os merecimentos de Maria, a quem ele se encomenda, lhe conseguem que seja ouvido.   □

2. *Efeitos do amor de Maria para com os pecadores*
Suponhamos que uma mãe soubesse que dois filhos seus eram inimigos mortais, intentando um tirar a vida do outro. Em tal conjuntura não seria dever de uma boa mãe procurar encarecidamente como pacificá-los? Assim pergunta Conrado de Saxônia. Ora, Maria é Mãe de Jesus e Mãe dos homens. Aflige-se quando vê um pecador inimizado com Jesus e tudo faz por reconciliá-lo com seu divino Filho.

Do pecador só exige a benigníssima Rainha que se recomende a ela e tenha o propósito de emendar-se. Em o vendo a seus pés a implorar-lhe perdão, não olha para o peso de seus pecados, mas para a intenção com que se apresenta. Se esta é boa, mesmo que o pobre haja cometido todos os pecados do mundo, abraça-o e como terna Mãe não desdenha curar-lhe as chagas que na alma traz. Pois é Mãe de Misericórdia, não só de nome, senão de fato, e em verdade tal se mostra pela ternura e pelo amor com que nos socorre. A própria Virgem Santíssima assim o revelou a S. Brígida. "Por mais culpado que seja um homem, disse-lhe, se vem a mim com sincero arrependimento, estou sempre pronta a acolhê-lo. Não considero a enormidade de suas faltas, mas tão somente as disposições do seu coração. Não recuso ungir e curar as suas feridas, porque me chamo e realmente sou Mãe de Misericórdia."

É Maria a Mãe dos pecadores que se querem converter. Como tal não pode deixar de compadecer-se deles. Parece até que sente como próprios os males de seus pobres filhos. A cananeia, ao pedir que o Senhor lhe livrasse a filha do demônio que a atormentava, disse-lhe: Senhor, filho de Davi, tem compaixão de mim; minha filha está muito atormentada do demônio (Mt 15, 22).

Mas se a filha, e não a mãe, era atormentada do demônio, parece que havia de dizer: Senhor, tem piedade de minha filha! Mas não; ela disse: tem compaixão *de mim* e com muita razão. Pois sentem as mães como próprios os sofrimentos dos filhos. Ora, do mesmo modo, disse Ricardo de S. Lourenço, pede Maria a Deus, quando intercede por qualquer pecador que a ela recorre. Pede-lhe que dela se compadeça. Meu Senhor – parece dizer-lhe – esta pobre alma, que está em pecado, é minha alma; por isso compadecei-vos não tanto dela, como de mim, que sou sua mãe.

Oh! prouvesse a Deus que todos os pecadores recorressem a esta doce Mãe, porque todos certamente receberiam do Senhor o perdão! – Ó Maria, exclama admirado Conrado de Saxônia, tu acolhes maternalmente o pecador desprezado por todo mundo, nem o abandonas antes que o hajas reconciliado com o juiz. Quer ele dizer: Enquanto o pecador perseverar no seu pecado, é aborrecido e desprezado de todos; até as criaturas insensíveis, o fogo, o ar, a terra, quereriam castigá-lo em desafronta à honra do seu Criador ultrajado. Porém, se este pecador miserável recorrer a Maria, expulsa-o Maria? Não; se vem com intenção de que o ajude a fim de emendar-se, ela o acolhe com maternal afeto. Não o deixa, sem primeiro, com a sua poderosa intercessão, reconciliá-lo com Deus e o reconduzir à sua graça.

No Segundo Livro dos Reis (14,5) lemos o que se deu com a sábia mulher de Técua. Disse ela a Davi: "Senhor, tinha tua serva dois filhos; para minha desventura um matou o outro; e assim perdi um filho. Quer agora a justiça tirar-me o outro, que é o único que me fica. Tem compaixão desta pobre mãe e não permitas que eu perca ambos os filhos". Então Davi, compadecendo-se da mãe, libertou o delinquente e lho entregou.

– O mesmo parece que diz Maria, quando vê a Deus irado com algum pecador que a ela recorre. "Meu Deus, lhe diz, eu tinha dois filhos, Jesus e o homem; o homem matou na cruz o meu Jesus; agora a vossa justiça quer condenar o homem. Senhor, já morreu o meu Jesus; tende compaixão de mim. Se eu perdi um, não me façais perder também o outro filho." Certamente Deus não condena os pecadores que recorrem a Maria e por quem ela intercede. Pois o próprio Deus recomendou os pecadores por filhos de Maria. O devoto Landspérgio põe as seguintes palavras nos lábios do Senhor: "Eu recomendei a Maria de aceitar por filhos os pecadores. Por isso ela é toda desvelos para que, no desempenho de sua missão, não lhe aconteça perder a nenhum dos que lhe foram entregues, principalmente quando a invocam. E assim esforça-se o quanto pode em conduzir todos eles a mim". Quem pode explicar, interroga Blósio, a bondade e misericórdia, a fidelidade e a caridade com que esta nossa Mãe procura salvar-nos, quando lhe pedimos que nos ajude? Prostremo-nos, pois, diz S. Bernardo, diante desta boa Mãe; abracemo-nos a seus sagrados pés e não a deixemos sem nos abençoar e sem nos receber por filhos seus. Nela esperarei, exclama S. Boaventura, ainda que me dê a morte; e cheio de confiança desejo morrer perante uma de suas imagens, e salvo estarei. Portanto, assim devem dizer todos os pecadores, que recorrem a esta piedosa Mãe: Minha Senhora e minha Mãe, por minhas culpas mereço ser repelido, e castigado por vós na proporção delas. Mas, ainda que me rejeiteis e me tireis a vida, não perderei nunca a confiança, e se tiver a felicidade de morrer na presença de qualquer imagem vossa, recomendando-me à vossa misericórdia, espero certamente que não me hei de perder, mas hei de louvar-vos no céu em companhia de tantos que vos serviram e morreram invocando vossa poderosa intercessão.

Leia-se o exemplo seguinte e veja-se que nenhum pecador deve desconfiar da misericórdia e amor desta boa Mãe, se a ela recorrer.

EXEMPLO

Esquil, jovem fidalgo, foi estudar em Hildesheim por ordem de seu pai. Mas, em vez de estudar, entregou-se a excessos de devassidão. Depois disso, adoeceu seriamente, não lhe restando já esperança alguma de vida. Estando próximo da morte teve a seguinte visão: Viu-se dentro de um quarto cheio de fogo e julgou que se achava num inferno. Pôde, felizmente, sair por um vão e refugiar-se num grande palácio. Lá encontrou, numa das salas, a Santíssima Virgem, que lhe disse: Temerário, como ousas apresentar-te diante de mim? Já e já retira-te daqui e mete-te no fogo que muito bem mereceste! Nisso começa o jovem a implorar a misericórdia de Maria, e pede a algumas pessoas ali presentes que também o recomendem à Mãe de Deus. Elas atenderam-no, mas a Santíssima Virgem respondeu-lhes: Este moço levou uma vida muito desregrada e nunca me honrou com uma Ave-Maria sequer. Mas ele corrigir-se-á, amada Rainha, observaram elas. E o jovem ajuntou logo esta promessa: Sim, eu o prometo; quero corrigir-me e consagrar-me todo a vosso serviço, Senhora. Na mesma hora, Maria tornou-se meiga e disse-lhe com brandura: Bem; aceito a tua promessa; escaparás da morte e do inferno.

Após estas palavras terminou a visão. Voltando a si, Esquil agradeceu à Mãe de Deus e a todos relatou o ocorrido. Levou daí em diante uma vida santa, dedicou sempre especial devoção à Santíssima Virgem, e tornou-se mais tarde arcebispo de Lund, na Suécia, onde converteu muitos para a verdadeira fé. Já velho, renunciou ao arcebispado, entrando para a

Ordem dos Cistercienses, em Claraval. Aí morreu na paz do Senhor, após quatro anos de edificante vida. Alguns escritores colocaram-no na lista dos santos daquela Ordem.[5]

ORAÇÃO

Mãe digníssima de meu Deus e Soberana minha, Maria, vendo-me tão desprezível e carregado de pecados, não devia ter a ousadia de chegar-me a vós e chamar-vos minha Mãe. Não quero, porém, que as minhas misérias me privem da consolação e da confiança que sinto, dando-vos este doce nome. Verdade é que mereço me rejeiteis, mas vos peço considereis o que fez e sofreu por mim o vosso Filho Jesus. Depois rejeitai-me, se o podeis. Sou miserável pecador, mais do que os outros ultrajei a majestade divina.

Ai! o mal está feito; a vós que o podeis remediar imploro agora: Vinde em meu socorro, ó minha Mãe. Não me alegueis que não vos é possível ajudar-me, porque sei que sois onipotente e do vosso Deus conseguis tudo quanto desejais. Se me respondeis que não quereis socorrer-me, dizei-me ao menos a quem me devo dirigir para ser consolado no excesso de minha angústia. Apadrinhando-me com S. Anselmo, ouso dizer a vós e a vosso divino Filho: Ou apiedai-vos de mim, dulcíssimo Redentor meu, perdoando-me, e vós, também, ó minha Mãe, intercedendo em meu favor; ou, mostrai-me a quem

---

[5] Esquil foi, como arcebispo, um homem extraordinário. Era pessoalmente amigo de São Bernardo.

devo recorrer, que seja mais poderoso do que vós, e em quem eu possa confiar mais. Mas não; nem na terra, nem no céu posso achar quem tenha dos miseráveis mais compaixão que vós, ou quem melhor possa ajudar-me. Vós, Jesus, sois o meu Pai; e vós, Maria, sois a minha Mãe. Vós amais até aos mais miseráveis e ides à procura deles para salvá-lo. Eu sou um réu do inferno, o mais indigno de todos. Mas não é necessário ir à minha procura, nem eu pretendo que o façais. Apresento-me espontaneamente a vós, com esperança certa de que não me haveis de desamparar. Aqui estou aos vossos pés, meu Jesus, perdoai-me. Maria, minha Mãe, socorrei-me.

CAPÍTULO II

VIDA E DOÇURA NOSSA

I. Maria é nossa vida, porque nos obtém o perdão

1. *A oração de Maria obtém-nos a graça da justificação*

Para a exata compreensão da razão por que a Santa Igreja nos ordena que chamemos a Maria nossa vida, é necessário saber que, assim como a alma dá vida ao corpo, assim também a graça divina dá vida à alma. Uma alma sem a graça divina só tem nome de viva, mas na realidade está morta, como foi dito àquele bispo no Apocalipse: Tens reputação de que vives, mas estás morto (Ap 3,1). Obtendo Maria por meio de sua intercessão a graça aos pecadores, deste modo lhes dá vida. Ouçamos as palavras que a Igreja lhe põe na boca, aplicando-lhe a seguinte passagem dos Provérbios: Os que vigiam desde manhã por me buscarem, achar-me-ão (8,17). Os que recorrem a mim desde manhã, isto é, sem demora, certamente me acharão. Ou, segundo a tradução grega: acharão a graça. De modo que recorrer a Maria é recobrar a graça de Deus. Lemos por isso pouco depois: Quem me encontra, encontra a vida e receberá do Senhor a salvação (Pr 8,35). Ouvi-o, vós que procurais o reino de Deus, exclamou S. Boaventura, honrai a Santíssima Virgem Maria e achareis a vida juntamente com a eterna salvação.

Na afirmativa de S. Bernardino de Sena, Deus não destruiu o homem logo após o pecado, devido ao singular amor para com esta sua futura filha. Não lhe resta a menor dúvida de que todas as misericórdias e mercês, em favor dos pecadores na Antiga Lei, só lhes tinham sido feitas por Deus em consideração desta abençoada Virgem.

Exorta-nos por isso, com razão, S. Bernardo: Procuremos a graça, mas procuremo-la por meio de Maria. Se formos tão infelizes, que perdemos a divina graça, procuremos recuperá-la por meio de Maria; porque se a perdemos ela a achou. E por este motivo o santo lhe chama descobridora da graça. Para nossa consolação declarou-o S. Gabriel Arcanjo, quando disse à Virgem: Não temas, Maria, pois achaste graça diante de Deus (Lc 1,30).

Mas, se Maria nunca se vira privada da graça, como podia dizer o anjo que a tinha achado? Só se pode achar uma coisa que se perdeu. A Virgem, entretanto, sempre esteve com Deus e não só em graça, mas cheia de graça, como o mesmo arcanjo manifestou, quando, ao saudá-la, lhe disse: Ave, Maria, cheia de graça; o Senhor é contigo...

2. *Devem os pecadores procurar com Maria a graça de Deus*

Logo, se Maria não achou a graça para si, porque sempre dela esteve cheia, para quem a achou? Responde o Cardeal Hugo, num comentário a este passo: Achou-a para os pecadores que a tinham perdido. Corram, pois, a Maria os pecadores que perderam a graça, porque em seu poder a acharão certamente, continua este devoto escritor, e digam-lhe: Senhora, a coisa achada deve-se restituir a quem perdeu; aquela graça, que vós achastes, não é vossa, porque nunca a perdestes; é nossa, porque a perdemos, por isso no-la deveis restituir. Se, pois, desejamos recuperar a graça do Senhor – conclui Ricardo de S. Lourenço –, vamos a Maria, que a encontrou e sempre a encontra. E já que a Virgem foi e sempre há de ser muito querida por Deus, se a ela recorremos, certamente acharemos a graça. A própria Mãe de Deus garante-nos, em os Sagrados Cânticos, que Deus a pôs no mundo para ser a nossa defesa e por isso também está constituída medianeira de paz entre Deus e os pecadores. "Eu me tenho na sua presença (de Deus) tornado como uma que acha a paz" (8,10). Com estas mesmas palavras anima S. Bernardo o pecador, dizendo: Vai ter com esta Mãe de Misericórdia e mostra-lhe as chagas que na alma te fizeram os teus pecados. Ela não deixará de rogar a seu Filho que te perdoe, por aquele leite que lhe deu; e o Filho, que tanto a ama, atendê-la-á com toda a certeza. – Com efeito, a Santa Igreja nos manda pedir ao Senhor que nos conceda o poderoso socorro da intercessão de Maria, para que nos levantemos de nossos pecados. "Concedei, misericordioso Senhor, fortaleza à nossa fraqueza, para que nós, que celebramos a memória da Santa Mãe de Deus, pelo auxílio de sua intercessão, nos levantemos de nossas iniquidades."

Com razão, pois, a chama S. Lourenço Justiniano esperança dos malfeitores, porque é a Virgem que lhe obtém o perdão. Acertadamente di-la S. Bernardo escada dos pecadores, porque, dando a mão aos pobres decaídos, os tira do precipício do pecado e fá-los subir para Deus. Com razão lhe chama Pseudo-Agostinho única esperança de todos os pecadores, pois só por seu intermédio esperamos a remissão de todos os nossos pecados. E o mesmo diz S. João Crisóstomo: Os pecadores só por intercessão de Maria recebem o perdão. Por isso em nome deles assim a saúda o Santo: Deus te salve, Mãe de Deus e Mãe nossa, céu onde Deus reside;

trono, no qual dispensa o Senhor todas as graças; roga sempre a Jesus por nós, para que pelos teus rogos possamos alcançar o perdão no dia do juízo e a bem-aventurança na eternidade.

Com razão, finalmente, é Maria chamada aurora. "Quem é esta, que vai caminhando como a aurora quando se levanta?" (Ct 6,9). Sim, por isso disse Inocêncio III: Sendo a aurora o fim da noite e o começo do dia, com razão a ela comparamos a Virgem Maria, que pôs termo aos vícios e fez nascerem as virtudes. E o mesmo efeito que causou no mundo o nascimento de Maria causa agora nas almas o nascimento de sua devoção. Põe termo à noite do pecado e faz andar a alma pelo iluminado caminho da virtude. Daí as palavras de S. Germano: Ó Mãe de Deus, vossa proteção traz a imortalidade; vossa intercessão, a vida. E no sermão sobre o Cíngulo da virgindade diz o Santo: Pronunciar com afeto o nome de Maria ou é sinal de vida, ou de a ter brevemente. Cantou Maria no Magnificat: Eis que já desde agora me chamarão bem-aventurada todas as gerações (Lc 1,48). "Sim, Senhora minha – acode S. Bernardo –, todos os vossos servos alcançam por vossa intercessão a vida da graça e a glória eterna. Em vós acham os pecadores o perdão, e os justos a perseverança, e depois a vida eterna." Não desconfieis, ó pecadores, diz o devoto B. Bernardino de Busti; ainda que tenhais cometido todos os pecados, recorrei com sinceridade à Mãe de Deus, pois sempre a encontrareis com as mãos cheias de misericórdia. E ajunta: Maria deseja mais fazer e conceder-vos favores, do que vós desejais recebê-los.

Na frase de S. André de Creta é a Santíssima Virgem penhor de perdão divino. Isto é, Deus promete garantido perdão aos pecadores, quando recorrem a Maria para que os reconcilie com o Senhor, e como garantia disso lhe dá um penhor. Este penhor é, sem dúvida, Maria Santíssima, que nos foi dada como intercessora. Por sua intercessão Deus perdoa, em vista dos merecimentos de Jesus Cristo, a todos os pecadores que a ela recorrem. Disse um anjo a S. Brígida que os santos profetas exultavam de alegria ao saber que Deus, pela humildade e pureza de Maria, havia de aplacar-se e receber à sua graça os pecadores que o haviam menosprezado.

Nenhum pecador deve temer que Maria o desatenda se recorrer à sua piedade. Não; pois ela é Mãe de Misericórdia e como tal deseja salvar os mais miseráveis. Maria é aquela arca feliz, observa Egiberto, que livra do naufrágio a todos os que nela se refugiam. No tempo do dilúvio até os animais foram salvos na arca de Noé. Debaixo do manto de Maria se salvam também os pecadores. Certa vez viu S. Gertrudes Maria Santíssima com o manto aberto, debaixo do qual estavam refugiadas muitas feras: leões, ursos, tigres. Viu também como a Santíssima Virgem não só as não afastava, mas com grande piedade as recolhia e afagava. E com isto entendeu a Santa que ainda os pecadores mais perdidos, quando recorrem a Maria, não são expulsos, mas antes bem aceitos e salvos da morte eterna. Entremos, pois, nesta arca; refugiemo-nos sob o manto de Maria. Sem dúvida ela não nos repelirá, mas seguramente nos há de salvar. ◻

EXEMPLO

Conta o Padre Bóvio que uma mulher perdida, chamada Helena, foi um dia à igreja e aí ouviu casualmente um sermão sobre o rosário. Saindo, trocou-se um rosário; mas trazia-o escondido, para que não fosse visto. Começou logo a rezá-lo. E ainda que o recitasse sem devoção, a Santíssima Virgem lhe infundiu tantas consolações e doçura em rezar, que depois não podia deixar de o fazer. Ao mesmo tempo nela inspirou o Senhor um profundo nojo da má vida que levava. Helena não podia encontrar mais repouso e viu-se como impelida a ir confessar-se. Realmente confessou-se com tanta contrição, que fez pasmar o confessor. Feita a confissão, prostrou-se aos pés de um altar da Mãe de Deus para dar graças à sua advogada. Enquanto aí recitava o santo rosário, falou-lhe da imagem a divina Mãe: Helena, basta quanto tens ofendido a Deus e a mim; de hoje em diante muda de vida, que eu te farei participante das minhas graças. Confusa, respondeu-lhe a pobre pecadora: Ah! Virgem Santíssima, é verdade que eu tenho levado uma vida de vícios; mas vós, que tudo podeis, ajudai-me; consagro-me inteiramente a vós e quero passar o resto de minha vida fazendo penitência por meus pecados. – Helena distribuiu todos os seus bens pelos pobres e principiou a fazer rigorosa penitência. Atormentavam-na terríveis tentações; mas bastava encomendar-se à Mãe de Deus para ficar vitoriosa. Chegou a receber muitas graças sobrenaturais, visões, revelações e profecias. Finalmente, quando foi de sua morte, da qual tinha sido avisada, veio a Santíssima Virgem com seu Filho visitá-la. E morrendo, foi vista a alma desta pecadora em forma de belíssima pombinha voar para o céu.

ORAÇÃO

Aqui está, ó Mãe de meu Deus, ó minha única esperança, aqui está a vossos pés um miserável pecador que implora a vossa compaixão. A Igreja toda e todos os fiéis vos proclamam o refúgio dos pecadores. Sois, portanto, o meu refúgio, a vós compete salvar-me. Bem sabeis quanto vosso Filho quer a nossa salvação. Sabeis quanto ele sofreu para salvar-me. Ó minha Mãe, apresento-vos os sofrimentos de Jesus: o frio que padeceu no presépio, os passos que deu na viagem ao Egito, suas fadigas, seus suores, o sangue que derramou, as dores que o fizeram expirar aos vossos olhos na Cruz. Mostrai quanto amais o vosso Filho, já que por seu amor é que imploro vosso auxílio. Estendei a mão a um desgraçado que, do fundo do abismo, vos implora a compaixão. Se eu fora santo, não vos pedira misericórdia; por ser, entretanto, pecador é que a vós recorro, Mãe de misericórdia. Não ignoro que vosso Coração compassivo sente consolo em socorrer os miseráveis, quando por sua obstinação não impedem vossos favores. Consolai, pois, hoje o vosso piedoso coração e consolai-me também; pois tendes ocasião de salvar-me, que sou um pobre merecedor do inferno, hoje que podeis valer-me porque não quero ser obstinado. Entrego-me em vossas mãos; dizei-me o que devo fazer, e obtende-me força para executá-lo. Eis-me resolvido a fazer tudo para receber a divina graça. Refugio-me sob vosso manto. Jesus quer que eu a vós recorra, a fim de que, para glória vossa e dele, não só o seu sangue, mas também os vossos rogos, me ajudem a salvar-me. Ele me manda para vós, para que me socorrais.

Ó Maria, eis-me aqui, a vós recorro e em vós confio. Pedis por tantos outros, dizei também por mim uma palavra. Dizei a Deus que quereis a minha salvação, e Deus certamente me salvará. Dizei-lhe que sou vosso, e outra coisa não vos peço.

II. Maria é também nossa vida, porque nos alcança a perseverança

1. *Sem Maria não alcançamos a graça da perseverança*

A perseverança final é um dom divino tão grande, que, como disse o santo Concílio de Trento, é um dom de todo gratuito que por nada podemos merecer. Contudo S. Agostinho diz que alcançam de Deus a perseverança todos aqueles que lha pedem. E conforme diz o Padre Suárez, infalivelmente a alcançam, sendo diligentes até o fim da vida em a pedir a Deus. Por isso escreve S. Belarmino: Peça-se a perseverança todos os dias, para que seja obtida cada dia. Ora, se é verdade – como eu o tenho por certo, conforme a sentença hoje comum, como depois mostrarei no capítulo VI – se é verdade, digo, que quantas graças Deus nos dispensa, todas passam pelas mãos de Maria, é também verdade que só por meio de Maria poderemos esperar e conseguir esta sublime graça da perseverança. Esta mesma graça promete a todos aqueles que fielmente a servem nesta vida. "Os que agem por mim não pecarão; aqueles que me esclarecem, terão a vida eterna" (Eclo 24,30).

Para nossa conservação na vida da divina graça, é-nos necessária a fortaleza espiritual que nos leva a resistir a todos os inimigos da salvação. Ora, esta fortaleza só por meio de Maria se alcança. "Minha é a fortaleza; por mim reinam os reis" (Pr 8,14). Minha é esta fortaleza, diz Maria; Deus depositou em minhas mãos este dom, para que eu o conceda aos meus devotos servos. "Por mim reinam os reis", por meu intermédio reinam os meus servos, e dominam sobre todos os seus sentidos e paixões, e assim dignos se tornam de um reino eterno no céu. Oh! quanta força possuem os servos desta grande Rainha para vencer todas as tentações do inferno! É Maria aquela decantada torre dos Sagrados Cânticos: Teu pescoço é como a torre de Davi, que foi a armadura dos esforçados (4,4). Para os que a amam e a ela recorrem nos combates, é como uma torre forte cingida de todas as armas na luta contra o inferno.

A Santíssima Virgem é por isso chamada plátano. "Eu me elevei como o plátano à borda d'água, nos caminhos" (Eclo 24,19). Diz o Cardeal Hugo que as folhas do plátano são semelhantes a um escudo. Assim se explica a proteção de Maria para com aqueles que a ela se acolhem. O Beato Amadeu dá uma outra razão a estas palavras e diz: Assim como o plátano com a sombra dos seus ramos defende os transeuntes da chuva e do sol, do mesmo modo sob o manto de Maria acham os homens refúgio contra o ardor das paixões e a fúria das tentações.

Infelizes as almas que se afastam desta defesa e cessam de venerar a Maria, e de se lhe recomendar nos perigos! Que seria do mundo, se não nascesse mais o sol? Nada mais do que um caos de trevas e de horror – pergunta e responde S. Bernardo. "Retira o sol e que será do dia? Perca uma alma a devoção para com Maria, e que será senão trevas?" Sim, a alma ficará cheia daquelas trevas de que fala o Espírito Santo: Puseste trevas e foi feita a noite; nela transitarão todas as alimárias das selvas (Sl 103,20). Quando em uma alma já não resplandece a divina luz, e anoitece, ficará ela sendo covil de todos os pecados e dos demônios. Ai daqueles, exclama S. Anselmo, que desprezam a luz deste sol, isto é, a devoção a Maria! Com razão temia S. Francisco de Borja pela perseverança dos que não davam provas de uma especial devoção à Santíssima Virgem. Perguntando certo dia aos noviços pelos santos de sua devoção, conheceu que deles alguns não eram especialmente devotos de Nossa Senhora. Advertiu ao mestre dos noviços que olhasse com mais atenção para aqueles infelizes. E, de fato, todos eles perderam miseravelmente a vocação, e saíram da Companhia.

Razão sobrava, portanto, a S. Germano, ao chamar a Virgem de respiração dos cristãos. Pois como o corpo não pode viver sem respirar, tão pouco o pode a alma sem recorrer e recomendar-se a Maria, por cujo intermédio adquirimos e conservamos com segurança a vida da divina graça.

O Beato Alano, assaltado uma vez de uma forte tentação, esteve em termos de perder-se por se não ter encomendado a Maria. Apareceu-lhe então a Santíssima Virgem, e para o fazer mais advertido em outras ocasiões, bateu-lhe levemente no rosto e acrescentou: Se te houvesses recomendado a mim, não terias corrido tão grande risco.

2. Por intermédio de Maria obtemos a graça
da perseverança

Com as palavras dos Provérbios a nós se dirige Maria: Feliz aquele que me ouve e que vela todos os dias à entrada da minha casa (8,34). Feliz quem escuta a minha voz e por isso está de alerta para vir sempre à porta da minha misericórdia, em busca de socorro e de luzes. Sem dúvida não deixará Maria de obter-lhe luzes e força para sair do vício e trilhar pela vereda da virtude. Pelo que graciosamente Inocêncio III lhe chama "lua de noite, aurora de manhã, sol de dia". É lua para quem está cego na noite do pecado, a fim de esclarecê-lo e mostrar-lhe o miserável estado de condenação em que se acha. É aurora, isto é, precursora do sol, para quem já está iluminado, a fim de o fazer sair do pecado e recuperar a divina graça. Para quem já está em graça é finalmente sol, cuja luz o livra de cair em algum precipício.

Aplicam os Santos Doutores a Maria as palavras do Eclesiástico: Suas cadeias são ataduras de salvação (6,31). Mas cadeias por quê?, pergunta Ricardo de S. Lourenço. Porque

Maria prende os seus servos, para que não se desviem pela estrada dos vícios. Do mesmo modo explica Conrado de Saxônia as palavras que se encontram no ofício da Santíssima Virgem: "Na plenitude dos santos se acha a minha assistência" (Eclo 24,16). Maria não só está colocada na plenitude dos santos, diz ele, mas também nela os conserva para que não tornem para trás; conserva-lhes as virtudes, a fim de que não diminuam; impede os demônios, para que não lhes façam mal.

Dos devotos de Maria diz-se que estão cobertos com dois vestidos. "Todos os seus domésticos trazem vestidos forrados" (Pr 31,21). Maria, expõe Cornélio a Lápide, adorna os seus fiéis servos tanto com as virtudes de seu Filho, como com as suas, e assim revestidos conservam eles a santa perseverança. Desta forma explica este comentador quais são estes vestidos duplicados. S. Filipe Néri sempre admoestava os seus penitentes dizendo-lhes: Filhos, se desejais a perseverança, sede devotos de Nossa Senhora! S. João Berchmans, da Companhia de Jesus, dizia também: Quem amar a Maria terá perseverança. Bela é a reflexão que faz aqui o Abade Roberto, sobre a parábola do filho pródigo: Se ainda lhe vivesse a mãe, não deixara o filho pródigo a casa paterna, ou para ela regressara mais depressa do que voltou. Quer com isso dizer que um filho de Maria, ou nunca se aparta de Deus, ou, se por desgraça o faz, logo para ele torna por meio de Maria.

Oh! se todos os homens amassem essa tão benigna e amorosa Senhora, e se nas tentações sempre e sem demora recorressem a seu patrocínio, quem cairia jamais? Quem se perderia jamais? Cai e perece só quem não recorre a Maria. S. Lourenço Justiniano, aplicando à Virgem o texto do Eclesiástico: "Eu andei sobre as ondas do mar" (24,8), fá-la dizer:

Caminho com meus servos por entre as tormentas em que se acham, para assisti-los e salvá-los do pecado.

Quando nos vem tentar o demônio, escreve S. Tomás de Vilanova, não deixemos de fazer como os pintinhos, que, mal enxergam o gavião, correm logo a refugiar-se sob as asas da mãe. Logo que nos assaltam tentações, sem discorrer com elas, refugiemo-nos depressa sob o manto de Maria. E vós, Senhora, deveis defender-nos, continua o santo; depois de Deus outro refúgio não temos senão vós, que sois a nossa única esperança e protetora, em quem confiamos.

Concluamos, pois, com as palavras de S. Bernardo: "Homem, quem quer que sejas, já sabes que nesta vida vais flutuando mais entre perigos e tempestades, do que caminhando sobre a terra. Se não queres ser submergido, não apartes os olhos dos resplendores desta estrela. Olha para a estrela, chama por Maria. Nos perigos de pecar, nas moléstias das tentações, nas dúvidas do que deves resolver, considera que Maria te pode ajudar, chama logo por ela para que te socorra. O seu poderoso nome nunca se aparte do teu coração pela confiança, nem de tua boca para o entoares. Seguindo a Maria, não errarás o caminho da salvação. Quando te encomendares a ela, não desconfies; sustendo-te ela, não cairás. Protegendo-te ela, não temas perder-te; sendo tua guia, sem fadiga te salvarás. Em suma, pretendendo Maria defender-te, certamente chegarás ao reino dos bem-aventurados".

EXEMPLO

Célebre é a história de S. Maria Egipcíaca, que se lê no livro primeiro das Vidas dos Padres no deserto. Com doze anos fugiu ela da casa paterna e foi para Alexandria. Aí passou uma vida infame, e veio a ser o escândalo daquela cidade. Depois de passar 16 anos em pecados, foi peregrinando até Jerusalém. Celebrava-se então na cidade a festa da Exaltação da Santa Cruz. Movida antes pela curiosidade do que pela devoção, quis a pecadora entrar na igreja. Mas no limiar da porta sentiu uma força invisível que a repelia para trás. Intentou segunda vez entrar e também foi repelida. O mesmo lhe sucedeu terceira e quarta vez. Então, encostando-se a miserável a um canto do pórtico da igreja, foi iluminada para conhecer que, por sua má vida, Deus a tocava para fora da igreja. Levantando depois os olhos, por felicidade sua, viu uma imagem de Maria que estava pintada no pórtico. Voltando-se para ela, disse-lhe entre lágrimas: Ó Mãe de Deus, tende piedade desta pobre pecadora. Bem vejo que pelos meus pecados não mereço que olheis para mim; mas sois o refúgio dos pecadores; por amor de Jesus, vosso Filho, ajudai-me. Fazei que eu possa entrar na igreja, pois quero mudar de vida e ir fazer penitência aonde vós me ordenardes.

Ouviu então uma voz interna, como se a bem-aventurada Virgem lhe respondesse: Eia, já que a mim recorreste e queres mudar de vida, entra na igreja, que já a sua porta não se fechará para ti. Entra a pecadora, adora a Santa Cruz e chora. Torna à imagem e lhe diz: Senhora, aqui estou pronta; para onde queres que me retire a fazer penitência? – Vai, respondeu-lhe a Virgem, para o Jordão e acharás o lugar do teu repouso. A pecadora confessa-se, comunga, passa o rio, chega ao deserto e aqui entendeu que era o lugar da sua penitência. Ora, nos primeiros dezessete anos, que combates lhe não deram os demônios, desejosos de vê-la recair! Então que fazia ela? Nada mais que encomendar-se a Maria. E Maria lhe alcançou força para resistir em todos os anos de luta, depois dos quais cessaram as batalhas. Finalmente, depois de ter vivido cinquenta e sete anos naquele deserto, achando-se na idade de oitenta e sete anos, permitiu a divina Providência que fosse encontrada pelo abade S. Zózimo. A ele contou ela toda a sua vida e pediu-lhe que tornasse ali no ano seguinte e lhe trouxesse a sagrada comunhão. Volta com efeito o santo abade e dá-lhe a comunhão. Depois a Santa lhe tornou a pedir que viesse outra vez visitá-la. Retorna novamente S. Zózimo e a encontra morta, com o corpo cercado de luzes e na cabeça escritas estas palavras: Sepulta neste lugar o corpo desta miserável pecadora e roga a Deus por mim. – Sepultou-a o Santo na cova, que veio abrir um leão. Voltando para seu mosteiro, publicou as maravilhas que a divina Misericórdia operara com esta feliz penitente.

ORAÇÃO

Ó Mãe de piedade, Virgem sacrossanta, eis a vossos pés o traidor, que em pagando com ingratidão as mercês, por vossa intercessão recebidas de Deus, tem sido infiel a vós e a ele. Mas, Senhora, vós bem sabeis que a minha infidelidade não tira, antes aumenta a minha confiança em vós. Pois vejo que minha miséria faz crescer vossa compaixão para comigo. Mostrai, pois, ó Maria, que sois cheia de liberalidade e de misericórdia para com este pecador, assim como o sois para com todos aqueles que vos invocam. Basta que me olheis e tenhais compaixão de mim. Se o vosso coração se compadecer, que posso eu temer? Não; não temo nada. Não temo os meus pecados, porque podeis remediar o mal que fiz. Não temo os demônios, porque vós sois mais poderosa que o inferno todo. Não; não temo vosso Filho, justamente irritado contra mim, porque uma só palavra vossa o aplacará. Só temo por minha negligência que me leve a deixar de recomendar-me a vós nas minhas tentações e por isso me perca. Mas isto é o que hoje vos prometo, que quero recorrer sempre a vós. Ajudai-me a executá-lo. Vede que bela ocasião tendes de satisfazer o vosso desejo de socorrer um miserável, qual eu sou!

Ó Mãe de Deus, eu tenho uma grande confiança em vós. De vós espero a graça de chorar como devo os meus pecados! E de vós espero a fortaleza para não tornar a cair neles. Se eu estou enfermo, vós, ó auxílio celeste, podeis valer-me. Se minhas culpas me fizeram ser fraco, o vosso socorro me fará valente. Ó Maria, tudo espero de vós, porque podeis tudo junto de Deus. Amém.

DOÇURA NOSSA, SALVE

III. Maria suaviza a morte a seus servos

1. *Maria é nosso conforto na morte*
"Aquele que é amigo o é em todo tempo; e nos transes apertados conhece-se o irmão" (Pr 17,17). Os amigos verdadeiros e os verdadeiros parentes não se conhecem no tempo de prosperidades, mas sim no das angústias e das desventuras. Os amigos do mundo não deixam o amigo, enquanto está em prosperidade. Mas o abandonam imediatamente, se lhe acontece uma desgraça ou dele se avizinha a morte. Tal não é o procedimento de Maria com seus devotos. Nas suas angústias e especialmente nas da morte, que de todas são as piores, essa boa Senhora e Mãe não abandona seus fiéis servos. Como é nossa vida no tempo do nosso degredo, assim também quer ser a nossa doçura no tempo da morte, obtendo-nos um suave e feliz trânsito. Desde aquele dia em que teve a dor e juntamente a felicidade de assistir à morte de Jesus, seu Filho, cabeça dos predestinados, obteve também a graça de assistir na morte todos os predestinados. Por isso a Santa Igreja manda rogar à bem-aventurada Virgem: Rogai por nós, pecadores, agora, e na hora de nossa morte.

Muito e muito grandes são as angústias dos pobres moribundos, já pelos remorsos dos pecados cometidos, já pelo horror do próximo juízo, já pela incerteza da salvação eterna. É então que o inferno lança mão de todas as armas e empenha todas as reservas para ganhar aquela alma que passa para a eternidade. Bem sabe que pouco tempo lhe resta para obtê-la e que para sempre a perde, se então lhe escapar. "O demônio desceu a vós cheio de uma grande ira, sabendo que lhe resta pouco tempo" (Ap 12,12). Costumado a tentá-la durante a vida, não se contenta de ser ele só que a tenta na morte, mas chama companheiros para o ajudarem. "Encher-se-ão as suas casas (de Babilônia) com dragões" (Is 14,21). Quando alguém está para morrer, entram-lhe pela casa os demônios que à porfia tentam perdê-lo.

De S. André Avelino conta-se que, estando para morrer, vieram muitos demônios para tentá-lo. E de tal modo investiram contra ele, que deixaram horrorizados aos bons religiosos que o estavam assistindo. Viram eles que ao Santo se lhe inchou com grande agitação o rosto, de tal sorte que se fez de todo negro. Viram-no tremer e debater-se. De seus olhos corriam lágrimas e violentos lhe eram os movimentos da cabeça. Tudo sinais da horrível peleja que lhe dava o inferno. Os religiosos choravam de compaixão, redobravam de orações e tremiam de pavor, vendo que assim morria um Santo. Mas consolavam-se em ver que o Santo repetidas vezes movia os olhos para uma devota imagem de Maria, como quem procurava o seu socorro. Vinha-lhes à lembrança a frase na qual ele afirmara que a Mãe de Deus havia de ser o seu refúgio na hora da morte. Enfim, foi Deus servido que terminasse aquele combate com uma gloriosa vitória. Cessadas as convulsões do corpo, desinchado e tornado o rosto à sua cor antiga, viram-no, de olhos tranquilamente fixos naquela imagem, fazer uma devota inclinação a Maria (a qual se crê que então lhe apareceu), como em ação de graças, e expirar placidamente nos braços da Mãe de Deus, tendo no rosto a transfiguração dos eleitos. Ao mesmo tempo uma religiosa capuchinha, agonizante, voltou-se para as que a assistiam e lhes disse então: Rezai a Ave-Maria, porque agora morreu um Santo.

Ah! como fogem os demônios à presença de Nossa Senhora! Se na hora da morte tivermos Maria a nosso favor, que poderemos recear de todo o inferno? Reanimava-se Davi para as terríveis angústias da sua morte, pondo sua confiança na morte do futuro Redentor e na intercessão da Virgem Mãe. "Pois ainda quando andar no meio da sombra da morte, não temerei males; porquanto tu estás comigo. A tua vara e o teu báculo, eles me consolam" (Sl 22,4-5). Pelo báculo entende o Cardeal Hugo o lenho da cruz e pela vara a intercessão de Maria, que foi a vara profetizada por Isaías (11,1). Esta divina Mãe, diz S. Pedro Damião, é aquela poderosa vara que vence todas as violências dos inimigos infernais. Anima-se por isso S. Antonino, dizendo: Se Maria é por nós, quem será contra nós? – Estando à morte o Padre Manuel Padial, da Companhia de Jesus, apareceu-lhe Maria, que, para consolá-lo, lhe disse: Eis, finalmente, chegada a hora em que os anjos, congratulando-se contigo, vão dizer: Ó felizes trabalhos, ó bem recompensadas mortificações! E nisso foi visto um bando de demônios que, desesperados, fugiam, gritando: Ai! que nada podemos, porque aquela que não tem mancha o defende! Da mesma forma o Padre Gaspar Haywood foi assaltado por uma grande tentação contra a fé. Encomendou-se, porém, sem demora à Virgem Santíssima e ouviram-no exclamar: Sinceros agradecimentos, ó Maria, porque me viestes ajudar.

Como assevera Conrado de Saxônia, a Santíssima Virgem, em defesa dos fiéis moribundos, manda o príncipe S. Miguel com todos os seus anjos, para protegê-los contra as tentações do demônio e lhes receber as almas, com especialidade as daqueles seus servos que se recomendaram continuamente a ela. ☐

2. *Maria é nosso auxílio no tribunal divino* *

Quando uma alma está para sair desta vida, diz Isaías, se conturba o inferno todo e manda os demônios mais terríveis a tentá-la antes de sair do corpo e depois acusá-la, quando se apresentar ao tribunal de Jesus Cristo. "O inferno via-se lá embaixo à tua chegada todo turbado, e diante de ti levanta gigantes" (Is 14,9). Mas Ricardo diz que os demônios, em se tratando de uma alma patrocinada por Maria, não terão atrevimento, nem ainda para acusá-la. Pois sabem muito bem que o Juiz nunca condenou, nem condenará jamais, uma alma patrocinada por sua grande Mãe. S. Jerônimo escreve à virgem Eustóquio que Maria não só socorre seus amados servos na sua morte, mas também os vem esperar na passagem para a eternidade, a fim de os animar e de os acompanhar até o tribunal divino. Ó dia esse, exclama o Santo, em que a Mãe de Deus, rodeada de muitas virgens, há de vir ao teu encontro! E isto se conforma com que a mesma Santíssima Virgem disse a S. Brígida, referindo-se a seus devotos moribundos: Na hora da morte dos meus servos eu venho, como Senhora e Mãe amantíssima deles, e lhes trago consolo e alívio. Ajunta S. Vicente Ferrer que a bem-aventurada Virgem recebe as almas dos que morrem. Nossa amorosa Rainha acolhe sob seu manto as almas dos seus servos, apresenta-as ao Filho que as deve julgar e obtém-lhes a salvação. Foi o que aconteceu a Carlos, filho de S. Brígida. Morrera na perigosa carreira de soldado, longe da mãe, que por isso mesmo muito temia pela salvação dele. Mas a Santíssima Virgem revelou-lhe que Carlos se havia salvo, pelo grande amor que lhe consagrava, razão por que ela própria o assistira na última hora, sugerindo-lhe todos os atos cristãos necessários no momento. Ao mesmo tempo, viu a Santa Jesus Cristo no trono, e viu também que o demônio lhe apresentou duas acusações contra a Santíssima Virgem. Era a primeira que Maria lhe tinha impedido de tentar o moribundo; a segunda, que ela mesma havia apresentado ao Juiz a alma de Carlos e assim a salvara, sem lhe permitir alegar nem ainda os direitos que ele, demônio, possuía.

Seus vínculos são uma atadura de salvação – e nela acharás tu no fim o teu descanso (Eclo 6, 29, 31). Feliz de ti, meu irmão, se na hora da morte te achares preso pelas doces cadeias do amor à Mãe de Deus. Como cadeias de salvação, esses vínculos te assegurarão a tua eterna bem-aventurança, e te farão gozar na morte aquela paz bendita, que será princípio da paz e do repouso eterno. Refere o Padre Binetti, no seu livro "A perfeição", que assistindo ele um grande devoto de Maria à hora da morte, o ouviu dizer antes de expirar: "Ó meu padre, se soubésseis quanto contentamento sinto por ter sido servo da Santíssima Mãe de Deus! Não sei explicar a alegria que sinto neste instante"! Tinha o padre Suárez muita devoção a Nossa Senhora e costumava dizer que trocaria sua ciência pelo valor de uma Ave-Maria. Ao morrer, tanta lhe era a alegria, que exclamou: Nunca imaginei que fosse tão suave o morrer! O mesmo contentamento e alegria sentirás também tu, devoto leitor, se na hora da morte te recordares de haver amado a esta boa Mãe, a qual não sabe deixar de ser fiel com seus filhos, que foram fiéis em servi-la e em obsequiá-la, visitando-lhe as imagens, rezando o rosário, jejuando, rendendo-lhe graças com frequência, louvando-a e encomendando-se a seu poderoso patrocínio.

Não te privará desta consolação a lembrança de teus pecados passados, se de hoje em diante cuidares em viver como bom cristão, servindo a tão grata e benigna Senhora. Verdade é que o demônio há de vir com angústias e tentações para levar-te ao desespero. Mas a Virgem te confortará; virá em pessoa te assistir na hora da morte, como fez a Adolfo, conde de Alsácia. Deixara ele o mundo e entrara para a Ordem dos Franciscanos, onde se tornara, como rezam as Crônicas, um grande servidor de Maria. Estando para morrer, ao pensar no rigor do juízo divino, começou a tremer perante a morte, cheio de receios sobre a sua salvação. Então Maria, que não dorme nas angústias de seus servos, acompanhada de muitos santos, se apresentou ao moribundo e animando-o lhe disse: Meu caro Adolfo, por que tens medo da morte? Porventura não me pertences? Com estas palavras o servo de Maria se consolou, desaparecendo todos os seus temores e expirou em santa paz e contentamento.

Eia, pois, animemo-nos nós também. Ainda que sejamos pecadores, tenhamos confiança que Maria há de vir assistir-nos na hora da morte, consolando-nos com sua presença, se a servirmos com amor durante os dias que ainda nos restam no mundo. Nossa Rainha prometeu um dia a S. Matilde que havia de vir assistir, à hora da morte, todos os seus devotos que a servissem fielmente em vida. Que consolação, ó meu Deus, não será a nossa, quando no último momento da nossa vida, tão decisivo para a causa da nossa salvação, virmos ao pé de nós a Rainha do Céu, assistindo-nos e consolando-nos com a promessa de sua proteção! Inumeráveis exemplos da assistência de Maria a seus servos moribundos, além dos já citados, vêm narrados em vários livros. Esse favor foi concedido a S. Félix de Cantalício, capuchinho, a S. Clara de Montefalco, a S. Teresa, a S. Pedro de Alcântara. Conta o padre Crasset que S. Maria Ognocense viu a Santíssima Virgem à cabeceira de uma devota viúva de Villembroc, que ardia em febre; e viu-a consolando a doente, refrigerando e aliviando-a em sua febre.

Fechemos este capítulo com um novo exemplo que fala do terno amor desta boa Mãe para com seus filhos na hora da morte. ☐

EXEMPLO

S. João de Deus, estando para morrer, esperava a visita da Santíssima Virgem, de quem era muito devoto. Não a vendo vir, porém, entristeceu-se muito e disso queixou-se com os parentes. Eis que a seu tempo lhe aparece a Mãe de Deus e repreende-o da sua falta de confiança. Diz-lhe em seguida estas meigas palavras, que devem alentar a todos os seus servos: João, não abandono os meus servos numa hora como esta! Com isso parecia querer dizer: Que estás pensando, meu caro João? Que eu te havia abandonado? Não sabes então que nunca abandono meus servos, à hora da morte? Não vim mais cedo porque ainda não era tempo; agora, sim, vim te buscar; vamos juntos para o paraíso. – Pouco expirava o Santo († 1550) e voava para o céu, a dar graças a sua amantíssima Rainha, por toda a eternidade.

ORAÇÃO _____

Ó minha Mãe suavíssima, qual será a morte de um pobre pecador como eu? Quando penso naquele terrível momento em que hei de expirar e comparecer ao tribunal divino, tremo e fico todo confuso, e muito duvido da minha salvação eterna, lembrando-me de que eu mesmo escrevi a sentença de minha condenação.

Ó Maria, no sangue de Jesus e na vossa intercessão ponho toda a minha esperança. Sois Rainha do céu, a Soberana do universo, numa palavra, sois Mãe de Deus. É verdade que sois muito elevada em dignidade; mas vossa grandeza não vos afasta de nós, senão que faz com que tenhais ainda mais compaixão de nossas misérias. Quando elevados a alguma dignidade, abandonam os amigos do mundo e desprezam seus antigos companheiros no infortúnio. Mas vosso coração tão amoroso não procede assim. Mas se empenha em aliviar, onde maiores misérias descobre. Assim que vos invocamos, vindes em nosso socorro: prevenis até nossas preces com vossos favores. Vós nos consolais nas aflições, dissipais as tempestades e venceis os inimigos. Em suma, nunca perdeis ensejo de trabalhar para nosso bem. Bendita seja para sempre aquela divina mão que em vós aliou a tanto amor tanta grandeza, tanta majestade e tanta ternura. Agradeço-o sem cessar ao Senhor e sobre isso me alegro. Pois em vossa felicidade encontro a minha também e considero minha a vossa ventura. Ó consoladora dos aflitos, consolai uma alma aflita que a vós se recomenda. Aflito estou por causa dos remorsos de uma consciência tão sobrecarregada de pecados.

Não sei se os tenho chorado como devia. Vejo todas as minhas obras cheias de defeitos e manchas. O inferno só espera por minha morte para acusar-me; a justiça divina ultrajada quer ser satisfeita. Que será de mim, minha Mãe? Se não me ajudardes, estou perdido. Que dizeis, quereis ajudar-me? Ó Virgem piedosa, consolai-me; obtende-me verdadeiro arrependimento de meus pecados, alcançai-me força para emendar-me e ser fiel a Deus nos dias que ainda me restam. E quando eu me achar nas ânsias da morte, ó Maria, esperança minha, não me abandoneis. Então, fortalecei-me mais do que nunca e assisti-me para que, à vista de meus pecados relembrados pelo demônio, eu não me entregue ao desespero. Ó Senhora minha, escusai tanta ousadia: vinde vós mesma consolar-me com a vossa presença. A tantos outros já tendes feito semelhante graça. Fazei-a também a mim. Se grande é minha ousadia, ainda maior é vossa bondade, que anda procurando os infelizes para os consolar. É nesta que eu ponho minha esperança. Seja vossa eterna glória o haverdes salvo do inferno e conduzido ao vosso reino um pobre condenado. Lá espero depois consolar-me, estando sempre aos vossos pés, dando-vos graça, louvando-vos e amando-vos eternamente. Ó Maria, eu espero em vós; não me deixeis ficar desconsolado. Assim seja, assim seja. Amém.

CAPÍTULO III

ESPERANÇA NOSSA, SALVE

I. Maria é a esperança de todos os homens

1. *Maria é realmente nossa esperança*

Não suportam os hereges modernos que nós saudemos e chamemos a Maria nossa esperança. Dizem que só Deus é nossa esperança, e que ele amaldiçoa quem põe sua confiança na criatura. "Maldito o homem que confia no homem" (Jr 17,5). Maria é criatura, objetam eles; como, pois, uma criatura há de ser a nossa esperança? Isto dizem os hereges. Entretanto quer a Santa Igreja que cada dia todos os eclesiásticos e todos os religiosos em voz alta, e em nome de todos os fiéis, invoquem e chamem a Maria com este nome de esperança nossa.

De dois modos, diz o Angélico S. Tomás, podemos pôr nossa esperança numa pessoa, como causa principal ou como causa mediante. Quem deseja obter do rei uma graça, espera alcançá-la do rei como soberano senhor, e espera obtê-la do seu ministro ou valido, como intercessor. No último caso a graça concedida veio do rei, mas por intermédio do seu valido. – Portanto, quem pretende a graça com razão chama aquele seu intercessor a sua esperança. Por ser de infinita bondade, sumamente deseja o Rei do céu enriquecer-nos com as suas graças. Mas porque para tanto é necessária da nossa parte a confiança, deu-nos o Senhor, para aumentá-la, sua própria Mãe por advogada e intercessora, e concedeu-lhe plenos poderes a fim de nos valer. Por esta razão quer também que nela coloquemos a esperança de nossa salvação e de todo o nosso bem. Sem dúvida são amaldiçoados pelo Senhor, como diz Jeremias, aqueles que põem sua confiança na criatura unicamente. Tal é o procedimento dos pecadores que, em troca da amizade e dos préstimos de um homem, não se incomodam de ofender a Deus. São abençoados pelo Senhor e lhe são agradáveis, porém, os que esperam em Maria, tão poderosa como Mãe de Deus, para impetrar-lhe as graças e a vida eterna. Pois assim quer Deus ver honrada aquela excelsa criatura, que neste mundo o amou e honrou mais do que todos os anjos e homens juntos.

É, portanto, com muita razão que chamamos à Virgem esperança nossa, porque, como diz S. Roberto Belarmino, cardeal, esperamos por sua intercessão obter o que não alcançaríamos só com nossas orações. Invocamo-la, observa Suárez, para que a dignidade da intercessora supra a nossa falta de méritos. De modo que, continua ele, invocar a Virgem com tal esperança não é desconfiar da misericórdia de Deus, senão temer pela própria indignidade.

Motivo tem, pois, a Igreja em aplicar a Maria as palavras do Eclesiástico (24,24), com as quais vos chama a Mãe da santa esperança, Mãe que faz nascer em nós, não a esperança vã dos bens transitórios desta vida, mas a santa esperança dos bens imensos e eternos da vida bem-aventurada. Salve, esperança de minha alma, saudava-a S. Efrém, salve, ó segura salvação dos cristãos, auxílio dos pecadores, defesa dos fiéis, salvação do mundo. Aqui pondera S. Boaventura* que, depois de Deus, outra esperança não temos senão Maria e por isso a invoca "como única esperança nossa depois de Deus". Também é esta a convicção de S. Efrém. Reflete o Santo sobre a presente ordem da Providência, com que Deus tem determinado (como diz S. Bernardo e adiante nós demonstraremos largamente) que todos, que se hão de salvar, hajam de o conseguir por meio de Maria. E diz-lhe então: Senhora, não deixeis de guardar-nos e de proteger-nos sob vosso manto, já que depois de Deus não temos outra esperança senão a vós. O mesmo diz S. Tomás de Vilanova, para quem Maria é nosso único refúgio, socorro e asilo. S. Bernardo parece nos dar o motivo de tudo isso, quando diz: "Considerai, ó homem, o desígnio de Deus, desígnio cuja finalidade é dispensar-nos mais profundamente sua misericórdia. Querendo ele remir o gênero humano, depositou o preço inteiro da redenção nas mãos de Maria para que o reparta à sua vontade".

Ordenou o Senhor a Moisés que fizesse de ouro puríssimo o propiciatório,[1] dizendo que daí lhe queria falar: Farás outrossim um propiciatório de finíssimo ouro... daí é que eu te darei minhas ordens e te falarei (Êx 25,17 e 22). Na opinião de Pacciucchelli, Maria é este propiciatório de onde o Senhor fala aos homens e concede-nos o perdão, a graça e todos os seus demais dons. Por isso foi que o Verbo Divino, antes de encarnar-se no seio de Maria, mandou o arcanjo pedir-lhe o consentimento; pois Deus queria que a ela ficasse o mundo devendo o mistério da Encarnação. Assim discorre S. Ireneu. Por este motivo diz o Abade de Celes: Todos os bens, todas as graças, os auxílios todos que jamais receberam ou até ao fim do mundo receberão

---

[1] O propiciatório estava colocado sobre a arca, como peça distinta. Chamava-se "trono da graça", porque dele dava o Senhor as ordens ao povo (Nota do tradutor).

os homens, lhes têm vindo e hão de vir por intermédio de Maria. É, portanto, mui justa a exclamação do piedoso Blósio: Ó Maria, sois tão amável e agradecida para com os que vos amam; quem será tão louco ou infeliz que não vos ame? Nas dúvidas e confusões ilustrais o entendimento daqueles que a vós recorrem nas suas aflições. Consolais nos perigos aqueles que em vós confiam. Acudis a quem por vós chama; vós, depois do vosso divino Filho, sois a segura salvação de vossos fiéis servos. Salve, pois, ó esperança dos desesperados, ó refúgio dos abandonados. Sois onipotente, ó Maria, visto que vosso Filho quer vos honrar, fazendo sem demora tudo quanto vós quereis.

2. *Maria é a esperança de todos*

S. Germano, reconhecendo em Maria a fonte de todo o nosso bem e a libertação de todos os males, assim a invoca: Ó Senhora minha, sois a minha única consolação dada por Deus, vós o guia da minha peregrinação, vós a fortaleza das minhas débeis forças; a riqueza das minhas misérias, a liberdade das minhas cadeias, e a esperança da minha salvação. Ouvi as minhas orações, tende compaixão dos meus suspiros, ó minha Rainha, que sois meu refúgio, minha vida, meu auxílio, minha esperança, minha fortaleza!

Tem, portanto, razão S. Antonino ao aplicar a Maria estas palavras da Sabedoria (7,11): Juntamente com ela me vieram todos os bens. Já que Maria é a Mãe e a dispensadora de todos os bens, diz ele, bem se pode afirmar que todos os homens, especialmente os que vivem no mundo como devotos desta Soberana, juntamente com a devoção de Maria adquiriram todos os bens. Por isso, sem mais restrições, dizia o Abade de Celes: Quem ama Maria acha todo o bem, acha todas as graças e todas as virtudes, porque ela por sua intercessão lhe alcança tudo quanto lhe é necessário para enriquecê-lo com a divina graça. – Ela própria nos faz cientes de ter consigo todas as opulências de Deus, isto é, as divinas misericórdias, para dispensá-las aos que a amam. "Comigo estão as riquezas... a magnífica opulência... para enriquecer os que me amam" (Pr 8, 18, 21). Exorta-nos por isso Conrado de Saxônia a que não retiremos os olhos das mãos de Maria, a fim de, por seu intermédio, recebermos os bens que almejamos.

Oh! quantos soberbos, com a devoção de Maria, acharam a humildade; quantos coléricos, a mansidão; quantos cegos, a luz; quantos desesperados, a confiança; quantos transviados, a salvação! E isto mesmo o profetizou ela, quando proferiu em casa de Isabel aquele seu sublime cântico: Eis que já desde agora todas as gerações me chamarão de bem-aventurada (Lc 1,48). Sim, ó Maria, todas as gerações chamar-vos-ão de bem-aventurada – comenta S. Bernardo – porque a todas tendes dado a vida e a glória; pois em vós acham perdão os pecadores e perseverança os justos. O piedoso Landspérgio imagina o Senhor falando assim ao mundo: "Homens, pobres filhos de Adão, que viveis no meio de tantos inimigos e de tantas misérias, procurai honrar com especial afeto a minha e vossa Mãe; pois eu dei Maria ao mundo para vosso exemplo, para que dela aprendais a viver como é devido. Dei-a como vosso refúgio para que a ela recorrais em vossas aflições. Esta minha filha eu a fiz tal, que ninguém a pudesse temer, nem ter repugnância de recorrer a ela. Exatamente por isso a formei tão benigna e compassiva, que nem sabe desprezar os que a invocam, nem sonegar seus favores a quem a suplica. A todos abre o manto de sua misericórdia e não despede alma nenhuma desconsolada".

Louvada seja, pois, e bendita a imensa bondade de nosso Deus, que nos concedeu esta excelsa Mãe e advogada tão terna e amorosa!

Como são ternos os sentimentos de confiança de um S. Boaventura, tão abrasado de amor para com nosso Redentor e nossa amantíssima advogada, Maria! Ainda que o Senhor tenha-me reprovado quanto quiser, exclama o Santo, eu sei que ele não pode negar-se a quem o ama e a quem de todo o coração o busca. Eu o abraçarei com o meu amor e sem me abençoar não o deixarei; sem me levar consigo, ele não poderá ausentar-se.

Se mais não puder, ao menos esconder-me-ei dentro das suas chagas, onde ficarei para que me não possa encontrar fora de si. Finalmente, se o meu Redentor, por causa das minhas culpas, me lançar fora dos seus pés, eu me prostrarei aos pés de Maria, sua Mãe, e deles não me afastarei enquanto ela não me alcançar o perdão. Por ser Mãe de misericórdia, nem recusa nem jamais recusou compadecer-se de nossas misérias, e socorrer os infelizes que imploram o auxílio. E assim, se não por obrigação, ao menos por compaixão, não deixará de induzir o Filho a perdoar-me.

Olhai, pois, para nós, concluamos com Eutímio, olhai para nós finalmente com os vossos olhos piedosos, ó Mãe nossa misericordiosíssima! Pois somos servos vossos e em vós temos colocado toda a nossa esperança.

EXEMPLO

S. Gregório Magno, Papa, conta-nos que uma virgem, chamada Musa, distinguia-se por uma grande devoção a Nossa Senhora. Achando-se, porém, em grande perigo de perder a sua inocência por causa dos maus exemplos das companheiras, apareceu-lhe certo dia a Mãe de Deus, na companhia de muitos Santos, e assim lhe falou: Musa, não queres entrar para o coro destas virgens? Musa disse que sim e ouviu como resposta da Rainha do céu o seguinte: Pois bem, nesse caso deixa as tuas companheiras e prepara-te, dentro de trinta dias estarás entre as santas virgens. – De fato, Musa deixou suas amigas e trinta dias depois estava para morrer, vitimada por gravíssima enfermidade. Outra vez apareceu-lhe a Mãe de Deus chamando-a por seu nome, ao que Musa respondeu: Sim, ó minha Rainha, já vou. Com essas palavras expirou na paz do Senhor.

ORAÇÃO

Ó Mãe do santo amor, ó vida, refúgio e esperança nossa! Bem sabeis que vosso Filho Jesus Cristo, não contente de constituir-se nosso perpétuo advogado junto ao Eterno Pai, quis ainda que vos empenhásseis junto a ele para impetrar as divinas misericórdias. Ele dispôs que as vossas orações concorressem para nossa salvação, e deu-lhes tanto poder, que alcançam quanto pedem. Eu, miserável pecador, para vós me volto, ó esperança dos miseráveis. Espero, ó Senhora minha, que, pelos merecimentos de Jesus Cristo e pela vossa intercessão, me hei de salvar. Assim espero e confio tanto que, se a minha salvação eterna estivesse na minha mão, certamente eu a poria na vossa. Pois mais confio em vossa misericórdia e proteção, que em todas as minhas obras. Mãe e esperança minha, não me desampareis como eu mereço; olhai para as minhas misérias e movei-vos à piedade, socorrei-me e salvai-me. Confesso que com meus pecados tenho muitas vezes posto obstáculo às luzes e aos socorros que me tendes alcançado do Senhor. Porém vossa piedade para com os miseráveis e vosso poder junto a Deus excedem o número e a malícia de todos os meus pecados. É patente ao céu e à terra que quem é de vós protegido certamente não se perde.

Esqueçam-me, pois, todas as criaturas, vós, porém, não me esqueçais, ó Mãe de Deus onipotente. Dizei a Deus que eu sou vosso servo; dizei-lhe que vós me protegeis, e serei salvo. Ó Maria, tenho confiança em vós; nesta esperança vivo, e nela quero e espero morrer, dizendo sempre: Minha única esperança é Jesus e depois de Jesus, Maria.

II. Maria é a esperança dos pecadores

1. *Maria é realmente a esperança dos pecadores*   *

Depois que Deus criou a terra, criou também dois luzeiros. Um maior, isto é, o sol, para que alumiasse de dia. Outro menor, isto é, a lua, para que brilhasse à noite (Gn 1,16). O sol, diz o Cardeal Hugo, é figura de Jesus Cristo, de cuja luz gozam os justos que vivem no dia da divina graça. A lua é figura de Maria, por meio da qual são iluminados os pecadores que vivem na noite do pecado. Já que Maria é esta lua propícia aos miseráveis pecadores, se algum miserável, diz Inocêncio III, se acha imerso nesta noite de culpa, que há de fazer? Aquele que perdeu a luz do sol, perdendo a divina graça, volte-se para a lua, faça oração a Maria; dela receberá luz para conhecer a miséria de seu estado e força para deixá-lo imediatamente. Garante-nos S. Metódio que os rogos de Maria convertem continuamente uma quase inumerável multidão de pecadores.

Um dos títulos com que a Santa Igreja saúda Maria, e que muito anima os pobres pecadores, é aquele da Ladainha: Refúgio dos pecadores.

Havia na Judeia, outrora, cidades de refúgio, nas quais os culpados podiam abrigar-se e ficavam a salvo das penas merecidas. Agora já não há tantas cidades de refúgio como antigamente. Só há uma que é Maria Santíssima, da qual foi dito: Coisas gloriosas se tem dito de ti, ó cidade de Deus (Sl 86,3). Existe aqui uma diferença, porém. Nas antigas cidades de refúgio não havia asilo para todos os culpados, nem para toda sorte de delitos, enquanto que sob o manto de Maria acham refúgio todos os pecadores e toda espécie de delito. Basta que se recorra a ela, para se estar a salvo. Sou cidade de refúgio para todos que a mim recorrem, faz S. Damasceno dizer nossa Rainha. Só se exige que a ela se recorra. "Ajuntai-vos e entremos na cidade fortificada e guardemos aí silêncio" (Jr 8,14). Esta cidade fortificada, explica S. Alberto Magno, é a Santíssima Virgem fortificada em graça e glória.

"Guardemos aí silêncio" – a isso observa a Glossa: Já que nós não temos de pedir ao Senhor, basta que entremos nesta cidade, e nos calemos; porque Maria falará e rogará por nós. Exorta por isso Benedito Fernandes todos os pecadores a refugiarem-se sob o manto de Maria, dizendo: Fugi, ó Adão, ó Eva, fugi, ó filhos seus que tendes ofendido a Deus, fugi e refugiai-vos no seio desta boa Mãe. Não sabeis que é ela a única cidade de refúgio e a única esperança dos pecadores? Também nos sermões atribuídos a S. Agostinho, Maria é chamada nossa única esperança.

Da mesma forma exprime-se S. Efrém: Vós sois a única advoga dos pecadores e daqueles que precisam de todo o socorro. Eu vos saúdo como asilo e refúgio no qual ainda podem os pecadores achar salvação e acolhimento. E isto precisamente Davi queria dizer com as palavras: Ele me põe a coberto no escondido do seu tabernáculo (Sl 26,5). E quem é este tabernáculo de Deus, senão Maria, como a chama André de Creta? "Tabernáculo feito por Deus, em que só Deus entrou para cumprir os grandes mistérios da Redenção."

Diz a este propósito o grande padre da Igreja S. Basílio, que o Senhor nos deu Maria como um hospital público, onde se podem recolher todos os enfermos, que são pobres e desamparados de todos os socorros. Ora, pergunto eu, quais são os que mais direito têm a ser admitidos nos hospitais destinados aos indigentes? Não são porventura os mais pobres e mais enfermos? Portanto, quem se achar mais pobre, isto é, mais despido de merecimentos, e mais oprimido das enfermidades da alma, que são os pecados, pode dizer a Maria: Senhora, vós sois o refúgio dos enfermos pobres; não me desampareis. Pois, sendo eu o mais pobre de todos, tenho mais razão para que me aceiteis. Digamos com S. Tomás de Vilanova: Ó Maria, nós, miseráveis pecadores, não sabemos achar outro refúgio fora de vós. Sois nossa única esperança, a quem confiamos a nossa salvação; perante Jesus Cristo sois nossa única advogada, a quem nos dirigimos.

Astro precursor do sol é Maria, nas revelações de S. Brígida. Quer isto dizer: Quando em uma alma pecadora desponta a devoção a Maria, é sinal certo que dali a pouco Deus a virá enriquecer com a sua graça. Para avivar nos pecadores a confiança na proteção de Maria, recorre o glorioso S. Boaventura à imagem de um mar agitado pela tempestade. Os pecadores já caíram da nau da divina graça e são carregados, de todos os lados, sobre as ondas, pelos remorsos de consciência e pelo temor da justiça de Deus, sem luz nem guia. Já estão próximos de perder toda a esperança, prestes a desesperar. Eis que neste momento o Senhor lhes mostra Maria, chamada comumente Estrela do mar, e brada-lhes: Pobres pecadores, já que estais quase perdidos, não desespereis; volvei os olhos para esta formosa Estrela e confiai; pois Maria vos livrará desta tempestade e vos conduzirá ao porto da salvação.

O mesmo diz S. Bernardo: Se não queres ficar submergido das tempestades, olha para a Estrela e chama por Maria para que te socorra. Pois, como diz Blósio, é ela a única salvação de quem ofendeu a Deus, o único refúgio de todos os tentados e atribulados. – Esta Mãe de misericórdia é toda benigna, toda suave, não só para com os justos, mas também para com os pecadores e desamparados. Logo que os vê recorrer a ela, pedindo de coração seu auxílio, prontamente os socorre, acolhe-os e obtém-lhes o perdão de seu Filho. A ninguém desdenha, por mais indigno que seja. A ninguém sonega a sua proteção, a todos consola e, apenas é chamada, já está presente. Com a sua bondade muitas vezes atrai à sua devoção os afastados de Deus e desperta-os da letargia do pecado. Por este meio dispõem-se eles a receber a graça e tornam-se finalmente dignos da eterna glória. De coração compassivo e tão amável dotou o Senhor esta sua filha predileta, que ninguém pode recear recorrer à sua intercessão. Enfim, conclui o piedoso Blósio, não é possível que se perca quem com diligência e humildade cultiva a devoção para com a divina Mãe. ☐

2. *Maria é para os pecadores uma segura esperança* *

É Maria comparada ao plátano: Eu cresci como o plátano (Eclo 24,14). A isso bem atendam os pecadores. O plátano oferece agasalho ao viandante que em sua sombra pode repousar, livre dos raios do sol. Também Maria, quando vê acesa contra eles a ira da divina justiça, os convida a refugiarem-se à sombra da sua proteção. Lamentava-se o profeta Isaías em seu tempo, dizendo: "Eis aí está que tu te iraste, Senhor, porque nós pecamos...; não há quem se levante e te detenha" (64, 5, 7). Senhor, estais justamente irado contra os pecadores, queria ele dizer; não há quem por nós vos possa aplacar. Assim gemia o profeta, diz Conrado de Saxônia, porque então Maria ainda não era nascida. Mas agora, se Deus está irado contra qualquer pecador e Maria toma à sua conta protegê-lo, ela detém o Filho, para que não o castigue, e salva-o. Ninguém há, continua Conrado, mais apto do que ela para suspender a espada da divina justiça, para que não descarregue o golpe sobre os pecadores. Sobre este mesmo pensamento, diz Ricardo de S. Lourenço que Deus, antes de no mundo existir Maria, se queixava de não haver quem o impedisse de punir os pecadores; mas agora é Maria quem o aplaca.

Ó pecador – exclama Basílio de Seleucia –, não percas a confiança, mas recorre a Maria em todas as necessidades; chama-a em teu socorro, pois a encontrarás sempre pronta para te valer, porque é vontade de Deus que ela nos valha em todos os nossos apuros. Tem esta Mãe de Misericórdia mui vivo desejo de salvar os pobres pecadores. Por isso vai pessoalmente em busca deles para os ajudar e sabe como reconciliá-los com Deus, se a ela recorrem.

Desejava Isaac comer alguma caça e prometeu a Esaú que o abençoaria, se lha trouxesse. Mas Rebeca queria que essa bênção coubesse a Jacó, outro filho seu. Mandou-o por isso buscar dois cabritos e guisou-os ao gosto de Isaac (Gn 27,9). Os cabritos são uma imagem dos pecadores, e Rebeca, segundo S. Antonio, é figura de Maria. Trazei-me os pecadores, diz a Senhora aos anjos, quero prepará-los, obtendo-lhes contrição e bom propósito, para que se tornem dignos e agradáveis a meu Senhor. Revelou a própria Virgem Santíssima a S. Brígida que não há no mundo pecador tão inimizado com Deus, que se não converta e recupere a divina graça, se a invocar e a ela recorrer. Certo dia a mesma santa ouviu Jesus Cristo dizer a sua Mãe que ela estaria pronta a obter a divina graça até mesmo a Lúcifer, caso este se humilhasse e implorasse seu auxílio. Jamais aquele espírito soberbo saberá humilhar-se para impetrar o socorro de Maria. Fora isso, entretanto, possível, dele tivera a Virgem piedade, e o poder de suas preces lhe obtivera perdão e salvação. Mas o que não é possível a respeito do demônio acontece com os pecadores que se dirigem a esta compassiva Mãe.

Figura foi de Maria a arca de Noé. Pois como nela acharam abrigo todos os animais da terra, igualmente sob o manto de Maria encontraram refúgio todos os pecadores, cujos vícios e pecados sensuais os tornam semelhantes aos brutos. Há esta diferença, entretanto, observa Pacciucchelli: na arca entraram os brutos e brutos ficaram. O lobo ficou sendo lobo e o tigre ficou sendo tigre. Mas debaixo do manto de Maria o lobo é mudado em cordeiro e o tigre em pomba. Um dia viu S. Gertrudes a Maria com o manto aberto e debaixo dele muitas feras de diversas espécies: leopardos, ursos etc. Viu também que a Virgem não só os afugentava, mas antes docemente os recebia e afagava. Entendeu a Santa que eles figuravam os míseros pecadores, acolhidos por Maria com afável amor, quando a ela recorrem.

Razão sobejava, pois, a Egídio de Schoenau ao dizer à Santíssima Virgem: "Senhora, não detestais a nenhum pecador, por mais asqueroso e abominável que seja. Se ele implora vossa proteção, nunca deixais de estender-lhe compassiva mão para arrancá-lo do abismo do desespero". Bendito e para sempre louvado seja Deus, que vos fez, ó Maria amabilíssima, tão compassiva e tão benigna até para com os mais miseráveis! Infeliz de quem não vos ama, e que podendo recorrer a vós, em vós não confia! Perde-se quem a Maria não recorre, mas quem jamais se perdeu, depois de implorá-la?   □

3. *Maria é, às vezes, a última esperança dos pecadores* *

Lê-se no livro de Rute (2,3) que Booz permitiu a uma mulher por nome Rute respigar, indo atrás dos segadores. Aqui sugere Conrado de Saxônia: Como Rute achou graça aos olhos de Booz, assim Maria achou graça diante de Deus, para recolher as espigas abandonadas pelos segadores.

Estes últimos são os operários evangélicos, os missionários, os pregadores, os confessores, que com as suas fadigas continuamente colhem e amealham almas para Deus. Almas há, porém, rebeldes e obstinadas que são abandonadas por eles. Só a Maria é dado salvar, por sua poderosa intercessão, essas espigas largadas no campo. Mas quão infelizes são as almas que nem por esta doce Senhora se deixam apanhar! Estas, sim, serão, com efeito, perdidas e amaldiçoadas. Bem-aventurado, ao contrário, quem recorre a esta boa Mãe. Pecador algum, tão perdido e tão viciado há no mundo, diz Blósio, que Maria o aborreça e despreze. Não; se lhe vier pedir socorro, ela sabe e pode reconciliá-lo com seu Filho e alcançar-lhe o perdão.

É, pois, com razão, ó minha Rainha, que S. João Damasceno vos saúda como esperança dos desamparados. Com razão vos chama S. Lourenço Justiniano esperança dos delinquentes; e o Pseudo-Agostinho, único refúgio dos pecadores; S. Efrém, porto seguro dos náufragos, ajuntando que sois até protetora dos réprobos. Finalmente tem razão S. Boaventura,* ao exortar à esperança até os mais desesperados, enquanto cheio de ternura diz amorosamente a sua Mãe caríssima: Senhora, quem não há de confiar em vós? Vós socorreis até os desesperados. Não duvido – ajunta – que sempre que a vós recorremos, alcançaremos quanto quisermos. Em vós, pois, espere quem desespera. □

EXEMPLO

S. Antonino conta o seguinte de um homem que vivia da inimizade de Deus. Pareceu-lhe certa vez que comparecia perante o tribunal de Jesus Cristo. De um lado acusava-o o demônio, enquanto que Maria o defendia. O inimigo apresentava ao pecador a lista de seus pecados, a qual, posta na balança da divina justiça, pesava mais que todas as boas ações. Mas que fez então a sua grande advogada? Estendeu a sua compassiva mão e, pondo-a sobre a balança, fê-la inclinar a favor do seu devoto. E assim lhe fez entender que ela lhe alcançava o perdão, se mudasse de vida. Com efeito, aquele pecador, depois de tal visão, mudou de vida e se converteu.

ORAÇÃO ─────────────────────────

Venero, ó Santíssima Virgem Maria, o vosso puríssimo Coração, delícia e repouso de Deus. Coração todo cheio de humildade, de pureza e de amor divino. Infeliz pecador, venho a vós com o coração todo manchado e chagado. Ó Mãe de piedade, não me desprezeis por me verdes assim, mas redobrai de compaixão e socorrei-me. Não busqueis em mim para ajudar-me nem virtude, nem méritos. Estou perdido e só mereço o inferno. Peço-vos que só olheis para a confiança que tenho em vós e para o propósito em que estou de emendar-me. Diante de vossos olhos coloco o quanto Jesus fez e padeceu por mim. Abandonai-me, se fordes capaz.

Apresento-vos todos os sofrimentos de sua vida, o frio que padeceu no presépio, a sua fuga para o Egito, o sangue que derramou, a pobreza, os suores, a tristeza, a morte que suportou por meu amor, estando vós presente. E por amor de Jesus empenhai-vos em salvar-me.

Ah! minha Mãe, não quero nem posso recear ser repelido, agora que recorro a vós e vos peço que me ajudeis. Se isto temesse, faria injúria a vossa misericórdia, que anda buscando miseráveis para os socorrer. Senhora, não recuseis vossa piedade àquele a quem Jesus não recusou seu sangue. Mas os merecimentos deste sangue não me serão aplicados, se não me recomendardes a Deus. De vós, pois, espero a minha salvação. E não vos peço riquezas, honras, nem outros bens da terra; peço-vos a graça de Deus, o amor para com vosso Filho, o cumprimento de sua vontade, e o paraíso para amá-lo eternamente. Será possível que não me ouçais? Não; vós já me entendestes, assim espero. Já me procurastes a graça que pretendo. Já me tomastes sob vossa proteção. Minha mãe, não me deixeis; continuai a rogar por mim até me verdes salvo no céu, para louvar e render-vos as devidas graças eternamente. Amém.

CAPÍTULO IV

A VÓS BRADAMOS, OS DEGREDADOS FILHOS DE EVA

I. Da prontidão de Maria em socorrer os que a invocam

1. *Maria ajuda em muitos apuros da vida*   *
Como pobres filhos da infortunada Eva, somos réus da mesma culpa e condenados à mesma pena. Andamos errando por este vale de lágrimas, exilados de nossa pátria, chorando por tantas dores que nos afligem no corpo e no espírito. Feliz, porém, aquele que por entre tais misérias se dirige muitas vezes à consoladora do mundo, ao refúgio dos pecadores, à grande Mãe de Deus. Feliz quem a invoca e implora com devoção! Bem-aventurado o homem que me ouve e que vela todos os dias à entrada de minha casa (Pr 8,34). Bem-aventurado, diz Maria, quem ouve meus conselhos e permanece constantemente à porta de minha misericórdia, invocando minha intercessão e meu auxílio.

A Santa Igreja bem a nós, seus filhos, ensina com quanto zelo e quanta confiança devemos recorrer sem cessar a esta nossa amorosa protetora. Pois é ordem sua que lhe tribute um culto particular. Durante o ano celebra muitas festas em sua honra e prescreve que um dia da semana lhe seja especialmente dedicado. Exige também que, diariamente no Ofício Divino, todos os eclesiásticos e religiosos a invoquem em nome do povo cristão, e que três vezes ao dia os fiéis a saúdem ao toque das Ave-Marias.

Bastaria, para isso, somente ver e ouvir que em todas as calamidades públicas a Santa Igreja sempre quer que se recorra à divina Mãe com novenas, com orações, com procissões e visitas às suas igrejas e imagens. Isto mesmo quer Maria que façamos. Que sempre a invoquemos, que sempre lhe peçamos, não por necessitar dos nossos obséquios, nem das nossas honras tão inadequadas aos seus merecimentos, mas sim para que, à medida da nossa devoção e da nossa confiança, possa melhor socorrer-nos e consolar-nos. Procura, na frase de S. Boaventura, os que dela se aproximam devota e reverentemente; ama-os, nutre-os, aceita-os por filhos.

2. Maria ajuda pronta e alegremente

Para o mesmo Santo, Rute foi figura de Maria. Pois seu nome significa "aquela que vê e se apressa". Vendo Maria nossas misérias, se apressa a fim de nos socorrer com a sua misericórdia. Novarino acrescenta que nela desconhece demoras o desejo de fazer-nos bem; e porque não é avara guardadora de suas graças, não tarda, como Mãe de misericórdia, em derramar sobre os seus servos os tesouros de sua benignidade.

Oh! como é pronta esta boa Mãe para valer a quem a invoca! Explicando a passagem dos Cânticos (4,5), diz Ricardo de S. Lourenço que Maria é tão veloz em exercer misericórdia para com quem lha pede, como são velozes em suas corridas os cabritos. O mesmo autor assevera-nos que a compaixão de Maria se derrama sobre quem a pede, ainda que não medeiem outras orações mais que a de uma breve Ave-Maria. Pelo que, atesta Novarino que a Santíssima Virgem não só corre, mas voa em auxílio de quantos a invocam. No exercício de sua misericórdia, ela imita a Deus, que também voa sem demora em socorro dos que o chamam, porque é fidelíssimo no cumprimento da promessa: Pedi e recebereis (Jo 16,24). Assim afirma Novarino. Do mesmo modo procede Maria. Quando é invocada, logo está pronta para ajudar a quem a chamou em seu auxílio.

E com isso ficamos entendendo quem seja aquela mulher do Apocalipse (12,14), a quem se deram duas grandes asas de águia para voar ao deserto. Nelas vê Ribeira o amor com que Maria se eleva sempre para Deus. Mas o Beato Amadeu diz que estas asas de águia significam a presteza com que Maria, vencendo a velocidade dos serafins, socorre sempre os seus filhos.

A isto corresponde também o que lemos no Evangelho de S. Lucas. Quando Maria foi visitar S. Isabel e cumular de graças aquela família inteira, não fez a viagem com vagar, mas sim com presteza: E naqueles dias, levantando-se, Maria foi com presteza às montanhas (Lc 1,39).

De seu regresso não lemos a mesma observação. Diz, por isso, o Cântico dos Cânticos: As suas mãos são de ouro, feitas ao torno (5,14).

É a seguinte a explicação dada a esta passagem por Ricardo de S. Lourenço: Assim como o trabalho do torno é mais fácil e pronto que os demais, também Maria é mais pronta que todos os santos em ajudar os seus devotos. Vivíssimo é o seu desejo de consolar-nos. Por isso apenas por ela chamamos, logo afável aceita as orações e socorre. Tem razão S. Boaventura* ao chamá-la de saúde dos que a invocam, significando que basta invocar esta divina Mãe para ser salvo. Sempre a encontram prestadia para ajudar, quantos a ela se dirigem, reza a sentença de Ricardo de S. Lourenço. Mais deseja essa grande

Senhora fazer-nos favores do que nós os desejamos receber, assegura Bernardino de Busti.

Nem ainda a multidão de nossos pecados deve diminuir nossa confiança, quando nos prostramos aos pés de Maria. Ela é a Mãe de misericórdia, mas a misericórdia não tem razão de ser onde não há misérias para aliviar. Uma boa mãe não hesita em tratar de um filho coberto de chagas repugnantes, ainda que lhe custe abnegações e trabalhos, observa Ricardo de S. Lourenço. Da mesma forma também não sabe nossa boa Mãe abandonar-nos, quando por ela chamamos, por mais horripilantes que sejam os pecados de que nos precisa curar. E justamente isso quis Maria significar quando se fez ver a S. Gertrudes, estendendo seu manto para cobrir com ele todos os que a ela recorriam. Ao mesmo tempo entendeu a Santa que todos os anjos têm cuidado de defender os devotos de Maria contra os assaltos do inferno.

É tal a compaixão desta boa Mãe, e tanto o amor que nos consagra que nem espera por nossas orações. "Ela se antecipa aos que a desejam" (Sb 6,14). S. Anselmo, ao aplicar estas palavras a Maria, diz: A Virgem se antecipa com seu auxílio aos desejosos de sua proteção. Devemos, pois, saber que ela nos alcança de Deus muitas graças, mesmo antes de lhas pedirmos. Por isso, segundo Ricardo de S. Vítor, dela se diz que é como a lua (Ct 6,9). Como esta é veloz na sua carreira, assim também Maria o é na prontidão com que atende a seus devotos. Tanto se interessa por nosso bem, que se antecipa até as nossas súplicas. Sua misericórdia é mais pronta em nos socorrer, do que nós somos pressurosos em invocá-la. A causa disto está no seu mui compassivo coração, observa Ricardo. Apenas sabe da nossa miséria, logo deixa correr o leite de sua misericórdia. É impossível a tão benigna Rainha ver a necessidade de uma alma, sem ir incontinenti em seu auxílio.

Esta grande compaixão de Maria para com nossas misérias a leva a nos socorrer e consolar, mesmo quando a não invocamos. É o que nos mostrou durante sua vida, nas bodas de Caná (Jo 2,3). A seus compassivos olhos não escapou o embaraço dos esposos que, aflitos e vexados, perceberam a falta do vinho à mesa dos convidados. Sem ser rogada, movida somente por seu piedoso coração incapaz de assistir indiferente à aflição de outros, pediu Maria a seu Filho que consolasse a família. Fê-lo, expondo-lhe com singeleza a necessidade em que ela estava, dizendo: Eles não têm vinho. Então o Senhor, para valer àquela família e mais ainda para contentar o compassivo coração de sua Mãe que o desejava, operou o célebre milagre de mudar em vinho a água das talhas. Isto comentando, conclui Novarino: Se Maria é tão pronta em ajudar, mesmo sem ser rogada, quanto mais o será para consolar quem a invoca e a chama em seu auxílio?

3. *Maria ajuda eficazmente*
E se alguém duvidar de ser socorrido de Maria, ao invocá-la, ouça a repreensão de Inocêncio III: Quem é aquele que pediu socorro a esta doce Soberana e ela o não atendeu? Aqui exclama o Beato Eutiquiano: Ó Virgem Santa, que podeis ajudar todo miserável e salvar os maiores pecadores, quem jamais solicitou vosso poderoso patrocínio e por vós foi desamparado? Tal caso nunca se deu e nunca se há de dar. Concordo, diz S. Bernardo, que nunca mais exalte vossa misericórdia, ó Virgem Maria, aquele que, tendo invocado vosso auxílio em suas necessidades, se recorde de ter sido abandonado por vós.

Mais depressa desaparecerão o céu e a terra, diz o devoto Blósio, do que deixe Maria de valer a quem com boa intenção a implora e nela confia. – Para aumentar a nossa confiança, sirvam as palavras de Eádmero: Quando nos dirigimos a essa divina Mãe, não só devemos ficar certos de seu patrocínio, mas às vezes seremos até mais depressa atendidos e salvos chamando pelo nome de Maria, do que invocando o santíssimo nome de Jesus, nosso Salvador. E eis a razão que dá o escritor: Cristo, como Juiz, tem o ofício de punir; a Virgem como padroeira tão somente tem o de compadecer-se. Quer com isso dizer que achamos a salvação mais depressa junto à Mãe que junto ao Filho. Não porque Maria tenha mais poder que Jesus Cristo, nosso único Salvador, o qual com seus méritos nos obteve e ainda obtém a salvação. O motivo, ao contrário, é que, em Jesus, vemos também nosso Juiz, cujo ofício é castigar os ingratos. Ao recorrermos a ele, facilmente então nos pode faltar a confiança. Mas indo a Maria, cujo ofício outro não é que o de compadecer-se de nós como Mãe de misericórdia, e de proteger-nos como nossa advogada, parece que a nossa confiança se torna maior e mais segura. Muitas coisas se pedem a Deus, e não se alcançam. Pedem-se a Maria, e conseguem-se. Como pode ser isto? Responde Nicéforo que isto acontece, não porque Maria seja mais poderosa que Deus, mas porque Deus determinou honrar assim sua Mãe.

Mui consoladora é a promessa que Nosso Senhor fez a S. Brígida. Um dia esta Santa ouviu Jesus Cristo falar com sua Mãe e dizer-lhe: Minha Mãe, pedi-me o que quiserdes; nunca vos hei de negar coisa alguma; e ficai sabendo – ajuntou – que prometo despachar favoravelmente a quantos solicitarem de mim graças por vosso amor. Não importa que sejam pecadores, contanto que tenham o firme propósito de emenda. – A mesma coisa foi revelada a S. Gertrudes, quando ouviu nosso Redentor dizer a Maria que ele, pela sua onipotência, lhe tinha concedido poder usar de misericórdia com os pecadores que a invocam, do modo que ela quisesse.

Digam, pois, todos com grande confiança, invocando esta Mãe de misericórdia, como lhe dizia o Pseudo-Agostinho: Lembrai-vos, ó piedosíssima Senhora, que não se tenha ouvido, desde que o mundo é mundo, que alguém fosse de vós desamparado. E por isso perdoai-me se vos digo que não quero ser o primeiro infeliz, que, recorrendo a vós, não consiga o vosso amparo. □

EXEMPLO

Bem experimentou S. Francisco de Sales a força desta oração, como se lê nas páginas de sua biografia. Como estudante, com dezessete anos de idade, vivia em Paris todo entregue a seus estudos, ao amor de Deus e aos exercícios de piedade que formavam sua delícia. Para experimentá-lo e mais uni-lo com Deus, permitiu o Senhor que o demônio persuadisse de que sua reprovação estava pronunciada nos decretos divinos. Inútil, portanto, lhe seria tudo quanto fizesse. A obscuridade e a aridez em que Deus o deixou ao mesmo tempo tornavam-no insensível aos mais suaves pensamentos sobre a divina bondade. Tanto o afligiu a tentação, que ao Santo jovem lhe roubou o sono, a saúde e a alegria. A quantos o viam inspirava compaixão.

Durante esta horrorosa tempestade, dominado pela tristeza e melancolia, dizia o Santo: Assim, pois, serei privado da graça de Deus, que me era tão amável e cheia de suavidade? Ó amor, ó beleza a que consagrei todos os meus afetos, será possível que não goze mais de vossas consolações? Ó Virgem Mãe de Deus, a mais bela das filhas de Jerusalém, será possível que não vos vá contemplar no paraíso? Ah! Senhora minha, se não me é dado ver vosso belo rosto, permiti ao menos que não vos blasfeme e amaldiçoe no inferno. – Eram tais então os ternos sentimentos daquele aflito coração, tão amoroso de Deus e da Santíssima Virgem. Durou um mês inteiro a tentação. Mas dignou-se, finalmente, o Senhor libertá-lo, por meio de Maria, a consoladora do mundo. Havia-lhe Francisco consagrado sua virgindade, nela colocara toda a sua confiança. Voltando uma tarde para casa, entrou numa igreja e nela viu suspenso um quadrinho. Leu-o e achou escrita a oração de S. Agostinho, citada anteriormente.

Prostrou-se logo perante a Mãe de Deus, recitou devotamente a oração, renovou seu voto de virgindade, com a promessa de recitar todos os dias um rosário, e acrescentou: Ó minha Rainha, sede-me advogada junto a vosso Filho, a quem não tenho coragem de recorrer. Minha Mãe, se devo ter a graça de não poder amar no outro mundo a meu Senhor, cuja amabilidade eu reconheço, obtende-me ao menos a graça de amá-lo neste mundo com todas as minhas forças. É a graça que vos rogo e de vós espero. – Apenas terminou, porém, sua oração, foi logo livre da tentação por sua Mãe dulcíssima. Recuperou imediatamente a paz interior e com ela a saúde. Continuou a viver sempre devotíssimo de Maria, cujos louvores e misericórdias não cessou nunca de publicar por palavras e por escritos durante toda a sua vida.

ORAÇÃO

Ó Mãe de Deus, Rainha dos anjos, esperança dos homens, escutai a quem vos chama e a vós recorre. Prostrado hoje aos vossos pés, consagro-me para sempre a vós na qualidade de servo, e me obrigo a vos servir e honrar quanto posso durante o resto de minha vida. Pouco honrada sois, bem o sei, pela homenagem de um escravo tão vil e rebelde como eu, que tanto tenho ofendido a Jesus, vosso Filho e meu Redentor. Mas, se, apesar de minha indignidade, me recebeis como servo e me tornais digno pela vossa intercessão, este ato mesmo de misericórdia vos granjeará a honra que um miserável como eu vos não poderia dar.

Aceitai-me, pois, e não me rejeitais, ó minha Mãe. Para buscar as ovelhas perdidas é que o Verbo eterno desceu do céu; para salvá-las é que ele se fez vosso Filho. E seríeis capaz de repelir uma ovelhinha que a vós recorre para achar a Jesus? Pago já o preço da minha salvação; meu Salvador já derramou por mim o seu divino sangue, o qual bastaria para salvar milhares de mundos. Só resta aplicar-me os merecimentos dele, e isto de vós depende. Virgem bendita, vós podeis, diz S. Bernardo, dispensar a quem vos apraz os merecimentos deste sangue. Podeis salvar a quem quereis, no-lo afirma S. Boaventura; salvai-me, ó Soberana minha. Entrego-vos, neste instante, toda a minha alma; tratai de salvá-la. Ó salvação dos que vos invocam, direi, terminando, com o mesmo Santo, salvai-me!

II. O poder de Maria para defender os que a invocam nas tentações do demônio

1. *O demônio tem medo da Mãe de Deus*   *
Não só do céu e dos santos é Maria Santíssima Rainha, senão também do inferno e dos demônios, porque os venceu valorosamente com suas virtudes. Já desde o princípio do mundo tinha Deus predito à serpente infernal a vitória e o império que sobre ela obteria nossa Rainha. "Eu porei inimizade entre ti e a mulher; ela te esmagará a cabeça" (Gn 3,16). Mas que foi esta mulher, sua

inimiga, senão Maria, que com a sua profunda humildade e santa virtude sempre venceu e abateu as forças de Satanás, como atesta S. Cipriano? É para se notar que Deus falou "eu porei" e não "eu ponho" inimizade entre ti e a mulher. Isto faz para mostrar que a sua vencedora não era Eva, que já então vivia, mas uma sua descendente. Esta devia trazer a nossos primeiros pais, como diz S. Vicente Ferrer, um bem maior do que aquele que tinha perdido com o seu pecado. Maria é, portanto, essa excelsa *mulher forte* que venceu o demônio e, em lhe abatendo a soberba, lhe esmagou a cabeça, conforme as palavras do Senhor: Ela te esmagará a cabeça. Duvidam alguns se estas palavras se referem a Maria ou a Jesus Cristo, porque os Setenta[1] traduzem *autós*, isto é, *ele* esmagará a tua cabeça. Mas em nossa Vulgata (única versão da Sagrada Escritura aprovada pelo Concílio de Trento) lê-se *ipsa*, ela, e não *ipse*, ele. Assim também o entenderam S. Ambrósio, S. Jerônimo, S. Agostinho e muitíssimos outros. Mas, como quiserem, é certo que, ou o Filho por meio da Mãe, ou a Mãe por virtude do Filho, venceu a Lúcifer. Este espírito soberbo foi, portanto, para sua vergonha, calcado aos pés por esta Virgem bendita, na frase de S. Bernardo, e como prisioneiro de guerra é obrigado a obedecer sempre às ordens desta Rainha. Diz S. Bruno de Segni que Eva, vencida pela serpente, nos trouxe a morte e as trevas. Maria, porém, vencendo o demônio, nos trouxe a vida e a luz. E de tal modo o atou, que ele não pode mais se mover para causar o menor dano aos seus devotos.

É bela a explicação que dá Ricardo de S. Lourenço ao tre-

---

[1] É o nome dado aos 70 judeus que traduziram a Sagrada Escritura, do hebraico para o grego.

cho dos Provérbios: "O coração do homem (isto é, de Cristo) põe nela a sua confiança e ele não necessitará de despojos" (31,11), pois Maria enriquece seu Filho com os despojos que arranca ao demônio. Deus confiou a Maria o Coração de Jesus para que ela o faça amar pelos homens, comenta Cornélio a Lápide, e assim não lhe faltarão despojos, isto é, almas conquistadas. Porque Maria o enriquece de almas, das quais despoja o inferno, livrando-as do demônio com o seu poderoso socorro.

É a palma um conhecido símbolo de vitória. Por isso foi nossa Rainha colocada num alto trono, à vista de todos os potentados celestes, como palma em sinal de segura vitória, que a si mesmos podem prometer-se todos aqueles que se põem debaixo do seu patrocínio. "Eu lancei em alto os meus ramos como a palmeira em Cades" (Eclo 24,18), isto é, acrescenta S. Alberto Magno, eu estendo minha mão sobre vós para vos proteger. Filhos, parece Maria nos dizer, quando o demônio vos assaltar, recorrei a mim, olhai para mim e tende ânimo, porque em mim, que vos defendo, vereis juntamente a vossa vitória. Por isso o recorrer a Maria é um meio seguríssimo para vencer todos os assaltos do inferno. Ela é também Rainha do inferno e senhora dos demônios, pois que os subjuga e doma, diz S. Bernardino de Sena. Daí vem ser Maria chamada "terrível como um exército em ordem de batalha" (Ct 6,3). Pois sabe ordenar bem o seu poder, a sua misericórdia e os seus rogos para a confusão dos inimigos e benefícios dos seus servos, que nas tentações invocam o seu poderosíssimo nome.

"Semelhante à vinha dei frutos de suave dor" – fá-la dizer o Espírito Santo (Eclo 24,23). Aqui observa S. Bernardo: Dizem que toda serpente venenosa foge das vinhas em flor; assim fogem os demônios das almas afortunadas em que sentem o perfume da devoção de Maria. Ela é comparada também ao cedro: Crescendo, me elevei como o cedro do Líbano (Eclo 24,17). À semelhança do cedro que é incorruptível, ficou também Maria isenta do pecado. E como o cedro afugenta com seu odor as serpentes, observa o Cardeal Hugo, com sua santidade Maria afugenta os demônios.

Por meio da arca os israelitas obtinham suas vitórias nos combates. Graças a ela triunfaram de seus inimigos, sob Moisés. E quando se elevava a arca, dizia ele: Levanta-te, Senhor, e dissipem-se os teus inimigos! (Nm 10,35). Assim foi tomada Jericó, assim foram desbaratados os filisteus, porque a arca de Deus estava naquele dia com os filhos de Israel (1Rs 14,18). Ora, como se sabe, era a arca figura de Maria. Assim como na arca estava o maná, observa Cornélio a Lápide, no seio de Maria estava Jesus, de quem o maná foi figura. Por meio desta arca concede-nos ele a vitória sobre o mundo e o inferno. Isto motiva as palavras de S. Bernardino de Sena: Quando Maria, arca do Novo Testamento, foi exaltada nos céus como Rainha, ficou abatido o poder do demônio sobre o homem.

Oh! quanto tremem de Maria e de seu grande nome os demônios do inferno! observa Conrado de Saxônia. Ele os compara àquele inimigo de que fala Job: Arromba nas trevas as casas...; se de súbito aparece a aurora, crê que é a sombra da morte (24, 16, 17). Aproveitando as trevas, vão os ladrões roubar nas casas, mas, quando surge a aurora, fogem como se lhes aparecesse a imagem da morte. Assim também, continua Conrado, penetram os demônios na alma, quando a obscurece a ignorância. Mas, no momento em que surge a aurora, isto é, a graça e a misericórdia de Maria, dissipam-se as trevas e dela fogem os inimigos infernais, como diante da morte. Bem-

-aventurado, pois, aquele que nos assaltos do inferno invoca sempre o belo nome de Maria!

Para confirmar o que dizemos, sirva uma revelação feita a S. Brígida. Deus concedeu a Maria um poder muito grande sobre todos os demônios. Sempre que eles atacam algum devoto da Virgem, e este a invoca em seu auxílio, basta um aceno de Maria para que fujam aterrorizados. Preferem até ver redobrados os seus suplícios a sentirem-se dominados pelo poder de Maria.

O celeste Esposo louvou esta sua Esposa e chamou-lhe lírio, dizendo: Como o lírio entre os espinhos, assim é minha amiga entre as virgens (Ct 2,2). Como o lírio é um antídoto contra as serpentes e os venenos, reflete Cornélio a Lápide, assim é a invocação do nome de Maria, singular remédio para vencer todas as tentações, especialmente contra a pureza, como o ensina a experiência.

Cosmas de Jerusalém assim se dirige a Maria: Ó Mãe de Deus, se confiar em vós, não sereis certamente vencido; pois, defendido por vós, perseguirei meus inimigos; triunfarei com certeza, opondo-lhes como escudo a vossa proteção e o vosso onipotente patrocínio. Entre os Padres Gregos escreve Jacob, monge: Senhor, vós nos destes nesta Mãe poderosíssima arma com a qual vencemos seguramente todos os nossos inimigos.

Lemos no antigo Testamento que o Senhor guiava o seu povo na saída do Egito, de dia por meio de uma coluna de nuvem, e à noite por uma coluna de fogo (Êx 13,21). Esta maravilhosa coluna, ora de nuvem ora de fogo, era, no dizer de Ricardo de S. Lourenço, figura de Maria e dos dois ofícios que exerce continuamente para nosso bem.

Como nuvem protege-nos dos ardores da divina justiça; como fogo defende-nos contra os demônios. Assim como a cera se derrete ao calor do fogo, acrescenta Conrado da Saxônia, também perdem os demônios toda a força sobre as almas que, lembradas do nome de Maria, a invocam com frequência e principalmente procuram imitá-la.

2. O demônio tem medo até do nome da Mãe de Deus

Oh! como tremem os demônios, afirma S. Bernardo, só com ouvir pronunciar o nome de Maria! Os homens são atirados ao chão, se ao lado lhes cai algum raio. Assim também, diz Tomás de Kempis, são abatidos os demônios, logo que ouvem o nome de Maria. Quão assinaladas vitórias sobre estes inimigos têm já alcançado os servos de Maria, só com o proferirem o seu santo nome! Assim os venceram S. Antônio de Pádua, o bem-aventurado Henrique Suso e tantos outros que amavam a Mãe de Deus. Lê-se nos relatórios das missões do Japão o seguinte fato: Certo dia apareceram a um cristão muitos demônios sob forma de animais ferozes, que com ameaças o assustavam. Ele, porém, lhes disse: Armas com que vos possa amedrontar, eu não tenho. Se o Altíssimo vo-lo permite, de mim fazei o que vos aprouver. Contudo invoco em minha defesa os dulcíssimos nomes de Jesus e de Maria. Mal pronunciara os tão terríveis nomes para os demônios, abriu-se a terra e sorveu aqueles espíritos soberbos. Eádmero assegura, de própria experiência, ter visto e ouvido muitas pessoas que, pronunciando o nome de Maria, foram salvas de grande perigo.

Glorioso e admirável é vosso nome, ó Maria, lemos em Boaventura. Quem na hora da morte o invoca, do inferno nada tem a temer. Pois, mal ouvem os demônios o nome de Maria, deixam em paz a alma. E Conrado de Saxônia acrescenta: No mundo não há inimigo que tanto tema um grande exército, como temem o nome e o patrocínio de Maria as potestades infernais. Ó Senhora minha, exclama S. Germano, só pela invocação do vosso nome segurais os vossos servos de todos os assaltos do inimigo.

Se os cristãos nas tentações tivessem cuidado de proferir com devoção e confiança o nome de Maria, é certo que não cairiam nelas. Pois, como diz o Beato Alano, foge o demônio e treme o inferno ao som deste nome excelso. A mesma Senhora revelou a S. Brígida que até dos pecadores mais perdidos, mais afastados de Deus, e mais possuídos do demônio, se aparta este inimigo, logo quando sente que eles, com verdadeira vontade de emenda, invocam o seu poderosíssimo nome. Mas, acrescentou a Santíssima Virgem, se a alma não se emenda e não apaga seus pecados nas lágrimas do arrependimento, os demônios sem demora voltam e dela tomam conta. □

EXEMPLO

Havia no mosteiro de Reichensberg um cônego regular, por nome Arnaldo, muito devoto da Santíssima Virgem. Estando para morrer, chamou, após a recepção dos santos sacramentos, os religiosos e pediu-lhes que não o abandonassem naquele último momento. Apenas isto dissera, começou a tremer, a revirar os olhos e a suar frio. Irmãos – perguntou com voz trêmula – não vedes os demônios que me querem levar para o inferno? Invocai, meus irmãos, invocai por mim o auxílio de Maria; eu nela confio; ela me fará triunfar. Rezaram então os presentes a Ladainha da Mãe de Deus, e às palavras "Santa Maria, rogai por ele" disse o moribundo: Repeti o nome de Maria, pois já estou perante o tribunal de Deus. Parou um pouco e depois acrescentou: É verdade, eu cometi este pecado, mas também dele fiz penitência. Dirigindo-se à Santíssima Virgem, suplicou: Ó Maria, assisti-me e eu serei salvo. De novo o assaltaram os demônios, mas Arnaldo se defendia com o Santo Crucifixo e com a invocação do nome de Maria. Assim passou a noite inteira. Ao alvorecer, completamente sereno, exclamou com alegria: Maria, minha Senhora e meu refúgio, obteve-me o perdão e a salvação. Olhando em seguida para a Virgem que o convidava a segui-la, disse: Já vou, Senhora, já vou. E fez um esforço para levantar-se. Não podendo, contudo, segui-la com o corpo, seguiu-a com a alma, ao reino da glória eterna, expirando docemente.

ORAÇÃO

Aqui está aos vossos pés, Mãe de meu Deus e minha única esperança, um miserável pecador que tantas vezes por suas culpas se tem tornado escravo do inferno. Reconheço que de mim triunfou o demônio, porque não recorri, ó meu refúgio, ao vosso auxílio. Se eu vos tivesse chamado sempre em meu socorro, se vos houvesse invocado, jamais teria perecido. Eu espero, amabilíssima Senhora, por vossa intercessão ter já saído das mãos do demônio e ter obtido de Deus o perdão. Receio, entretanto, vir para o futuro a cair novamente em pecado. Sei que meus inimigos não perderam a esperança de tornar-me a vencer e me estão preparando novos assaltos e tentações. Ah! minha Rainha e meu refúgio, ajudai-me; tomai-me sob vosso manto e nunca permitais que eu torne a ser presa do inferno. Sei que sempre me haveis de valer e dar vitórias todas as vezes que vos invocar. Temo, contudo, que nas tentações me esqueça de chamar-vos em meu socorro. Eis, portanto, a graça que vos imploro e de vós espero, ó virgem Santíssima. Fazei que sempre vos tenha presente à memória, especialmente nas lutas contra as tentações. Ajudai-me para que então vos diga muitas vezes: Maria, valei-me, valei-me, ó Maria. E quando chegar finalmente o dia de minha última luta com o inferno, na hora da morte, assisti-me então, ó minha Rainha, de modo especial. Fazei vós mesma que eu me lembre de invocar-vos sem cessar, com a boca ou com o coração, para que, expirando com vosso dulcíssimo nome e o de vosso Filho Jesus nos lábios, possa ir vos bendizer e louvar, e nunca mais separar-me de vossos pés, por toda a eternidade no paraíso. Amém.

CAPÍTULO V

A VÓS SUSPIRAMOS, GEMENDO E CHORANDO NESTE VALE DE LÁGRIMAS

I. Necessidade da intercessão de Maria para nossa salvação

1. *É muito salutar a intercessão dos santos*
É a invocação e veneração dos santos, particularmente a de Maria, Rainha dos santos, uma prática não só lícita senão útil e santa. Pois procuramos por meio dela obter a graça divina. Esta verdade é de fé, estabelecida pelos Concílios contra os hereges que a condenam como injúria feita a Jesus Cristo, nosso único medianeiro. Mas, se, depois da morte, um Jeremias reza por Jerusalém; se os anciãos do Apocalipse apresentam a Deus as orações dos santos; se um S. Paulo promete a seus discípulos lembrar-se deles depois da morte; se S. Estêvão intercede por seus perseguidores e um S. Paulo, por seus companheiros; se, em suma, podem os santos rogar por nós, por que não poderíamos nós, por nossa vez, rogar-lhes para que intercedam por nós? Às orações de seus discípulos recomenda-se S. Paulo: Irmãos, rezai por nós (1Ts 5,25). S. Tiago exorta-nos "que roguemos uns pelos outros" (5,16). Podemos, por conseguinte, fazer o mesmo.

Que seja Jesus Cristo único Mediador de justiça a reconciliar-nos com Deus, pelos seus merecimentos, quem o nega? Não obstante isso, compraz-se Deus em conceder-nos suas graças pela intercessão dos santos e especialmente de Maria, sua Mãe, a quem tanto deseja Jesus ver amada e honrada.

Seria impiedade negar semelhante verdade. Quem ignora que a honra prestada às mães redunda em glória para os filhos? Os pais são as glórias dos filhos, lemos nos Provérbios (17,6). Quem muito enaltece a mãe, não precisa ter receio de obscurecer a glória do filho. Pois quanto mais se honra a Mãe, tanto mais se louva o Filho, diz S. Bernardo. E observa S. Ildefonso: É tributada ao Filho e ao Rei toda a honra que se presta à Mãe e à Rainha. Ao mesmo tempo está fora de dúvida que pelos merecimentos de Jesus Cristo foi concedida a Maria a grande autoridade de ser medianeira da nossa salvação, não de justiça, mas de graça e de intercessão, como bem lhe chamou Conrado de Saxônia com o título de "fidelíssima medianeira de nossa salvação". E S. Lourenço Justiniano pergunta: Como não ser toda cheia de graça, aquela que se tornou a escada do paraíso, a porta do céu e a verdadeira medianeira entre Deus e os homens?

Portanto, bem adverte Suárez: Quando suplicamos à Santíssima Virgem nos obtenha as graças, não é que desconfiemos da misericórdia divina, mas é muito antes porque desconfiamos da nossa própria indignidade. Recomendamo-nos, por isso, a Maria, para que supra sua dignidade a nossa miséria.

2. *Em que sentido nos é necessária a intercessão de Maria*

Que o recorrer, pois, à intercessão de Maria Santíssima seja coisa utilíssima e santa, só podem duvidar os que são faltos de fé. O que, porém, temos em vista é que esta intercessão é também necessária à nossa salvação. Necessária, sim, não absoluta, mas moralmente falando, como deve ser. A origem desta necessidade está na própria vontade de Deus, o qual pelas mãos de Maria quer que passem todas as graças que nos dispensa. Tal é a doutrina de S. Bernardino, doutrina atualmente comum a todos os teólogos e doutores, conforme o assevera o autor do *Reino de Maria*.

Seguem esta doutrina Vega, Mendoza, Pacciuchelli, Ségneri, Poiré, Crasset e inúmeros outros autores. Até Alexandre Natal, aliás, tão reservado em suas proposições, diz ser vontade de Deus que pela intercessão de Maria esperemos todas as graças. Em seu apoio cita a célebre passagem de S. Bernardo: Esta é a vontade de Deus, que recebamos tudo por meio de Maria. Da mesma opinião é também Contenson, como se vê do seu comentário às palavras de Jesus, dirigidas a S. João, do alto da cruz. Assim faz ele dizer ao Salvador: Ninguém terá parte no meu sangue, senão pela intercessão de Maria. Minhas chagas são fontes de graças, mas só por meio de Maria correrão até aos homens. Tanto por mim serás amado, João, meu discípulo, quanto amares minha Mãe.

3. Objeções contra a necessidade da intercessão de Maria

Esta proposição sobre a universal mediação de Maria, quanto aos bens que de Deus recebemos, não agrada muito a certo autor moderno.[1] Embora fale, aliás com muita piedade e erudição, da verdadeira e da falsa devoção à Mãe de Deus, mostra-se muito avaro em lhe conceder esta glória. Em dar-lha não tiveram, entretanto, escrúpulo um S. Germano, um Santo

---

[1] O autor em questão é Luís Muratori, cujo livro provocou muita oposição. Bento XIV protegeu a Muratori, que aliás era bem-intencionado (Nota do tradutor).

Anselmo, um S. João Damasceno, um S. Boaventura, um S. Bernardino de Sena, o venerável abade de Celes e tantos outros doutores. Nenhum deles encontrou dificuldade na aceitação da doutrina de ser a mediação de Maria, pelos motivos já expostos, não só útil como também necessária à nossa salvação.

Diz o citado autor que uma tal proposição, isto é, de não conceder o Senhor graça alguma senão por meio de Maria, é hipérbole, é uma exageração que escapou ao fervor de alguns santos. Falando-se com exatidão, quer a sentença apenas significar que de Maria recebemos Jesus Cristo, por cujos méritos obtemos todas as graças. Do contrário, acrescenta ele, seria um erro acreditar que Deus não possa distribuir-nos suas graças sem a intercessão de Maria. Pois diz o Apóstolo que "reconhecemos um único Deus e um único medianeiro entre Deus e os homens, Jesus Cristo".

4. Refutação e demonstração

Seja-me permitido recordar, entretanto, ao autor uma distinção que ele mesmo faz. No seu livro acentua também a diferença entre a mediação de justiça, em vista dos méritos, e a mediação de graça, por via de intercessão. E do mesmo modo uma coisa é dizer que Deus *não possa*, e outra que Deus *não queira* conceder as suas graças sem a intercessão de Maria. Nós confessamos que Deus é a fonte de todos os bens e o Senhor absoluto de todas as graças. Confessamos também que Maria não é mais que uma pura criatura e que, quanto obtém, tudo recebe de Deus gratuitamente. Mais que todas as outras, esta sublime criatura na terra também o honrou e amou, sendo por ele escolhida para Mãe de seu Filho, o Salvador do mundo. Querendo exaltá-la de um modo extraordinário, determinou por isso o Senhor que por suas mãos hajam de passar e sejam concedidas todas as mercês dispensadas às almas remidas. Não é muito razoável e muito conveniente tal suposição? Quem poderá dizer o contrário? Não há dúvida, confessamos que Jesus Cristo é o único medianeiro de justiça, porque por seus méritos nos obtém a graça e a salvação. Mas ajuntamos que Maria é medianeira de graças, e como tal pede por nós em nome de Jesus Cristo e tudo nos alcança pelos méritos dele. Assim, pois, à intercessão de Maria devemos, de fato, todas as graças que solicitamos. Nada há nisso de contrário aos sagrados dogmas. Ao invés, o que há é *plena conformidade* com os sentimentos da Igreja. Nas orações por ela aprovadas, ensina-nos a recorrer sempre à Mãe de Deus e a invocá-la como "salvação dos doentes, refúgio dos pecadores, auxílio dos cristãos, vida e esperança nossa". Nas festas da Santíssima Virgem aplica-lhe no ofício palavras dos Livros da Sabedoria e assim nos dá a entender que nela acharemos toda esperança. "Em mim há toda a esperança da vida e da virtude" (Eclo 24,25). Em suma acharemos em Maria a vida e a nossa salvação. "Quem me acha, achará a vida e haurirá do Senhor a salvação" (Pr 8,35). Lemos numa outra passagem: "Os que operam por mim não pecarão; aqueles que me esclarecem terão a vida eterna" (Eclo 24,30). Tudo está nos mostrando quão necessária nos é a intercessão de Maria.

 Nessa convicção confirmaram-me muitos teólogos e Santos Padres. Injustiça fora afirmar que eles, como diz o sobredito autor, exaltando Maria, tenham caído em hipérboles e exagerações desmedidas. Tanto uma como outra saem dos limites do verdadeiro. Não podemos, pois, atribuí-las aos santos que falaram inspirados por Deus, que é espírito de verdade.

Permitam-me fazer aqui uma breve digressão, para externar o que sinto. Quando uma sentença de qualquer modo honrosa para a Santíssima Virgem tem algum fundamento e não repugna à verdade, deixar de adotá-la e combatê-la, porque a sentença contrária pode também ser verdadeira, é indício de pouca devoção à Mãe de Deus. Não quero estar, nem desejo ver meus leitores entre esses poucos devotos de Maria. Desejo pelo contrário vê-los entre os que creem plena e firmemente tudo quanto sem erro podem crer das grandezas de Maria, segundo as palavras do abade Roberto, que conta semelhante fé entre um dos obséquios mais agradáveis a Maria. Quando não houvesse outro a nos livrar do temor de ser excessivo nos louvores de Maria, bastava o Pseudo-Agostinho para fazê-lo. Conforme suas palavras, tudo quanto pudermos dizer em louvor de Maria é pouco em relação ao que merece por sua dignidade de Mãe de Deus. Confirmai isto a Santa Igreja, a qual faz ler na Missa da Santa Virgem as seguintes palavras: Bem-aventurada és tu, Santa Virgem Maria, e mui digna de todo louvor.

Voltemos, porém, ao nosso assunto e vejamos o que dizem os Santos Padres sobre a sentença proposta. Segundo S. Bernardo, Deus encheu Maria com todas as graças para que por seu intermédio recebam os homens todos os bens que lhes são concedidos. Faz aqui o Santo uma profunda reflexão, acrescentando: Antes do nascimento da Santíssima Virgem, não existia para todos essa torrente de graças, porque não havia ainda esse desejado aqueduto: Maria foi dada ao mundo – continua ele – a fim de que por seu intermédio, como por um canal, até nós corresse sem cessar a torrente das graças divinas.

Que lhe arrebentassem os aquedutos, foi ordem dada por Holofernes para tomar a cidade de Betúlia (Jt 7,6). Assim o demônio também envida todos os esforços para acabar com a devoção à Mãe de Deus nas almas. Pois, cortado esse canal de graças, mui fácil se lhe torna a conquista. Consideremos, portanto, continua S. Bernardo, com que afeto e devoção quer o Senhor que honremos esta nossa Rainha. Consideremos o quanto deseja que a ela sempre recorramos e em sua proteção confiemos. Pois em suas mãos depositou a plenitude de todos os bens, para nos tornar cientes de que toda esperança, toda graça, toda salvação, a nós chegam pelas mãos dela. A mesma coisa declara S. Antônio. Todas as misericórdias dispensadas aos homens lhes têm vindo por meio de Maria.

É por isso Maria comparada à lua. Colocada entre o sol e a terra, a lua dá a esta o que recebe daquele, diz S. Boaventura; do mesmo modo recebe Maria os celestes influxos da graça para no-los transmitir aqui na terra.

Pelo mesmo motivo chama-lhe a Igreja "porta do céu". Como todo indulto do rei passa pela porta de seu palácio, observa S. Bernardo, assim também graça nenhuma desce do céu à terra sem passar pelas mãos de Maria. Ajunta S. Boaventura que Maria é chamada porta do céu porque ninguém pode entrar no céu senão pela porta, que é Maria.

Nesse sentimento confirma-nos S. Jerônimo (isto é, um antigo autor com esse nome)[2] no sermão da Assunção, que vem inserido nas suas obras. Nele lemos que em Jesus Cristo reside a plenitude da graça, como na cabeça, de onde se transfunde para nós, que somos seus membros, o vivificador espírito dos auxílios divinos necessários à nossa salvação. Em Maria reside

---

[2] Nota do tradutor.

a mesma plenitude como no pescoço, pelo qual passa esse espírito para comunicar-se ao resto do corpo. Com cores mais vivas dá S. Bernardino o mesmo pensamento: Por meio de Maria transmitem-se aos fiéis, que são o corpo místico de Jesus Cristo, todas as graças da vida espiritual emanadas de Jesus Cristo, que lhes é cabeça. E com as seguintes palavras procura confirmar isto: Tendo-se Deus dignado habitar no ventre desta Virgem Santíssima, adquiriu ela uma certa jurisdição sobre todas as graças: porque, saindo Jesus Cristo do seu ventre sacrossanto, dele saíram juntamente como de um oceano celeste todos os rios das divinas dádivas. Escrevendo com maior clareza ainda, diz o Santo: A partir do momento que esta Virgem Mãe concebeu em seu ventre o Divino Verbo, adquiriu, por assim dizer, um direito especial sobre os dons que nos provêm do Espírito Santo, de tal modo que criatura alguma recebe graças de Deus, senão por mãos de Maria. À Encarnação do Verbo e a sua Mãe Santíssima refere-se a passagem de Jeremias (31,22): "Uma mulher circundará a um homem". Certo autor explica exatamente no mesmo sentido estas palavras: Nenhuma linha pode sair do centro de um círculo sem passar primeiro pela circunferência. Assim de Jesus, que é o centro, graça alguma chega até nós sem antes passar por Maria, que o encerra, desde que o recebeu em seu puríssimo seio. Por esse motivo, segundo S. Bernardino, todos os dons, todas as virtudes e as graças também todas, são dispensadas pelas mãos de Maria, a quem, quando e como ela quer. Assevera igualmente Ricardo de S. Lourenço ser vontade de Deus que todo bem que faz às suas criaturas lhes venha pelas mãos de Maria. O venerável abade de Celes exorta por isso todos à invocação dessa tesoureira da graça, como denomina, porque só por intermédio dela os homens hão de receber todo o bem que podem esperar. De onde claramente se vê que os citados santos e autores, afirmando nos virem todas as graças por meio de Maria, não o quiseram dizer só no sentido como o entende o sobredito autor. Para ele, tudo apenas significa que de Maria temos recebido Jesus, que é a fonte de todos os bens. Não; os santos também afirmam que Deus, depois de nos ter dado Jesus Cristo, quer que, pelas mãos de Maria e por sua intercessão, sejam dispensadas todas as graças que em vista dos méritos de Jesus Cristo se tem concedido, se concedam e se hão de conceder aos homens até ao fim do mundo.

Daqui conclui o Padre Suárez que é hoje sentimento universal da Igreja que a intercessão de Maria não somente nos é útil, mas também necessária. Necessária, como dissemos, não de necessidade absoluta, porque tal nos é somente a mediação de Jesus Cristo. Mas necessária moralmente, porque entende a Igreja, como pensa S. Bernardo, que Deus tem determinado dispensar-nos suas graças só pelas mãos de Maria. E primeiro que S. Bernardo, assim o afirmou S. Ildefonso, dizendo à Santíssima Virgem: ó Maria, o Senhor determinou entregar nas vossas mãos todos os bens que aos homens quer dar, e por isso vos confiou riquezas e tesouros de sua graça. Por esta razão exigiu Deus o consentimento de Maria para se fazer homem. Em primeiro lugar para que ficássemos todos sumamente obrigados à Virgem, e depois para que entendêssemos que ao arbítrio dela está entregue a salvação de todos os homens.

Lê-se no profeta Isaías (11,1) que da raiz de Jessé sairia uma haste, isto é, Maria, e dela, uma flor, isto é, o Verbo Encarnado. Sobre essa passagem tece Conrado de Saxônia este belo comentário: "Todo aquele que desejar obter a graça do Espírito Santo, busque a flor em sua haste, isto é, Jesus em Maria. Pois pela haste encontraremos a flor e pela flor chegaremos a Deus. – Se queres possuir a flor, procura com orações inclinar a teu favor a vara da flor e alcançá-la-ás. De outro lado nota-te as palavras do seráfico S. Boaventura, comentando o trecho "Eles encontraram a criança com Maria, sua Mãe". Ninguém, diz ele, achará jamais a Jesus senão com Maria e por meio de Maria. E conclui que em vão procura Jesus quem não procura achá-lo com sua Mãe. Dizia por isso S. Ildefonso: Quero ser servo do Filho; mas como ninguém pode servir ao Filho sem servir também a Mãe, esforço-me, por conseguinte, em servir a Maria.

EXEMPLO

Durante uma viagem marítima, entretinha-se um jovem fidalgo de preferência com a leitura de certo livro obsceno. Em palestra com o jovem, pediu-lhe um religioso que fizesse um pequeno obséquio a Nossa Senhora. Com muito gosto o farei – respondeu o interpelado. – Pois então atire ao mar esse livro imoral, que está lendo; faça-o por amor à Virgem Maria, disse-lhe o religioso.

O fidalgo apresentou o livro para que o sacerdote o lançasse ao mar, em seu nome. Este, porém, observou: Não; quero que o senhor mesmo ofereça esse sacrifício a Nossa Senhora.

O moço prontamente atirou ao mar o livro que tanto havia antes apreciado.

Chegando a Gênova, sua terra natal, Maria o recompensou, fazendo com que tomasse a resolução de consagrar-se a Deus num convento.

ORAÇÃO

Vê, ó minha alma, que bela esperança de salvação e de vida eterna te dá o Senhor. Em sua grande misericórdia te encheu de confiança no patrocínio de sua Mãe, embora tenhas, por teus pecados, tantas vezes merecido a reprovação e o inferno. Agradece, pois, a teu Deus e a Maria, tua protetora, que já se dignou tomar-te sob seu manto, como já o atestam as inúmeras graças que por seu intermédio tens recebido. Sim, eu vos agradeço, ó minha Mãe amorosíssima, por todo o bem que me tendes feito, a mim, pobre infeliz que mereci o inferno. Ó minha Rainha, de quantos perigos me haveis livrado! Quantas luzes e quantas misericórdias me tendes obtido de Deus! Que grande bem ou que grande honra de mim recebestes, para que tanto vos empenheis em fazer-me benefícios?

A tanto vos moveu unicamente a vossa bondade. Ah! nem que eu sacrificasse por vós o sangue e a vida, nada seria em comparação ao que vos devo, já que vós me livrastes da morte eterna. Vós me fizestes, como eu espero, recobrar a graça divina; a vós, em suma, eu devo toda a minha sorte. Ó Senhora minha amabilíssima, miserável como sou, de outro modo não posso retribuir vossos benefícios, senão com meus louvores e com meu amor. Eia, não desdenheis aceitar a oferta de um pobre pecador tocado por vossa bondade.

Se meu coração é indigno de amar-vos por estar manchado e cheio de apegos terrenos, a vós compete mudá-lo. Mudai-o, pois. Uni-me a meu Deus, ligai-me de tal modo que nunca mais me possa separar de seu amor. Vós desejais que eu ame vosso Deus e isto também eu quero de Vós; obtende-me a graça de amá-lo e amá-lo para sempre e nada mais quero. Amém.

II. Continuação do mesmo assunto

1. *A necessidade da intercessão de Maria provém da sua cooperação na Redenção*
Uma sentença de S. Bernardo diz: Cooperaram para nossa ruína um homem e uma mulher. Convinha, pois, que outro homem e outra mulher cooperassem para nossa reparação. E estes foram Jesus e Maria, sua Mãe. Não há dúvida, diz o Santo, Jesus Cristo, só, foi suficientíssimo para remir-nos. Mais conveniente era, entretanto, que para nossa reparação servissem ambos os sexos, assim como haviam cooperado ambos para nossa ruína. Pelo que S. Alberto chamou a Maria cooperadora da redenção. A própria Virgem revelou a S. Brígida que assim como Adão e Eva por um pomo venderam o mundo, assim também ela e seu Filho com um coração o resgataram. Do nada pôde Deus criar o mundo, observa S. Anselmo, mas não quis repará-lo sem a cooperação de Maria.

De três modos, explica o Padre Suárez, cooperou a divina Mãe para a nossa salvação. Primeiro, merecendo com merecimento *de côngruo* a Encarnação do Verbo. Segundo, rogando muito a Deus por nós, enquanto esteve no mundo. Terceiro, sacrificando com boa vontade a Deus a vida do Filho para nossa salvação. Tendo, pois, Maria cooperado para a redenção com tanto amor pelos homens e tanto zelo pela glória divina, com razão determinou o Senhor que todos nos salvemos por intermédio de sua intercessão.

Maria é chamada cooperadora de nossa justificação, diz Bernardino de Busti, porque Deus lhe entregou as graças todas que nos quer dispensar. Por isso, no dizer de S. Bernardo, todas as gerações, passadas, presentes e futuras, devem considerar

Maria como medianeira e advogada da salvação de todos os séculos.

Garante-nos Jesus Cristo que ninguém pode vir a ele, a não ser que o Pai o traga. "Ninguém pode vir a mim, se o Pai o não atrair" (Jo 6,44). O mesmo também, no sentir de Ricardo de S. Lourenço, diz Jesus de sua Mãe. Ninguém pode vir a mim, se minha Mãe o não atrair com suas preces. Jesus foi o fruto de Maria, como disse S. Isabel (Lc 1,42). Quem quer o fruto deve também querer a árvore. Quem, pois, quer a Jesus, deve procurar Maria; e quem acha Maria, certamente acha também Jesus. Vendo Isabel a Santíssima Virgem que a fora visitar em sua casa, e não sabendo como lhe agradecer, exclamou cheia de humildade: E donde a mim esta dita, que venha visitar-me a Mãe do meu Senhor? (Lc 1,43). Mas como assim pergunta? Não sabia já Isabel que não só Maria, como também Jesus tinha vindo a sua casa? Por que, pois, se declara indigna de receber a Mãe, em vez de confessar-se indigna de ver o Filho vir a seu encontro? Ah! é porque bem entendia a Santa que Maria vem sempre com Jesus e que, portanto, lhe bastava agradecer à Mãe sem nomear o Filho.

No livro dos Provérbios (31,14), diz-se da mulher prudente: Fez-se como a nau do negociante, que traz de longe o seu pão. Maria foi essa ditosa nau, que do céu nos trouxe Jesus Cristo, pão vivo descido do céu para dar-nos a vida eterna, como ele diz: Eu sou o pão vivo, que desci do céu; se alguém comer deste pão, viverá eternamente (Jo 6,51). Daí conclui Ricardo de S. Lourenço que no mar deste mundo todos se perdem, quantos não se tiverem recolhido a esta nau, isto é, que não forem protegidos de Maria. Sempre, portanto, continua ele, que estivermos em perigo de nos perdermos pelas tentações ou paixões desta vida, urge recorrer a Maria, clamando: Depressa, Senhor, ajudai-nos, salvai-nos, se não quereis ver-nos perdidos. E note-se aqui, de passagem, que o sobredito autor não se faz escrúpulo de dizer a Maria: Salvai-nos que perecemos! Não imita, por conseguinte, o autor mencionado no parágrafo anterior, o qual nos proíbe que peçamos à Virgem salvação, porquanto no seu parecer só de Deus devemos esperá-la. Bem pode um condenado à morte dizer a algum valido do rei que o salve, pedindo ao príncipe indulto para sua vida. Mas por que então não poderemos nós dizer à Mãe de Deus que nos salve, impetrando-nos a graça da vida eterna? S. João Damasceno sem dificuldade dizia à Virgem Santíssima: Rainha pura e imaculada, salvai-me, livrai-me da condenação eterna! S. Boaventura saúda-a como "salvação dos que a invocam". A Santa Igreja aprova o chamar-lhe "saúde dos enfermos". E teremos nós escrúpulos de pedir-lhe que nos salve, quando um escritor afirma que ninguém se salva senão por ela? E já antes deles, S. Germano afirmou "que ninguém se salva a não ser por meio de Maria".

2. *Outras provas tiradas da doutrina dos santos e dos doutores*

Vejamos, porém, o que mais escreveram os santos sobre a necessidade da intercessão da divina Mãe. Na opinião de S. Caetano bem podemos buscar as graças, mas obtê-las não podemos sem a intercessão de Maria. Confirma-o S. Antonino com estas belas palavras: Quem pede sem ela, pretende voar sem asas. Quer dizer o Santo: Quem pede e quer alcançar graças, sem a intercessão de Maria, pretende voar sem asas. "A terra do Egito está em tuas mãos" – disse o Faraó a José, e a ele enviava quantos lhe vinham pedir socorro, respondendo-lhes: Ide a José! Da mesma forma Deus, ao lhe pedirmos graças, manda-nos a Maria: Ide a Maria! O Senhor decretou, como diz S. Bernardo, não conceder favor algum sem a mediação de Maria. Por isso, conforme Ricardo de S. Lourenço, nas mãos dela está nossa salvação, e, com mais direito que os egípcios a José, podemos nós, cristãos, dizer à Santíssima Virgem: Nossa salvação está em tuas mãos! O mesmo escreve o abade de Celes: Em tuas mãos foi colocada nossa salvação. Em termos mais enérgicos acentua-o o Pseudo-Cassiano, quando diz sem ambages que a salvação depende dos favores e da proteção de Maria. Quem é protegido por ela se salva; perde-se quem o não é. Isto leva S. Bernardino de Sena a exclamar: Ó Senhora, porque sois a dispensadora de todas as graças, e só de vossas mãos nos há de vir a salvação, de vós também depende nossa salvação.

E por isso razão tinha Ricardo ao escrever: Assim como a pedra cai logo que é tirada a terra que a sustém, assim uma alma, tirado o socorro de Maria, cairá primeiramente no pecado e depois no inferno. Deus não nos há de salvar sem a intercessão de Maria, assevera S. Boaventura; pois, assim como uma criancinha não pode viver sem a ama, da mesma forma ninguém se pode salvar sem a proteção de Maria. Tenha, por conseguinte, a tua alma, exorta o Santo, uma verdadeira sede de devoção a Maria; conserva-a sempre, não a deixes até que vás receber no céu a maternal bênção de Maria. Ó Virgem Santíssima, exclamava S. Germano, ninguém pode chegar ao conhecimento de Deus senão por vós, ó Mãe de Deus, ó Virgem Mãe, ó cheia de graça! E de novo: Se não nos abrísseis o caminho, ninguém escaparia às solicitações da carne e do pecado.

Como só por meio de Jesus Cristo temos acesso junto ao Pai Eterno, igualmente, observa S. Bernardo, só por meio de Maria temos acesso junto a Jesus Cristo. E a tal resolução de Deus, isto é, que sejamos salvos por intermédio de Maria, dá o Santo este belo motivo: Por meio de Maria receba-nos aquele Salvador, que por meio dela nos foi dado! Dá-lhe, por isso, o nome de Mãe da graça e da nossa salvação. Que seria, pois, de nós, indaga S. Germano, que esperança nos restaria de salvação, se nos abandonásseis, ó Maria, vida dos cristãos?

3. *Uma segunda objeção*

Mas, replica o citado autor moderno (Muratori), se todas as graças passam por Maria, a ela hão de recorrer os santos que invocamos, a fim de nos obterem as graças que lhes pedimos. Mas isto, diz ele, ninguém crê, nem o sonhou. Enquanto a crê-lo, respondo que nisso não pode haver erro, ou inconveniente algum. Para honrar a Mãe, constituiu-a Deus Rainha dos santos e quer que por suas mãos sejam dispensadas todas as graças. Que inconveniente então pode haver que também os santos a ela se dirijam para obtenção das graças solicitadas por seus devotos? Enquanto a dizer que isso ninguém o sonhou, eu acho que tal asseveram explicitamente S. Bernardo, S. Anselmo, o P. Suárez e outros mais. Em vão pedir-se-iam graças aos santos, se Maria não se empenhasse em obtê-las, diz S. Bernardo.

Um escritor interpreta no mesmo sentido as palavras do Salmo (44,13): Todos os ricos do povo suplicarão teu olhar. Os ricos do grande povo de Deus, diz ele, são os santos. Quando querem obter qualquer graça a algum de seus devotos, se encomendam a Maria para que ela as obtenha. Com razão, portanto, pedimos aos santos que sejam nossos intercessores junto a Maria, que lhes é Rainha e Senhora, diz o P. Suárez.

Justamente isso, como relata o padre Marchese, prometeu S. Bento a S. Francisca Romana. Aparecendo-lhe um dia, prometeu-lhe que a protegeria sempre como advogado junto à Mãe de Deus. Com o exposto concordam as palavras de S. Anselmo: Senhora, o que a intercessão de todos os santos pode obter unida convosco, pode obtê-lo a vossa sozinha sem o auxílio deles. E por que é assim tão grande vosso poder? pergunta o Santo. Porque sois a Mãe do nosso Salvador, a Esposa de Deus, a Rainha do céu e da terra. Santo algum pedirá por nós e nos ajudará, se não falais em nosso favor. Mas no que o dignardes fazer, empenhar-se-ão todos os santos em pedir por nós e nos socorrer.

As palavras do Eclesiástico (24,8): "Eu sozinha rodeei o giro do céu" – são aplicadas a Maria pela Igreja, e Ségneri assim as comenta: Assim como a primeira esfera[3] com o seu movimento faz que todas as outras esferas se movam, assim também o paraíso inteiro reza com Maria, quando ela se põe a pedir por uma alma. Pacciuchelli diz até que a Virgem, como Rainha, ordena aos anjos e santos que a acompanhem, e junto com ela dirijam suas preces ao Altíssimo.

Entendemos assim finalmente o motivo por que a Santa Igreja nos manda invocar e saudar a Divina Mãe com o grande título de "Esperança nossa". Afirmava o ímpio Lutero não poder suportar que a Igreja Romana chamasse Maria, uma criatura, nossa esperança. Que só Deus e Jesus Cristo, como nos-

---

[3] Na ideia dos antigos o universo compunha-se de bolas de cristal, cujo centro era a terra. Davam-lhes o nome de esferas celestes (Nota do tradutor).

so medianeiro, são nossa esperança; que, ao contrário, Deus amaldiçoa a quem põe sua esperança nas criaturas – era o que o herege dizia. Mas a Igreja ensina-nos a invocar constantemente Maria e saudá-la como nossa esperança. Aquele que põe sua esperança na criatura, independentemente de Deus, é sem dúvida amaldiçoado pelo Senhor. Pois tão somente ele é a única fonte e distribuidor de todo o bem. Sem ele nada tem e nada pode dar a criatura. Mas, como temos provado, conforme a determinação de Deus, todas as graças devem chegar até nós por meio de Maria, como por um canal de misericórdia. Por conseguinte, não só podemos como devemos confessar que ela é nossa esperança, porquanto recebemos as graças por seu intermédio. Daí o título que lhe dá S. Bernardo "de toda a razão de sua esperança". O mesmo diz S. Damasceno dirigindo-se à Santíssima Virgem com estas palavras: Em vós, Senhora, tenho colocado toda a minha esperança e de vós espero minha salvação. Também S. Tomás sustenta que Maria é toda a esperança de nossa salvação. Virgem Santíssima, exclama S. Efrém, acolhei-nos sob a vossa proteção se salvos nos quereis ver; pois só por vosso intermédio esperamos a salvação.

Concluamos então com as palavras de S. Bernardo: Procuremos venerar com todos os afetos do coração Maria, Mãe de Deus, porque é vontade do Senhor que de suas mãos recebamos todos os bens da graça. Sempre, portanto, que desejarmos ou solicitarmos uma graça, tratemos, segundo o conselho do Santo, de recomendar-nos a Maria e tenhamos confiança de obtê-la por sua intercessão. E continua ele: Se tu não mereces a graça solicitada, bem a merece Maria, que por ela se empenhará. Pelo que também nos aconselha que recomendemos a Maria todas as obras e orações que oferecemos a Deus, se queremos que ele as aceite.[4]

EXEMPLO

É célebre a história de Teófilo,[5] escrita pelo clérigo Eutiquiano de Constantinopla, como testemunha ocular que foi do fato que passo a relatar. Segundo o padre Crasset, confirmam-no S. Pedro Damião, S. Bernardo, S. Boaventura, S. Antonino e outros.

Era Teófilo arcediago da igreja de Adanas, na Cilícia. Tanto o estimava o povo que o quis para bispo, dignidade que ele por humildade recusou. Caluniado, porém, por alguns malvados, e por isso destituído de seu cargo, ficou de tal maneira desgostoso, que, fora de si pela paixão, se foi valer do auxílio de um mágico judeu. Pô-lo este em comunicação com o demônio, o qual prometeu a Teófilo auxiliá-lo, mas sob a condição de assinar ele, de próprio punho, um papel pelo qual renunciava a Jesus e Maria, sua Mãe. Acedeu Teófilo e assinou

---

[4] A doutrina sobre a mediação de Nossa Senhora está hoje fora de toda dúvida. Os quatro últimos Papas manifestaram-se com toda a clareza sobre ela, quer reproduzindo as opiniões dos Santos Doutores, quer publicando as suas próprias. Temos agora Ofício e festa de Nossa Senhora, Medianeira das graças. Por isso, escreve Bainvel, S. J.: A dupla cooperação de Maria na obra da redenção, primeiro na terra por sua vida, sofrimentos e preces, e depois no céu pela oração tão somente, é doutrina *católica, segura, indiscutível e definível*, isto é, pode ser declarada como verdade de fé. – Mais uma vez, S. Afonso teve razão; bateu-se por um futuro dogma, na sua visão de profeta (Nota do tradutor).

[5] O fato aqui citado não se pode provar como histórico. Mas mesmo como conto antiquíssimo (desde o ano 572), é de alto valor, porque mostra a convicção do povo no extraordinário poder de Nossa Senhora. O fato prestou-se até para produções literárias na Idade Média (Nota do tradutor).

a execrada renúncia. No dia seguinte o bispo reconheceu a falsidade das acusações contra Teófilo e pediu-lhe perdão, restituindo-lhe o cargo que ocupara. Mas o infeliz chorava sem cessar, tendo a consciência dilacerada de remorso pelo enorme pecado que havia feito. Finalmente, vai à igreja, ajoelha-se diante da imagem de Maria e lhe diz: Ó Mãe de Deus, não quero desesperar; ainda vós me restais, vós que sois tão compassiva e poderosa para me ajudar. Durante quarenta dias viveu chorando e invocando a Santíssima Virgem. Uma noite apareceu-lhe a Mãe de misericórdia e disse-lhe: Que fizeste, Teófilo? Renunciaste à minha amizade e à de meu Filho e te entregaste àquele que é teu e meu inimigo! Senhora, respondeu Teófilo, haveis de me perdoar e de me obter o perdão de vosso Filho.

Vendo Maria tão grande confiança, acrescentou: Consola-te, que vou rogar a Deus por ti. Reanimado, redobrou Teófilo as lágrimas, as preces e as penitências, conservando-se sempre aos pés da imagem de Maria. Reapareceu-lhe a Mãe de Deus e amavelmente lhe diz: Teófilo, enche-te de consolação. Apresentei a Deus tuas lágrimas e orações; de hoje em diante guarda-lhe gratidão e fidelidade. Senhora minha, replicou o infeliz, ainda não estou plenamente consolado; ainda conserva o demônio o ímpio documento em que renunciei a vós e a vosso Filho; podeis fazer que me restitua. E eis que três dias depois, acordando Teófilo à noite, achou sobre o peito o referido documento. No dia seguinte foi à igreja e ajoelhando-se aos pés do bispo que justamente oficiava, contou-lhe por entre soluços tudo quanto havia acontecido. Entregou-lhe o ímpio documento, que o bispo fez queimar imediatamente diante dos fiéis presentes, enquanto choravam todos de alegria, exaltando a bondade de Deus e a misericórdia de Maria para com aquele pobre pecador. Teófilo, entretanto, voltou à igreja de Nossa Senhora, onde no fim de três dias morreu contente e cheio de gratidão para com Jesus e sua Mãe Santíssima.

ORAÇÃO

Ó Rainha e Mãe de misericórdia, que concedeis as graças a todos aqueles que vos invocam, com tanta liberalidade porque sois Rainha, e com tanto amor porque sois nossa Mãe amantíssima; a vós hoje me encomendo, eu, tão pobre de merecimentos como carregado de dívidas para com a divina justiça. Em vossas mãos, ó Maria, está a chave das misericórdias divinas. Não olvideis a minha penúria e não me abandoneis em minha pobreza. Sois tão liberal com todos, e acostumada a dar mais do que vos pedem. Mostrai a mesma liberalidade em meu favor! Protegei-me, Senhora minha; eis o que vos peço. Nada receio se me protegeis. Não temo os demônios, porque vós sois mais poderosa que todo o inferno; não temo os meus pecados, porque vós, com uma só palavra que faleis a Deus, podeis alcançar-me o perdão de todos eles. Tendo eu o vosso favor, não temo nem mesmo a cólera de Deus; pois basta uma súplica vossa para aplacá-lo. Enfim, se me protegeis, espero tudo, pois que tudo vós podeis. Ó Mãe de Misericórdia, eu sei que tendes prazer e vos gloriais em ajudar os pecadores mais miseráveis, e que os podeis ajudar, contanto que não sejam obstinados. Eu sou pecador, mas não sou obstinado; quero mudar de vida. Podeis, pois, ajudar-me; velai-me e salvai-me. Ponho-me hoje nas vossas mãos. Dizei-me o que hei de fazer para dar gosto a Deus, que eu o quero fazer; e espero fazê-lo com vosso socorro, ó Maria, minha Mãe, minha luz, minha consolação, meu refúgio, minha esperança.

CAPÍTULO VI

EIA, POIS, ADVOGADA NOSSA

I. Maria é advogada poderosa para todos salvar

1. *Maria é todo-poderosa junto de Deus*
Tão grande é o prestígio de uma mãe, que nunca pode tornar-se súdita de seu filho, ainda que ele seja monarca e tenha domínio sobre todas as pessoas do seu reino. É verdade, sentado agora à direita de Deus Pai, no céu, reina Jesus e tem supremo domínio sobre todas as criaturas e também sobre Maria. E o tem mesmo como homem, diz Santo Tomás, por causa da união hipostática com a pessoa do Verbo. Todavia, é também certo que nosso Redentor, quando vivia na terra, quis humilhar-se a ponto de ser submisso a Maria. "E lhes estava sujeito" (Lc 2,51). Sim, desde que Jesus Cristo se dignou escolher Maria por Mãe, estava como Filho realmente obrigado a obedecer-lhe, diz S. Ambrósio. Os outros santos – reflete Ricardo de S. Lourenço – estavam unidos à vontade de Deus, mas também o Senhor se submeteu à sua vontade. Das outras virgens diz-se que "seguem o Cordeiro por toda parte". Porém de Maria dizer se pode que o Cordeirinho de Deus a seguia, porque lhe foi submisso.

Daí concluímos que são as súplicas de Maria eficacíssimas para obterem tudo quanto ela pede, ainda que não possa dar ordens a seu Filho no céu. Pois os seus rogos sempre são rogos de Mãe. Tem Maria o grande privilégio de ser poderosíssima junto ao Filho, diz Conrado de Saxônia. E por quê? Justamente pela razão já apresentada, e que mais abaixo vamos examinar minuciosamente: porque as súplicas de Maria são súplicas de Mãe. De onde as palavras de S. Pedro Damião: A Virgem consegue quanto quer, no céu como na terra; até aos desesperados pode dar esperança de salvação. O Santo chama o Redentor de altar de misericórdia, onde os pecadores obtêm de Deus a graça do perdão. A ele, Jesus, dirige-se Maria quando quer obter-nos alguma graça. O filho tanto aprecia, porém, os rogos de sua Mãe e tanto deseja ser-lhe agradável, que sua intercessão mais afigura uma ordem do que uma prece, e ela parece antes uma Rainha do que uma serva, remata o Santo. Assim quer Jesus honrar sua querida Mãe, que tanto o honrou em vida, prontamente concedendo-lhe tudo que pede ou deseja. Belamente o exprime S. Germano nas suas palavras dirigidas à Virgem: Sois onipotente, ó Mãe de Deus, para salvar os pecadores; não precisais de recomendação alguma junto de Deus, pois que sois a Mãe da verdadeira vida.

Não receia S. Bernardino de Sena concordar com a sentença de que "ao império de Maria todos estão sujeitos, até o próprio Deus". Isto é, Deus lhe atende os rogos como se fossem ordens. Exclama por isso Eádmero: Virgem, de tal modo vos elevou o Senhor, que podeis obter para vossos servos todas as graças possíveis; pois é onipotente vosso patrocínio, como assevera Cosmas de Jerusalém. Maria, sim, sois onipotente – acentua Ricardo de S. Lourenço; pois que, conforme as leis, deve a rainha gozar dos mesmos privilégios que o rei. Por isso, colocou Deus toda a Igreja não só sob o patrocínio, senão também sob o império de Maria, observa S. Antonino.

Convindo, portanto, à mãe o mesmo império que ao filho, com razão Jesus, que é onipotente, tornou Maria todo-poderosa.

Contudo, sempre será verdade que o Filho é onipotente por natureza e a Mãe o é por graça. E isto se verifica, porque, quando pede a Mãe, tudo lhe concede o Filho, como justamente foi revelado a S. Brígida. Ouviu ela Jesus dizer a Maria: Minha Mãe, já sabes quanto te quero; pede-me por isso o que quiseres, porque, seja qual for a tua petição, não pode deixar de ser de mim ouvida. E que bela razão alegou o Senhor! Minha Mãe, disse-lhe, nada me negavas na terra; é justo que nada eu te negue no céu. Diz-se que Maria é onipotente; mas é do modo que se pode entender de uma criatura, que não é capaz de atributo divino. Porque com seus rogos obtém tudo quanto quer, é ela, pois, onipotente.

Com sobras de razão, portanto, ó excelsa advogada nossa, vos diz S. Bernardo: Tudo se faz, se vós o quereis. Basta a vossa vontade para que tudo se faça. Quereis elevar a uma alta santidade o mais abjeto dos pecadores? Em vossa vontade está o fazê-lo. De Eádmero são estas palavras: Senhora, basta-vos querer a nossa salvação e nós não podemos perecer. S. Alberto Magno põe na boca de Maria palavras semelhantes: Devo ser rogada, para que queira; porque o que eu quero é necessário que se faça. □

2. *Maria é toda bondade para com os homens* *

Considera S. Pedro Damião o grande poder de Maria e nestes termos implora a sua compaixão: Que vossa natural bondade e vosso poder nos levem a ajudar-nos, porque tão misericordiosa haveis de ser, quão poderosa sois. Ó Maria, querida advogada nossa, na rica piedade de vosso coração não podeis ver infelizes sem que deles tenhais compaixão; e na riqueza de vosso poder junto de Deus salvais a todos quantos protegeis. Dignai-vos também patrocinar nossa causa, causa de infelizes que em vós põem suas esperanças. Se não vos moverem nossos rogos, deixai-vos então levar pelo vosso bondoso coração, pelo vosso grande poder ao menos. Pois de tanto poder enriqueceu-vos o Senhor, para que tão misericordiosa fosseis em ajudar-nos, quão poderosa sois para fazê-lo. – Mas disto nos assegura S. Bernardo, dizendo que Maria, tanto em poder como em misericórdia, é sumamente rica; assim como a sua caridade é poderosíssima, também assim é piedosíssima para se compadecer de nós, como sem cessar no-lo revela.

Enquanto Maria viveu na terra, seu constante pensamento, depois da glória de Deus, era ajudar os necessitados. Sabemos que desde então já gozava o privilégio de ser ouvida em tudo o que pedia. Haja em vista, por exemplo, o que se passou nas bodas de Caná, na Galileia. Veio a faltar o vinho, com vexame e contratempo então para os esposos. Cheia de compaixão, a Santíssima Virgem pediu ao Filho que os consolasse com um milagre. Expôs-lhe a necessidade em que se viam, dizendo: Eles não têm vinho (Jo 2,3). Respondeu-lhe Jesus: "Que há entre mim e ti, mulher? A minha hora ainda não chegou". Note-se que aparentemente o Senhor sonegou a graça desejada por sua Mãe, com as palavras acima citadas: Que importa a mim e a ti essa falta de vinho? Por enquanto não convém fazer um milagre, cuja hora ainda não soou. Ela virá com o tempo de minha pregação, no qual devo confirmar com milagres a minha doutrina. Contudo, Maria, como se o Filho a tivesse atendido, disse aos criados: "Fazei tudo o que ele vos disser!" Eia, ânimo, sereis consolados! E com efeito, Jesus Cristo para dar gosto a Maria mudou a água em ótimo vinho. Mas como assim? Se o tempo prefixado para os milagres era o da pregação, como é que, mudando a água em vinho, antecipou Jesus os decretos divinos? A isso responderemos que nada houve de encontro aos decretos divinos. De fato, geralmente falando, não era ainda chegada a hora dos milagres. Entretanto já desde toda a eternidade havia Deus estabelecido que jamais rejeitaria um pedido de sua Mãe. Ciente de tal privilégio, disse Maria aos criados, apesar da aparente recusa de seu Filho, que fizessem tudo o que ele lhes mandasse, como se a desejada graça já houvesse sido outorgada. O mesmo diz um comentário de S. João Crisóstomo à sobredita passagem: Não obstante ter o Senhor dado aquela resposta, todavia, para honrar sua Mãe, não deixou de atender-lhe o pedido. É igual o comentário de S. Tomás: Com as palavras "Não é chegada a minha hora", quis Jesus mostrar que teria diferido o milagre, caso qualquer outra pessoa lho tivesse pedido; mas porque a Mãe o solicitou, fê-lo imediatamente. Segundo Barradas, são da mesma opinião S. Cirilo de Alexandria e S. Ambrósio e também Jansênio, Bispo de Gandes.

□

3. *O grande poder de Maria funda-se na sua dignidade de Mãe de Deus*

É certo, em suma, que não há criatura alguma que obter nos possa tantas misericórdias, como esta boa advogada. Não só Deus a honra como sua serva dileta, mas sobretudo como sua verdadeira Mãe, diz Guilherme de Paris: Uma só palavra de seus lábios é quanto basta para o Filho atendê-la.

À Esposa dos Cânticos, figura da Virgem Maria, diz o Senhor: "Ó tu que habitas nos jardins, os teus amigos estão atentos: Faze-me ouvir a tua voz" (8,13). São os santos esses amigos; quando pedem alguma graça para seus devotos, esperam obtê-la pela intercessão da sua Rainha. Pois, conforme o demonstramos no capítulo V, graça nenhuma é dispensada sem a intercessão de Maria. E como a obtém Maria? Uma palavra é o quanto basta ao Filho. "Faze-me ouvir a tua voz!" É bem acertado o comentário de Guilherme de Paris à mencionada passagem dos Cânticos. Imagina-se ele o Filho, dizendo à sua Mãe: Ó tu que habitas nos jardins celestes, pede com toda a confiança; pois esquecer não posso que sou teu Filho e que nada devo recusar à minha Mãe. Basta-me ouvir tua voz; para o Filho é o mesmo te ouvir como te atender.

Ainda que Maria alcance as graças rogando, contudo ela roga com certo império de Mãe. Portanto, devemos estar firmemente convictos de que tudo alcança quanto pede e deseja para nós, observa Godofredo, abade. Tendo Coriolano sitiado Roma, sua cidade natal, nem todos os rogos de seus concidadãos e amigos conseguiram demovê-lo à retirada. Mas, assim que viu a seus pés sua Mãe Vetúria, relata Valério Máximo, não pôde resistir e levantou o cerco. Mas tanto mais poderosas que as de Vetúria são as súplicas de Maria junto a Jesus, quanto mais grato e amoroso é esse divino Filho para com sua cara Mãe. Mais vale perante Deus um único suspiro de Maria, que as orações de todos os santos reunidos, escreve o dominicano Justino Micoviense. O próprio demônio esconjurado por S. Domingos o confessava, por boca de um possesso, segundo narra Pacciucchelli.

Na opinião de S. Antonino, as preces de Maria, como rogos de Mãe, têm o efeito de uma ordem, sendo impossível que fiquem desatendidas. Por esta razão S. Germano, animando os pecadores para que a ela se encomendem, assim lhes fala: Vós tendes, ó Maria, para com Deus autoridade de Mãe e por isso alcançais também o perdão aos mais abjetos pecadores. Em tudo reconhece-vos o Senhor por sua verdadeira Mãe e não

pode deixar de atender a cada desejo vosso. Ouviu S. Brígida como os santos do céu diziam à Virgem: Bendita Senhora, o que há que vos não seja possível? Tudo quanto quereis, se faz. Com o que condiz o célebre verso:
O que Deus pode, mandando,
Virgem, o podeis, rogando,
E, porventura, não é coisa digna da benignidade do Senhor zelar com tanto empenho a honra de sua Mãe? Não protestou ele mesmo ter vindo à terra não para abolir, senão para observar a lei? Mas, entre outras coisas, não manda essa lei honrar os pais? S. Jorge, Arcebispo de Nicomedia, acrescenta que Jesus Cristo atende a todos os pedidos de sua Mãe, como que para saldar uma dívida para com ela, que consentiu em lhe dar o ser humano. Eis a origem da exclamação do Pseudo-Metódio, mártir: Alegrai-vos, ó Maria, a vós coube a dita de ter por devedor aquele Filho que a todos dá, e de ninguém recebe. Somos todos devedores a Deus de quanto possuímos, pois que tudo são dons de sua bondade. Só de vós quis o próprio Deus tornar-se devedor, encarnando-se e em vosso seio fazendo-se homem. – Maria mereceu dar um corpo humano ao Divino Verbo, desse modo apresentando o preço de redenção para nossas almas. Por isso mais que todas as criaturas é ela poderosa para nos ajudar e obter a salvação eterna. Sob o nome de Teófilo, Bispo de Alexandria, deixou-nos um escritor o seguinte pensamento: O Filho estima que sua Mãe lhe peça, porque quer conceder-lhe todas as graças, em recompensa do favor que ela lhe fez dando-lhe o ser humano. Dirige, por isso, S. João Damasceno estas palavras à Virgem: Sendo Mãe de Deus, ó Maria, a todos podeis salvar por vossa intercessão, a qual a autoridade de Mãe faz poderosa.

A consideração do grande e divino benefício, pelo qual temos Maria por advogada, leva S. Boaventura a exclamar, e com ele terminamos: Ó bondade certamente imensa e admirável de nosso Deus! A vós, Senhora, quis ele nos dar por advogada para que, a vosso arbítrio, tudo nos obtivesse vossa poderosa intercessão. Ó grande misericórdia do Senhor! Sua própria Mãe, Senhora da graça, no-la deu por advogada, a fim de que não fugíssemos com receio da sentença que sobre nós há de pronunciar um dia.

EXEMPLO

Vivia na Alemanha um senhor, que, tendo caído num pecado mortal, não era capaz de resolver-se à confissão, preso por falsa vergonha. Intoleráveis se lhe tornaram por fim os remorsos e o infeliz andava com a sinistra intenção de atirar-se à água. Não executou, por felicidade, seu intento, mas entre lágrimas pedia a Deus que lhe perdoasse o referido pecado, mesmo sem confissão. Numa noite, pareceu-lhe que alguém o tocava no ombro e lhe dizia: Vai confessar-te! De fato, foi ele à igreja, mas não se confessou. Numa outra noite torna a ouvir a mesma exortação. Indo novamente à igreja, disse: Prefiro morrer a confessar meu pecado. Contudo, antes de voltar para casa, pôs-se a rezar diante de uma imagem da Mãe de Deus. Eis que, em se ajoelhando, logo se lhe mudaram os sentimentos. Levantou-se e procurou imediatamente um confessor. Fez em seguida uma sincera e contrita confissão e agradeceu a Maria o grande favor que lhe dispensara. Sentiu-se depois mais feliz do que se tivera em mãos os tesouros do mundo.

ORAÇÃO

Falai, ó minha Senhora – dir-vos-ei com S. Bernardo, *falai, porque vosso divino Filho vos escuta, e tudo o que lhe pe-*

dirdes vo-lo concederá. Ó Maria, advogada nossa, falai então em favor dos miseráveis pecadores. Lembrai-vos de que é para nossa felicidade também que recebestes de Deus tão grande poder e dignidade. Se um Deus se dignou fazer-se vosso devedor pela natureza humana que de vós assumiu, é para que possais a vosso grado dispensar aos miseráveis os tesouros da divina misericórdia. Vossos servos somos, dedicados de modo especial a vosso serviço, e nos gloriamos de viver sob vossa proteção. Se fazeis bem a todos os homens, ainda aos que não vos conhecem ou honram, e até aos que vos ultrajam e blasfemam, que não devemos esperar de vossa benignidade que busca os miseráveis para os socorrer, nós que vos honramos, amamos e confiamos em vós?

Grandes pecadores nós somos, porém Deus vos deu misericórdia e poder que ultrapassam nossas iniquidades. Quereis e podeis salvar-nos; e nós tanto mais queremos esperar nossa salvação, quanto mais indignos dela somos, para mais vos glorificar no céu, quando lá entrarmos por vossa intercessão. Ó Mãe de Misericórdia, nós vos apresentamos nossas almas, outrora aformoseadas e lavadas pelo sangue de Jesus Cristo, mas depois enegrecidas pelo pecado. Nós vo-las oferecemos; purificai-as. Alcançai-nos uma sincera conversão, o amor de Deus, a perseverança, o paraíso. Grandes favores vos pedimos; mas não podeis obter tudo? Seria muito para o amor que Deus vos tem? Bastante vos é abrir a boca e implorar vosso Filho: ele nada vos recusa. Rogai, pois, ó Maria, rogai por nós; intercedei por nós e sereis atendida e nós seremos salvos com certeza.

II. Como advogada compassiva
Maria defende as causas mais desesperadas

1. *Maria ama-nos ternamente e de modo especial
os pecadores* *

Numerosos motivos forçam-nos a amar nossa amabilíssima Rainha. Em toda parte louvassem-na, dela somente falassem em todos os sermões, a vida dessem por ela todos os homens – tudo isso ainda pouco seria em comparação da gratidão e amor que lhe devemos. Pois é terníssimo o amor que ela consagra a todos os homens, mesmo aos mais infelizes pecadores, quando lhe conservam algum afeto ou devoção. O abade de Celes – que por humildade tomou o nome de Idiota – diz de Maria: Não pode a Virgem deixar de amar quem a ama; não desdenha servir quem a serve. Se o servo é um pecador, empenha toda a sua poderosa intercessão para obter-lhe o perdão de seu Filho. Tamanha lhe é a bondade e tão grande a misericórdia, que não repele quem a invoca. Na qualidade de amantíssima advogada nossa oferece a Deus as preces de seus servos; pois, como o Filho intercede por nós junto ao Pai, assim ela intercede por nós junto ao Filho. Não se cansa de tratar com o Pai e com o Filho o sério assunto da nossa salvação. Singular refúgio dos perdidos, esperança dos miseráveis e advogada de todos os pecadores que a ela recorrem – assim com muita razão a chama Dionísio Cartusiano.

Possível é, entretanto, que um pecador ponha em dúvida não o poder, mas a misericórdia de Maria; possível é que, vendo-se carregado de crimes, desconfie de sua compaixão em ajudá-lo. Aqui o sossega e anima Conrado de Saxônia, dizendo: Grande e singular é o privilégio que tem Maria perante seu Filho de alcançar dele, com os seus rogos, tudo quanto quer. Mas de que adiantaria, acrescenta Conrado, este grande poder de Maria, se ela nenhum cuidado tivesse de nós? Mas, não; não duvidemos, tenhamos ânimo e agradeçamos ao Senhor e à sua divina Mãe. Pois, assim como ela entre todos os santos é a mais poderosa, de todos é também a mais amorosa e mais solícita de nosso bem. Assim conclui o piedoso escritor: Quanto júbilo há na exclamação de S. Germano: Quem jamais, ó Mãe de misericórdia, quem, depois de vosso Jesus, mostrou como vós tanto zelo por nós e nosso bem? Quem como vós toma a defesa dos pecadores e combate contra os seus inimigos? Poder e bondade encontram-se em vosso patrocínio num grau que excede toda a compreensão. Têm os santos poder para valer mais a seus devotos que aos outros, acrescenta o abade de Celes; Nossa Senhora, porém, como é Rainha de todos, de todos é também advogada e lhes cuida da salvação. Preocupa-se com todos, até com os pecadores. Deles, especialmente, Maria se ufana de ser chamada advogada. Disse-o ela mesma à venerável Maria Villani: Depois do título de Mãe de Deus, lisonjeia-me ser chamada advogada dos pecadores.

2. *Maria intercede sem cessar pelos pecadores*

Afirma o Beato Amadeu que nossa Rainha está na presença da Divina Majestade, continuamente intercedendo por nós com as suas poderosas orações. Profunda conhecedora que é de nossas misérias e aflições, não pode desapiedar-se de nós. Levada pelos sobressaltos de um coração maternal, compassivo e benigno, procura como nos socorrer. A cada um de nós, por miserável que seja, exorta por isso Ricardo de S. Lourenço a recorrer confiadamente a tão amável advogada, na firme certeza de achá-la pronta a vir em nosso auxílio. Ela está sempre disposta a orar por todos, escreve Godofredo, abade.

Oh! com quanta eficácia e amor, diz S. Bernardo, não trata esta nossa advogada do problema de nossa salvação! Não cessa Conrado de Saxônia de admirar o afeto e o empenho com que Maria continuamente intercede por nós junto à Divina Majestade e para nós pede o perdão, o auxílio das graças e o livramento dos perigos, bem como a consolação nos sofrimentos. Em seguida a ela se dirige nestes termos: Confessamos que no céu só temos a vós como única solícita protetora. Quer ele dizer: É verdade que todos os santos interessam-se por nossa salvação e pedem por nós; mas a caridade e ternura demonstrada por vós, alcançando-nos tantas misericórdias de Deus, nos obrigam a declarar-vos como nossa única advogada no céu, a única que no verdadeiro sentido da palavra é amante e solícita de nossa salvação. E como é grande essa solicitude de Maria em falar continuamente em nosso favor junto de Deus! Quem poderá medi-la jamais? No ofício de proteger-nos não conhece a Virgem o que seja fadiga, diz S. Germano. Que bela palavra! Maria roga e sempre torna a rogar por nós e não se cansa de o fazer, para nos livrar dos males e nos obter as graças. A tal ponto chega sua compaixão perante nossas misérias e seu amor para conosco!

Pobres pecadores! Que seria de nós, se não tivéramos esta grande advogada! Quanto a considera seu Filho e nosso Juiz por causa da compaixão, da prudência que nela encontra! Tanto a considera, que não pode condenar pecador algum que se acha sob seu patrocínio, diz Ricardo de S. Lourenço. Por isso, João, o Geômetra, a saúda dizendo-lhe: Salve, ó vós que sois o direito que resolve todas as demandas! Isto é: Em toda demanda ganha aquele a cujo lado está essa mui sábia advogada. De sábia Abigail lhe chama por isso Conrado de Saxônia. Essa foi aquela mulher que soube tão bem aplacar com os seus eloquentes rogos o rei Davi, quando estava irritado contra Nabal. E bendisse-a Davi, agradecendo-lhe porque o livrara de vingar-se de Nabal com sua própria mão (1Rs 25,24ss). Exatamente o mesmo faz Maria no céu, sem cessar, em favor dos inumeráveis pecadores. Pois sabe muito bem com suas meigas e prudentes súplicas aplacar a justiça de Deus. Louva-a por isso Deus e quase lhe agradece, porque o detém de castigar os culpados como mereciam. □

3. *Maria, a fiel cópia da misericórdia divina* *

Foi para dispensar-nos todas as misericórdias possíveis, afirma S. Bernardo, que o Eterno Pai, além de Jesus Cristo, nosso principal advogado, nos deu ainda Maria Santíssima como advogada. Não há dúvida, Jesus é o único medianeiro de justiça entre Deus e os homens, o único que em virtude dos próprios méritos nos pode obter graça e perdão, e de acordo com suas promessas também o quer. Mas como em Jesus Cristo reconhecem e temem os homens a majestade divina, aprouve a Deus dar-nos outra advogada a quem recorrer pudéssemos com maior confiança e menor receio. E temo-la em Maria, fora de quem não acharemos outra nem mais poderosa para a Divina Majestade, nem mais misericordiosa para conosco. Grande injúria faz à piedade desta amável advogada quem se intimida de vir à sua presença. Pois ela nada tem de severo e terrível, mas é toda suavidade, toda clemência, toda amabilidade. Lê e relê quanto quiseres, prossegue S. Bernardo, o que está escrito nos Santos Evangelhos, e se encontrares um só ato de severidade em Maria, então teme chegar-te a seus pés. Mas o não acharás em parte alguma. Recorre, pois, a ela alegre e confiadamente, que por sua intercessão ela te salvará.

Belíssimas são as palavras que Guilherme de Paris faz o pecador pronunciar diante de Maria: Ó Mãe de meu Deus! Reduzido à miséria por muitos pecados, a vós recorro cheio de confiança. Se me repelirdes, mostrar-vos-ei que estais em certo modo obrigada a ajudar-me, porque toda Igreja dos fiéis chama e clama que sois Mãe de Misericórdia. Porque Deus muito vos quer, também sempre atende vossos rogos. Jamais falhou vossa grande piedade; vossa dulcíssima afabilidade repeliu nunca pecador algum, ainda de todos o maior, que a vós se tenha recomendado. Como então? Será falsamente ou em vão que a Igreja toda vos denomina advogada sua e refúgio dos miseráveis? Que minhas culpas, ó minha Mãe, não vos impeçam de exercer esse grande ministério de misericordiosa advogada e medianeira de paz entre Deus e os homens, como seguro refúgio e única esperança dos miseráveis. A quem deveis vossa riqueza em graça e em glória e mesmo vossa dignidade de Mãe de Deus? Posso dizê-lo? Deveis aos pecadores tudo quanto possuís; por causa deles o Verbo de Deus vos elegeu para sua Mãe.

Sois a Mãe de Deus, abristes para o mundo a fonte de piedade, e por isso longe esteja de nós o pensamento de que fechar-se possa vosso compassivo coração perante um miserável e abandonado. Assim, pois, já que é vosso ofício ser medianeira entre Deus e os homens, assisti-me pela vossa grande bondade, a qual é incomparavelmente maior que todos os meus pecados.

Consolai-vos, pois, ó tímidos, direi eu com Pacciucchelli; respirai e animai-vos, ó miseráveis pecadores! Essa Virgem excelsa, Mãe de vosso Deus e vosso Juiz, é ao mesmo tempo advogada do gênero humano. Mas é uma advogada competente que tudo pode junto de Deus; *sapientíssima*, porque conhece todos os modos de aplacá-lo; *universal*, porque a todos socorre e a ninguém recusa defender. □

EXEMPLO

Numa missão pregada pelos Padres Redentoristas, após o sermão de Nossa Senhora, veio confessar-se um velho que não cabia em si de contente.

– Sr. Padre, Nossa Senhora me faz essa graça tão grande, disse o velho. Mas que graça? perguntou-lhe o sacerdote. Ouça, reverendo: Desde a idade de 35 anos me venho confessando sacrilegamente, só por vergonha de contar um pecado. Durante esse tempo estive à morte e, se então a morte me surpreendesse, estaria agora condenado. Mas hoje deu-me Nossa Senhora coragem. Dizia o pobre tudo isso por entre lágrimas que muito comoviam. Depois da confissão, perguntou-lhe o missionário se venerava a Santíssima Virgem com alguma prática religiosa. Contou-lhe o velho então que aos sábados abstinha-se de carne e por isso Nossa Senhora dele se compadecera. Ao mesmo tempo autorizou a narração deste fato.

ORAÇÃO

Ó grande Mãe de meu Senhor, sei que a ingratidão que há anos tenho usado com Deus e convosco, justamente merecia que deixásseis de ter cuidado de mim; porque o ingrato é indigno de benefícios. Mas tenho, Senhora, em grande conceito vossa bondade; estou certo que ela é muito maior que a minha grande ingratidão. Continuai, pois, ó refúgio dos pecadores, e não deixeis de socorrer um miserável, que em vós confia. Ó Mãe de Misericórdia, dai a mão a um pobre caído, que recorre à vossa piedade a fim de se poder levantar. Ó Maria, ou defendei-me ou dizei-me quem melhor que vós me possa defender. Mas onde posso eu achar uma advogada junto a Deus mais compadecida, ou mais poderosa do que vós, que sois sua Mãe? Como Mãe do Salvador, nascestes para salvar os pecadores e a mim fostes dada para minha salvação. Ó Maria, salvai quem a vós recorre. Eu não mereço o vosso amor; mas o desejo que tendes de salvar os perdidos me faz esperá-lo. E amando-me vós, como me perderei? Ó minha Mãe muito amada, se por vossa intercessão me salvo, como espero, nunca mais vos serei ingrato. Compensarei com louvores perpétuos e com todos os afetos da minha alma o meu passado esquecimento e o amor com que me tendes amado. No céu, onde vós reinais, e reinais eternamente, sempre cantarei as vossas misericórdias, e beijarei sempre aquelas vossas amorosas mãos, que tantas vezes me têm livrado do inferno, quantas eu o tenho merecido com os meus pecados. Ó Maria, minha libertadora, ó minha esperança, ó Rainha, ó advogada, ó minha Mãe, eu vos amo, eu vos quero muito e sempre vos quero amar. Amém. Assim o espero, assim seja.

III. Maria reconcilia os pecadores com Deus

1. *Maria é Medianeira entre Deus e os homens*   *

É a graça de Deus um tesouro muito grande e muito desejável para todas as almas. O Espírito Santo lhe chama um tesouro infinito, pois por meio dela somos elevados à honra de amigos de Deus. "É ela um tesouro infinito para os homens: do qual os que usaram têm sido feitos participantes da amizade de Deus" (Sb 7,14). O Divino Salvador diz, por isso, aos que se acham no estado de graça: Vós sois meus amigos (Jo 15,14). Ó maldito pecado, que rompes essa bela amizade! "Vossas iniquidades separam-vos de Deus" (Is 59,2). Igualmente aborrece o Senhor o ímpio e a sua impiedade (Sb 14,9). O pecado, tornando a alma objeto de ódio para Deus, de amiga converte-a em inimiga de seu Senhor. Mas que deve fazer um pecador que tem a desventura de viver presentemente na inimizade de Deus? Precisa encontrar um medianeiro que lhe obtenha o perdão e o faça recuperar a perdida amizade com Deus. Consola-te, ó infeliz, diz S. Bernardo, que perdeste a Deus. Como medianeiro deu-te o próprio Senhor seu Filho, Jesus Cristo, que pode atender a teus desejos. Que coisa haverá que um tal filho não consiga junto a seu Pai?

Mas, ó meu Deus, por que aos homens parece tão severo esse misericordioso Salvador, que, enfim, por salvá-los deu a sua vida? Assim pergunta o Santo. Por que julgam terrível quem é tão amável? Que temeis, pecadores sem confiança? Ofendestes a Deus, é verdade, mas sabeis que Jesus pregou à cruz vossos pecados, com suas próprias mãos que os cravos transpassaram. Assim purificou nossas almas e satisfez com sua morte a divina justiça. Entretanto, recusais recorrer a Jesus Cristo, intimidados por sua majestade; pois ele, ainda feito homem, não deixa de ser Deus. Quereis outra advogada junto a esse medianeiro? Recorrei então a Maria! Por vós ela rogará ao Filho e ele com certeza a ouvirá. E o Filho intercederá ao Pai, que nada pode negar ao Filho. Termina o Santo dizendo: Filhos meus, essa divina Mãe é para os pecadores uma escada pela qual podem de novo subir aos cimos da divina graça. Maria é minha maior confiança; ela é a razão da minha esperança.

Eis o que o Espírito Santo faz dizer nos Cânticos à bem-aventurada Virgem: Eu sou um muro e meu peito é uma torre, pois me tornei como uma que acha a paz (8,10). Sou a defesa dos que a mim recorrem, diz Maria; e a minha misericórdia lhes é um benefício, como uma torre de refúgio. E por isso o meu Salvador me fez medianeira da paz entre os pecadores e Deus. Realmente é Maria a pacificadora que obtém de Deus a paz para os pecadores, a misericórdia para os desesperados – assim comenta o Cardeal Hugo. Seu divino Esposo a chama por isso "bela como as tendas de Salomão" (Ct 1,4). Só de guerra se tratava nas tendas de Davi; só de paz se tratava, ao contrário, nas tendas de Salomão. Com essa comparação quer o Espírito Santo mostrar que essa Mãe de misericórdia cogita, não de guerras e de vinganças contra os pecadores, mas tão somente de paz e de perdão às suas culpas.

Tal é o motivo que faz da pomba de Noé uma figura de Maria. De volta à arca trouxe no bico um ramo de oliveira, como sinal da paz concedida aos homens por Deus. Sois aquela fidelíssima pomba de Noé, exclama Conrado de Saxônia, que, interpondo vosso valimento para com Deus, dele alcançastes a paz e a salvação para o mundo perdido. Maria, pois, foi a celestial pomba que trouxe ao mundo perdido o ramo de oliveira, sinal de misericórdia; porque ela nos deu Jesus Cristo, que é fonte da mesma misericórdia. A ela devemos, em virtude dos merecimentos de Cristo Senhor, todas as graças que Deus nos concede. E assim como por Maria foi dada ao mundo a verdadeira paz do céu, como diz S. Epifânio, assim, por meio de sua mediação, os pecadores continuam a reconciliar-se com

Deus. Por isto S. Alberto Magno faz a Virgem dizer: Eu sou a pomba da arca de Noé, que trouxe à Igreja a paz universal.

Clara figura de Maria era também o arco-íris, do qual S. João (Ap 4,3) viu cercado o trono de Deus. O Cardeal Vitale assim fala sobre esse arco-íris: É Maria que assiste sempre perante o tribunal para mitigar as sentenças e os castigos merecidos pelos pecadores. Conforme a explicação de S. Bernardino de Sena, era a Virgem também o arco-íris que Deus colocou nas nuvens e dele disse a Noé: Eu porei meu arco nas nuvens e ele será sinal da aliança entre mim e a terra (Gn 9,13). Maria, diz o Santo, é este íris da eterna paz. Pois assim como Deus à vista dele se lembra da paz prometida à terra, assim também pelos rogos de Maria perdoa aos pecadores as ofensas que lhe fazem, e com eles faz as pazes.

Pela mesma razão ainda é Maria comparada à lua. "És bela como a lua" (Ct 6,9). Aqui observa S. Boaventura: Tal como a lua paira entre a terra e o céu, coloca-se Maria continuamente entre Deus e os pecadores para lhe aplacar a ira contra eles e iluminá-los para que se voltem a Deus.

2. *A meditação de Maria apoia-se na sua divina maternidade*

A principal missão de Maria quando veio à terra era a de levantar as almas caídas da divina graça e reconciliá-las com Deus. "Apascenta teus cabritos" (Ct 1,7) – disse-lhe, pois, ao criá-la, o Senhor. Como se sabe, os cabritos são uma conhecida figura dos pecadores, que no vale do juízo serão postos à esquerda, enquanto que as ovelhas figuram os eleitos, cujos lugares serão à direita. Ora, esses cabritos, diz Guilherme de Paris, vos são confiados, ó grande Mãe de Deus. Deveis convertê-los em ovelhas; os que por suas culpas mereceriam ser repelidos para a esquerda, graças à vossa intercessão, sejam colocados à direita. O Senhor revelou a S. Catarina de Sena que sua intenção, ao criar essa sua dileta filha, era a de conquistar por sua doçura os corações dos homens, sobretudo dos pecadores, e atraí-los a si. Note-se, porém, aqui a bela reflexão de Guilherme de Paris sobre a citada passagem dos Cânticos: "Diz o Senhor: Apascenta teus cabritos". Deus, portanto, encomenda a Maria os cabritos dela. Sim, Maria não salva todos os pecadores, mas tão somente os que a servem e invocam. Quanto aos que vivem no pecado, nem a honram com algum especial obséquio, nem se lhe encomendam para sair do pecado, esses não são cabritos de Maria. No dia do Juízo serão miseravelmente relegados à esquerda com os condenados.

Oh! quantos pecadores obstinados atrai todos os dias para Deus "esse ímã dos corações", Maria! assim ela mesma se chama, dizendo a S. Brígida: Semelhante ao ímã que atrai o ferro, a mim atraio os corações mais empedernidos para reconciliá-los com Deus. E tal prodígios verifica-se não raras vezes, mas todos os dias. Por mim posso atestar muitos casos observados em nossas missões. Pecadores houve que se conservaram duros como pedra perante todos os sermões. Mas arrependeram-se, voltaram a Deus, quando se lhes falou da misericórdia de Maria. Conta S. Gregório que o unicórnio é de tanta ferocidade que nenhum caçador consegue prendê-lo. Entretanto, à voz de uma virgem que lhe grite, rende-se, chega-se e sem resistência deixa-se prender.[1]

---

[1] Desde as mais remotas eras cristãs é o unicórnio uma figura do Filho de Deus, que se fez homem ouvindo o "Faça-se" da puríssima Virgem Maria (Nota do Tradutor).

Sim, quantos pecadores fogem de Deus, mais ferozes que as mesmas feras, mas à voz desta grande Virgem Maria se rendem, e dela se deixam mansamente prender para Deus!

Na opinião de S. João Crisóstomo, Maria foi feita Mãe de Deus também para que, por sua poderosa intercessão e doce misericórdia, se salvem os infelizes que por sua má vida não se poderiam salvar, segundo a justiça divina. Sim, Eádmero garante que Maria, mais por amor dos pecadores que dos justos, foi exaltada a ser Mãe de Deus. Pois o próprio Jesus Cristo protestou que viera chamar não os justos, mas os pecadores. Canta-se, por este motivo, o verso:

    Os pecadores não desprezais;
    Pois sem eles veríeis jamais
    Ser vosso Filho, Filho de Deus.

Guilherme de Paris ousa dizer: Ó Maria, tendes obrigação de ajudar os pecadores, pois todos os vossos dons e as graças todas, toda a vossa grandeza, contida na dignidade da Mãe de Deus, tudo, enfim – se me é lícito dizê-lo –, deveis aos pecadores. Por amor deles dignou-se o Senhor fazer-vos sua Mãe. Ora, se Maria se tornou Mãe de Deus em atenção aos pecadores, como posso eu desesperar do perdão dos meus pecados, por enormes que sejam? Assim argumenta Eádmero.

Na Missa da vigília da Assunção faz-nos a Igreja saber "que a Mãe de Deus foi transferida deste mundo para interceder por nós junto a Deus, no céu, com plena confiança de ser atendida". Dá S. Justino a Maria o título de árbitra de nossa sorte. O árbitro é mediador entre duas partes em contenda, que lhe entregam a decisão sobre suas exigências. Com isso quer dizer o Santo: Como Jesus é medianeiro junto ao Eterno Pai, assim Maria é nossa medianeira junto a Jesus; a ela entrega o Filho todas as razões que tem contra nós como Juiz. S. André de Creta chama-a penhor e caução de nossas pazes com Deus. Isto significa: Quer Deus reconciliar-se com os pecadores, perdoando-lhes; para que não duvidem desse seu desejo, deu-lhes Maria como um penhor. Por isso saúda-a assim o Santo: Salve, ó reconciliação de Deus com os homens!

3. *Maria cuida de cada um de nós*

S. Boaventura* anima os pecadores nestes termos: Que deves fazer, se por causa de teus pecados temes a vingança de Deus? Vai, recorre a Maria, que é a esperança dos pecadores. Estás, porém, receoso de que ela não queira tomar tua defesa? Pois então fica sabendo que é impossível uma tal repulsa; pois o próprio Deus encarregou-a de ser o refúgio dos pecadores.

É lícito a um pecador desesperar de sua salvação, quando a própria Mãe do Juiz se lhe oferece por mãe e advogada? pergunta o Abade Adão de Perseigne. E continua: Vós, ó Maria, que sois Mãe de Misericórdia, recusaríeis interceder junto ao vosso Filho que é Juiz, por um filho vosso que é pecador? Em favor de uma alma recusaríeis falar ao Redentor, que morreu na cruz para salvar os pecadores? Não; não podeis fazê-lo; pelo contrário, de coração vos empenhais por todos os que vos invocam. Pois sabeis perfeitamente que aquele Senhor, que constituiu vosso Filho medianeiro de paz entre Deus e o homem, também vos constituiu a vós medianeira entre o juiz e o réu. Agradece, portanto, ao Senhor que te deu uma tão grande medianeira, exorta S. Bernardo. Por manchado de crimes, por envelhecido que sejas na iniquidade, não percas a confiança, ó pecador. Dá graças ao Senhor que em sua nímia misericórdia não só te deu o Filho por advogado, senão também para aumento de tua confiança te concedeu essa grande medianeira, cujos rogos tudo alcançam. Recorre, pois, a Maria e serás salvo.

EXEMPLO

Como narram os Anais da Companhia de Jesus, vivia em Bragança de Portugal um moço que era associado da Congregação Mariana. Infelizmente, deixou a Congregação e levou uma vida muito perdida. Chegou ao ponto de um dia resolver-se a dar cabo da vida, atirando-se a um rio. Mas, antes de executar seu tenebroso plano, lembrou-se em boa hora de recomendar-se a Nossa Senhora. Disse-lhe: Outrora eu era mariano e levava uma vida piedosa. Ó Maria, ajudai-me também agora. Pareceu-lhe então ver Nossa Senhora e ouvir as palavras: Que vais fazer? Queres perder ao mesmo tempo a alma e o corpo? Vai, confessa-te e volta à Congregação mariana. O moço caiu em si. Agradeceu à Santíssima Virgem a graça recebida e mudou de vida.

ORAÇÃO

É, pois, vosso ofício, ó minha dulcíssima Senhora, conforme as palavras de Guilherme de Paris, ser medianeira entre Deus e os pecadores. Exercei vosso ofício em meu favor, pedir--vos-ei com S. Tomás de Vilanova. Não digais que minha causa é muito difícil de ganhar, porque sei que todos me afirmam que nenhuma causa defendida por vós se perdeu, por mais impossível que parecesse o seu vencimento. E perder-se-á a minha? Não, isto não temo eu. Só deveria temer que não procurásseis defender-me, se olhasse somente para a multidão dos meus pecados. Considerando, porém, vossa imensa misericórdia, e o sumo desejo que reina em vosso dulcíssimo coração de socorrer os mais degredados pecadores, nem mesmo esse receio posso ter. Quem se perdeu jamais, tendo implorado vosso auxílio? Chamo-vos, pois, em meu socorro, ó minha grande advogada, meu refúgio, minha esperança, ó minha Mãe Maria Santíssima! Em vossas mãos entrego a causa de minha eterna salvação e deposito a minha alma. Ela estava perdida, mas haveis de salvá--la. Muitas graças dou sempre ao meu Senhor, que me dá essa grande confiança em vós; ela me assegura da minha salvação, apesar da minha indignidade. Só me resta um temor que muito me aflige, ó minha amada Rainha: é de vir eu a perder um dia, por negligência de minha parte, esta confiança em vós. Rogo--vos, portanto, ó Maria, pelo amor que tendes ao vosso Jesus, conservai e cada vez mais aumentai em mim esta dulcíssima confiança em vossa intercessão. Por ela espero recuperar certamente a divina amizade, por mim tão loucamente desprezada e perdida. E recuperando-a espero finalmente pelos vossos rogos ir um dia render-vos por tudo as graças no paraíso, e ali cantar as misericórdias do Senhor e as vossas por toda a eternidade. Amém. Assim o espero, assim seja.

CAPÍTULO VII

A NÓS VOLVEI ESSES VOSSOS OLHOS MISERICORDIOSOS

Tem Maria olhos compassivos sobre nós
para aliviar nossas misérias

1. *Maria foi misericordiosa na terra*
S. Epifânio chama a divina Mãe de onividente, pois, como Mãe desvelada, é toda olhos para atender às nossas misérias na terra e aliviá-las. Perguntaram um dia ao demônio, quando era esconjurado de um possesso, qual a ocupação de Maria. Respondeu o interrogado: Sobe e desce. Queria dizer que essa bondosíssima Rainha desce sem cessar à terra para trazer graças aos homens, e sobe aos céus para obter favorável despacho às nossas preces. Tem razão, portanto, S. André Avelino ao chamá-la administradora dos bens do paraíso, porque continuamente está às voltas com a Misericórdia, impetrando graças para todos, tanto para os justos como pecadores. Os olhos do Senhor estão sobre os justos, diz Davi (Sl 33,16). Mas os de nossa Rainha, diz Ricardo de S. Lourenço, estão voltados tanto sobre os justos como sobre os pecadores. São olhos de mãe os olhos de Maria, acrescenta ele, e a mãe vela não só para que o filho não caia, senão também para levantá-lo após a queda.

Claramente, o próprio Jesus Cristo o deu a entender a S. Brígida, dizendo em sua presença à Santíssima Virgem: Minha Mãe, pedi-me tudo quanto quiserdes! Eis o que o Filho repete no céu a

Maria, fulgando em satisfazer a todos os rogos de sua querida Mãe. Ora, o que pediu então Maria? Ouviu-a S. Brígida responder ao Filho: Imploro misericórdia para os infelizes. Como se dissesse: Meu Filho, vós me destinastes a ser Mãe de Misericórdia, refúgio dos pecadores, advogada dos infelizes. Dizeis agora que vos peça o que quiser. Que posso eu desejar, senão que useis de misericórdia para com os miseráveis? – Assim, ó Maria, sois tão cheia de compaixão, exclama S. Boaventura ternamente, tão extremosa em socorrer os infelizes, que pareceis não ter outro desejo nem outra ocupação. De todos os pobres são os pecadores os maiores, e por isso Maria implora continuamente ao Filho em favor deles, assevera Beda.

Durante sua vida na terra, tinha a Virgem um coração cheio de piedade e ternura para com os homens, observa S. Jerônimo; mas tinha-o de tal forma que ninguém pode sentir tão vivamente suas próprias aflições, como Maria sentia as alheias. Bem o mostrou nas bodas de Caná, de que já temos falado. Na falta de vinho, diz S. Bernardino de Sena, a Senhora assumiu espontaneamente o ofício de compassiva consoladora. Compadecida da aflição dos noivos, empenhou-se junto ao Filho e obteve o milagre que fez abundar o vinho nas talhas de água.

2. *Ainda mais misericordiosa é Maria no céu*

Dirige-lhe S. Pedro Damião a pergunta: Porventura vos esquecestes de nós, miseráveis, agora que estais exaltada à dignidade de Rainha do céu? Longe de nós tal pensamento! É incompatível com a grande piedade do vosso coração o olvido de uma tão grande miséria como a nossa. – As honras mudam os costumes, afirma um conhecido adágio. Mas ele não é aplicável a Maria. Vale dos homens no mundo, que se ensoberbecem e esquecem os antigos amigos pobres, logo que se veem elevados a alguma dignidade. Assim não procede Maria Santíssima. Justamente, por melhor ajudar os miseráveis é que se rejubila com sua grandeza. Em vista disso, aplica-lhe Conrado as palavras de Booz a Rute: Filha, bendita sejas do Senhor, que excedeste a tua primeira bondade com esta de agora (Rt 3,10). Por outra queria dizer o autor: Se grande foi a piedade de Maria para com os miseráveis, quando vivia no mundo, muito maior é ela agora no céu. E a prova está em que agora a Virgem melhor conhece nossas misérias. Sua misericórdia aumentou com esse conhecimento, como o demonstram as inumeráveis graças que nos alcança. Como em esplendor o sol supera à lua, assim a compaixão de Maria, no céu, excede a que tinha durante sua vida na terra. E quem há que neste mundo não goze da luz do sol? E onde haverá um homem sobre cuja cabeça não caiam os esplendores da misericórdia de Maria? Assim termina Conrado suas considerações. É por esta razão que lemos ser Maria "fulgurante como o sol" (Ct 6,9). Pois, segundo Raimundo Jordão, não há quem não sinta o calor desse astro: Ninguém pode esconder-se de seu calor (Sl 18,7). Foi o que S. Inês revelou a S. Brígida: Nossa Rainha, ao lado de seu Filho no céu, não pode se esquecer de sua natural bondade. Até os pecadores mais ímpios são obsequiados com provas de sua misericórdia. Tal como a terra e outros planetas são iluminados pelo sol, também por intercessão de Maria todos os homens participam da divina misericórdia, desde que a peçam.

Escreve S. Bernardo que Maria se faz tudo para todos e lhes abre o seu compassivo coração, para que todos dele recebam: o escravo, o resgate; o enfermo, a saúde; o pecador, o perdão; Deus, a glória. É o sol e assim ninguém fica sem sentir seu calor. – E quem não amaria essa amabilíssima Rainha? pergunta S. Boaventura.* Ela é mais bela que o sol, mais doce que o mel; é um tesouro de bondade, para todos é amável, com todos afável. Salve, pois, prossegue o inflamado Santo, ó minha Santíssima Senhora e Mãe! Salve, ó meu coração e minha alma! Perdoai-me se vos declaro meu amor. Se de amar-vos não sou digno, muito digna, entretanto, sois vós de meu amor.

Quando se dizem devotamente à Santíssima Virgem estas palavras: "Eia, pois, advogada nossa, a nós volvei esses vossos olhos misericordiosos", não pode Maria deixar de volver os olhos para quem a invoca. Assim foi revelado a S. Brígida. Ó soberana Senhora, exclama S. Bernardo, como é grande vossa misericórdia; dela a terra inteira está cheia! Declara, por isso, S. Boaventura* que essa Mãe amorosíssima tem o mais vivo desejo de fazer bem a todos; que se julga ofendida não só por quantos a injuriam, como por aqueles que não solicitam seus favores. Vós mesma nos ensinais, ó Senhora, exclama S. Hildeberto, a esperar por graças superiores a nossos merecimentos, já que sem cessar continuais dispensando-nos tais favores.   □

3. *Para todos é Maria um trono de misericórdia*   *

Predissera o profeta Isaías que pela grande obra da redenção nos devia ser preparado um sólio de misericórdia. "E será estabelecido um sólio em misericórdia" (16,5). Mas qual é esse sólio? É Maria, na qual acham confortos de misericórdia, não só os justos, mas também os pecadores, responde Conrado de Saxônia. Assim como o Salvador é cheio de piedade, também o é Nossa Senhora; à semelhança do Filho, a Mãe nada pode recusar a quem a chama em seu socorro. Guerrico, Abade, faz

Jesus dizer a Maria: Minha Mãe, em vós quero colocar a sede do meu reino e por intermédio vosso hei de espalhar as graças que me forem solicitadas. Vós me destes o ser humano, e eu vos darei ter parte em minha onipotência, com a qual possais ajudar e salvar a quem quiserdes.

Com grande afeto dirigia S. Gertrudes certa vez as sobreditas palavras à Virgem Santíssima: A nós volvei esses vossos olhos misericordiosos. Apareceu-lhe então a Senhora com o Menino Jesus nos braços e, mostrando-lhe os olhos de seu divino Filho, disse: São estes os olhos misericordiosos que posso inclinar, a fim de salvar todos aqueles que me invocam.

Chorando uma vez um pecador diante de uma imagem de Maria, e pedindo-lhe que lhe alcançasse de Deus o perdão de seus pecados, viu a bem-aventurada Virgem voltar-se para o Menino que tinha nos braços e lhe dizer: Filho, perder-se-ão estas lágrimas? Reconheceu o infeliz que Jesus Cristo lhe concedera o perdão.

E como poderia perecer quem se encomenda a esta boa Mãe? Não lhe prometeu seu Divino Filho usar de misericórdia por seu amor e segundo seu desejo, para com todos os que a ela recorrem? Tal foi a promessa que S. Brígida ouviu o Senhor fazer à sua Mãe. Considerando tanto o grande poder de Maria junto a Deus, como sua grande piedade para conosco, escreveu o Abade Adão de Perseigne: Ó Mãe de Misericórdia, quanto é o vosso poder, tanta é a vossa piedade; quanto sois poderosa para impetrar, tanto sois também piedosa para perdoar. E como, pois, se poderá dar o caso de não terdes compaixão dos miseráveis, sendo vós Mãe de Misericórdia? Ou quando não podereis vós ajudá-los, sendo Mãe de onipotência? Tão fácil vos é conhecer nossas misérias, como realizar todos os vossos desejos. Fartai-vos, pois (diz o Abade Roberto), fartai-vos, ó grande Rainha, da glória de vosso Filho, e por compaixão distribuí-nos as migalhas a nós, pobres filhos e servos vossos. Não as merecemos, é verdade; mas fazei-o por compaixão para conosco.

Se, por causa de nossos pecados, nos invadir a desconfiança, digamos com Guilherme de Paris: Ó Senhora minha, não me lanceis em rosto meus pecados, porque lhes oporei vossa grande misericórdia. Jamais se diga que minhas culpas puderam contrabalançar no juízo a vossa misericórdia. Pois esta é muito mais eficaz para obter-me o perdão, que todos os meus pecados para valerem-me a condenação. ☐

EXEMPLO

Um grande pecador no reino de Valença entregara-se ao desespero e resolvera fazer-se maometano. Esperava com isso escapar às mãos da justiça.

Já resolvido a embarcar, passou por acaso defronte de uma igreja onde o Padre Jerônimo López, jesuíta, pregava sobre a misericórdia da Mãe de Deus. Tocado pelo sermão, foi confessar-se com o pregador. Perguntou-lhe este se havia conservado alguma devoção particular que lhe tivesse merecido de Deus tão grande misericórdia. O interrogado disse que todos os dias pedia a Nossa Senhora que não o abandonasse. O mesmo sacerdote encontrou num hospital um pecador que, havia cinco anos, não se confessava. Conservara-se, entretanto, fiel a certa prática de devoção. Sempre que via uma imagem da Mãe de Deus, saudava-a e lhe pedia que o não deixasse morrer em pecado mortal. Contou que certa vez na luta contra o inimigo se lhe quebrara a espada. Dirigiu-se a Maria, dizendo-lhe: Ai de mim, miserável! Estou morto e condenado; Mãe dos pecadores, vinde em meu socorro! A essas palavras, sem saber como, achou-se levado para um lugar seguro. O pobre pecador fez em seguida uma boa confissão geral, e morreu cheio de confiança.

ORAÇÃO

Ó Virgem sacrossanta, entre todas as criaturas a maior e a mais sublime, eu vos saúdo, aqui, deste vale de lágrimas. Infeliz e miserável rebelde que sou, mereço castigos e não favores, justiça e não misericórdia. Senhora, eu não digo isto, porque desconfie da vossa piedade. Eu sei que vos gloriais de ser benigna em proporção de vossa grandeza. Sei que vos alegrais de vossas riquezas, por fazê-las partilhar aos pecadores. Sei que quanto mais necessitados são os que a vós recorrem, tanto mais vos empenhais em protegê-los e salvá-los. Ó minha Mãe, sois aquela que um dia chorastes vosso Filho morto por mim. Oferecei, vos rogo, as vossas lágrimas a Deus, e por elas alcançai uma dor verdadeira dos meus pecados. Tanto vos afligiram os pecadores, tanto vos estou eu ainda afligindo com minhas iniquidades. Obtende-me, ó Maria, que ao menos de hoje em diante não continue a afligir a vosso Filho e a vós com minhas ingratidões.

E de que me teriam servido vossas lágrimas, se eu continuasse a ser ingrato? De que me valeria a vossa misericórdia, se novamente vos fosse infiel e me condenasse? Não; minha Rainha, não o permitais. Vós tendes suprido todas as minhas faltas. Vós alcançais de Deus tudo o que quereis. Sois sempre propícia a quem vos invoca. Peço-vos, pois, estas duas graças que espero e quero de vós; obtende-me que seja fiel a Deus, não o ofendendo mais; e que o ame todo o resto de minha vida, tanto quanto o tenho ofendido.

CAPÍTULO VIII

E DEPOIS DESTE DESTERRO, MOSTRAI-NOS JESUS, BENDITO FRUTO DO VOSSO VENTRE

I. Maria livra do inferno a seus devotos

1. *Um verdadeiro devoto de Maria não se perde*

É impossível que se perca um devoto de Maria, que fielmente a serve e a ela se encomenda. À primeira vista talvez pareça um tanto ousada esta proposição. Antes, porém, que seja rejeitada, peço se leia o que a respeito eu vou apresentar. Afirmo que é impossível perder-se um devoto da Mãe de Deus. Não me refiro àqueles que abusam dessa devoção para pecarem com menos temor. Desaprovam alguns que muito se celebrem as misericórdias de Maria para com os pecadores, dizendo que estes dela abusam para mais pecarem. Mas injustamente o desaprovam. Pois esses presumidos, por esta sua temerária confiança, merecem castigo e não misericórdia. Falo tão somente daqueles devotos de Maria que, ao desejo de emenda, unem a perseverança em obsequiá-la. Quanto a estes, repito, é moralmente impossível que se percam. O mesmo afirma o Padre Crasset em seu livro sobre "A verdadeira devoção à Virgem Maria". E antes já o afirmaram Vega em sua Teologia Mariana, Mendoza e outros teólogos. Que não falaram irrefletidamente, vê-lo-emos pelas afirmações dos Doutores e dos santos. Ninguém se admire à vista de tantas sentenças uniformes dos autores. Quis referi-las todas, a fim de provar o acordo geral dos escritores sobre este ponto.

**2. A devoção a Maria é penhor
de eterna bem-aventurança**   *

É impossível salvar-se quem não é devoto de Maria e não vive sob sua proteção, diz S. Anselmo, e também é impossível que se condene quem se encomenda à Virgem, e por ela é olhado com amor. Quase com os mesmos termos isso confirma S. Antonino. Não podem salvar-se aqueles, escreve o santo, dos quais Maria tem afastado seus misericordiosos olhos; mas salvam-se necessariamente os que por ela são vistos com amor e protegidos por sua intercessão. Repare-se, porém, na primeira parte desta proposição e tremam aqueles que fazem pouco caso da devoção à Mãe de Deus, ou que a abandonam por negligência. Estes santos afirmam que não há possibilidade de salvação para quem não é amparado por Maria. A mesma coisa asseveram outros, como S. Alberto Magno: Todos os que não são vossos servos hão de perder-se, ó Maria. E S. Boaventura*: Aquele que se descuida de servir à Santíssima Virgem morrerá em pecado. Em outro lugar: Quem a vós não recorre, Senhora, não entrará no paraíso. No Salmo 99 de seu Saltério Mariano chega até a dizer que não só não se salvará, mas que nem esperança de salvação terá aquele do qual Maria aparta seu rosto. E primeiro o disse o Pseudo-Inácio, mártir, afirmando que não pode salvar-se um pecador senão por meio da Santa Virgem, cuja misericordiosa intercessão salva muitíssimos que deveriam ser condenados pela justiça divina. O Abade de Celes repete essas palavras. É nesse sentido que a Igreja aplica a Maria esta passagem dos Provérbios (8,36): Todos os que me odeiam amam a morte eterna. Sobre o texto: "Ela é semelhante ao navio de um mercador" (Pr 31,14), diz Ricardo de S. Lourenço: Todos os que não estiverem a bordo desse navio serão submergidos no mar deste mundo. Até o protestante Ecolampádio tinha por indício certo de reprovação a pouca devoção à Mãe de Deus.

Por outro lado, diz Maria: Aquele que me serve não será condenado (Eclo 24,30). Quem a mim recorre e ouve minhas palavras não se perderá. Pelo que diz S. Boaventura*: Senhora, quem se esforça por servir-vos está longe da condenação. E isso acontecerá, afirma o Pseudo-Hilário, ainda que no passado tenha alguém ofendido muito a Deus.

Por isso o demônio trabalha para que os pecadores, depois de perderem a graça de Deus, percam também a devoção de Maria. Observando Sara que Isaac ia pegando os maus costumes de Ismael, com quem brincava, pediu a Abraão que expulsasse este e também sua Mãe Agar. "Expulsa a escrava com seu filho!" Não se contentou em mandar embora o filho. Exigiu que se expulsasse também a mãe. Pois imaginou que, se esta ficasse, a cada passo o filho viria a casa para vê-la. Da mesma forma o demônio não se contenta com ver uma alma separar-se de Jesus Cristo. Quer vê-la também separada da Mãe de Jesus. "Expulsa a escrava com seu filho!" Pois teme que a Mãe com seus rogos reconduza o Filho a essa alma. E é com razão que o teme, porquanto, afirma Pacciucchelli, não tarda a encontrar a Deus quem é fiel em obsequiar a Mãe de Deus.

Salvo-conduto que nos livra do inferno é, por isso, o acertado nome que S. Efrém dá à devoção a Maria. Segundo S. Germano, é Maria a protetora dos condenados. Realmente, é certo e fora de dúvida que a Maria, conforme a sentença de S. Bernardo, não lhe falta poder nem vontade para nos salvar. Tem poder porque é impossível ficar desatendida uma sua oração, garante-nos S. Antonino. Ou, como diz S. Bernardo, seus rogos ficam jamais sem resultado, mas sempre alcançam o que pretendem. Tem vontade de salvar-nos, porque como Mãe deseja nossa salvação mais do que nós a desejamos. Ora, assim sendo, como poderá perder-se um fiel devoto de Maria? E ainda que seja pecador, salvar-se-á, se com perseverança e propósito de emenda se encomendar a essa boa Mãe. Ela o levará ao conhecimento de seu miserável estado, ao arrependimento de seus pecados. Obter-lhe-á a perseverança no bem e finalmente uma boa morte. Qual é a mãe que podendo, com um simples pedido ao juiz, livrar seu filho da morte, não o faria? E poderíamos nós pensar que Maria, tão devotada Mãe para com seus devotos, deixe de livrar um filho da morte eterna, quando lhe é possível e tão fácil consegui-lo?

Ah! leitor piedoso, demos graças ao Senhor, se vemos que nos tem dado afeto e confiança para com a Rainha do céu. Pois, segundo S. João Damasceno, Deus só faz semelhante graça a quem quer salvar. Eis as belas palavras com que o Santo reanima a sua e a nossa esperança: Ó Mãe de Deus, se em vós puser minha confiança, serei salvo. Se estiver sob vossa proteção, nada tenho a recear porque a devoção para convosco é uma segura arma de salvação, por Deus concedida só aos que deseja salvar. Por isso até Erasmo assim saudava a Santíssima Virgem: Deus vos salve, ó terror do inferno, ó esperança dos cristãos; a confiança em vós assegura a salvação. □

3. *A devoção a Maria protege contra a fúria de Satanás* *

Oh! quanto desagrada ao demônio a perseverante devoção de uma alma à Mãe de Deus! Afonso Álvarez, muito devoto de Maria, foi atormentado pelo demônio com violentas tentações impuras, uma vez que estava rezando. Deixa essa tua devoção para com Maria, disse-lhe o inimigo, que eu deixarei de tentar-te. Foi revelado a S. Catarina de Sena, como atesta Luís Blósio, que Deus concedera a Maria, em consideração a seu unigênito, a graça de não cair presa do inferno pecador algum que a ela se recomendar devotamente. O próprio profeta Davi pedia já ao Senhor que o livrasse pelo amor que tinha à honra de Maria: Senhor, eu amei o decoro da vossa casa...; não percais com os ímpios a minha alma (Sl 25,8).

Diz "vossa casa", porque Maria foi certamente aquela casa que o próprio Deus se preparou na terra para sua habitação, e onde ao fazer-se homem achou seu repouso. Assim está escrito nos Provérbios (9,1): A sabedoria edificou para si uma casa. – Não se perderá certamente, dizia o Pseudo-Inácio, mártir, quem é fiel na devoção a essa Virgem Mãe. E isso confirma S. Boaventura com as palavras: Senhora, os que vos amam gozam grande paz nesta vida, e na outra não verão a morte eterna. Nunca sucedeu, nem sucederá, assegura-nos o piedoso Blósio, que um humilde e diligente servo de Maria se perca eternamente.

Oh! quantos permaneceriam obstinados e se condenariam para sempre, se não se houvesse Maria empenhado junto ao Filho para usar de misericórdia em favor deles! Eis como exclama Tomás de Kempis. A muitas pessoas mortas em pecado mortal alcançou de Deus a divina Mãe suspensão da sentença, e vida para fazerem penitência. Assim opinam muitos teólogos e especialmente S. Tomás. Disso referem graves autores muitos exemplos. Entre outros, Flodoardo, que viveu no século IX, fala em sua Crônica de um certo diácono Adelmano de Verdun, que, tido já por morto e prestes a ser sepultado, volveu à vida e disse ter visto o lugar do inferno ao qual já estava condenado. Obtivera-lhe, porém, a Santíssima Virgem, a graça de voltar ao mundo e fazer penitência. Caso idêntico refere Súrio de um cristão romano, por nome André. Tendo morrido na impenitência, alcançara-lhe Maria a graça de voltar ao mundo para ganhar o perdão de seus pecados.[1]

Estes e outros exemplos, entretanto, não devem servir para autorizar a temeridade dos que vivem em pecado, confiados de que Maria os haja de livrar do inferno, ainda que morram impenitentes. Rematada loucura fora, certamente, lançar-se alguém para dentro de um poço, na esperança de ver-se livre da morte, porque Maria em caso semelhante já preservou a outros. Muito maior loucura seria, entretanto, arriscar-se alguém a morrer no pecado, presumindo que a Santíssima Virgem o preservará do inferno.

Sirvam tais exemplos para reanimar a nossa confiança, ao considerarmos que a intercessão de Maria é de tal poder que livra do inferno até aos que morrem em pecado mortal. Quanto maior não será então ele, para impedir que se perca quem nesta vida a ela recorre com intenção de emendar-se e é fiel em a servir! Digamos-lhe, pois, com S. Germano: Ó nossa Mãe, que será de nós que somos pecadores, mas nos queremos emendar

---

[1] Em ambos os casos, conforme averiguações mais seguras, trata-se de conversões antes da morte, motivadas por visões, que esses impenitentes tiveram. Nossa Senhora lhes alcançou essa graça, em recompensa da devoção que lhe consagravam (Nota do tradutor).

e recorremos a vós, que sois a vida dos cristãos? Ouvimos S. Anselmo garantir, ó Senhora, que não se perderá eternamente todo aquele por quem orais uma só vez. Rogai por nós, então, e seremos salvos do inferno.

Quem ousará dizer-me, escreve Ricardo de S. Vítor, que Deus não me será propício no dia do juízo, se estiverdes ao meu lado, ó Mãe de Misericórdia? – O Beato Henrique Suso protestava que às mãos de Maria havia confiado sua alma. Se o juiz tivesse de condená-lo, queria que passasse a sentença pelas mãos misericordiosas da Virgem porque, como esperava, nesse caso ficaria suspensa a execução. O mesmo digo e espero para mim, ó minha Santíssima Rainha. Por isso quero repetir continuamente com S. Boaventura: Em vós, Senhora, pus toda a minha esperança, por isso seguramente espero não me ver perdido, mas salvo no céu para louvar-vos e amar-vos para sempre. □

EXEMPLO

Pelo ano de 1604 viviam numa cidade de Flandres dois jovens estudantes, que, desleixando dos estudos, se entregavam a orgias e devassidões. Uma noite entre outras foram a certa casa de tolerância. Um deles, chamado Ricardo, depois de algum tempo, retirou-se para casa, e o outro ficou. Chegando Ricardo a casa, estava para acomodar-se, quando se lembrou que não havia rezado umas Ave-Marias, como era de seu costume fazê-lo em honra da Santíssima Virgem. Acabrunhado pelo sono, sem nenhuma vontade para rezar, fez, contudo, um esforço e rezou as Ave-Marias, embora sem devoção e por entre bocejos de sono. Deitou-se depois e adormeceu. Mas não tardou a ouvir bater à porta com muita força. E imediatamente, sem ele a abrir, vê diante de si seu companheiro de farras, mas desfigurado e medonho.

– Quem és tu? – perguntou aterrorizado.
– Tu não me conheces? – respondeu o outro.
– Mas como te mudaste tanto? Tu pareces um demônio.
– Ai, pobre de mim! – exclamou aquele infeliz – que, ao sair daquela casa infame, veio um demônio e me sufocou. O meu corpo ficou no meio da rua, e a minha alma está no inferno. Sabes, pois, acrescentou, que o mesmo castigo te tocava também a ti. Mas a bem-aventurada Virgem, pelo teu pequeno obséquio das Ave-Marias, te livrou dele. Ditoso de ti, se tu souberes aproveitar deste aviso, que a Mãe de Deus te manda por mim. Depois destas palavras, o condenado entreabriu a capa e mostrou as chamas e as serpentes que o atormentavam e desapareceu. Então Ricardo, chorando copiosamente, com o rosto em terra, deu graças a Maria, sua libertadora. Enquanto pensava como mudar de vida, ouviu tocar Matinas no convento dos franciscanos. Logo pensou: É aí que Deus me quer para fazer penitência. E foi pedir aos frades que o recebessem. Cientes de sua má vida, não queriam eles aceitá-lo. Contou-lhes então entre lágrimas o que havia acontecido. Dois religiosos foram à rua indicada, achando efetivamente o cadáver do companheiro, sufocado e negro como um carvão. Depois disso foi Ricardo admitido e levou uma vida penitente e exemplar. Mais tarde foi como missionário pregar nas Índias e em seguida no Japão, onde teve finalmente a graça de morrer mártir, queimado vivo por amor de Jesus Cristo.

ORAÇÃO

Ó Maria, ó Mãe caríssima, em que abismo de males me havia de achar, se não me tivésseis salvado tantas vezes com vossas mãos piedosíssimas? Há quantos anos estaria no inferno, se vossa poderosa intercessão dele não me houvesse preservado? Para lá me impeliram meus gravíssimos pecados; a justiça divina já me havia condenado; os demônios bramiam, procurando executar a sentença. Vós, porém, correstes sem eu vos chamar, ó Mãe; sem vo-lo pedir, me salvastes.

Ó minha querida libertadora, que vos darei eu por tantas graças e por tanto amor? Vencestes a dureza do meu coração e me levastes a amar-vos e a confiar em vós. Ai! em que abismo de males teria caído mais tarde, se com vossa mão piedosa não me tivésseis auxiliado tantas vezes nos perigos em que tenho estado próximo a cair! Continuai a livrar-me do inferno e primeiramente do pecado que para lá me pode levar. Não permitais que haja de amaldiçoar-vos no inferno. Ó Senhora minha diletíssima, eu vos amo. Será possível que vossa bondade sofra que um servo vosso, que vos ama, seja condenado? Ah! obtende-me a graça de não ser mais ingrato para convosco, nem para com meu Deus, que por amor vosso tantas graças me tem dispensado. Ó Maria, que dizeis? Será possível que eu venha a me condenar? Condenar-me-ei se vos abandonar. Mas como terei jamais a presunção de abandonar-vos? Como poderei esquecer vosso amor para comigo? Sois, depois de Deus, o amor de minha alma. Eu não quero viver mais sem amar-vos. Eu hei de vos querer bem, eu vos amo e espero que sempre vos hei de amar, no tempo e na eternidade, ó criatura a mais bela, a mais santa, a mais doce, a mais amável deste mundo. Amém!

II. Maria socorre seus devotos no purgatório

1. *Maria consola as pobres almas do purgatório*

Muito felizes são os devotos desta piedosíssima Mãe. Pois ela não só os socorre neste mundo, mas também no purgatório são assistidos e consolados com a sua proteção. Por terem essas almas maior precisão de socorro, empenha-se a Mãe de Misericórdia com zelo ainda mais intenso em as auxiliar. Elas muito padecem e nada podem fazer por si mesmas. Diz S. Bernardino de Sena que Maria Santíssima tem nesse cárcere das esposas de Jesus Cristo certo domínio e pleno poder, tanto para aliviá-las como também para livrá-las completamente daquelas penas.

Em primeiro lugar traz alívio às almas. O sobredito Santo aplica-lhe as palavras do Eclesiástico: Caminho por sobre as ondas do mar (28,8). Isto é, visitando e assistindo meus devotos em suas aflições. Compara ele às ondas as penas do purgatório, porque são transitórias e por isso diferentes das do inferno, que nunca passam. Chama-as as ondas do mar, porque são penas muito amargosas. Os devotos de Maria, aflitos com estas penas, são por ela visitados e socorridos frequentemente. Eis, pois, quanto importa, diz Novarino, ser fiel servo desta boa Senhora, que não se esquecerá de nós quando padecermos naquelas chamas. Embora Maria socorra todas as almas que penam, contudo obtém para seus devotos mais indulgência e maior alívio.

Revelou Nossa Senhora a S. Brígida: Eu sou a Mãe de todas as almas do purgatório; pois por minhas orações lhes são constantemente mitigadas as penas que mereceram pelos pecados cometidos durante a vida. Digna-se até essa Mãe piedosa entrar naquela santa prisão para visitar e consolar suas filhas aflitas. "Penetrei no fundo do abismo" (Eclo 21,8), isto é, do purgatório – como explica S. Boaventura – para consolar com minha presença essas santas almas. Oh! como é boa e clemente a Santíssima Virgem, exclama S. Vicente Ferrer, para as almas do purgatório, que por sua intercessão recebem contínuo conforto e refrigério! E que outra consolação lhes resta em suas penas, senão Maria e o socorro dessa Mãe de misericórdia? Ouviu S. Brígida dizer Jesus Cristo a sua Mãe: És minha Mãe, és a Mãe de Misericórdia, és o consolo dos que sofrem no purgatório. À mesma Santa revelou a Santíssima Virgem: Um pobre doente, aflito e desamparado numa cama, alenta-se ao ouvir palavras de consolo e conforto. Assim também as almas do purgatório enchem-se de alegria, só em ouvir pronunciar o nome de Maria. – O nome só de Maria, nome de esperança e de salvação, que continuamente invocam naquele cárcere, lhes dá um grande conforto. Apenas a amorosa Mãe as ouve invocá-la, logo faz coro com as suas preces. Ajuda-as o Senhor, então, refrigerando-as com um celeste orvalho nos grandes ardores que padecem. □

2. Maria livra as almas do purgatório *

Mas a Santíssima Virgem não só favorece e consola os seus devotos, como também os tira e livra do purgatório com a sua intercessão. No dia da sua Assunção esvaziou-se o purgatório, como escreve Gerson. Idêntica é também a opinião de Novarino, que a baseia em graves autores. Segundo ele, Maria, no momento de ser elevada ao céu, pediu a seu amado Filho a graça de consigo levar logo todas as almas, que então se achavam no purgatório. Desde então, diz Gerson, está Maria na posse do privilégio de livrar os seus devotos daquelas penas. E isso o afirma também absolutamente S. Bernardino de Sena. A seu ver tem Maria a faculdade de livrar com suas súplicas e com a aplicação de seus merecimentos as pobres almas, especialmente as de seus devotos. Do mesmo parecer declara-se Novarino, dizendo que pelos merecimentos de Maria não só se tornam mais leves, mas também mais breves as penas dessas almas, apressando-se com a intercessão da Santíssima Virgem o tempo de expiação. Basta que ela formule um pedido nesse sentido.

Refere S. Pedro Damião que certa mulher, chamada Marózia, apareceu depois de morta a uma sua comadre, e lhe disse que no dia da Assunção de Maria havia sido libertada do purgatório. Que juntamente com ela saíra um tão considerável número de almas, que excediam o da população de Roma. A respeito das festividades do Natal e da Ressurreição do Senhor, assevera Dionísio Cartusiano o mesmo privilégio. Diz que em tais dias desce Maria ao purgatório, acompanhada por muitos anjos, e livra muitas almas daquelas penas. E Novarino inclina-se a crer que o mesmo sucede em todas as festas solenes da Santa Virgem.

Conhecidíssima é a promessa que Maria fez ao Papa João XXII. Apareceu-lhe um dia e lhe ordenou fizesse saber a todos aqueles que trouxessem o escapulário do Carmo que seriam livres do purgatório no primeiro sábado depois da morte. Fê-lo o Papa por uma Bula que publicou, e que foi depois confirmada por Alexandre VII, Pio V, Gregório XIII e Paulo V. Este, no ano de 1613, na Bula então publicada, assim diz: Pode o povo cristão piamente crer que a bem-aventurada Virgem ajudará com especial proteção, depois da morte, e principalmente no dia de sábado, consagrado pela Igreja à mesma Virgem, as almas dos irmãos da Confraria de Nossa Senhora do Carmo que morreram na graça de Deus. Como condição requer-se que tenham usado sempre o escapulário, recitando o Ofício da Virgem, ou, não podendo recitá-lo, tenham observado os jejuns da Igreja, abstendo-se de carne às quartas-feiras e aos sábados. Diz também o Breviário da festa de Nossa Senhora do Carmo: Segundo uma piedosa crença, a Santíssima Virgem com maternal amor consola os confrades do Carmo no purgatório, e com sua intercessão depressa os leva à pátria celeste.

Por que não poderemos nós esperar os mesmos favores e graças, se formos devotos dessa Mãe? E se a servirmos de um modo especial, por que não poderemos também esperar a graça de irmos logo para o paraíso, isentos do purgatório? Graça semelhante prometeu a Mãe de Deus ao Beato Godofredo. Mandou Frei Abondo dar-lhe o seguinte recado: Dize a Frei Godofredo que se adiante na virtude, que assim será de meu Filho e meu; e quando a sua alma se apartar do corpo, não a deixarei ir ao purgatório, mas eu a receberei para oferecê-la a meu Filho. – Se quisermos, pois, ajudar às santas almas do purgatório, procuremos rogar por elas à Santíssima Virgem em todas as nossas orações, aplicando-lhes especialmente o santo rosário, que lhes dá um grande alívio.

EXEMPLO

Contaram a uma senhora da alta sociedade que seu filho tinha sido assassinado, e que o assassino se havia refugiado ao palácio dela. Lembrou-se a pobre mãe de que também a Santíssima Virgem perdoara aos crucificadores de seu Filho e, em lembrança das Dores da Virgem, perdoou generosamente ao refugiado. Não contente com isso, mandou dar cavalos, dinheiro e roupa ao criminoso, para que se salvasse pela fuga. Apareceu então a esta senhora o filho assassinado, dizendo que não só se salvara, como também fora livre do purgatório pela Mãe de Deus, por causa do perdão generosamente concedido ao inimigo. Do contrário, lhe teria sido muito longo o purgatório, mas que naquele momento ia entrar logo no céu.

ORAÇÃO

Ó Rainha do céu e da terra, ó Mãe do Senhor do mundo, ó Maria, criatura a mais sublime, a mais excelsa, a mais amável, é verdade que na terra muitos não vos amam e não vos conhecem. Mas no céu são inumeráveis os milhões de anjos e de bem-aventurados que vos amam e vos louvam continuamente. Mesmo nesta terra, quantas almas felizes há que ardem em amor por vós, e vivem enamoradas de vossa bondade! Ah! se eu também vos amasse, ó Senhora minha amabilíssima. Oh! se estivesse sempre pensando em servir-vos, em louvar-vos, em honrar-vos, e em trabalhar por ver-vos honrada por todos! Vós agradastes tanto a Deus, com a vossa beleza, que o arrancastes, digamos assim, do seio do Eterno Pai, trazendo-o à terra para fazer-se homem e Filho vosso. E eu, miserável verme, é que não me havia de enamorar de vós? Não, minha Mãe dulcíssima, quero amar-vos, amar-vos muito e fazer todo o possível para ver-vos amada por todos. Aceitai, pois, ó Maria, o desejo que tenho de amar-vos, e vinde em meu socorro para que o possa pôr em prática. Sei que Deus olha com agrado para os que vos amam. Depois de sua glória, ele nada deseja mais do que a vossa; ele quer ver-vos honrada e amada em todos os corações. De vós, Senhora, espero a minha fortuna espiritual: obtende-me o perdão de todos os meus pecados, a santa perseverança; vinde assistir-me na hora da morte, livrar-me do purgatório, e finalmente fazei-me entrar no paraíso. Eis o que de vós espero, eu que vos amo com todo o afeto, e sobre todas as coisas depois de Deus.

III. Maria leva seus devotos ao paraíso

1. *Pela devoção a Maria salvaram-se os bem-aventurados*

Os servos de Maria têm um belíssimo sinal de predestinação. Para confortá-los, a Santa Igreja aplica à Mãe de Deus o texto do Eclesiástico: em todos estes busquei o descanso e assentarei a minha morada na herança do Senhor (24,14). O Cardeal Hugo comenta: Feliz daquele em cuja morada a Santíssima Virgem encontra o lugar de seu repouso. Maria ama a todos os homens e quereria ver sua devoção reinar no coração de todos os fiéis. Muitos ou não a recebem ou não a conservam. Feliz de quem a recebe e conserva fielmente, "Assentarei a minha morada na herança do Senhor", isto é – segundo Pacciucchelli –, a devoção à Santíssima Virgem ostenta-se em todos os que no céu formam a herança do Senhor e lá eternamente o louvam. E mais adiante lemos: Aquele que me criou descansou no meu tabernáculo e me disse: Habita em Jacó e possui a tua herança em Israel, e lança raízes nos escolhidos (Eclo 24, 12 e 13). Isto quer dizer: Meu Criador dignou-se vir repousar em meu seio, e quis que eu habitasse no coração de seus eleitos (dos quais Jacó foi figura), que são minha herança. Determinou que deitassem profundas raízes em todos os predestinados a devoção e a confiança para comigo.

Oh! quantos não estariam agora no céu, se Maria, com a sua poderosa intercessão, para ali não os tivesse conduzido. "Eu fiz com que nascesse no céu uma luz que nunca falta" (Eclo 24,6). O Cardeal Hugo, aplicando esse texto à Santíssima Virgem, fá-la dizer: Faço brilhar no céu tantos luzeiros eternos, quantos são os meus devotos. Por isso ele acrescenta:

Muitos santos acham-se no céu pela intercessão de Maria e sem ela jamais lá estariam.

Garante S. Boaventura que as portas do céu se abrem para receber a quantos confiam no patrocínio de Maria. S. Efrém diz por isso ser esta devoção a abertura do paraíso. E Blósio assim se dirige à Virgem Maria: Senhora, a vós estão confiadas as chaves e os tesouros do reino celestial. Portanto, continuamente lhe devemos pedir com S. Ambrósio: Abri-nos, ó Maria, a porta do paraíso, já que dele tendes as chaves e sois a porta, como vos chama a Santa Igreja.

O nome de Estrela do Mar também é dado a Maria pela Santa Igreja. Porque assim como os navegantes, diz S. Tomás, são dirigidos ao porto por meio da estrela, também assim os cristãos são guiados para o paraíso por meio de Maria. Igualmente chama-a o Pseudo-Fulgêncio de escada do céu. Isso porque por meio dela desceu o Senhor do céu à terra, para que por ela os homens merecessem subir da terra ao céu. E a este propósito lhe diz S. Atanásio Sinaíta: Senhora, sois cheia de graça para serdes o caminho de nossa salvação e a subida para a pátria celeste. Para S. Bernardo é ela o carro que nos leva ao céu. João, o Geômetra, a saúda como carro resplandecente por meio do qual os seus servos entram no céu. Daí, pois, a exclamação de S. Boaventura: Bem-aventurados os que vos conhecem, ó Mãe de Deus, porquanto conhecer-vos é a estrada da vida imortal, e celebrar vossas virtudes é o caminho para a salvação.

Pergunta Dionísio, o Cartuxo: Quem se salvará? Quem conseguirá reinar no paraíso? E responde: Aqueles, sem dúvida, por quem tiver rogado a Mãe de misericórdia. É o que ela mesma afirma com as palavras: Por mim reinam os reis (Pr 8,15). Por minha intercessão as almas reinarão, primeiramente sobre suas paixões na vida mortal e depois no céu, onde todos são reis, na frase de S. Agostinho. Maria é, em suma, a Senhora do céu, pois que ali manda como quer e nele introduz quem quer. Assim conclui Ricardo de S. Lourenço, que à Virgem aplica por isso as palavras do Eclesiástico. É em Jerusalém o meu poder (24,15). □

2. *A devoção a Maria é um penhor da bem-aventurança* *

Desde que não lhe ponhamos obstáculos, alcança-nos essa divina Mãe o paraíso, pela eficácia de suas súplicas e de seu patrocínio. Aquele, por conseguinte, que a serve e conta com sua intercessão, está seguro do paraíso, como se já ali estivesse. O servir e ser da sua família, diz Ricardo de S. Lourenço, é das honras a maior; pois, servi-la é reinar no céu, é viver sob suas ordens, é mais que reinar. Pelo contrário, prossegue ele, aqueles que não servem a Maria, não se salvarão; porquanto, destituídos do auxílio da poderosa Mãe, ficam também privados do socorro do Filho e de toda a corte celeste.`

Sempre seja, pois, louvada a infinita bondade de nosso Deus, exclama S. Bernardo, que foi servido de constituir Maria nossa advogada no céu, para que ela como Mãe do Juiz e Mãe de Misericórdia trate do grande problema da nossa salvação. Jacó, monge e célebre doutor entre os gregos, diz que Deus colocou Maria como ponte de salvação sobre a qual nos faz atravessar as ondas deste mundo e assim alcançaremos o tranquilo porto do céu. Daí então a exortação de S. Boaventura*: Ouvi, ó vós, desejosos do reino de Deus: honrai e servi a Virgem Maria, e encontrareis a vida eterna.

Não devem desconfiar de conseguir o reino do céu nem ainda aqueles que só têm merecido o inferno, se se resolverem a servir com fidelidade a esta Rainha. Quantos pecadores – exclama S. Germano – buscaram a Deus por vosso intermédio, ó Maria, e foram salvos! Ricardo de S. Lourenço chama a atenção sobre o texto do Apocalipse (12,1), no qual se diz estar Maria coroada de estrelas, enquanto que nos Sagrados Cânticos ela aparece rodeada de feras, de leões e de leopardos (Ct 4,8). Como pode ser isso? É que essas feras – responde o comentador – são os pecadores que pelo favor e pela intercessão de Maria se tornam estrelas do paraíso. Formam assim uma coroa que mais convém para a fronte dessa Rainha de Misericórdia, do que todas as estrelas materiais do céu. Rezando um dia na novena da Assunção, a serva de Deus Sóror Serafina Capri (como se lê na sua biografia), pediu à Santíssima Virgem a conversão de mil pecadores. Mas logo depois temeu fosse talvez muito ousado o seu pedido. Aparece-lhe a Virgem e repreende-a de seu vão receio com as palavras: Por que duvidas? Por acaso não tenho tanto poder para alcançar de meu Filho a salvação de mil pecadores? Pois olha que vou obtê-la agora mesmo. E levada em espírito ao céu por Maria, viu Serafina inúmeras almas de pecadores que tinham merecido o inferno, mas que pela intercessão da Virgem estavam salvos e já gozavam da eterna bem-aventurança.

É certo que nesta vida ninguém pode ter certeza de sua salvação. "Contudo, não sabe o homem se é digno de amor ou de ódio, mas tudo se reserva incerto para o futuro" (Eclo 9,1). Entretanto, à pergunta de Davi: "Quem, Senhor, habitará em teu tabernáculo?", responde S. Boaventura*: Pecadores, sigamos as pegadas de Maria, prostremo-nos a seus pés, e não a deixemos até que nos abençoe, porque sua bênção nos será qual penhor do paraíso. Basta, Senhora, escreve Eádmero, que vós queirais salvar-nos, que não poderemos deixar de ser salvos. Garante S. Antonio que as almas patrocinadas por Maria necessariamente se salvam.

Com toda razão, diz S. Ildefonso, profetizou a Santíssima Virgem que todas as nações a chamariam bem-aventurada, porque é por meio de Maria que os eleitos obtêm a eterna bem-aventurança. Sois, ó grande Mãe, princípio, meio e fim de nossa felicidade, exclama S. Metódio. *Princípio*, porque Maria nos alcança o perdão dos pecados; *meio*, porque nos obtém a perseverança; *fim*, porque ela finalmente nos consegue o paraíso. Por vós, prossege S. Bernardo, foi aberto o céu, foi despojado o inferno, foi restaurado o paraíso: por vós, em suma, foi dada a vida eterna a tantos miseráveis que só a eterna morte mereciam.

Mas, sobretudo, a bela promessa de Maria deve animar-nos a esperar com segurança o paraíso. A todos os seus servos especialmente aos que buscam fazê-la conhecida e amada de todos, por palavras e exemplos fez a seguinte promessa: "Os que trabalham por mim não pecarão; aqueles que me esclarecem terão a vida eterna" (Eclo 24,30). Ditosos, pois, aqueles, conclui S. Boaventura*, que adquirem o favor de Maria; estes desde logo serão conhecidos dos bem-aventurados, por seus companheiros; e quem tiver o caráter de servo de Maria, será registrado no livro da vida. De que serve, pois, inquietarmo-nos com as sentenças das escolas sobre se a predestinação para a glória é antes ou depois da previsão dos merecimentos? Se estamos ou não inscritos no livro da vida? Se somos verdadeiros servos de Maria e estamos sob o seu patrocínio, seremos então certamente do número dos eleitos. Pois, conforme S. João Damasceno, a devoção a essa Mãe, Deus concede-a somente àqueles a quem quer salvar. Tal sentença concorda com o que diz o Senhor por boca de S. João: Aquele que vencer... escreverei sobre ele o nome de meu Deus e o nome da cidade de meu Deus (Ap 3,12). Quem houver de vencer e salvar-se trará escrito no coração o nome da cidade de Deus. Mas quem é essa cidade de Deus senão Maria? A ela refere S. Gregório as palavras do Salmo: Coisas gloriosas se têm dito de ti, cidade de Deus (86,3).

Bem podemos, por conseguinte, dizer com S. Paulo: Quem tem este sinal, Deus o reconhece por seu (2Tm 2,19). Que por isso a devoção para com a Mãe de Deus é indício certíssimo de salvação, afirma-o Pelbarto. O Beato Alano de Rupe,[2] falando da Ave-Maria, disse: Quem honra frequentemente a Virgem com esta angélica saudação tem um sinal muito grande de predestinação. E o mesmo diz da perseverança na recitação cotidiana do rosário. Além disso, conforme Nieremberg, os servos de Maria não só na terra são mais privilegiados e favorecidos, mas também no céu serão mais distintamente honrados. Aí terão uma veste principesca pela qual serão conhecidos como familiares da Rainha do céu, por pessoal da corte, segundo o dito dos Provérbios: Porque todos os seus domésticos trazem vestidos forrados (31,21).

Um dia viu S. Madalena de Pazzi numa visão uma barquinha no meio do mar. Nela estavam refugiados todos os devotos de Maria, que, fazendo ofício de piloto, seguramente os conduzia

---

[2] Alano († 1475) foi venerado como beato, embora não conste uma formal aprovação da Igreja nesse sentido (Nota do tradutor).

ao porto. Compreendeu logo a Santa que quantos no meio dos perigos desta vida vivem sob a proteção de Maria, todos são preservados do naufrágio do pecado e da condenação; porque Maria seguramente os guia ao porto do paraíso. Tratemos, pois, de entrar nessa bendita nau que é a proteção de Maria; aí fiquemos na certeza da eterna bem-aventurança, como a Igreja canta: Santa Mãe de Deus, todos aqueles que hão de participar dos gozos eternos habitam em vós, vivendo sob a vossa proteção. ☐

EXEMPLO

Conta-se nas Crônicas Franciscanas que Frei Leão viu uma vez em visão duas escadas, uma branca e vermelha a outra. Sobre a última estava Jesus Cristo e sobre a primeira estava sua Mãe Santíssima. Reparou como alguns tentavam subir pela escada vermelha. Mas caíam logo depois de subirem alguns degraus; tornavam a subir e outra vez caíam. Foram avisados de que deviam subir pela escada branca, e por essa os viu subir felizmente, porquanto a Santíssima Virgem lhes dava a mão, e assim chegavam seguros ao paraíso.

Nota – Essa visão é como um comentário para as palavras que Leão XIII e Bento XV haviam de escrever: "Como só pelo Filho nós chegamos ao Pai, assim ao Filho ninguém chega senão por meio de sua Mãe" (Nota do tradutor).

ORAÇÃO ─────────────────────────

Ó Rainha do paraíso, Mãe do santo amor, sois entre todas as criaturas a mais amável, a mais amada por Deus e aquela que mais o ama. Consenti que também vos ame um pecador, que é o mais ingrato e miserável dos que vivem na terra. Por vosso intermédio, vejo-me livre do inferno e sem mérito algum de tal modo cumulado de benefícios por vós, que agora me sinto todo enamorado de vós.

Quereria, se pudesse, fazer saber a todos quantos vos não conhecem quão digna sois de ser amada, para que todos vos conhecessem, e amassem. Quereria também morrer por vosso amor, em defesa de vossa virgindade, de vossa dignidade de Mãe de Deus, de vossa Imaculada Conceição, se fosse preciso dar a vida para defender essas vossas sublimes prerrogativas.

Ah! Mãe diletíssima, aceitai o meu afeto e não permitais que um vosso servo, que vos ama, venha a ser inimigo de vosso Deus, a quem tanto amais. Ai de mim! que tal já fui, quando ofendi a meu Senhor. Mas então, ó Maria, eu não vos amava, nem buscava vosso amor. Agora, porém, nada mais desejo, depois da graça de Deus, que amar a minha Rainha e ser honrado com o seu amor. Minhas culpas passadas não me fazem perder a confiança, pois sei que vos dignais amar, é benigníssima e gratíssima Senhora, até os mais miseráveis pecadores que vos amam, e sei também que por ninguém vos deixais vencer em amor.

Ah! Rainha amabilíssima, quero ir amar-vos no céu. Aí, prostrado a vossos pés, melhor conhecerei como sois amável e quanto tendes feitos para minha eterna bem-aventurança. Por isso então muito mais vos hei de amar, sem receio de deixar de o fazer algum dia. Ó Maria, tenho a esperança de salvar-me por vosso auxílio. Rogai a Jesus por mim. Nada mais vos peço. A vós compete salvar-me: sois minha esperança. Quero, portanto, cantar sempre: Ó Maria, esperança minha, por vós verei a Deus um dia.

CAPÍTULO IX

Ó CLEMENTE, Ó PIEDOSA

Da grande clemência e piedade de Maria

1. *Maria é toda clemência e bondade*
O autor dos Discursos sobre a *Salve-Rainha* diz que Maria é a terra prometida pelo Senhor, na qual manava leite e mel. Quer assim mostrar-nos de modo bem intuitivo a grande bondade dessa Rainha para conosco, miseráveis e deserdados. S. João acrescenta que Maria tem entranhas de tanta misericórdia, que merece ser chamada não só misericordiosa, mas a própria misericórdia. Por causa dos infelizes foi Maria constituída Mãe de Deus e colocada para lhes dispensar misericórdia, ensina-nos S. Boaventura. Considera em seguida a imensa solicitude que ela tem para todos os miseráveis, bem como a sua grande bondade que acima de tudo deseja socorrer aos necessitados. Essa consideração leva o Santo a dizer: Quando olho para vós, ó Maria, parece-me não ver mais a divina justiça, mas a divina misericórdia somente, da qual estais cheia. Em suma, tanta lhe é a piedade que, como diz o Abade Guerrico, seu amoroso coração não pode cessar um momento de ser misericordioso conosco.

E que outra coisa pode jorrar de uma fonte de piedade, senão piedade? pergunta S. Bernardo. Por isso, Maria foi chamada "uma bela oliveira no campo" (Eclo 24,19). Como da oliveira só sai o óleo, símbolo da misericórdia, também só graças e misericórdias destilam as mãos de Maria.

Temos, por conseguinte, muita razão para, com Luís da Ponte, chamá-la Mãe do óleo da misericórdia. Recorrendo, portanto, a essa Mãe para pedir-lhe o óleo da sua piedade, não podemos temer que no-lo recuse, como o negaram as virgens prudentes às loucas, dizendo-lhes: Para que não suceda faltar-nos ele a nós e a vós. Não; porque ela é muito rica desse óleo de piedade, previne Conrado de Saxônia. Eis a razão por que a Igreja lhe chama não só de prudente, mas de prudentíssima. Por aí compreendamos, diz Hugo de S. Vítor, que Maria é tão cheia de graça e de misericórdia, que tem como prover a todos, sem nunca ficar desprevenida.

Mas pergunto eu: Por que se diz que esta formosa oliveira está no meio do campo, e não antes no meio de um jardim bem murado? Ouçamos a resposta do Cardeal Hugo: Para que possam facilmente contemplá-la e alcançá-la todos os necessitados. S. Antonino confirma esse belo pensamento ao dizer: Podem todos colher frutos de uma oliveira que está em campo aberto; e assim podem também todos recorrer a Maria, pecadores e justos, para obterem misericórdia. Quantos castigos, continua ele, quantas sentenças e condenações, tem a Santíssima Virgem sabido revogar em benefício dos pecadores que a ela recorrem! E que mais seguro refúgio, pergunta o piedoso Tomás de Kempis, podemos encontrar que não o compassivo coração de Maria? Aí o pobre acha abrigo, remédio o enfermo, alívio o aflito, consolo o atormentado e socorro o abandonado.

Pobres de nós, sem essa Mãe de Misericórdia, tão atenta e tão prestadia em socorrer nossas misérias! Onde não há mulher – diz o Espírito Santo – geme e padece o enfermo (Eclo 36,27). A *mulher* é justamente Maria, conforme atesta S. João Damasceno. Sem ela só há sofrimentos para o enfermo. Realmente, querendo Deus que todas as graças se dispensem pelos rogos de Maria, onde eles faltam não haverá esperança de misericórdia. Tal foi a revelação que o próprio Senhor fez a S. Brígida.

Tememos talvez que Maria não veja ou não queira aliviar nossas misérias? Não; melhor do que nós, delas tem ciência e compaixão. Cita-me um Santo que como Maria tanto se compadeça de nossas misérias! ordena S. Antonino. Onde vê misérias, não lhe sofre o coração deixá-las sem alívio de sua grande misericórdia. Essa sentença de Ricardo de S. Vítor é confirmada por Mendoza: Ó Virgem bendita, dispensais às mãos cheias vossa misericórdia, por toda parte onde descobris necessidades. E nossa boa Mãe nunca se cansa nesse ofício de misericórdia, como ela mesma o confessa: E não deixarei de ser em toda a sucessão das idades, e exercitei diante dele o meu ministério na morada santa (Eclo 24,14). O que assim comenta o Cardeal Hugo: Não deixarei até ao fim do mundo de socorrer as misérias dos homens, e de rogar pelos pecadores, para que sejam salvos da condenação eterna.

Do imperador Tito conta Suetônio que tinha muito prazer em conceder as graças que se lhe pediam. No dia em que não tinha ocasião de conceder alguma, lastimava-se, dizendo: Hoje foi um dia perdido para mim. Tito assim falava, provavelmente, mais por vaidade ou por ambição de estima que por verdadeira caridade. Nossa Rainha, porém, se possível lhe fosse passar um dia sem dispensar algum favor, julgá-lo-ia perdido, tão grande é sua caridade, o seu desejo de espalhar benefícios. E até afirma o B. Bernardino de Busti, ela tem mais ânsia de nos fazer favores, do que nós temos desejo de os receber. Por isso, continua o sobredito autor, sempre que a invocamos, a encontramos com as mãos cheias de misericórdia e liberalidade.

Figura de Maria foi Rebeca, que, ao pedir-lhe água o servo de Abraão, respondeu que daria de beber não só a ele, mas também aos seus camelos (Gn 24,19). S. Bernardo, ponderando isso, volta-se para Maria e lhe diz: Ó Senhora, da plenitude do vosso cântaro dai de beber não só ao servo de Abraão, como aos seus camelos também. Com outras palavras quer o Santo dizer: Ó Senhora, sois mais compassiva e liberal que Rebeca; não vos contentais em dispensar as graças da vossa imensa misericórdia aos servos de Abraão, figura dos que vos servem fielmente, mas quereis ainda concedê-las aos camelos que representam os pecadores. Como Rebeca, dá Maria mais do que se lhe pede. Nisso de liberalidade, diz Ricardo de S. Lourenço, tem a Mãe semelhança com o Filho, que, na frase de S. Paulo, "é pródigo de graças para todos os que o invocam" (Rm 10,12). Como acertou Guilherme de Paris ao exclamar: Senhora, rogai por mim, porque vós pedireis com mais devoção do que eu, e me alcançareis assim de Deus graças maiores do que quantas eu mesmo peça!

2. *Particular clemência de Maria para com os pecadores*

"Consentis, Senhor, que façamos descer fogo do céu e os consuma?" – assim perguntaram ao Mestre João e Tiago, quando os samaritanos se recusaram a receber Jesus Cristo e sua doutrina. Respondeu-lhes então o Salvador: Não sabeis de que espírito sois? (Lc 9,55). Queria dizer: Sou de um espírito todo de clemência e doçura; para salvar e não para castigar os pecadores, vim do céu e vós quereis vê-los perdidos? Falais em fogo e castigo? Calai-vos e nisso não me faleis mais, porque não é esse meu espírito! Ora, sendo o espírito de Maria completamente semelhante ao de seu Filho, não podemos pôr em dúvida seu natural compassivo. De fato, é chamada Mãe de Misericórdia e foi a própria misericórdia de Deus que tão compassiva e clemente a fez para todos. Assim o revelou a própria Virgem a S. Brígida. Por isso representa-a S. João revestida do sol: Apareceu um grande sinal no céu; uma mulher vestida do sol (Ap 12,1). Comentando o trecho, diz S. Bernardo à Virgem: Senhora, revestistes o Sol (Verbo Divino) da carne humana, mas ele vos revestiu também de seu poder e de sua misericórdia.

Nossa Rainha – continua o Santo – é sumamente compassiva e benigna; quando algum pecador se encomenda à sua misericórdia, ela não se põe a examinar-lhe os méritos, para ver se é digno de ser ouvido ou não, mas a todos atende e socorre. Eis a razão, conforme observa Hildeberto, por que de Maria se diz que é bela como a lua (Ct 6,9). Assim como a lua ilumina e beneficia os objetos mais inferiores sobre a terra, também ilumina Maria e socorre os pecadores mais indignos. Embora a lua receba do sol toda a sua luz, leva menos tempo que ele para descrever seu curso. É-lhe suficiente um mês, ao passo que o sol gasta um ano a perfazer o seu giro.[1] Isso motiva então as palavras de Eádmero ao afirmar que nossa salvação será mais rápida, se chamarmos por Maria, do que se chamarmos por Jesus. Pelo que Hugo de S. Vítor nos adverte que se

---

[1] S. Afonso é claro, emprega a linguagem do povo em descrever o aparente movimento do sol (Nota do tradutor).

os nossos pecados nos fazem ter medo de nos chegarmos para Deus, cuja Majestade infinita ultrajamos, não devemos recear de recorrer a Maria; pois nada nela existe que inspire terror. É verdade que é santa, imaculada, Rainha do mundo e Mãe de Deus. Mas é uma criatura e filha de Adão, como nós.

Em suma, conclui S. Bernardo, tudo o que pertence a Maria é cheio de graça e de piedade, porque, como Mãe de misericórdia, se fez tudo para todos; por sua imensa caridade tornou-se devedora dos justos e dos pecadores; para todos está aberto seu coração, para que possam receber de sua misericórdia. Se por um lado está o demônio sempre procurando a quem dar a morte, como no-lo atesta S. Pedro (1Pd 5,8), de outro lado está buscando Maria almas a quem possa dar a vida e salvar, segundo afirma Bernardino de Busti.

Devemos, pois, saber que a eficácia e a expansão do patrocínio de Maria vão além das nossas noções, diz S. Germano. Por que, outrora, tão grande era o rigor de Deus para com os pecadores, quando agora, na Lei Nova, usa de tanta misericórdia com eles? Fá-lo por amor de Maria e em vista de seus merecimentos. Assim pergunta e assim responde Pelbarto. Há muito tempo teria já cessado de existir o mundo, assevera Fábio Fulgêncio, se não o tivesse Maria sustentado com suas preces. Podemos, entretanto, ir seguramente a Deus e dele esperar todos os bens, diz Arnoldo de Chartres, agora que temos o Filho como nosso medianeiro, junto ao Pai, e a Mãe como nossa medianeira junto ao Filho. Como poderia o Pai deixar desatendido o Filho, quando este lhe mostra as chagas recebidas por amor aos pecadores? E como poderia o Filho desatender à Mãe, mostrando-lhe esta os seios que o sustentaram? Enérgicas e belas são as palavras de S. Pedro Crisólogo: A excelsa Virgem hospedou a Deus em seu ventre; em paga de tal hospitalidade dele exige a paz para o mundo, a salvação para os perdidos, a vida para os mortos.

Oh! exclama o Abade de Celes, quantos que, dignos do inferno segundo a justiça divina, são salvos pela compaixão de Maria! Sim, porque ela é o tesouro de Deus, e a tesoureira de todas as graças; em suas mãos está por isso a nossa salvação. Por conseguinte recorramos sempre a essa grande Mãe de Misericórdia, firmes na esperança de nos salvarmos por sua intercessão. Pois não lhe chama Bernardino de Busti nossa salvação, nossa vida, nossa esperança, nosso conselho, nosso refúgio e nosso auxílio? Realmente, diz S. Antonino, é Maria aquele trono de graça ao qual nos cumpre confiadamente recorrer para obter a divina misericórdia e todos os auxílios que nos são necessários, conforme a exortação de S. Paulo: "Marchemos, pois, cheios de confiança para o trono de graça, a fim de obtermos misericórdia e alcançarmos a graça no socorro oportuno" (Hb 4,16). Pelo que S. Catarina de Sena chamava a Maria de distribuidora da divina misericórdia.

Concluamos, por conseguinte, com a elegante e terna exclamação de S. Boaventura: Ó clemente, ó piedosa, ó doce Virgem Maria! Ó Maria, sois clemente para com os miseráveis, compassiva para com os que vos invocam, doce para com os que vos amam; sois clemente para com os penitentes, compassiva para com os justos, doce para com os perfeitos. Mostrai vossa clemência, em nos livrando dos castigos; vossa piedade, em nos dispensando as graças; vossa doçura, em nos dando a quem vos procura. □

EXEMPLO

Na vida do Padre Antônio Colleli lemos o seguinte fato: Certa mulher mantinha relações ilícitas com dois senhores. Aconteceu que os ciúmes levaram um deles a matar seu rival. Disso sabendo, veio a pecadora confessar-se, profundamente assustada, e revelou que o assassinado lhe aparecera carregado de correntes, negro e rodeado de chamas, tendo na mão uma espada. Brandindo-a, tentara matá-la e ela horrorizada lhe perguntara: Por que me queres matar? Que te fiz eu? Cheio de cólera, lhe respondera o condenado: Como? Ainda mo perguntas, mulher criminosa? És a culpada de ter eu perdido a Deus e o paraíso! A infeliz invocou então o nome de Maria e a horrível figura desapareceu.

ORAÇÃO

Ó Mãe misericordiosa, sois tão clemente e tendes imenso desejo de proteger os miseráveis e atender-lhes os pedidos! Venho, por isso, a vós neste dia, eu que sou o mais indigno de todos os homens e imploro vosso auxílio. Atendei aos meus rogos! Peçam-vos outros, se quiserem, saúde do corpo, prosperidade e grandeza da terra. Quanto a mim, venho pedir-vos, Senhora, justamente aquilo que desejais de mim, aquilo que é mais conforme e mais grato ao vosso Santíssimo Coração. Sois tão humilde, impetrai-me, pois, a humildade e o amor dos desprezos. Fostes tão paciente nos trabalhos desta vida, impetrai-me a paciência na adversidade; fostes tão cheia de amor de Deus, impetrai-me o dom do santo e puro amor; fostes toda a caridade para com o próximo, impetrai-me a caridade para com todos, particularmente para com o inimigo; fostes totalmente unida à divina vontade, impetrai-me a total conformi-

dade a todas as disposições de Deus a meu respeito. Sois, em suma, a mais santa de todas as criaturas, ó Maria, tornai-me santo. Amor não vos falta; podeis tudo e quereis alcançar-me todas as graças. A única coisa que me pode impedir de receber vossos favores é, ou a negligência em recorrer a vós, ou a falta de confiança em vossa intercessão. Impetrai-me, pois, vós mesma a constância em invocar-vos e a confiança em vosso poder. De vós espero essas duas graças supremas; de vós imploro e conto recebê-las confiadamente, ó Maria, minha Mãe, minha esperança, meu amor, minha vida, meu refúgio, minha força e minha consolação. Amém.

CAPÍTULO X

Ó DOCE VIRGEM MARIA

É suave na vida e na morte o nome de Maria

1. *O nome de Maria vem do céu*
O sublime nome de Maria não foi encontrado na terra, nem inventado pelo entendimento ou arbítrio dos homens, como se dá com os outros nomes. Veio de Deus e foi-lhe imposto por ordem divina, como o atestam S. Jerônimo, S. Epifânio, S. Antonino e outros. Diz Ricardo de S. Lourenço: A Santíssima Trindade vos conferiu este nome, ó Maria, que é superior a todo o nome, depois do nome do vosso Filho; ela enriqueceu-o de tanto poder e majestade, que ao proferi-lo quer que se dobrem os joelhos dos que estão no céu, na terra e no inferno. Vários privilégios outorgou o Senhor ao nome de Maria. Consideremos apenas um entre todos os demais: quanto Deus o fez suave na vida e na morte aos servos dessa Santíssima Senhora.

2. *O nome de Maria é suave na vida*
Honório, santo anacoreta, dizia que o nome de Maria é cheio de divina doçura, e o glorioso S. Antônio de Pádua nele achava tanta doçura como S. Bernardino no de Jesus. O nome da Virgem Mãe, repetia ele, é alegria para o coração, mel para a boca, melodia para o ouvido de seus devotos. Muito grande era a doçura que achava nesse nome o venerável Juvenal, Bispo de Saluzzo. Lê-se em sua vida que se lhe notava nos traços do rosto a sensível doçura, que lhe ficara nos lábios, sempre que pronunciava o nome de

Maria. Coisa idêntica sabe-se de uma senhora de Colônia, a qual contou ao Bispo Marsílio sentir sempre um sabor mais doce que o mel toda vez que pronunciava o nome da Virgem Santíssima. E, repetindo-o devotamente, o bispo experimentou a mesma doçura. No momento da Assunção da Senhora três vezes perguntaram-lhe os anjos pelo nome: Quem é esta que sobe pelo deserto, como uma varinha de fumo composta de aromas de mirra e de incenso? (Ct 3,6). Quem é esta que vai caminhando como a aurora quando se levanta? (6,9). Quem é esta que sobe do deserto inundando delícias? (8,5). E para que lhe indagam com tanta insistência o nome? pergunta Ricardo de S. Lourenço. É para terem o prazer de ouvi-lo mais vezes, tão suavemente lhes soava aos ouvidos.

Mas eu não falo aqui dessa doçura sensível, porque esta não se concede comumente a todos. Falo dessa salutar doçura de conforto, de amor, de alegria, de confiança e de fortaleza, que este nome de Maria ordinariamente dá àqueles que o pronunciam com devoção. Na opinião de Franco, abade, é esse nome tão rico de bênçãos que, depois do nome de Jesus, nem no céu, nem na terra outro se profere e do qual as almas devotas recebam tanta graça, tanta esperança, nem tanta doçura. Porque, continua ele, o nome de Maria contém em si uma virtude tão admirável, tão doce e tão divina, que deixa nos corações amigos de Deus um odor de santa suavidade. Sempre nele encontram novos encantos os servos de Maria, e essa é a coisa mais maravilhosa deste nome. Embora o pronunciem e ouçam pronunciar mil vezes, sempre saboreiam a mesma doçura. Assim conclui Franco.

Dessa doçura fala também o Beato Henrique Suso. Em o pronunciando, sentia-se animado de grande confiança e todo possuído de jubiloso amor. Mal o podia proferir por entre lágrimas de alegria. Desejava então que o coração lhe viesse parar nos lábios por causa da suavidade desse nome, que semelhante a um favo de mel se liquefazia no fundo de sua alma.

Abrasado em amor, assim falava ternamente S. Bernardo à sua bondosa Mãe: Ó excelsa, ó bondosa e veneranda Virgem Maria! como é vosso nome tão cheio de doçura e de amabilidade! Ninguém o pode proferir, sem que se veja abrasado de amor para com Deus e para convosco. Perpasse ele pela mente dos que vos amam, e eis o quanto basta para consolá-los e incitá-los a vos amarem cada vez mais. As riquezas consolam os pobres porque os aliviam de suas misérias, diz Ricardo de S. Lourenço; porém, sem comparação, mais nos consola vosso nome, ó Maria, e muito mais alivia das angústias desta vida, do que todas as riquezas da terra.

Enfim, o vosso nome, ó Mãe de Deus, está cheio de graças e de bênçãos divinas, como nos diz S. Metódio. E segundo S. Boaventura*, ninguém o pode proferir devotamente sem dele tirar algum fruto. Por mais endurecido e frouxo que esteja um coração, declara Raimundo Jordão, Abade de Celes, se chega a invocar-vos, ó benigníssima Virgem, milagrosamente desaparece a sua dureza. Tão grande é a graça do vosso nome! Sois vós quem infunde a esperança do perdão e da graça. Vosso nome, no dizer de S. Ambrósio, é um bálsamo oloroso a exalar o perfume da divina graça. Desça ao íntimo de minha alma – pede o Santo – esse perfumoso bálsamo! E quer dizer: Ó Senhora, fazei com que recordemos frequentemente de vos invocar com amor e confiança; pois invocar-vos assim, ou é sinal de possuir a graça de Deus, ou de recuperá-la brevemente.

Sim, a lembrança de vosso nome, ó Maria, consola os aflitos, reconduz os transviados para as sendas da salvação e livra os pecadores do desespero, reflete Ludolfo de Saxônia. Na observação de Pelbarto, como Jesus Cristo com suas chagas deu ao mundo o remédio de seus males, também Maria com seu santíssimo nome, que é composto de cinco letras, alcança todos os dias o perdão para os pecadores. Razão é essa de o santo nome de Maria ser comparado ao óleo, nos Sagrados Cânticos (1, 2). Assim o explica Alano de Lille: O óleo cura os enfermos, exala perfume e alimenta a chama. Também o nome de Maria cura os pecadores, perfuma o coração e inflama no amor divino. Ricardo de S. Lourenço exorta os pecadores a recorrerem a esse nome sublime, porque ele só basta para curá-los de todos os seus males e livrá-los prontamente da mais insidiosa enfermidade.

Pelo contrário, os demônios, diz Tomás de Kempis, tanto receiam a Rainha do céu que, como do fogo, fogem de quem invoca o seu grande nome. A própria Virgem revelou o seguinte a S. Brígida: Por endurecido que seja um pecador, imediatamente o abandona o demônio, se invoca meu santo nome com o propósito de emendar-se. Isso mesmo lho confirmou em outra revelação, dizendo: Todos os demônios têm um grande pavor e respeito diante de meu nome. Assim que o ouvem invocar, largam de pronto a alma presa em suas garras. – E se os anjos maus se afastam dos pecadores que chamam pelo nome de Maria, os anjos bons tanto mais se chegam às almas justas que o pronunciam com devoção.

É a respiração um sinal de vida. Também o invocar com frequência o nome de Maria é sinal da posse ou da breve aquisição da graça divina, na opinião de S. Germano; pois esse poderoso nome tem a virtude de alcançar auxílio e vida a quem o invoca devotamente. Ricardo de S. Lourenço acrescenta: É ele como torre fortíssima que livra o pecador da morte eterna; até os maiores pecadores acham nessa celeste fortaleza salvação e defesa.

Essa fortíssima torre não só livra de castigos os pecadores, mas defende os justos também contra os ardores do inferno. É o que afirma Ricardo de S. Lourenço quando diz: Depois do nome de Jesus nenhum outro há no qual resida socorro e salvação para os homens, como no excelso nome de Maria. Especialíssima, como todos o sabem, é a sua força para vencer as tentações contra a castidade. Isso experimentam os devotos da Virgem, todos os dias. Semelhante pensamento deduz Ricardo das palavras de S. Lucas: E o nome da Virgem era Maria (Lc 1,27). Fá-lo para nos dar a entender que o nome da puríssima Virgem é inseparável da castidade. Vem daí a frase de S. Pedro Crisólogo: O nome de Maria é indício de castidade, querendo dizer: quem duvida se pecou nas tentações impuras, tem um sinal certo de não ter ofendido a castidade, quando se lembra de haver invocado a Maria.

Sigamos sempre, por conseguinte, o belo conselho de S. Bernardo: Nos perigos, nos apuros, nas dúvidas, pensa em Maria, invoca a Maria; nunca se aparte seu nome de teus lábios, de teu coração. Em todos os perigos de perder a graça divina pensemos em Maria, invoquemos o seu nome e o de Jesus, para que andem sempre unidos esses dois nomes. Nunca se apartem nem do nosso coração, nem da nossa boca, esses dois dulcíssimos e poderosíssimos nomes. Pois eles nos darão forças para não cairmos e para vencermos sempre todas as tentações.

Graças inestimáveis prometeu Jesus Cristo aos devotos do nome de Maria, conforme assevera S. Brígida. Disse ele a sua Mãe Santíssima: Quem invocar o teu nome com propósito de emenda e confiança, receberá três graças particulares: perfeita dor dos seus pecados e satisfação por eles, força para progredir na perfeição e finalmente a glória do paraíso. Ó minha Mãe, acrescentou o Senhor, nada vos posso negar de quanto me pedis, porque vossas palavras são tão doces e agradáveis a meu coração. Finalmente, põe remate a tudo S. Efrém, dizendo que o nome de Maria é a chave da porta do céu, para quem o invoca com devoção. Com razão, portanto, podia o suposto S. Boaventura chamar a Maria de salvação dos que a invocam, como se invocar-lhe o nome fosse o mesmo que obter a salvação eterna. Na sentença de Ricardo à devota invocação desse doce e santo nome prendem-se graças superabundantes nesta vida e sublime glória na outra.

Desejais, por conseguinte, ser consolados em todos os trabalhos? conclui Tomás de Kempis. Recorrei a Maria; invocai a Maria, a ela servi e recomendai-vos. Alegrai-vos com Maria, caminhai com Maria; com ela procurai a Jesus, e finalmente com Jesus e Maria aspirai a viver e morrer. Assim fazei e prosseguireis no caminho do Senhor. Pois Maria se comprazerá em rogar por vós, e o Filho com certeza atenderá à sua Mãe. □

3. *O nome de Maria é doce sobretudo na hora da morte*

Dulcíssimo é, pois, na vida, aos devotos de Maria, seu nome santíssimo, porque lhes alcança, como já vimos, graças extraordinárias. Muito mais doce, porém, ser-lhes-á na última hora, proporcionando-lhes uma suave e santa morte.

Sertório Caputo, padre jesuíta, exorta a todos aqueles que assistem qualquer moribundo, que lhe digam frequentemente o nome de Maria. Diz que este nome de vida e de esperança, proferido na hora da morte, basta para afugentar os inimigos e confortar os moribundos em todas as suas angústias.

Esta breve oração, Jesus e Maria, diz Tomás de Kempis, é fácil de conservar na memória, doce para meditar e forte para defender os que lhe são fiéis contra os inimigos da salvação. Bem-aventurado aquele, exclama S. Boaventura*, que ama teu doce nome, ó Mãe de Deus! É ele tão glorioso e admirável, que quem se lembra de o invocar em artigo de morte, não teme os assaltos dos inimigos.

Oh! que felicidade morrer como Frei Fulgêncio d'Ascoli, padre capuchinho, o qual expirou cantando: Ó Maria, ó Maria, a mais bela das criaturas, quero ir em vossa companhia! Ou também como morreu o Beato Henrique, cisterciense, do qual se conta, nos Anais da Ordem, que finalizou a vida articulando o nome de Maria.

Roguemos, pois, meu amado e devoto leitor, roguemos a Deus, que nos conceda a graça de ser o nome de Maria a última palavra que a nossa língua pronuncie. Roguemos a Deus que no-la conceda, como lha pedia um S. Germano, dizendo: Ó doce e segura morte, a que é acompanhada e protegida com este nome de salvação, o qual Deus só concede proferir àqueles a quem quer salvar!

Ó minha doce Mãe e Senhora, eu vos amo, e porque vos amo, amo também o vosso nome. Proponho e espero com o vosso socorro invocá-lo sempre na vida e na morte. Concluo, pois, com a terna oração de S. Boaventura: Para glória do vosso nome, ó bendita Senhora, quando minha alma sair deste mundo, vinde-lhe ao encontro e tomai-a em vossos braços. Dignai-vos de vir consolá-la com a vossa doce presença; sede o seu caminho para o céu, alcançai-lhe a graça do perdão e o eterno descanso. Ó Maria, advogada nossa, a vós pertence defender os vossos devotos, e tomar à vossa conta a sua causa diante do tribunal de Jesus Cristo. ☐

EXEMPLO

S. Camilo de Lélis deixou recomendado aos seus religiosos que lembrassem aos moribundos invocar muitas vezes o nome de Jesus e de Maria. Ele mesmo o praticava sempre com os outros. E ainda mais docemente o praticou consigo mesmo na hora da morte. Lê-se na sua biografia que então pronunciava com tanta ternura os amados nomes de Jesus e Maria, que inflamava de amor os que o ouviam. Com os olhos fitos nas santas imagens de Jesus e Maria, e com os braços em cruz sobre o peito, expirou finalmente com suavidade e paz celestial. Foram-lhe as últimas palavras os dulcíssimos nomes de Jesus e Maria.

ORAÇÃO

Grande Mãe de Deus e minha Mãe, ó Maria, é verdade que eu não sou digno de proferir o vosso nome; mas vós, que me tendes amor e desejais minha salvação, concedei-me, apesar de minha indignidade, a graça de invocar sempre em meu socorro vosso amantíssimo e poderosíssimo nome. Pois é ele o auxílio de quem vive e salvação de quem morre. Ah! puríssima e dulcíssima Virgem Maria, fazei que seja vosso nome de hoje em diante o alento de minha vida. Senhora, não tardeis a socorrer-me quando vos invocar. Pois, em todas as tentações que me assaltarem, em todas as necessidades que me ocorrerem, não quero deixar de chamar-vos em meu socorro, repetindo sempre: Maria, Maria! Assim espero fazer durante a vida, assim espero fazer particularmente na hora da morte, para ir depois louvar eternamente no céu vosso querido nome, ó clemente, ó piedosa, ó doce Virgem Maria.

Ó Maria amabilíssima, que conforto, que suavidade, que confiança, que ternura experimenta a alma só com nomear-vos, só com pensar em vós! Dou graças ao meu Deus e Senhor, porque vos deu, para meu bem e minha utilidade, esse nome tão doce, tão amável e tão poderoso.

Mas, Senhora, não me contento só com proferir vosso nome. Quero proferi-lo com amor; quero que o vosso amor me leve a invocar-vos a todo instante, para que eu possa exclamar com S. Anselmo: Ó nome da Mãe de Deus, tu és o meu amor.

Ó minha querida Maria, ó meu amado Jesus, fazei que vivam sempre em meu coração, e no de todos, os vossos dulcíssimos nomes. Todos os mais se apaguem de minha memória, para que ela só se recorde e só invoque vossos nomes venerados. Ó Jesus, meu Redentor, ó Maria, minha Mãe, quando chegar meu último momento, quando minha alma tiver de sair desta vida, ah! concedei-me, pelos vossos merecimentos, esta graça tão grande: que minhas últimas palavras sejam: Eu vos amo, Jesus e Maria! Jesus e Maria, eu vos dou meu coração e minha alma!

ORAÇÕES MUITO DEVOTAS
DE ALGUNS SANTOS À MÃE DE DEUS

As presentes orações provam o grande conceito que faziam os santos do poder e da misericórdia de Maria, e a grande confiança que depositavam em seu patrocínio. Elas despertam a confiança e servem para o uso dos fiéis.

ORAÇÃO DE S. EFRÉM

Ó imaculada e toda pura Virgem Maria, Mãe de Deus, Rainha do universo, nossa clementíssima Soberana, sois superior a todos os santos, sois a única esperança dos eleitos e a alegria dos bem-aventurados. Por vós somos reconciliados com nosso Deus. Sois a única advogada dos pecadores, o porto de quem fez naufrágio. Sois a consolação do mundo, o resgate do cativo, a saúde do enfermo, a alegria do aflito, o refúgio e a salvação do gênero humano.

Ó grande Princesa, ó Mãe de Deus, cobri-nos com as asas de vossa misericórdia, tende piedade de nós. Não nos é dada outra esperança senão vós, ó Virgem puríssima. Estamos entregues a vós e nos consagramos ao vosso serviço, como vossos servos. Não permitais que Lúcifer nos arraste para o inferno. Ó Virgem imaculada, estamos sob vosso patrocínio, por isso a vós unicamente recorremos, suplicando-vos que não consintais que vosso Filho, irritado por nossos pecados, nos abandone ao poder do demônio.

Ó cheia de graça, iluminai minha inteligência, abri meus lábios para que eu cante vossos louvores, principalmente a saudação angélica tão digna de vós. Eu vos saúdo, ó paz, ó alegria, ó consolação de todo o mundo. Eu vos saúdo, ó maior milagre do universo, paraíso de delícias, porto seguro para os que estão em perigo, manancial de graças, medianeira entre Deus e os homens.

ORAÇÃO DE S. BERNARDO

A vós, Rainha do mundo, erguemos os nossos olhos. Nós devemos comparecer perante o Juiz, depois de tantos pecados; quem o aplacará? Ninguém melhor que vós pode fazê-lo, ó Santa Senhora, que tanto o amastes, e fostes por ele tão ternamente amada. Abri, pois, ó Mãe de Misericórdia, vosso coração aos nossos suspiros e às nossas súplicas. Sob a vossa proteção nos refugiamos; aplacai a cólera de vosso Filho, e ponde-nos de novo na sua graça. Não odiais o pecador, por mais repelente que seja, não o desprezais desde que por vós suspira, e, arrependido, pede a vossa intercessão; vós mesma com vossas mãos piedosas o livrais do desespero; vós o animais a esperar, lhe dais conforto, e não o abandonais, até que o reconcilies com seu Juiz.

Sois aquela única mulher em quem o Salvador achou repouso, e depositou sem medida todos os seus tesouros. Por isso, ó minha Santíssima Senhora, o mundo inteiro honra vosso casto seio como o templo de Deus, onde teve princípio a salvação do mundo. Aí se operou a reconciliação entre Deus e o homem. Sois aquele horto fechado, ó grande Mãe de Deus, em que a mão do pecador jamais penetrou para colher flores. Sois aquele belo jardim, em que Deus pôs todas as flores que ornam a Igre-

ja, e entre outras a violeta da vossa humildade, o lírio da vossa pureza e a rosa da vossa caridade. A quem vos compararemos nós, ó Mãe de Deus e da beleza? Vós sois o paraíso de Deus. De vós jorrou a fonte de água viva, que rega toda a terra. Oh! quantos benefícios fizestes ao mundo, merecendo ser um aqueduto tão salutar! De vós se fala quando se diz: Quem é aquela que surge como a aurora, formosa como a lua, escolhida como o sol? Viestes, pois, ao mundo, ó Maria, como resplandecente aurora, prevenindo com a luz da vossa santidade a vinda do sol de justiça. O dia em que nascestes no mundo bem pode chamar-se dia de salvação, dia de graça. Sois formosa como a lua, porque assim como não há planeta mais semelhante ao sol, assim não há criatura que mais do que vós se assemelhe a Deus. A lua ilumina a noite com a luz que recebe do sol; vós iluminais nossas trevas com o esplendor de vossas virtudes. Sois, porém, mais bela do que a lua, porque em vós não há mancha nem sombra. Sois eleita, como o sol, isto é, como aquele Sol que criou o sol. Ele foi eleito entre todos os homens, e vós eleita entre todas as mulheres. Ó doce, ó grande, ó amantíssima Maria! Nenhum coração pode pronunciar vosso nome, sem que vós o inflameis em vosso amor, aqueles que vos amam não podem pensar em vós, sem que mais confortados se vejam para crescer em vosso amor.

Ó Santíssima Senhora, ajudai nossa fraqueza! Quem melhor pode falar a Nosso Senhor Jesus Cristo do que vós, que gozais tão de perto da sua dulcíssima presença e conversação? Falai, falai, ó Senhora, porque vosso Filho vos escuta, e vos concede tudo o que lhe pedis.

ORAÇÃO DE S. GERMANO

Ó minha Senhora, sois a única consolação que de Deus recebo, sois o celeste orvalho que refrigera minhas mágoas; sois a luz de minha alma, quando está imersa em trevas; meu guia em minha peregrinação; minha fortaleza em minhas fragilidades; meu tesouro em minha pobreza; meu remédio às minhas chagas; minha consolação em minhas lágrimas; vós que sois meu refúgio em minhas misérias, e a esperança de minha salvação. Ouvi minhas súplicas, e tende piedade de mim, como convém à Mãe de Deus que tem tanto amor aos homens. Concedei-me tudo o que vos peço, ó vós que sois nossa defesa e nossa alegria. Tornai-me digno de fruir convosco aquela grande felicidade que gozais no céu. Sim, minha Senhora, meu refúgio, minha vida, meu auxílio, minha defesa, minha fortaleza, minha alegria, minha esperança. Mãe de Deus, e que, portanto, bem me podeis obter essa graça, se quiserdes. Ó Maria, sois onipotente para salvar os pecadores: nenhuma recomendação vos é precisa, porque sois a Mãe da verdadeira vida.

ORAÇÃO DE RAIMUNDO JORDÃO,
Abade de Celes

Atraí-me para vós, ó Virgem Maria, para que eu corra ao odor de vossos perfumes. Atraí-me, que estou retido pelo peso de meus pecados e pela malícia de meus inimigos. Como ninguém vai a vosso Filho, se não o atrair o Eterno Pai, assim ouso dizer que, em certo modo também, ninguém chega a Ele se o não atraís com vossas santas orações. Sois vós que ensinais a verdadeira sabedoria; vós que impetrais a graça aos pecadores, porque lhes sois a advogada; vós que prometeis a glória a quem vos honra, porque sois a tesoureira das graças.

Achastes graça junto a Deus, ó dulcíssima Virgem; pois fostes preservada do pecado original, cheia do Espírito Santo, e concebestes o Filho de Deus. Recebestes todas essas graças, ó muito humilde Maria, não só para vós, mas também para nós, a fim de que nos assistísseis em todas as nossas necessidades. E assim o fazeis, socorrendo os bons, mantendo-os na graça e dispondo os maus para receber a divina misericórdia. Ajudais os moribundos, protegendo-os contra as ciladas do demônio; e ainda depois da morte os socorreis, vindo receber--lhes a alma, e levando-a para o reino da bem-aventurança.

ORAÇÃO DE S. METÓDIO

O vosso nome, ó Mãe de Deus, está cheio de todas as graças e bênçãos divinas. Compreendestes aquele que é incompreensível e sustentastes o que a todos sustenta. Aquele que enche o céu, a terra e é Senhor de tudo, quis precisar de vós, pois lhe destes essa veste de carne que a princípio não tinha. Exultai, ó Mãe e serva de Deus. Alegrai-vos, alegrai-vos; tendes por devedor aquele que dá o ser a toda criatura; todos nós somos devedores de Deus, mas Deus é vosso devedor. Por isso, ó Santíssima Mãe de Deus, vossa bondade e vossa caridade excedem às de todos os outros santos, e mais que todos eles tendes acesso junto de Deus, porque sois sua Mãe. Nós, que celebramos os vossos louvores, vos rogamos que nos façais saber quanto é grande a vossa bondade, lembrando--vos de nós e de nossas misérias.

ORAÇÃO DE S. JOÃO DAMASCENO

Eu vos saúdo, ó Maria, vós sois a esperança dos cristãos. Recebei a súplica de um pecador que vos ama ternamente, vos honra de um modo particular, e em vós põe toda a esperança de sua salvação. De vós recebi a vida, pois que me restabeleceis na graça de vosso Filho. Sois o penhor certo de minha salvação. Rogo-vos, pois, que me liberteis do peso de meus pecados; que dissipeis as trevas de minha inteligência; desterreis os afetos terrenos do meu coração; reprimais as tentações dos meus inimigos; e governeis de tal sorte a minha vida que eu possa, por vosso intermédio e debaixo da vossa proteção, chegar à felicidade eterna do paraíso.

ORAÇÃO DE S. ANDRÉ DE CRETA

Eu vos saúdo, ó cheia de graça, o Senhor é convosco. Eu vos saúdo, ó instrumento da nossa alegria, por quem a sentença da nossa condenação já foi revogada e trocada em um juízo de bênção. Eu vos saúdo, ó templo da glória de Deus, casa sagrada do Rei dos céus. Sois a reconciliação de Deus com os homens. Eu vos saúdo, ó Mãe de nossa alegria. Em verdade sois bendita, pois que só vós, entre todas as mulheres, fostes achada digna de ser Mãe do vosso Criador. Todas as nações vos chamam bem-aventurada.

Ponha eu em vós minha confiança e serei salvo; esteja eu debaixo da vossa proteção, não tenho de que temer, porque ser devoto vosso é ter certas as armas de salvação, as quais Deus só concede àqueles que quer salvar.

Ó Mãe de Misericórdia, aplacai o vosso Filho. Enquanto estáveis na terra, só ocupáveis uma pequena parte dela; mas agora que estais exaltada sobre o mais alto dos céus, todo o mundo vos considera como propiciatório comum de todas as nações. Nós vos suplicamos, pois, ó Virgem Santíssima, que nos concedais o socorro de vossas preces junto a Deus. Vossos rogos nos são mais caros e preciosos que todos os tesouros da terra. Eles fazem com que Deus seja propício para com os nossos pecados, e nos obtêm uma grande abundância de graças para recebermos o perdão e praticarmos a virtude. Vossos rogos guardam à distância nossos inimigos, confundem os seus planos e triunfam de seus esforços.

ORAÇÃO DE S. ILDEFONSO

Venho a vós, ó Mãe de Deus, e suplico-vos que me alcanceis o perdão de meus pecados, e ordeneis que eu seja purificado de todas as culpas de minha vida. Rogo-vos que me concedais a graça de me unir pelo amor a vosso Filho e a vós: a vosso Filho como a meu Deus, a vós como à Mãe de meu Deus.

ORAÇÃO DO PSEUDO-ATANÁSIO

Atendei, ó Virgem Santíssima, às nossas preces, e lembrai-vos de nós. Dispensai-nos os dons de vossa opulência e da abundância de graças de que estais cheia. O arcanjo vos saúda e vos chama cheia de graça. Todas as gerações vos chamam bem-aventurada; todas as jerarquias do céu vos bendizem, e nós, que pertencemos à jerarquia terrestre, dizemos também: Deus vos salve, ó cheia de graça, o Senhor é convosco; rogai por nós, ó Mãe de Deus, nossa Senhora e nossa Rainha.

ORAÇÃO DE EÁDMERO

Ó Santíssima Senhora, Deus vos elevou extraordinariamente e tornou-vos todas as coisas possíveis. Por essa graça suplicamos que nos façais participar da vossa glória, ó vós que possuís a plenitude das graças. Empenhai-vos, misericordiosíssima Senhora, empenhai-vos pela nossa salvação, por cujo motivo Deus quis fazer-se homem em vossas castas entranhas. Dignai-vos prestar ouvido às nossas súplicas. Se consentirdes em pedir por nós a vosso Filho, ele logo vos atenderá. Basta que nos queirais salvar, para que sejamos infalivelmente salvos. Ora, quem nos poderia fechar as entranhas de vossa piedade? Se não tiverdes compaixão de nós, vós, que sois a Mãe de Misericórdia, que será de nós quando vosso Filho nos vier julgar?

Socorrei-nos, pois, ó piedosíssima Senhora, sem atender à multidão de nossos pecados. Pensai bem e meditai que nosso Criador tomou carne humana em vosso seio, não para condenar os pecadores, mas para salvá-los. Se não tivésseis sido feita Mãe de Deus senão para proveito vosso, poderíamos dizer que pouco vos importava que fôssemos condenados ou salvos; mas Deus revestiu-se de vossa carne pela nossa salvação e pela de todos os homens. De que nos serviria vosso poder e vossa glória, se não nos fizésseis participar de vossa felicidade? Ajudai-nos e protegei-nos, bem sabeis como precisamos de vossa assistência. Nós nos encomendamos a vós; fazei que não nos percamos, mas que sirvamos e amemos eternamente a vosso Filho Jesus Cristo.

ORAÇÃO DE NICOLAU, monge

Santíssima Virgem, Mãe de Deus, socorrei os que imploram vossa assistência; olhai para nós. Poderíeis esquecer os homens, agora que estais tão unida a Deus? Ah! certamente não. Bem sabeis em que perigos nos deixastes, e qual o estado miserável de vossos servos; não é bem que uma misericórdia tão grande como a vossa se esqueça de uma miséria tão grande como a nossa. Valei-nos com vosso poder, já que Aquele que tudo pode vos deu a onipotência no céu e na terra. Nada vos é impossível, pois até conseguis despertar a esperança da salvação. Quanto mais poderosa sois, tanto mais misericordiosa deveis ser.

Valei-nos também por amor. Sei, Senhora minha, que sois muito benigna e nos amais com um amor que nenhum amor pode exceder. Quantas vezes aplacais a ira do nosso Juiz no momento em que ele nos vai castigar! Em vossas mãos estão todos os tesouros da misericórdia de Deus. Ah! não suceda jamais que nos deixeis de cumular de benefícios! Só buscais ocasião de salvar a todos os miseráveis e de derramar sobre eles vossa misericórdia, porque vossa glória aumenta quando por vossa intercessão os penitentes são perdoados, e desse modo alcançam o paraíso. Valei-nos, pois, para que consigamos gozar de vossa vista no céu. Pois a maior glória que possamos ter, depois de ver a Deus, é ver-vos, amar-vos e viver sob vosso patrocínio. Ah! ouvi nossas súplicas, já que vosso Filho quer honrar-vos, nada vos negando do que lhe pedis.

ORAÇÃO DE GUILHERME,
Bispo de Paris

Ó Mãe de Deus, a vós recorro, pedindo-vos que não me repilais, já que toda a Igreja dos fiéis vos chama e publica Mãe de misericórdia. Sois tão querida por Deus que ele nada vos nega e sempre vos atende. Vossa piedade nunca faltou a ninguém; vossa benigníssima afabilidade nunca desprezou pecador algum, por abjeto que fosse, que a vós se tenha recomendado. Falsamente ou em vão vos chamaria a Igreja sua advogada e refúgio dos miseráveis? Não suceda jamais que minhas culpas vos possam impedir de exercerdes o vosso grande ofício de piedade, que vos constitui advogada e medianeira de paz, única esperança e refúgio seguríssimo dos miseráveis! Não suceda jamais que a Mãe de Deus, que deu ao mundo para salvação do gênero humano a fonte da misericórdia, negue sua piedade a um infeliz que a invoca. Vosso ofício é ser medianeira de paz entre Deus e os homens: conceda-me, pois, o vosso auxílio, vossa imensa piedade, que é incomparavelmente maior que todos os meus pecados.

PARTE II

TRATADOS E REFLEXÕES SOBRE AS FESTAS E DORES DE MARIA SANTÍSSIMA

TRATADO I
AS FESTAS DE NOSSA SENHORA

I. DA IMACULADA CONCEIÇÃO

Resumo histórico.

Pelos fins do século VII apareceram alguns hinos, e, a partir do século VIII, celebravam-se em vários conventos do Oriente festas em louvor da Imaculada Conceição. Em 1166 o imperador Manuel Comneno declarou a festa como feriado nacional. Do Oriente veio ela para o sul da Itália, donde passou para a Normandia. Mais tarde tornaram-se os franciscanos inconfundíveis beneméritos da propagação e popularização da festa. Veio depois o período das discussões teologais nas escolas. Nelas ficaram bem assentadas e esclarecidas as noções e as provas. Pôde assim Pio IX declarar dogma de fé e doutrina que ensina ter sido a Mãe de Deus concebida sem mancha, por um especial privilégio divino. Dava-se isto aos 8 de dezembro de 1854, pela Bula *Ineffabilis*. Pio IX, ao declarar S. Afonso doutor da Igreja, afirmou "que nos escritos do Santo encontrara, belamente exposto e irrefutavelmente provado", o que definira como Chefe da Cristandade (Nota do tradutor).

CAPÍTULO I

Quanto convinha às três pessoas divinas preservar Maria da culpa original

Incalculável foi a ruína que o maldito pecado causou a Adão e a todo o gênero humano. Perdendo então miseravelmente a graça de Deus, com ela perdeu também todos os outros bens que no começo o enriqueciam. Sobre si e seus descendentes ao lado da cólera divina, atraiu uma multidão de males. Dessa comum desventura quis Deus, entretanto, eximir a Virgem bendita. Destinara-a para ser a Mãe do segundo Adão, Jesus Cristo, o qual devia reparar o infortúnio causado pelo primeiro. Ora, vejamos quanto convinha às Três Pessoas preservar Maria da culpa primitiva. E isso por ser ela Filha de Deus Pai, Mãe de Deus Filho e Esposa de Deus Espírito Santo.

PONTO PRIMEIRO

Convinha ao Pai Eterno
isentar da culpa original a Maria

1. É Maria a filha primogênita do Pai Eterno
Declara-o ela própria com as palavras do Eclesiástico: "Eu saí da boca do Altíssimo, a primogênita antes de todas as criaturas" (24,5).

Os sagrados intérpretes e os Santos Padres aplicam-lhe esse texto, e a própria Igreja dele se serve na festa da Imaculada Conceição.

Com efeito, é Maria a primogênita de Deus por ter sido predestinada juntamente com o Filho nos decretos divinos, antes de todas as criaturas. Assim o ensina a escola dos escotistas. Ou então é a primogênita, depois da previsão do pecado, como quer a escola dos Tomistas. São acordes, porém, uns e outros em chamá-la primogênita do Senhor. Sendo assim, era sumamente conveniente que Maria sequer um instante fosse escrava de Lúcifer, mas pertencesse sempre e unicamente a seu Criador.

Tal se deu em realidade, conforme as palavras da Virgem: "O Senhor me possuiu no princípio de seus caminhos" (Pr 8, 22). Com razão, pois, lhe dá Dionísio, Arcebispo de Alexandria, o título de única e exclusiva Filha da vida, diferente das outras mulheres, que, nascendo em pecado, são filhas da morte. Criá-la em graça bem convinha, portanto, ao Pai Eterno.

2. *A missão de reparadora do mundo perdido e de medianeira entre Deus e os homens apresenta o segundo motivo para a preservação da Virgem Maria*

Assim a chamam os Santos Padres, especialmente S. João Damasceno, que diz: Ó Virgem bendita, nascestes para servir à salvação de toda a terra. Por isso, na opinião de S. Bernardo, foi a arca de Noé uma figura de Maria. Naquela foram livres os homens do dilúvio, tal como por Maria somos salvos do naufrágio do pecado. Há somente a seguinte diferença: por meio de Maria foi todo o gênero humano libertado. Daí o chamar-lhe o Pseudo-Atanásio "nova Eva, mãe dos vivos". Nova Eva porque a primeira foi mãe da morte, mas a Virgem Santíssima é Mãe da vida. S. Teófano, Bispo de Niceia, diz à Senhora a mesma saudação: Eu vos saúdo, porque tirastes o luto no qual Eva nos amortalhou. S. Basílio nela saúda a reconciliadora dos homens com Deus; S. Efrém, a pacificadora do mundo universo.

Ora é inconveniente que o intermediário da paz seja inimigo do ofendido, ou, pior ainda, que seja cúmplice do mesmo delito. Para aplacar um juiz, não se lhe pode mandar um seu inimigo, observa Gregório Magno. Este, em vez de o aplacar, mais o irritaria. Entretanto, Maria tinha de ser medianeira de paz entre Deus e os homens. Logo, absolutamente não podia aparecer como pecadora e inimiga de Deus, mas só como sua amiga toda imaculada. Mais um motivo reclamou que Deus preservasse Maria da culpa original.

3. *Sua missão de vencedora da serpente infernal*

Seduzindo esta a nossos primeiros pais, trouxera a morte a todos os homens. O Senhor por isso lhe predisserá: Porei inimizade entre ti e a mulher, entre a tua descendência e a descendência dela (Gn 3,15). Ora, Maria devia ser a mulher forte, posta no mundo para vencer a Lúcifer. Não convinha certamente, então, que a princípio houvesse sido subjugada e escravizada por ele. Era, pelo contrário, mais razoável que permanecesse livre sempre de toda mácula e de toda sujeição ao inimigo. Esse espírito mau buscou, sem dúvida, infeccionar a alma puríssima da Virgem, como infeccionado já havia com seu veneno a todo o gênero humano. Mas, louvado seja Deus!, o Senhor a preveniu com tanta graça, que ficou livre de toda mancha do pecado. E dessa maneira pôde a Senhora abater e confundir a soberba do inimigo como declara S. Agostinho, ou quem quer que seja o autor do Comentário do Gênesis.

Sobretudo um motivo levou o Eterno Pai a tornar ilesa do pecado de Adão a esta sua Filha. Ei-lo:

4. *A eleição dessa Virgem para Mãe
de seu Filho unigênito*

Assim fala S. Bernardo à Senhora: Antes de toda criatura fostes destinada na mente de Deus para Mãe do Homem-Deus. Se não por outro motivo, pois ao menos pela honra de seu Filho que é Deus, era necessário que o Pai Eterno a criasse pura de toda mancha. Escreve S. Tomás: Devem ser santas e limpas todas as coisas destinadas para Deus. Por isso Davi, ao traçar o plano do templo de Jerusalém com a magnificência digna do Senhor, exclamou: Não se prepara a morada para algum homem, mas para Deus

(1Cr 29,1). Ora, o soberano Criador havia destinado Maria para Mãe de seu próprio Filho. Não devia, então, lhe adornar a alma com todas as mais belas prendas, tornando-a digna habitação de um Deus? Afirma o Beato Dionísio Cartuxo: O divino artífice do universo queria preparar para seu Filho uma digna habitação, e por isso ornou a Maria com as mais encantadoras graças. Dessa verdade assegura-nos a própria Igreja. Na oração depois da Salve--Rainha, atesta que Deus preparou o corpo e a alma da Santíssima Virgem, para serem na terra digna habitação de seu Unigênito.

Como é sabido, a primeira glória para os filhos é nascer de pais nobres. "A glória dos filhos (são) os seus pais" (Pr 17,6).

Por isso, na sociedade menos mortifica passar por pobre e pouco formado, do que ser tido por vil de nascença. Pois com sua indústria pode o pobre enriquecer, e o ignorante fazer-se douto com seus estudos. Mas quem nasce vil, dificilmente pode nobilitar-se, ainda que o consiga, está exposto a ver que lhe atirem em rosto a baixeza de sua origem. Deus, entretanto, podia dar a seu Filho uma Mãe nobilíssima e ilibada da culpa original. Como então admitir que lhe tenha dado uma manchada pelo pecado? Como dar a Lúcifer o ensejo de exprobrar ao Filho de Deus a vergonha de ter nascido de uma Mãe que outrora fora escrava sua e inimiga de Deus? Não; o Senhor não lho permitiu. Proveu à honra de seu Filho, fazendo com que Maria fosse sempre imaculada. Assim a fez digna Mãe de tal Filho, como testemunha a Igreja Oriental.

Dom algum jamais concedido a alguma criatura, do qual não fosse enriquecida também a Virgem. É este um axioma comum entre os teólogos. Para confirmá-lo eis as palavras de S. Bernardo: O que a poucos mortais foi concedido, não ficou sonegado à excelsa Virgem; nem sombra de dúvida pode haver nisso. S. Tomás de Vilanova assim depõe: Nenhuma graça foi concedida aos santos, sem que Maria a possuísse desde o começo em sua plenitude. Há, porém, entre a Mãe de Deus e os servos de Deus uma infinita distância, segundo a célebre sentença de S. João Damasceno. Logo, à sua Mãe terá Deus conferido privilégios de graças, em todo sentido maiores de quantos outorgou a seus servos. Forçosamente assim teremos de concluir com S. Tomás. Isto suposto, pergunta S. Anselmo – o grande defensor da Imaculada Conceição: – Faltaria poder à Sabedoria divina para preparar a seu Filho uma morada pura e para preservá-la da mancha do gênero humano? Pois, continua o Santo, Deus, que pôde eximir os anjos do céu da ruína de tantos outros, não teria podido preservar a Mãe de seu Filho, a Rainha dos anjos, da queda comum aos homens? E acrescento eu: Deus, que pôde conceder a Eva a graça do vir ao mundo imaculada, não teria podido concedê-la também a Maria?

Ah! certamente que sim! Deus podia fazê-lo, e assim o fez. Diz, por isso, S. Anselmo: A Virgem, a quem Deus resolveu dar seu Filho Único, tinha de brilhar numa pureza que ofuscasse a de todos os anjos e de todos os homens, e que fosse a maior imaginável possível, abaixo de Deus. Por todos os motivos, era isso conveniente. S. João Damasceno exprime o mesmo pensamento com mais clareza: "O Senhor a conservou tão pura no corpo e na alma, como realmente convinha àquela que iria conceber a Deus em seu seio. Pois santo como ele é, procura morar só entre os santos. Portanto, o Eterno Pai podia dizer a esta filha: Como o lírio entre os espinhos, és tu, minha amiga, entre as filhas (Ct 2,2): Pois, enquanto as outras foram manchadas pelo pecado, tu foste sempre imaculada e cheia de graça".

PONTO SEGUNDO

Convinha a Deus Filho
preservar da culpa a Maria, como sua Mãe

1. *Podia o Filho criar para si uma Mãe ilibada*
Nenhum outro filho pode escolher sua Mãe. Mas se a algum deles fosse dada tal escolha, qual seria aquele que, podendo ter por Mãe uma rainha, a quisesse escrava? Ou, podendo tê-la nobre, a quisesse vil? Ou, podendo tê-la amiga, a quisesse inimiga de Deus? Ora, o Filho de Deus, e ele tão somente, pode escolher-se mãe a seu agrado. Por conseguinte, deve-se ter por certo que a escolheu tal qual convinha a um Deus. Mas a um Deus puríssimo convinha uma Mãe isenta de toda culpa. Fê-la, por isso, imaculada, escreve S. Bernardino de Sena. E aqui quadra uma passagem de S. Paulo: Pois convinha que houvesse para nós um pontífice tal, santo, inocente, impoluto, segregado dos pecadores (Hb 7,26). Um douto autor faz observar que, segundo o Apóstolo, foi conveniente que nosso Redentor fosse separado tanto do pecado como até dos pecadores. Também S. Tomás o afirma com as palavras: Aquele que veio para tirar o pecado devia ser segregado dos pecadores, quanto à culpa que pesava sobre Adão. Mas como poderia Jesus Cristo dizer-se separado dos pecadores, se pecadora lhe fosse a Mãe?

Diz S. Ambrósio: Cristo procurou-se, não aqui na terra, mas no céu, um vaso de eleição no qual baixou ao mundo, e fez do seio da Virgem um templo sagrado. Em seguida, faz o Santo alusão às palavras de S. Paulo: O primeiro homem, formado da terra, é terreno: o segundo, vindo do céu, é celeste (1Cor 15,47). De vaso celeste chama Ambrósio a Divina Mãe. Não que Maria não fosse terrena por natureza, como sonhariam alguns hereges, mas porque ela é celeste pela graça, e excede os anjos do céu em santidade e pureza. Assim convinha ao Rei da glória, que havia de habitar em seu seio conforme a S. Brígida o revelou S. João Batista. O mesmo dizem as palavras de Deus Pai à referida Santa: "Maria foi ao mesmo tempo um vaso puro e manchado. *Puro*, porque era formosíssima; *manchado*, porque nascida de pecadores. Não obstante, foi concebida sem pecado". As últimas palavras não devem ser entendidas como se Cristo Senhor fosse capaz de contrair culpa. Significam apenas que não devia passar pelo opróbio de nascer de uma criatura manchada pelo pecado e escrava do demônio.

2. *A honra do Filho reclamava-lhe por Mãe uma criatura imaculada*

Diz o Espírito Santo: A glória do homem provém da honra de seu pai, e o desdouro do filho é um pai sem honra (Eclo 3,13). É por isso, observa o Pseudo-Agostinho, que Jesus preservou o corpo de Maria da corrupção depois da morte. Pois ser-lhe-ia desonroso corromperem-se as carnes virginais de que ele se havia revestido. Para o Senhor seria um opróbio, portanto, nascer de uma mãe, cujo corpo fosse entregue à podridão. Ora, quanto mais o seria, então, se esta mãe tivesse a alma corrompida pela podridão do pecado? Note-se, além disso, que a carne de Jesus é a mesma que a de Maria. E de tal modo o é, que, segundo o sobredito autor, até depois da ressurreição ela ficou sendo a mesma que tomara de Maria. Sobre isso observa Arnoldo de Chartres: "Uma é a carne de Jesus e de Maria. Na minha opinião, não dividem eles por isso entre si a grandeza, mas possuem a mesma glória". Estabelecida esta verdade, qual seria a consequência, se Maria tivesse sido concebida em pecado? Para o Filho, embora não pudesse contrair a nódoa do pecado, daí resultaria sempre uma tal ou qual mancha. Pois não havia assumido uma carne outrora corrompida pela culpa, vaso de corrupção, sujeita a Lúcifer?

3. A dignidade do Filho exigia uma Mãe nos esplendores de consumada santidade

Maria não só foi Mãe, senão também digna Mãe do Salvador. Tal a proclama o coro uníssono nos Santos Padres. Diz-lhe Egberto, abade de Schoenau: No teu seio virginal escolheu o Rei dos reis sua primeira habitação; só tu foste achada digna por ele. E S. Tomás de Vilanova: Antes de conceber o Verbo Divino, foste digna de ser Mãe de Jesus Cristo. A própria Igreja atesta que a Virgem mereceu ser Mãe de Deus. Isso explicando, diz S. Tomás: Não pôde Maria merecer propriamente a Encarnação do Verbo, mas com o socorro da graça mereceu tão grande perfeição, que se tornou digna Mãe de um Deus. Também assim pensa o Pseudo-Agostinho: Por causa da sua singular santidade, e por mercê de Deus, mereceu a Virgem ser julgada singularmente digna de conceber o Altíssimo.

Acima de toda dúvida está, portanto, que Maria foi digna Mãe de Deus. Que excelência, que perfeição, não devia, por conseguinte, ser a sua? pergunta S. Tomás de Vilanova. Quando Deus eleva alguém a uma alta dignidade, também o torna apto para exercê-la, ensina o Doutor Angélico. Tendo eleito Maria por Mãe, certamente por sua graça a tornou digna de tão sublime honra. E daí o Santo deduz que jamais cometeu Maria pecado atual, nem venial sequer. Digna não teria sido, ao contrário, como Mãe de Jesus Cristo, porquanto a ignomínia da mãe passaria para o Filho, descendente de uma pecadora.

Cometesse Maria um só pecado venial, que enfim não priva a alma da divina graça, e já não seria digna Mãe de Deus. E quanto menos o seria então, se sobre ela pesasse a culpa original? Com semelhante culpa tornar-se-ia inimiga de Deus e escrava do demônio. Levou esta reflexão S. Agostinho a pronunciar aquela célebre sentença: Nem se deve tocar na palavra *pecado*, em se tratando de Maria; e isso por respeito àquele de quem mereceu ser a Mãe, o qual a preservou de todo pecado por sua graça.

Com S. Pedro Damião e S. Paulo devemos, pois, ter por certo que o Verbo Encarnado escolheu para si mesmo uma Mãe digna, da qual se não tivesse que envergonhar. Desprezivelmente, os judeus chamavam a Jesus de Filho de Maria, isto é, filho de uma mulher pobre. "Não é sua mãe essa que é chamada Maria?" (Mt 13,55). Não o atingiu esse desprezo, a ele que vinha dar ao mundo exemplos de humildade e paciência. Mas ser-lhe-ia certamente um grande opróbrio, se tivesse de ouvir dos demônios: Não é sua mãe essa que é pecadora? Que nascesse Jesus de uma mãe disforme e mutilada no corpo, ou possessa do demônio, seria igualmente inadmissível. Quanto mais, por conseguinte, o será o nascer ele de uma mulher, cuja alma por algum tempo houvesse sido deformada e possessa por Lúcifer?

É Deus a própria Sabedoria. Oh! como soube fabricar a casa em que havia de habitar na terra, e como conseguiu fazê-la realmente digna de si mesmo!

"O Altíssimo santificou seu tabernáculo; Deus está no meio dele" (Sl 45,5). O Senhor, diz Davi, santificou seu tabernáculo desde o raiar da manhã, isto é, desde o princípio de sua vida, para o tornar digno de si. Pois não convinha a um Deus tão santo outra habitação, que não uma santa. "A santidade convém à vossa casa, Senhor" (Sl 42,6). Protesta o Senhor que nunca há de entrar ou habitar na alma maligna, ou no corpo sujeito ao pecado (Sb 1,14). Como supor então que houvesse determinado morar na alma e no corpo de Maria, sem antecipadamente santificá-los e preservá-los de toda mancha do pecado? Pois S. Tomás acentua que o Verbo Eterno habitou não só na alma, como também no seio de Maria. Canta a S. Igreja: Senhor, não tivestes horror de habitar no seio da Virgem. Com efeito, a Deus repugnaria habitar no seio de uma Inês, de uma Gertrudes, de uma S. Teresa. Embora santas, foram enfim essas virgens maculadas pelo pecado original. Não o horrorizou entretanto fazer-se homem no seio de Maria, porque esta Virgem predileta foi sempre ilibada de culpa e jamais possuída pela serpente inimiga. Por isso, escreve o Pseudo-Agostinho: O Filho de Deus não edificou para sua habitação outra mais digna do que Maria, que nunca foi escravizada pelos inimigos, nunca esteve despojada de seus ornamentos. Quem jamais ouviu dizer, pergunta S. Cirilo de Alexandria, que um arquiteto, erguendo-se uma casa de moradia, consentisse que um seu inimigo a possuísse inteiramente e habitasse?

4. *Convinha ao Legislador do IV mandamento*
   preservar sua Mãe da Mancha original

O Senhor nos deu o preceito de honrar os nossos pais. Ele próprio não quis deixar de observá-lo ao fazer-se homem, nota S. Metódio, e por isso cumulou sua Mãe de todas as graças e honras. Portanto, conforme o Pseudo-Agostinho, deve-se certamente crer que Jesus preservou da corrupção o corpo de Maria, depois da morte, como acima o dissemos. Ora, quanto menos então teria Jesus Cristo atendido à honra de sua Mãe, se a não houvesse preservado da culpa de Adão? Certamente pecaria o filho que, podendo preservar a mãe da culpa original, não o fizesse logo, observa o agostiniano Tomás de Estrasburgo. Mas – continua ele – o que para nós seria pecado, não seria certamente decoroso ao Filho de Deus. Podendo fazer sua Mãe imaculada, tê-lo-ia deixado de fazer? Não; é isso impossível, diz Gerson.

Além do mais, é sabido que o Salvador veio ao mundo mais para remir a Maria, de que a todos os outros homens, escreve S. Bernardino de Sena. Dois, porém, são os modos de remir, na opinião de Suárez. Consiste o primeiro em levantar o decaído e o segundo, em preservá-lo da queda. É fora de dúvida que este último é o mais nobre, observa S. Antonino. Por ele se previne ao dano e à nódoa que resultam da queda. Quanto a Maria, devemos crer, por conseguinte, que foi remida por este modo mais nobre, e modo mais conveniente à Mãe de Deus como reafirma um escritor sob nome de S. Boaventura. Diz sobre isto com muita elegância o Cardeal Cusano: Os outros tiveram um Redentor que os livrou do pecado já contraído; porém a Santíssima Virgem teve um Redentor que, em sendo seu Filho, a livrou de contrair o pecado.

Em conclusão a este ponto recordo as palavras de Hugo de S. Vítor: Se o Cordeiro foi sempre imaculado, sempre ilibada deve também ter sido a Mãe, porque é pelo fruto que se conhece a árvore. E por isso assim a saúda: Ó digna Mãe de um digno Filho! Maria era de fato digna Mãe de tal Filho e só Jesus era digno Filho de tal Mãe. Acrescenta depois: Ó formosa Mãe do belo Filho, ó excelsa Mãe do Altíssimo! – Digamos-lhe, pois, com o assim chamado S. Ildefonso: Alimentai com vosso leite, ó Mãe, o vosso Criador; alimentai aquele que vos fez, e tão pura e tão perfeita vos criou, que merecestes que de vós ele próprio tomasse o ser humano.

Se conveio ao Pai preservar Maria do pecado, porque lhe era Filha, e ao Filho porque lhe era Mãe, está visto que o mesmo se há de dizer do Espírito Santo, de quem era Virgem Esposa.

PONTO TERCEIRO

Sendo-lhe Maria Esposa, convinha
ao Espírito Santo preservá-la da mancha original

1. *À Esposa do Espírito Santo
convinha uma formosura ilibada*

Foi Maria a única que, no dizer do Pseudo-Agostinho, mereceu ser chamada Mãe e Esposa de Deus. Com efeito, assevera Eádmero, o Espírito Santo veio corporalmente a Maria, enriqueceu-a de graça sobre todas as criaturas e nela repousou, fazendo-a sua Esposa, Rainha do céu e da terra. Veio corporalmente a Maria, diz ele, quanto ao efeito; pois veio formar de seu corpo imaculado o imaculado corpo de Jesus. Assim lhe predisse o arcanjo: O Espírito Santo descerá sobre ti (Lc 1,35). Chama-se por isso Maria templo do Senhor, sacrário do Espírito Santo, porque por virtude dele se tornou Mãe do Verbo Encarnado, observa S. Tomás.

Suponhamos que um excelente pintor tivesse que desposar uma noiva, formosa ou feia, conforme os traços que lhe desse. Que diligência não empregaria, então, para torná-la a mais bela possível! Quem poderá, pois, dizer que outro tenha sido o modo de agir do Espírito Santo, relativamente a Maria? Podendo criar uma Esposa toda formosa, qual lhe convinha, tê-lo-ia deixado de fazer? Não; tal como lhe convinha a fez, como atesta o próprio Senhor, celebrando os louvores de Maria: És toda formosa, minha amiga, em ti não há mancha original (Ct 4,7).

Na asserção dos santos Ildefonso e Tomás essas palavras se entendem da Virgem, conforme refere Cornélio a Lápide. S. Bernardino de Sena e S. Lourenço Justiniano afirmam que se devem entender justamente da Imaculada Conceição de Maria. De onde a palavra de Raimundo Jordão: Virgem bendita, és formosíssima em todo sentido; em ti não há mancha alguma de qualquer pecado, leve ou grave ou original. Idêntico é o pensamento do Espírito Santo, chamando sua Esposa de "jardim fechado e fonte selada" (Ct 4,12). O Pseudo-Jerônimo escreve: É Maria esse jardim fechado, essa fonte selada; jamais os inimigos nela entraram para ofendê-la, e sempre permaneceu ilesa, santa na alma e no corpo. Do mesmo modo saúda-a Egberto: És um jardim fechado no qual mãos de pecadores nunca penetraram para lhe roubar as flores.

2. *À Esposa do Espírito Santo convinha uma santidade sem par*

Sabemos que, acima de todos os santos e anjos, o Divino Esposo amou a Maria, como acentua Suárez com S. Lourenço Justiniano e outros. Desde o princípio amou-a, exaltando-a em santidade sobre todas as criaturas, insinua Davi com as palavras: Seus alicerces estão sobre as montanhas santas; o Senhor ama as portas de Sião mais do que a todas as tendas de Jacó... e o mesmo Altíssimo a fundou (Sl 86,5). Tais expressões significam que Maria foi santa desde o momento de sua conceição. É o que parecem dizer ainda outras palavras do Espírito Santo, nos Provérbios: Muitas filhas ajuntaram riquezas; tu excedeste a todas (31,9). Se, pois, a todas excedeu em riquezas da graça, possuiu também, por conseguinte, a justiça original, como a possuíram Adão e os anjos. De mais a mais, nos Cânticos nós lemos: Estão comigo um sem-número de virgens, mas uma só é a minha pomba, a minha perfeita (no hebraico: minha imaculada); ela é a única para sua mãe (6,7). Todas as almas justas são filhas da graça divina. No meio delas, porém, foi Maria a *pomba* sem fel, a *perfeita* sem mancha de origem, a única em graça concebida.

Achou-a por isso o anjo logo cheia de graça, mesmo antes de ser Mãe de Deus, e saudou-a nestes termos: Ave, cheia de graça! Sobre o texto diz o Pseudo-Jerônimo: Aos outros santos a graça é dada em parte, contudo a Maria foi dada em sua plenitude. De modo que, observa S. Tomás, a graça santificou não só a alma, senão também a carne de Maria, a fim de que com ela revestisse depois o Verbo Eterno. Tudo isso nos leva a reconhecer, com Pedro de Celes, que Maria desde sua conceição foi cumulada com as riquezas da graça pelo Espírito Santo. Daí a palavra de Nicolau, monge: O Espírito raptou para si a eleita de Deus e a escolhida entre todas. Quer assim exprimir o autor a rapidez com a qual o Espírito Santo se antecipou e desposou a Virgem, antes que Lúcifer a possuísse.

Ainda uma consideração para concluir este discurso, no qual mais do que nos outros me tenho demorado. Motiva-o a circunstância de nossa pequena Congregação ter por principal protetora a Santíssima Virgem Maria, precisamente sob este título de Imaculada Conceição. Quero declarar concisamente quais os motivos que me convenceram, e me parece que devem convencer a todos, da verdade desta sentença, tão pia e de tamanha glória para a Mãe de Deus.

CAPÍTULO II

Certeza da Imaculada Conceição

Advertência.

Muitos doutores sustentam que Maria foi isenta de contrair até o débito do pecado. Assim falam Galatino, o Cardeal Cusano, de Ponte, Salazar, Catarino, Viva, Novarino, de Lugo e outros. Essa opinião é muito bem fundada. Apoiando-se na sentença de S. Paulo: "Todos pecaram em Adão", Gonet, Habert e outros sustentam com fundamento que na vontade de Adão, como chefe do gênero humano, foram incluídas as vontades de todos os homens. Se isso é provavelmente verdade, também o é que Maria não tenha contraído o débito do pecado original. Pois tendo-a Deus com sua graça singularmente distinguido do comum dos homens, devemos crer piamente que a vontade de Maria não foi incluída na de Adão. Essa opinião é provável apenas, mas eu adoto como sendo mais gloriosa para minha Senhora.[1]

Tenho por certa, entretanto, a sentença de que Maria não contraiu o pecado de Adão. Igualmente por tal, e quase por dogma de fé, têm-na o Cardeal Everardo, Duvállio, Reinaldo e Lossada, Viva e outros muitos. Não tomo em conta as revelações feitas a S. Brígida e aprovadas pelo Cardeal Turrecremata e por quatro Sumos Pontífices. Comparem-se por exemplo vários trechos do Livro VI. Mas tenho de apresentar impreterivelmente:

---

[1] S. Afonso escreveu o presente livro em 1750, portanto 104 anos antes da promulgação do dogma da Imaculada Conceição. Com este seu trabalho, e com outros escritos ascéticos, contribuiu muitíssimo para mais este triunfo de Nossa Senhora (Nota do tradutor).

1. *O unânime testemunho dos Santos Padres, quanto a esse privilégio de Maria*

S. Ambrósio faz a natureza humana dizer ao Verbo Eterno, no momento de sua Encarnação: Toma-me, ó Filho de Deus, não de uma Sara, mas de Maria que é uma virgem intacta, virgem isenta, pela graça, de toda mancha do pecado. – Orígenes assim fala sobre Maria: Não está contaminada pelo envenenado hálito da serpente. De imaculada, de livre de todo e mínimo labéu, a chama S. Efrém. Escreve o Pseudo-Agostinho sobre o texto da saudação angélica: Maria estava – e note-se – completamente livre da cólera da primeira sentença, e possuía a graça toda da bênção. Esta nuvem – são palavras do Pseudo-Jerônimo – nunca foi escura, mas sempre resplandecente.

Vulgato Cipriano (Arnoldo de Chartres) observa: "A justiça não admitia que aquele vaso de eleição fosse atingido pela mácula comum. Ao contrário de todos os homens, com eles compartilhou da mesma natureza, mas não da mesma culpa". Eis as palavras de S. Anfilóquio: Aquele que formou a primeira virgem sem defeito, formou também a segunda sem mancha e sem culpa. No VI Concílio Ecumênico de Constantinopla (680-81) falou S. Sofrônio: O Filho de Deus baixou ao ventre de Maria guardado intacto por casta virgindade, e a virgem estava isenta de todo contágio no corpo e na alma. Escreve Vulgato Ildefonso (Pascásio Radberto): É fora de dúvida que a Virgem não foi atingida pela culpa original. S. João Damasceno é de opinião que de Maria, como de um limo puríssimo, o Verbo Eterno se escolheu a forma humana. Que o corpo da Virgem não herdou a mancha de Adão, embora dele tenha sua origem, nos garante Nicolau, monge. Por sua vez S. Bruno de Segni anuncia: É Maria terra abençoada por Deus e por isso isenta de todo contágio de pecado. É incrível que o Filho de Deus haja querido nascer de uma Virgem, se ela de algum modo houvesse sido maculada pela culpa original, diz S. Bernardino de Sena. As palavras de S. Lourenço Justiniano testemunham que Deus abençoou a Maria desde o momento de sua conceição. – Sobre o texto onde se afirma que Maria achou graça diante do Senhor, o Abade de Celes tece a seguinte saudação: Ó dulcíssima Senhora, Deus se agradou extraordinariamente de vós e fostes preservada do pecado original.

De semelhante modo fala um grande número de teólogos.

Finalmente, dois motivos nos certificam da verdade dessa pia sentença.

2. *O primeiro é o consenso universal dos fiéis sobre esse ponto*

Atesta o padre Egídio da Apresentação que todas as Ordens religiosas são partidárias da nossa doutrina. Na Ordem de S. Domingos, diz um autor moderno, embora 92 escritores defendam a opinião contrária, 136 defendem a nossa. O sentimento comum dos católicos é favorável a essa doutrina. Sobretudo deve convencer-nos a Bula *Solicitudo omnium Ecclesiarum*, de 1661, escrita por Alexandre VII. Nela se diz: A devoção à Virgem Imaculada cresceu e espalhou-se e, depois que as escolas apoiaram essa pia doutrina, a partilham agora quase todos os católicos. Realmente as Academias de Sorbona, de Alcalá, de Salamanca, de Coimbra, de Colônia, de Mogúncia, de Nápoles e muitas outras a defendem com ardor. Nelas o bacharelado laureado compromete-se sob juramento a defender a Imaculada Conceição. De fato, este argumento do consenso comum dos fiéis, empregado pelo doutor Petávio, não nos pode deixar de convencer, anota o sábio bispo Torni. Em verdade, este mesmo consenso dos fiéis já nos certifica da santificação de Maria no seio materno e da sua Assunção ao céu, em corpo e alma. Mas por que não nos certificaria ele igualmente de sua Imaculada Conceição? O outro motivo, mais forte que o primeiro, para nos convencer do glorioso privilégio de Maria Imaculada, é:

3. *A introdução da festa de Nossa Senhora*
  da Conceição pela Igreja universal

Nesse particular vejo, com efeito, que a Igreja celebra o primeiro instante da criação e da união da alma de Maria com o seu corpo. Conclui-se isso da citada Bula de Alexandre VII. Aí ele declara que a Igreja celebra a Conceição de Maria, no sentido que lhe dá a pia sentença, segundo a qual foi ela concebida sem a culpa original. De outro lado sei que a Igreja não pode festejar o que não é santo, conforme a decisão de S. Leão, Papa, de Eusébio, e de muitos outros teólogos como o Pseudo-Agostinho, S. Bernardo e S. Tomás. Este último serve-se justamente desse argumento, em prova da santificação de Maria antes de seu nascimento. A Igreja – diz ele – celebra a festa da Natividade de Maria. Ora, festejando ela tão somente o que é santo, diga-se que Maria já foi, por conseguinte, santificada no seio materno. No pensamento do Santo Doutor é certa a santificação da Virgem por lhe celebrar a Igreja essa data. Por que então não poderemos ter por certo que Maria foi preservada do pecado original, desde o primeiro instante de sua Conceição, já que é notório que, nesse mesmo sentido, a mesma Igreja estabeleceu uma festa própria?

Tem o Senhor se dignado confirmar esse grande privilégio de Maria, dispensando cada dia no reino de Nápoles inumeráveis e prodigiosas graças, por meio das estampas da Imaculada Conceição. Eu poderia referir muitos para os quais os padres de nossa Congregação deram ensejo.

EXEMPLO

Numa das casas de nossa Congregação no reino de Nápoles, aconteceu ir uma vez certa mulher dizer a um dos nossos padres que seu marido não se confessava havia muitos anos. A pobre não sabia mais que meios empregar para levá-lo ao cumprimento de seus deveres religiosos, pois que a maltratava quando lhe falava em confissão. Aconselhou o padre que desse ao marido uma estampa de Maria Imaculada. À noite ela pediu de novo ao rebelde que se confessasse. Foi em vão; como de costume ele fez-se de surdo. Deu-lhe então a esposa a referida estampa. E eis que apenas a recebeu, o marido disse logo: Então quando queres que me confesse? Estou pronto. – A mulher pôs-se a chorar de alegria, vendo aquela mudança tão súbita. Na manhã seguinte, foi com efeito à nossa igreja. O padre perguntou-lhe há quanto tempo não se confessava. – Há vinte e oito anos, respondeu ele. – E como, tornou o padre, se resolveu a vir hoje? – Meu pai, tornou ele, eu estava obstinado; mas ontem à noite minha mulher deu-me uma imagem de Nossa Senhora, e logo senti mudar-se-me o coração. E isso de tal sorte que esta noite os momentos me pareciam mil anos, tanto desejava que amanhecesse para vir confessar-me. – Confessou-se efetivamente com muita compunção, mudou de vida, e continuou por muitos anos a confessar-se a miúdo com o mesmo padre.

Num lugar da diocese de Salerno, durante uma missão que aí demos, havia certo homem que nutria grande inimizade contra um outro que o tinha ofendido. Um padre exortou-o ao perdão, porém ele respondeu: – Meu padre, já que me vistes assistir às prédicas – Não. – E sabeis por quê? É que já me vejo condenado; mas não me importa: quero vingar-me. – O padre empregou todos os meios para dissuadi-lo, porém, vendo que eram baldadas suas palavras: Tomai, disse-lhe, esta estampa da Se-

nhora da Conceição. A princípio o homem respondeu: E para que serve ela? Mas assim que a tomou, como se nunca se tivesse negado a perdoar, disse ao missionário: Padre, não quereis mais alguma coisa além do perdão? Estou pronto a concedê-lo. – Com efeito marcaram a reconciliação para a manhã seguinte. No outro dia, entretanto, o homem mudou de opinião, e já nada mais queria fazer. Ofereceu-lhe o padre outra imagem, que ele recusou no começo, mas afinal, à força de instâncias, recebeu. E, ó maravilha! apenas segurou essa segunda imagem, disse imediatamente:
– Ora, vamos! acabemos logo com esta briga! Onde está o meu inimigo?
– Perdoou logo, com efeito, confessando-se em seguida.

ORAÇÃO

Ó minha Senhora, minha Imaculada, alegro-me convosco por ver-vos enriquecida de tanta pureza. Agradeço e proponho agradecer sempre a nosso comum Criador por ter-vos ele preservado de toda mancha de culpa. Disso tenho plena convicção e, para defender este vosso tão grande e singular privilégio da Imaculada Conceição, juro dar até a minha vida. Estou pronto a fazê-lo, se preciso for. Desejaria que o mundo universo vos reconhecesse e confessasse como aquela formosa aurora, *sempre adornada da divina luz;* como aquela arca *eleita de salvação, livre do comum naufrágio do pecado; como aquela* perfeita e imaculada pomba, *qual vos declarou vosso divino Esposo; como aquele* jardim fechado, *que foi as delícias de Deus; como aquela* fonte selada, *na qual o inimigo jamais pôde entrar para turvá-la; como aquele cândido* lírio, *finalmente, que, brotando entre os espinhos dos filhos de Adão, enquanto todos nascem manchados da culpa e inimigos de Deus, vós nascestes pura e imaculada, amiga de vosso Criador.*

Consenti, pois, que ainda vos louve, como vos louvou vosso próprio Deus: Toda sois formosa e em vós não há mancha. Ó pomba puríssima, toda cândida, toda bela, sempre amiga de Deus! Dulcíssima, amabilíssima, imaculada Maria, vós que sois tão bela aos olhos do Senhor, não recuseis olhar com vossos piedosíssimos olhos as chagas tão asquerosas de minha alma. Olhai-me, compadecei-vos de mim, e curai-me. Ó belo ímã dos corações, atraí para vós também este meu miserável coração. Tende piedade de mim, que não só nasci em pecado, mas ainda depois do batismo manchei minha alma com novas culpas, ó Senhora, que desde o primeiro instante de vossa vida aparecestes bela e pura aos olhos de Deus. Que graça vos poderá negar o Deus que vos escolheu para sua Filha, sua Mãe e sua Esposa, e por essa razão vos preservou de toda mancha? Virgem Imaculada, a vós compete salvar-me, dir-vos-ei com S. Filipe Néri. Fazei que me lembre de vós; e não vos esqueçais de mim. Parece tardar mil anos o momento de ir contemplar vossa beleza no Paraíso, para melhor louvar-vos e amar-vos, minha Mãe, minha Rainha, minha Amada, belíssima, dulcíssima, puríssima, imaculada Maria. Amém.

II. DA NATIVIDADE DE MARIA

Resumo histórico.

É no século VII que surge a festa da Natividade da Virgem. Dela temos menção no Sacramentário Gelasiano, livro que enumera as festividades da Igreja. O Papa Sérgio I (687-701) prescreveu para o dia de sua celebração uma procissão de rogações. No Oriente a festa era também conhecida, como vemos de dois Sermões de S. André de Creta (720).

A grandeza da santidade de Maria provém das graças abundantes com que Deus a enriqueceu desde o princípio, e da sua admirável correspondência às mesmas

O nascimento de um filho é considerado dia de festa para a família. Entretanto haveria antes motivo para lamento e pranto, considerando-se que a criança nasce não só privada de méritos e de razão, como ainda manchada pela culpa e sujeita, como filha da cólera divina, às misérias e à morte. O nascimento de Maria, sim, é justo seja celebrado com festas e louvores universais. Pois a Virgem viu a luz do mundo, criança na idade, porém grande em merecimentos e virtudes. Todavia para compreendermos o grau de santidade com que nasceu, precisamos considerar primeiramente a grandeza da graça com que Deus a enriqueceu; em segundo lugar, quanto foi grande a fidelidade de Maria em corresponder a essa graça.

PONTO PRIMEIRO

A primeira graça em Maria excede em grandeza à graça de todos os anjos e santos

1. *Testemunho dos teólogos*

Inegavelmente foi a alma de Maria a mais bela que Deus criou. Depois da Encarnação do Verbo foi esta a obra mais formosa e mais digna de si, feita pelo Onipotente neste mundo. Uma maravilha enfim que só é excedida pelo próprio Criador, como diz Nicolau, monge. Por isso não desceu a graça em Maria gota a gota, como nos outros santos. Desceu, ao contrário, tal como "a chuva sobre o velo" (Sl 71,6). Semelhante à lã do velo, sorveu a Virgem com alegria toda a grande chuva de graça, sem perder uma só gota.

Era-lhe, pois, lícito exclamar: Na plenitude dos santos está minha morada (Eclo 24,16). Isto significa, conforme a explicação de S. Boaventura: Possuo em sua plenitude o que só em parte possuem os outros santos. E S. Vicente Ferrer, referindo-se particularmente à santidade de Maria, antes de seu nascimento, diz que excedeu a de todos os anjos e santos.

A graça que adornou a Santíssima Virgem sobrepujou não só a de cada um em particular, mas a de todos os santos reunidos, como prova o doutíssimo Padre Francisco Pepe, jesuíta, em sua bela obra das *Grandezas de Jesus e de Maria*. Nela afirma que essa tão gloriosa opinião para nossa Rainha é hoje em dia comum e certa entre os teólogos modernos, como Cartagena, Suárez, Spinelli, Recupito, Guerra e outros. Todos examinaram a questão *ex-professo*, coisa que não haviam feito os doutores antigos. Conta Pepe que a Mãe de Deus agradeceu a Suárez, por meio do Padre Gutiérrez, o haver defendido com tanto valor essa probabilíssima sentença. Em seu *Devoto de Maria* atesta Ségneri que essa proposição é sustentada pela comum opinião da escola de Salamanca. Ora, se esta é comum e certa, muito provável é também esta outra sentença: Maria, desde o primeiro instante de sua Conceição Imaculada, recebeu uma graça superior à de todos os anjos e santos juntos. Suárez[2] defende-a com energia, sendo nisso acompanhado por Spinelli, Recupito e Colombière.

---

[2] Suárez refere-se propriamente ao fim da vida de Maria Santíssima (Nota do tradutor).

2. Há ainda duas grandes e convenientes razões a favor desta sentença, além da autoridade dos teólogos, acima citados.

Primeira razão:
A eleição de Maria para Mãe do Divino Verbo.

Escreve Dionísio Cartusiano: Por causa dessa predestinação foi Maria elevada a uma ordem superior à de todas as criaturas. Pois, segundo Suárez, de certo modo a dignidade de Mãe de Deus pertence à ordem de união hipostática, isto é, à união do Verbo Divino com a natureza humana. Com razão por isso, desde o princípio de sua vida, lhe foram conferidos dons de ordem superior, os quais incomparavelmente excedem a quantos foram concedidos às demais criaturas. Com efeito, não se pode pôr em dúvida que, simultaneamente com o decreto divino da Encarnação, ao Verbo de Deus foi também destinada a Mãe da qual devia tomar o ser humano. E essa foi Maria. Ora, S. Tomás ensina que a cada um dá o Senhor graça proporcionada à dignidade a que o destina. Já antes dele dissera S. Paulo: O qual também nos fez aptos ministros do Novo Testamento (2Cor 3,6). Diz ele com isso que os apóstolos receberam de Deus dons proporcionados aos grandes ofícios para que foram escolhidos. Sobre isso assim as externa S. Bernardino de Sena: Quando alguém é eleito por Deus para um cargo, recebe não só as disposições necessárias, mas ainda os dons precisos para exercê-lo dignamente. Ora, em vista da escolha de Maria para Mãe de Deus, convinha certamente que o Senhor, desde o primeiro instante, a adornasse com uma graça imensa, superior em grau à de todos os outros homens e anjos. Pois tal graça tinha de corresponder à imensa e altíssima dignidade, à qual o Senhor a elevara. Assim concluem todos os teólogos com S. Tomás. A Santíssima Virgem, diz este, foi escolhida para ser Mãe de Deus e para tanto o Altíssimo capacitou-a certamente com sua graça. Antes de ser Mãe foi Maria, por conseguinte, adornada de uma santidade tão perfeita, que a pôs à altura dessa grande dignidade.

Já em outra passagem da Suma Teológica, havia dito o Doutor Angélico que Maria é chamada "cheia de graça", mas não tanto por causa da graça propriamente, porque a não possuía na suma excelência possível. Também em Jesus Cristo, diz o Santo, a graça habitual não foi suma, isto é, de tal forma que o poder divino a não tivesse podido fazer maior em absoluto. Foi entretanto suficiente e correspondente ao fim para o qual a Divina Sabedoria a predestinara, digo para a união da santa Humanidade com a Pessoa do Verbo. Disso a razão no-la dá o mesmo doutor: "Tão grande é o poder divino, que, por mais que conceda, sempre lhe resta a dar. Por si só, é a criatura muito limitada em sua natural receptividade, e ao mesmo tempo capaz de ser inteiramente cumulada. Entretanto é sem limites a sua faculdade de obediência à divina vontade, podendo Deus aumentar-lhe a receptividade e cumulá-la de graças".

Mas voltemos ao nosso assunto. Afirma S. Tomás que Maria, não fosse embora cheia de graça em relação propriamente à graça, é entretanto chamada cheia de graça em relação a si mesma. Pois a recebeu imensa, suficiente e correspondente à sua sublime dignidade. Por ela então se tornou capaz de ser Mãe de um Deus. Escreve por isso Benedito Fernández: Na dignidade de Mãe de Deus está a medida para se avaliar da graça comunicada a Maria.

Com razão, pois, disse Davi "que os fundamentos dessa cidade de Deus deviam ser colocados no cimo dos montes" (Sl 86,1). Isto é: que o princípio da vida de Maria tinha de ser mais alto que a consumação da vida dos santos. O Senhor – continua o régio cantor – tem mais amor às portas de Sião (de Maria), do que às tendas de Jacó (aos santos). E com razão alega que o Senhor devia fazer-se homem no seio virginal de Maria: E nela nasceu como homem (id., 5). Foi conveniente, portanto, conceder a essa Virgem, desde o primeiro instante em que a criou, uma graça correspondente à dignidade de Mãe de Deus.

O mesmo quis expressar Isaías, ao dizer: "que, nos tempos futuros, se havia de elevar o monte da casa do Senhor (que foi a Santíssima Virgem) sobre o vértice de todos os outros montes, e que todas as nações haviam de correr a ele para receberem as divinas misericórdias" (2,2). Sobre o que nos dá S. Gregório a seguinte explicação: O monte que se eleva sobre os outros montes é Maria, a qual ultrapassa a todos os santos. S. João Damasceno vê na Virgem "a montanha que Deus quis escolher para morada" (Sl 67,17). Maria chama-se por isso cipreste do monte de Sião; cedro do Líbano; oliveira, mas oliveira especiosa; eleita, mas eleita como o sol. Como este – observa Nicolau, monge – excede com sua luz o esplendor das estrelas e fá-las empalidecer, assim a Virgem Maria supera com sua santidade e com seus méritos a corte celestial. De S. Bernardo ouvimos o mesmo com as belas palavras: Não convinha a Deus outra Mãe que não Maria, e à Virgem Maria não convinha outro Filho senão Deus.

Mais uma razão existe comprobatória de que Maria, no primeiro instante de sua vida, foi mais santa que todos os santos juntos.

Segunda razão:
Temo-la no sublime ofício de Medianeira dos homens, que foi confiado a Maria, desde o princípio de sua vida. Já antecipadamente esse ofício reclamava um cabedal de graças, maior que o concedido a todos os homens. Sabem todos que os teólogos e Santos Padres atribuem geralmente a Maria este título de Medianeira, por ter ela com sua poderosa intercessão, e mérito de congruência, obtido a salvação de todos, proporcionando ao mundo perdido o grande benefício da Redenção. Dissemos mérito *de congruência*, porque só Jesus Cristo é nosso Medianeiro por via de justiça e por mérito *de condigno*. Para tanto ofereceu seus merecimentos ao Eterno Pai, que para nossa salvação os aceitou. Maria, ao contrário, é medianeira de graça por via de simples intercessão e de mérito *de côngruo*. Ofereceu, dizem os teólogos com S. Boaventura, seus merecimentos pela salvação de todos os homens. E Deus aceitou-o por graça com os merecimentos de Jesus Cristo. Daí as palavras de Arnoldo de Chartres: Cooperou Maria com Cristo para nossa salvação. E ainda a sentença de Ricardo de S. Vítor: Para todos Maria desejou, procurou e obteve a salvação. Assim, pois, todo bem, todo dom de vida eterna recebido de Deus, por cada santo, lhe foi dispensando por meio de Maria.

É o que nos quer dar a entender a Santa Igreja, aplicando-lhe vários textos do Eclesiástico: Em mim há toda a esperança do caminho e da verdade (24,25). *Do caminho*, porque por ela são dispensadas as graças aos peregrinos neste mundo; *da verdade*, porque por Maria se nos dá a luz da verdade. "Em mim há toda a esperança da vida e da virtude" (24,26). *Da vida*, porque por ela esperamos obter a vida da graça na terra e da glória no céu. *Da virtude*, porque por meio dela se adquirem as virtudes, especialmente as teologais, que são as principais virtudes dos santos. "Eu sou a mãe do belo amor e do temor, do conhecimento e da santa esperança" (24,24). E tudo porque Maria com sua intercessão impetra a seus servos os dons do divino amor, do santo temor, da luz celeste, da santa confiança. Do que S. Bernardo deduz que é ensinamento da Igreja o ser Maria medianeira universal de nossa salvação.

É por isso, assevera o Pseudo-Jerônimo, que o arcanjo chamou a Virgem cheia de graça; porque, enquanto que aos outros santos a graça é concedida com limites, sobre Maria foi derramada em sua plenitude. E tal se deu, observa Basílio de Seleucia, para que ela pudesse servir como digna medianeira entre Deus e os homens. Com efeito, pergunta S. Lourenço Justiniano, sem essa plenitude da graça divina, como teria a Virgem podido ser a escada do paraíso, e advogada do mundo, a verdadeira medianeira entre os homens e Deus?

Eis, pois, suficientemente esclarecida a segunda razão que propusemos. Como Mãe destinada ao comum Redentor, já recebeu Maria, desde o começo, o ofício de medianeira de todos os homens, e por conseguinte de todos os santos. Assim sendo, foi necessário que tivesse, também desde o começo, graça maior que a de todos os santos, pelos quais devia interceder. Vou explicar-me com mais clareza. Se por meio de Maria haviam os homens de tornar-se mais caros a Deus, preciso era que ela fosse mais santa e mais querida de Deus, do que todos os homens juntos. Porque, assim não sendo, como teria podido interceder por todos eles? Para que um intercessor obtenha do príncipe obséquio para todos os vassalos, é absolutamente mister que lhe seja mais caro do que os seus demais súditos. Maria, conclui Eádmero, mereceu pois ser digna Reparadora do mundo decaído, porque foi a mais santa e a mais pura de todas as criaturas.

Foi a Virgem, pois, medianeira dos homens. Mas, dirão talvez, como pode ela ser também medianeira dos anjos? Sustentam muitos teólogos que Jesus Cristo mereceu a graça da perseverança aos anjos também. Tornou-se-lhes assim medianeiro *de condigno*, o que permite chamar a Maria de medianeira *de côngruo*, desde que com suas preces acelerou a vinda do Redentor. Pelo menos merecendo *de côngruo* tornar-se Mãe do Messias, mereceu aos anjos a reparação dos lugares perdidos pelos demônios. Eis como se expressa Ricardo de S. Vítor: Anjos e homens foram reparados por Maria; por ela a ruína dos anjos foi restaurada e a natureza humana, reconciliada. E antes dele, escrevera Eádmero: Tudo foi restaurado por essa Virgem.

Assim a nossa celeste menina, tanto por causa de seu ofício de medianeira do mundo, como em vista de sua vocação para Mãe do Redentor, recebeu, desde o primeiro instante de sua vida, graça mais abundante que a de todos os santos reunidos. E que admirável espetáculo para o céu e para a terra, não seria a alma dessa bem-aventurada menina, encerrada ainda no seio de sua mãe! Era a criatura mais amável aos olhos de Deus, pois que, já cumulada de graças e méritos, podia dizer: Quando era pequenina agradei ao Altíssimo. E ao mesmo tempo era a criatura mais amante de Deus, de quantas que até então haviam existido. Houvera, pois, nascido imediatamente após a sua Imaculada Conceição, e já teria vindo ao mundo mais rica de méritos e mais santa do que toda a corte dos santos. Imaginemos, agora, quanto mais santa nasceu a Virgem, vendo a luz do mundo só depois de nove meses, os quais passou adquirindo novos merecimentos no seio materno! Mas prossigamos para a consideração do ponto segundo.

PONTO SEGUNDO

A grande fidelidade
na pronta cooperação com a graça

*1. Maria teve o uso da razão desde o primeiro
instante de sua Imaculada Conceição*

Ao mesmo tempo que a santa menina recebia no seio de S. Ana a graça santificante, era-lhe dado também o perfeito uso da razão. A ele se uniu uma grande luz divina, correspondente à graça com que fora enriquecida. O exposto aqui não é já uma opinião isolada, mas um parecer universal, na frase do venerável autor La Colombière. Por conseguinte bem poderemos crer que, desde o primeiro instante da união da sua bela alma ao seu corpo puríssimo, foi Maria iluminada com todas as luzes da divina sabedoria, para bem conhecer as verdades eternas, a beleza das virtudes e sobretudo a infinita bondade de seu Criador e os direitos dele aos afetos do coração, e ao seu em particular. Eram disso razões os singulares dons com que ele a adornou e distinguiu entre todas as criaturas. Pois não a preservara da culpa original? não lhe dera tão imensa graça? não a destinara para Mãe do Verbo e Rainha do universo?

*2. Maria esteve livre de toda inclinação desordenada
e de toda distração*

Gratíssima a seu Deus, a partir desse primeiro instante, empenhou-se a Virgem em aproveitar fielmente aquele grande cabedal de graças de que era senhora. Aplicou-se toda em amar a Divina Bondade. Desde então amou a Deus com todas as suas forças e continuou amando-o com os nove meses anteriores a seu nascimento. Não cessou, com efeito, um só momento de unir-se a Deus cada vez mais, com ferventes atos de amor. Estava livre não só da culpa original, mas de todo movimento desordenado, de toda distração, de toda rebelião dos sentidos, de tudo enfim que lhe pudesse impedir o adiantamento no divino amor. Todos os seus sentidos estavam igualmente de acordo com seu bendito espírito na tendência para Deus. Por isso, desvencilhada de todo impedimento, voava-lhe a formosa alma para Deus, incessantemente. Amava-o sempre, e cada vez mais crescia em seu amor. É esta a razão por que Maria diz de si mesma: Eu cresci para o alto como um plátano junto à água (Eclo 24,19). Planta nobilíssima de Deus, ela cresceu sempre junto à corrente das graças divinas. Também se compara à vinha: Eu, como a vide, lancei flores de um agradável olor (Eclo 24,23). Fá-lo não só por ter sido humilde aos olhos do mundo, mas porque era constante o seu crescimento em perfeição. Diz um provérbio latino: A vide cresce sem fim. As outras árvores, a laranjeira, a amoreira, a pereira, têm uma altura determinada, enquanto a vide cresce continuamente, até atingir a altura da árvore à qual se encosta. Assim também a Santíssima Virgem cresceu incessantemente na perfeição.

Eis o motivo por que, sob o nome de Gregório Taumaturgo, escreveu certo autor: Eu te saúdo, ó Maria, videira que não cessa de crescer. Conservou-se ela unida sempre a Deus, seu único apoio, e por isso pergunta o Espírito Santo nos Cânticos dos Cânticos: Quem é esta que sobe do deserto, inundando delícias, e firmada sobre o seu Amado? (8,5). Segundo S. Ambrósio, quer isso dizer: Quem é esta que, unida ao Verbo Divino, cresce como a videira apoiada a uma grande árvore?

3. *Maria foi fiel à divina graça*

Dizem muitos e graves teólogos que uma alma virtuosa produz um ato de virtude, em intensidade igual ao hábito que possui, cada vez que corresponde às graças atuais que de Deus recebe. Adquire assim, vez por vez, um novo e duplo merecimento que é igual à totalidade de todos os méritos adquiridos até então. Esse aumento, dizem eles, foi concedido aos anjos durante o tempo de sua provação. Ora, se os anjos possuíam semelhante graça, quem ousará sonegá-la à Divina Mãe, enquanto viveu na terra, principalmente no mencionado tempo de sua existência no seio materno, no qual foi certamente mais fiel que os anjos, em corresponder à graça? Durante ele duplicou a cada momento aquela graça sublime que possuía desde o começo. Pois, correspondendo-lhe com todas as forças e perfeitamente, duplicava por conseguinte seus méritos a cada ato que fazia, em todo instante. Só por aí podemos avaliar que tesouros de graça, de merecimentos e de santidade trouxe Maria ao mundo, quando nasceu.

Alegremo-nos, portanto, com a nossa amável menina, que nasce tão santa, tão cara a Deus, e cheia de graça. E alegremo-nos não só por ela mas também por nós. Pois veio ao mundo enriquecida de graça tanto para a glória como para o bem nosso. Adverte S. Tomás que de três modos foi cheia de graça a Santíssima Virgem. *Na alma*, porque desde o princípio sua bela alma foi inteiramente de Deus. *No corpo*, pois que de sua puríssima carne mereceu revestir o Verbo Eterno. Finalmente o foi *em nosso comum benefício*, para que todos os homens pudessem participar da sua graça. Alguns santos, ajunta o Doutor Angélico, possuem tanta graça que não só lhes basta a eles, como é suficiente para salvar a muitos, ainda que não a todos os homens. Só a Jesus e a Maria foi dada tão abundante graça, que seria suficiente para salvar a todo o gênero humano. Por isso S. João diz de Jesus Cristo: Nós todos temos recebido de sua plenitude (Jo 1,16). De Maria afirmam também a mesma verdade. S. Tomás de Vilanova, por exemplo, escreve: Ela é cheia de graça e de sua plenitude recebem todos. E assim – afirma Pacciucchelli – não há quem não participe da graça de Maria. Quem existiu jamais no mundo, pergunta ele, a quem Maria não tenha sido tão benigna, ou não haja dispensado alguma misericórdia? É preciso notar, porém, que recebemos a graça de Jesus Cristo, como de seu autor, e de Maria como medianeira; de Jesus como Salvador, de Maria, como advogada; de Jesus, como fonte, de Maria, como canal.

Eis o motivo por que S. Bernardo diz que Deus constituiu Maria qual aqueduto das misericórdias, que quer dispensar aos homens. Encheu-se de graça, para que de sua plenitude cada um recebesse sua parte. À vista disso o Santo exorta-nos a considerarmos com que amor quer o Senhor que honremos essa grande Virgem, na qual colocou todos os tesouros de sua riqueza. Fê-lo assim, a fim de que quanto temos de esperança, de graça e de salvação, tudo agradeçamos à nossa amantíssima Rainha. Pois tudo nos provém de suas mãos e pela sua intercessão. Infeliz da alma que, descuidando-se de se recomendar a Maria, se fecha assim este canal de graças! Holofernes, quando quis apoderar-se da cidade de Betúlia, procurou cortar-lhe os aquedutos. E isto faz também o demônio quando quer tomar posse de uma alma: fá-

-la abandonar a devoção a Maria Santíssima. Fechado este canal, perderá ela facilmente a luz, o temor de Deus, e enfim a salvação eterna.

Leia-se o seguinte exemplo, no qual se verá quanto seja grande a piedade do Coração de Maria, e a ruína que chama sobre si quem, abandonando a devoção a esta Rainha do céu, se fecha este canal.

EXEMPLO

Viviam em Madri dois rapazes que levavam uma vida bem desregrada. Um deles sonhou certa noite que via seu amigo agarrado por uns homens negros e atirado num mar tempestuoso. O mesmo lhe queriam fazer a ele. Mas o moço no seu desespero recorreu a Maria, prometeu entrar para um convento, e os malvados o largaram então. Viu o infeliz como o Salvador, cheio de cólera, estava assentado sobre um trono e como a Santíssima Virgem lhe implorava a misericórdia. Encontrando-se com o amigo, contou-lhe depois o sonho que tivera. Mas o amigo se riu do sonho e dele fez pouco caso. Entretanto, pouco tempo depois, tombava apunhalado por uns assassinos. Vendo o outro como se ia realizando o sonho, foi confessar-se, renovou o propósito de ingressar numa Ordem e vendeu por isso seus haveres. Em vez de dar aos pobres o lucro apurado, como tal prometera, esbanjou-o com más companhias e nos vícios. Em consequência do que adoeceu seriamente e de novo teve outro sonho no qual viu o inferno aberto, que o esperava, e o Juiz condenando-o ao suplício. Novamente recorreu a Nossa Senhora e ela outra vez o atendeu. Sarou de fato, mas recaiu em vícios ainda mais vergonhosos. Partiu para Lima, no Peru, e aí adoeceu, vindo parar num hospital. Deus tornou a compadecer-se do infeliz, que se confessou com um padre jesuíta, chamado Francisco Perlino. Fez solene promessa de mudar de vida, mas não guardou a palavra. Indo certa vez o referido sacerdote visitar uma Santa Casa, muito distante de Lima, nela encontrou o nosso infeliz rapaz, deitado no chão. E dele ouviu estas horríveis palavras: Desgraçado de mim! Para meu maior sofrimento vem agora justamente esse padre, que vai ser testemunha do meu castigo. De Lima vim para cá, levando sempre uma vida infame, a qual me atirou na mais horrenda miséria e me leva já para o inferno!

Com estas palavras expirou, sem que tivesse o padre tempo de o assistir.

ORAÇÃO

Ó santa e celeste menina, vós que sois a Mãe destinada ao meu Redentor, e a grande medianeira dos míseros pecadores, tende piedade de mim. Eis aqui aos vossos pés outro ingrato, que a vós recorre e implora compaixão. É certo que eu, por minhas ingratidões para com Deus e para convosco, mereceria ser abandonado por Deus e por vós. Mas eu ouço dizer, e assim creio, que vós não recusais ajudar quem com confiança a vós se recomenda. Assim o creio por saber quanto é grande a vossa misericórdia. Ó criatura, a mais sublime do mundo, já que acima de vós não há senão Deus, e diante de vós são mui pequenos os grandes céus; ó santa dos santos, ó Maria, abismo de graça e cheia de graça, socorrei um miserável, que a perdeu por sua culpa. Sei que sois tão cara a Deus que ele nada vos nega. Sei também que gostais de empregar vossa grandeza em aliviar os miseráveis pecadores. Eia, pois, mostrai quanto é grande o crédito que tendes junto a Deus, e impetrai-me uma luz, uma chama divina tão poderosa, que de pecador me mude em santo. Desprendei-me de todo afeto terreno para que eu me abrase todo no divino amor. Fazei-o, Senhora, que bem podeis fazê-lo. Fazei-o pelo amor daquele Deus que vos fez tão grande, tão cheia de poder e de piedade. Assim espero. Amém.

III. DA APRESENTAÇÃO DE MARIA

Resumo histórico.

É dos Apócrifos que procede a notícia da Apresentação de Maria no templo, na idade de três anos e em cumprimento de uma promessa feita por Joaquim e Ana, pais da Virgem Santíssima. Nos conventos do Oriente celebrava-se a festa desde muito tempo. Mais ou menos em 730 tornou-se conhecida em Constantinopla, e em 1166 o imperador Manuel Comneno declarou-a também dia feriado. A partir de 1371 vemo-la celebrada na corte de Gregório XI, em Avinhão. No tempo de Sixto IV (1471-84) apareceu em Roma. Finalmente Sixto V, em 1585, tornou-a universal na Igreja toda (Nota do tradutor).

A oferta que Maria de si mesma fez a Deus foi pronta e sem demora, inteira e sem reserva

Uma oferta maior e mais perfeita do que a de Maria, ainda menina de três anos, nunca foi e nunca será feita a Deus por uma mera criatura. Apresentou-se no templo a oferecer-lhe, não aromas ou vitelos, nem talentos de ouro, mas toda a sua pessoa em perfeito e perene holocausto ao Senhor. Bem ouviu a voz de Deus, que já a chamava para dedicar-se inteiramente ao seu amor. "Levanta-te, amiga minha, e vem" (Ct 2,10). Queria o Senhor que desde então esquecesse sua pátria, seus parentes, tudo enfim, para aplicar-se unicamente a amá-lo e agradar-lhe. "Ouve, filha, vê e presta atenção: esquece o teu povo e a casa de teu pai" (Sl 44,11). Maria obedeceu imediatamente à voz divina. Consideremos, pois, quanto foi aceita por Deus essa oferta. Em primeiro lugar porque se lhe ofereceu prontamente e sem demora; depois inteiramente e sem reserva.

Sejam estes os nossos dois pontos.

PONTO PRIMEIRO

Maria ofereceu-se a Deus sem demora

1. *Como criança ainda, ela conhecia a grandeza de Deus*

Desde o primeiro momento em que esta celeste menina foi santificada no seio de sua Mãe (que foi o primeiro instante de sua Imaculada Conceição), recebeu também o uso perfeito da razão. Pois logo aí devia começar a adquirir mérito.

Assim o afirmam por comum sentença os doutores com o Padre Suárez. Na opinião deste último o modo mais perfeito por que Deus santifica as almas consiste, segundo S. Tomás, em santificá-las por próprio merecimento, como se deve crer que foi santificada a Santíssima Virgem. E este privilégio foi concedido aos anjos e a Adão, assevera-nos o Doutor Angélico. Ainda com maior razão devemos crer que fosse concedido a Maria. Pois, havendo-se Deus dignado fazê-la sua Mãe, temos que supor que lhe haja conferido maiores dons, que a todas as outras criaturas. Em sua qualidade de Mãe, diz Suárez, tem a Virgem certo direito singular a todos os dons de seu Filho. Em virtude da união hipostática foi justo que Jesus tivesse a plenitude de todas as graças. Assim por causa da maternidade divina conveio também que de Jesus recebesse Maria graças maiores, do que todas as dispensadas aos outros santos e anjos.

Assim, pois, logo no primeiro albor de sua vida, Maria conheceu a Deus, e tal o conheceu, que "nenhuma língua – revelou o anjo a S. Brígida – saberia exprimir o quanto a inteligência da Virgem Santíssima se aprofundou em Deus, desde o primeiro momento em que o conheceu".

Aos primeiros clarões dessa primeira luz, ofereceu-se ela inteiramente a seu Deus, dedicando-se exclusivamente ao seu amor e à sua glória. Disse ainda o anjo à mesma Santa: Nossa Rainha determinou logo sacrificar a sua vontade a Deus com todo o seu amor, por todo o tempo de sua vida. E ninguém pode compreender quanto a vontade se sujeitou então a abraçar todas as coisas agradáveis ao Senhor.

2. *Maria aprova a promessa de seus pais*

Mais tarde a imaculada menina ficou sabendo da promessa de seus pais, Joaquim e Ana. Haviam prometido a Deus, e até com voto, como referem vários autores, que, se lhes concedesse prole, a consagrariam a seu serviço no templo. Conforme velho costume internavam os judeus suas filhas em cômodos que havia em roda do templo, para aí serem bem-educadas. Assim no-lo referem Barônio, Nicéforo, Cedreno, Suárez, que se estribam na autoridade do historiador Flávio Josefo, de S. João Damasceno, de Jorge de Nicomedia, de Ambrósio e de Anselmo. Isso se infere claramente de uma passagem do Segundo Livro dos Macabeus (3,18-19). Quando Heliodoro quis penetrar no templo para apoderar-se do tesouro nele depositado, corria o povo em bandos de suas casas, conjurando a Deus com preces, que não permitisse a profanação de um lugar tão santo. E "até as donzelas, que antes se conservavam enclausuradas – corriam (umas) para Onias, o sumo sacerdote". É verdade, desde o começo de sua vida já se tinha a Virgem consagrado inteiramente a Deus. Mas ao saber da promessa de seus pais, quis se oferecer solenemente e consagrar-se ao Senhor apresentando-se-lhe no templo. E assim o fez, tendo apenas três anos de idade, como atestam S. Germano e o monge Epifânio. Ora, justamente nessa idade as crianças têm maior desejo e maior precisão da assistência dos pais. Maria foi a primeira a pedir-lhes, com muita insistência, que a conduzissem ao templo, em cumprimento da promessa que haviam feito. E sua santa mãe, diz S. Gregório de Nissa, deu-se pressa em o fazer.

3. *Rumo ao templo*
Generosamente, portanto, Joaquim e Ana sacrificaram a Deus o que lhes era mais caro ao coração. Eis que partem de Nazaré, levando nos braços, ora um, ora outro, a diletíssima filha, que, sozinha, não teria podido fazer a pé uma viagem tão longa, como a de Nazaré a Jerusalém. De um lugar a outro vai a distância de 80 milhas (mais ou menos 30 horas de viagem). Acompanhavam-nos poucos parentes. Mas os anjos – observa Jorge de Nicomedia – em revoadas rodeavam e serviam nessa viagem a imaculada virgenzinha, que se ia consagrar a Deus. "Como são belos os teus passos, ó filha do príncipe!" (Ct 7,1). "Quão belos (deviam cantar os anjos), quão queridos ao Senhor, esses passos que fazes para te ires oferecer a ele, ó grande filha predileta do nosso comum Senhor!" O próprio Deus, afirma Bernardino de Busti, fez, naquele dia, com toda a sua celeste corte, uma grande festa, vendo conduzir a sua Esposa ao templo. Pois não viu jamais criatura mais santa e mais amada que se lhe fosse oferecer. Ide, pois, – exclama S. Germano de Constantinopla – ide, ó Mãe de Deus, ide alegremente à casa do Senhor, e esperai a vinda do divino Espírito, que Mãe vos fará do Verbo Eterno.

Chegada que foi a santa comitiva ao templo, a amável menina voltou-se a seus pais e de joelhos, beijando-lhes as mãos, lhes pede a bênção. E depois, sem mais se voltar para trás, sobe os degraus do templo (eram 15, como refere Árias Montano, apoiado em Josefo), e apresenta-se ao sacerdote S. Zacarias, como o nomeia S. Germano. Despedindo-se então do mundo, e renunciando a todos os bens que ele promete aos seus amigos, se oferece e consagra ao seu Criador.

No tempo do dilúvio, o corvo mandado por Noé fora da arca, se deixou ficar apascentando-se dos cadáveres. Mas a pomba, sem mesmo pousar o pé voltou imediatamente à arca (Gn 8,9). Muitos, mandados por Deus a este mundo, infelizes se entregam ao gozo dos bens terrenos. Não assim Maria. Conheceu que nosso único bem, nossa única esperança, nosso único amor, deve ser Deus. Conheceu que o mundo é cheio de perigos, e que melhor se liberta de suas ciladas, quem mais depressa o deixa. Quis por isso fugir dele, desde sua mais tenra idade, e foi fechar-se no sagrado retiro do templo, onde melhor podia ouvir as vozes do seu Deus, e onde melhor podia honrá-lo e amá-lo. E por este modo a santa Virgem, desde o começo, se fez toda cara e agradável ao seu Senhor, como lhe faz dizer a Santa Igreja: "Felicitai-me, vós que amais ao Senhor; pois ainda pequenina já agradei ao Altíssimo!" É esse o motivo pelo qual foi comparada à lua. Mais depressa que os outros planetas, termina a lua o seu curso. Do mesmo modo Maria, mais depressa que os santos, chegou à perfeição, dando-se cedo a Deus, sem demora, e inteiramente sem reserva. Passemos ao segundo ponto, sobre o qual muito teremos que dizer.

PONTO SEGUNDO

Maria ofereceu-se inteiramente a Deus

1. *Pelo voto de virgindade*
Bem sabia a iluminada menina que Deus não aceita um coração dividido, mas o quer todo consagrado ao seu amor, conforme o preceito dado: Amarás o Senhor, teu Deus, de todo o teu coração! Começou por isso, desde o primeiro instante de sua vida, a amá-lo com todas as forças, e toda a ele se deu. Entretanto, sua alma santíssima esperava com grande desejo o tempo de se lhe consagrar inteiramente, e de um modo mais expressivo e mais solene. Contemplemos, pois, com quanto fervor essa amante virgenzinha, vendo-se já encerrada naquele lugar santo, primeiro prostrou-se para beijar aquela terra como casa do Senhor. Em seguida adorou a infinita Majestade do Altíssimo e lhe deu graças pelo favor de tê-la recebido tão cedo a habitar na sua casa. Ofereceu-se depois a Deus, sem reserva de coisa alguma. Entregou-lhe todas as potências e todos os sentidos, toda a mente e todo o coração, toda a alma e todo o corpo. Foi então, como se julga, que, para agradar a Deus, fez voto de sua virgindade, voto que Maria foi a primeira a fazer, segundo diz Roberto, abade. Sua oferta foi sem limitação de tempo, como assevera Bernardino de Busti. Pois era sua intenção servir a Divina Majestade no templo, por toda a sua vida, se assim fosse do agrado de Deus, sem mais sair daquele lugar! Oh! com que afeto devia então dizer: O meu amado é meu e eu sou dele (Ct 2,16). No comentário do Cardeal Hugo isso se denota: Meu Senhor e meu Deus, aqui vim para agradecer-vos e dar-vos toda a honra que me é possível; aqui viver eu quero toda para vós e por vós quero morrer,

se assim for de vosso agrado. Aceitai o sacrifício que vos faz a vossa pobre serva, e ajudai-me a vos ser fiel.

2. *Pela prática de todas as virtudes*

Consideremos aqui quanto foi santa a vida de Maria no templo. Como cresce na sua luz a aurora, assim ia a Virgem crescendo sempre em perfeição. Quem poderia dizer como, de dia em dia, nela resplandeciam sempre mais belas as virtudes: a caridade, a modéstia, a humildade, a mortificação, o silêncio e a mansidão? Sobre ela diz S. João Damasceno: Plantada na casa de Deus, esta bela oliveira regada pelo Espírito Santo se fez habitação de todas as virtudes. E em outro lugar: O semblante da Virgem era modesto, o ânimo humilde, as palavras amorosas, saindo de um interior bem composto. Mais adiante afirma ainda: A Virgem afastou o pensamento de todas as coisas terrenas, abraçando todas as virtudes; admirável e rápido foi o progresso na perfeição, e assim mereceu tornar-se um digno templo de Deus.

3. *Maria ofereceu a Deus todos os trabalhos do dia*

Fala também S. Anselmo da vida de Nossa Senhora no templo e diz: Maria era dócil, pouco falava, estava sempre composta, sempre séria, e sem jamais se perturbar. Perseverança na oração, na leitura dos Livros Santos, nos jejuns, em toda sorte, enfim, de obras virtuosas. Boaventura Baduário refere coisas mais particulares. Maria observava a seguinte ordem todos os dias. Desde o amanhecer até a hora da Terça (9 horas), dava-se à oração; de Terça até à Nona, ocupava-se em algum trabalho; à hora Nona tornava à oração, até que o anjo lhe trazia a comida, como era de costume. Procurava ser a primeira nas vigílias, a mais exata na divina Lei, a mais profunda na humildade, e em toda a virtude a mais perfeita. Ninguém jamais a viu irada; pelo contrário, tão repassadas de doçura lhe eram as palavras, que se reconhecia o Espírito Santo em sua boca. Como se lê em Baduário, a Santíssima Virgem revelou a S. Isabel de Turíngia o seguinte: Quando meus pais me deixaram no templo, tomei a resolução de ter só Deus por Pai. Continuamente pensava no que havia de fazer para dar-lhe gosto. E a S. Brígida disse a mesma Senhora: Determinei, além disso, consagrar a Deus minha virgindade, e não possuir coisa alguma do mundo, entregando ao Altíssimo toda a minha vontade. E novamente a S. Isabel: Entre todos os preceitos, tinha particularmente diante de mim o de amar a Deus. Levantava-me à meia-noite e ia ao templo orar ao Senhor, diante do altar, para que me concedesse a graça de observar os preceitos e de contemplar a mãe do Redentor. Roguei-lhe que me conservasse os olhos para vê-la, a língua para louvá-la, as mãos e os pés para a servir, e os joelhos para adorar em seu seio o Divino Filho. Mas a Santa ao ouvir isto lhe perguntou: Mas, Senhora, vós não éreis cheia de graça e de virtudes? Ao que respondeu Maria: Sabe que eu me tinha em conta da mais vil entre as criaturas, e de mais indigna das graças do céu. Por isso pedia continuamente a graça e as virtudes. Finalmente, para que nos persuadamos da necessidade absoluta que todos temos de pedir a Deus as graças que nos fazem falta, acrescentou Maria: Pensas tu que eu tenha possuído a graça e as virtudes sem fadiga? Sabe que eu graça alguma recebi de Deus sem grande fadiga, oração contínua, desejo ardente e muitas lágrimas e penitências.

Especial atenção merecem as revelações de S. Brígida acerca dos exercícios das virtudes praticadas pela Santíssima Virgem na sua infância. Desde pequenina foi ela cheia do Espírito Santo, e à medida que crescia em idade, aumentava também em graça. Desde então estabeleceu amar a Deus de todo coração, de modo a não ofendê-lo nunca em palavras ou ações. Por isso desprezava os bens da terra, dando aos pobres tudo quanto podia. De tal temperança usava no comer, que só tomava quanto lhe era absolutamente necessário para o sustento do corpo. Ciente pela Sagrada Escritura de que Deus devia nascer de uma virgem, para salvar o mundo, abrasou-se de tal forma o seu espírito no amor divino, que não pensava senão em Deus, não desejava senão Deus e só em Deus se comprazia. Evitava, por isso, até o trato com seus pais, para que a não distraíssem da memória de Deus. Sobretudo, desejava alcançar a vinda do Messias, na esperança de ser a serva daquela feliz Virgem, que merecesse ser sua Mãe.

Ah! certamente por amor desta excelsa menina acelerou o Redentor sua vinda ao mundo. Enquanto Maria em sua humildade nem se julgava digna de ser a serva da Divina Mãe, foi ela mesma a eleita para essa sublime dignidade. Com a fragrância de suas virtudes e poderosas súplicas atraiu ao seu seio virginal o Filho de Deus. Por isso dela diz o Divino Esposo: Ouviu-se a voz da rola em nossa terra (Ct 2,12). À semelhança da rola, amava sempre a solidão, vivendo neste mundo como num deserto. Como a rola que vai carpindo pelos campos, Maria sempre gemia no templo, lamentando as misérias do mundo perdido, e pedindo a Deus a comum redenção. Oh! com que afeto e fervor repetia diante de Deus as súplicas dos profetas, para que mandasse o Redentor!

Era, em suma, o objeto de complacência de Deus, o ver subir sempre esta virgenzinha à mais alta perfeição, semelhante a uma espiral de incenso, rico das fragrâncias de todas as virtudes. Assim já a descreve o Espírito Santo nos Cânticos: Quem é esta, que sobe pelo deserto, como uma varinha de fumo composta de aromas de mirra, e de incenso, e de toda a casta de polilhos odoríferos? (3,6). Era, na verdade, esta santa menina (diz o Pseudo--Jerônimo) o jardim de delícias do Senhor, que nele achava toda sorte de flores, e todos os perfumes das virtudes. É, por isto, afirma S. João Crisóstomo, que Deus escolheu Maria para sua Mãe na terra, porque aqui não achou virgem mais santa e mais perfeita do que ela, nem lugar mais digno para sua morada do que seu sacrossanto seio. Aqui concordam S. Bernardo e S. Antonino: Para ser eleita e destinada à dignidade de Mãe de Deus, devia a Santíssima Virgem possuir uma perfeição tão grande e consumada, que nela excedesse todas as outras criaturas.

Assim, pois, a santa menina apresentou-se no templo e se ofereceu totalmente a Deus. Apresentemo-nos também nós neste dia à Santíssima Virgem, sem demora e sem reserva. Peçamos-lhe que nos ofereça a Deus. Não nos repelirá ele, quando apresentados pelas mãos daquela que foi o templo vivo do Espírito Santo, as delícias de seu Senhor e a Mãe eleita do Verbo Eterno. Tudo esperemos dessa gratíssima e excelsa Soberana, sempre extremosa no recompensar os obséquios de seus devotos servos. É o que vamos ver no seguinte exemplo.

EXEMPLO

Sóror Domingas do Paraíso nasceu de pais pobres, em uma aldeia chamada Paradiso, perto de Florença. Desde pequenina começou a servir a Mãe de Deus. Jejuava em sua honra todos os dias da semana; nos sábados dava aos pobres a comida de que se tinha privado. Nesse dia procurava o jardim da casa ou os campos vizinhos, onde colhia quantas flores podia, indo com elas enfeitar uma imagem da Santíssima Virgem com o Menino ao colo, que havia em casa. Vejamos agora com que favores a gratíssima Senhora recompensou os obséquios desta sua serva. Estando um dia Domingas à janela (teria 10 anos então), viu na rua uma senhora de bela aparência com um menino, ambos estendendo a mão como se pedissem esmola. Vai logo buscar um pão para aqueles pobres, quando, de repente, sem que se abrisse a porta, os vê a seu lado, dentro de casa. Repara então que a criança tinha feridas as mãos e o peito. Pergunta à bela senhora: Quem feriu o menino? – Foi o amor, respondeu-lhe a mãe. Encantada com a beleza e modéstia do pequenino, pergunta-lhe Domingas se lhe doíam as feridas. Mas ele só responde com um sorriso. Entretanto mãe e filho foram se aproximando da imagem que costumava ser enfeitada por Domingas.

– Dize-me, filha, o que te move a coroar de flores esta imagem? – pergunta-lhe aquela senhora.

– Move-me o amor que tenho a Jesus e Maria.

– E quanto os amas tu?

– Amo-os quanto posso.

– E quanto podes?

– Quanto eles me ajudam.

– Continua, continua a amá-los, disse-lhe a senhora, que eles mui bem te recompensarão no paraíso.

Sentiu então Domingas um perfume celeste a desprender-se das chagas. Perguntou por isso à mãe pelo bálsamo com que as ungia e onde se podia comprá-lo. Ao que respondeu a senhora: Compra-se com a fé e com as boas obras. Ofereceu depois pão ao menino, mas a mãe disse-lhe: A comida deste meu filho é o amor; dize-lhe que amas a Jesus, e o contentarás. O menino, a este nome de amor, começou a alegrar-se, e voltando para Domingas, perguntou-lhe quanto amava a Jesus. – Amo-o tanto, que vivo pensando nele, noite e dia; só me preocupo em dar-lhe o maior gosto possível, responde a interrogada. – Pois bem, acrescentou o menino, ama-o, que o amor te ensinará o que deves fazer para contentá-lo.

Aumentando cada vez mais a fragrância que se exalava das chagas, exclamou Domingas: Ó meu Deus, essa fragrância me faz morrer de amor. Se ela é tão suave numa criança, que será então no paraíso? – Mas eis que se muda a cena, de repente: a Mãe da criança aparece revestida como uma Rainha e circundada de luz, e o menino resplandecente como um sol de beleza. Ei-lo que toma as flores, espalha-as sobre a cabeça de Domingas, que reconhece então naqueles personagens a Jesus e Maria, e prostra-se para venerá-los devidamente. Assim terminou a visão. Mais tarde Domingas tomou o hábito dominicano e morreu em odor de santidade no ano de 1553.

ORAÇÃO

Ó dileta de Deus, amabilíssima menina Maria, ah! se assim como vos apresentastes no templo e prontamente e inteiramente vos consagrastes à glória e ao amor do vosso Deus, eu pudesse também oferecer-vos neste dia os primeiros anos de minha vida para dedicar-me todo ao vosso serviço, ó santa e dulcíssima Senhora minha, como seria então feliz! Mas não é mais tempo, porquanto, infeliz, tenho perdido tantos anos a servir o mundo e os meus caprichos, quase inteiramente esquecido de vós e de meu Deus. Mas é melhor começar tarde do que nunca. Eis, ó Maria, que hoje a vós me apresento, e me ofereço todo ao vosso serviço, por aquele pouco ou muito tempo que me resta de vida neste mundo. A vosso exemplo renuncio a todas as criaturas, e inteiramente me dedico ao amor de meu Criador. Consagro-vos, pois, ó minha Rainha, a minha mente para que pense sempre no amor que mereceis; minha língua, para louvar-vos; meu coração, para amar-vos. Aceitai, ó puríssima Virgenzinha, a oferta que vos apresenta este mísero pecador. Aceitai-a, eu vo-lo rogo, por aquela consolação que sentiu o vosso coração, quando no templo vos destes a Deus. E se tarde me dedico ao vosso serviço, é justo que compense o tempo perdido, duplicando os obséquios e o amor. Ajudai com vossa

poderosa intercessão, ó Mãe de misericórdia, a minha fraqueza, e impetrai-me do vosso Jesus a perseverança e a fortaleza para ser-
-vos fiel até a morte, a fim de que, servindo-vos sempre nesta vida, possa depois ir louvar-vos eternamente no céu.

IV. DA ANUNCIAÇÃO DE MARIA

Resumo histórico.

Antigamente a Anunciação era considerada festa do Senhor, tendo o nome de Anunciação de Jesus Cristo. Começo da Redenção. Prevaleceu, entretanto, o uso de consagrar a festa à Santíssima Virgem. A prova mais antiga sobre o fato, temo-la no Sermão de S. Proclo, Arcebispo de Constantinopla († 446). A festa era muito estimada em Ravena, como se deduz das pregações de S. Pedro Crisólogo († 450). Encontramo-la na Espanha, pelo ano de 650, celebrada aos 18 de dezembro, porque não se celebravam festas na Quaresma. A partir do século VI fixou-se a sua data para 25 de março, como ainda é de uso em nossos dias festejá-la (Nota do tradutor).

Maria, na Encarnação do Verbo, não podia humilhar-se mais do que se humilhou; Deus, pelo contrário, não podia exaltá-la mais do que a exaltou

"Quem se exalta será humilhado, e quem se humilha será exaltado" (Mt 23,12). Esta é a palavra do Senhor; não pode falhar. Havia Deus determinado fazer-se homem para remir o homem decaído, e assim manifestar ao mundo sua bondade infinita. Devendo para isso escolher-se mãe na terra, andava buscando entre todas as mulheres qual fosse a mais santa e humilde. Entre todas observou uma, e foi a virgenzinha Maria, que muito mais era perfeita nas virtudes, tanto mais simples e humilde era no seu conceito: "Há um sem-número de virgens (a meu serviço) – diz o Senhor – mas uma só é a minha pomba, a minha eleita" (Ct 6,7 e 8). Por isso disse Deus, seja esta escolhida para minha Mãe. Vejamos, pois, quanto Maria foi humilde, e por isso quanto Deus a exaltou. Na Encarnação do Verbo ela não podia humilhar-se mais do que se humilhou: seja este o primeiro ponto. Deus não podia exaltá-la mais do que a exaltou: será o segundo.

PONTO PRIMEIRO

A humildade de Maria na Anunciação do anjo

1. *Ao ser saudada pelo anjo*
Falando o Senhor, no Cântico dos Cânticos, precisamente da humildade desta humilíssima Virgem, disse: Enquanto o rei está no seu repouso, exalou o meu nardo a sua fragrância (1,11). Comenta S. Antonino as citadas palavras deste modo: O nardo, planta pequena e baixa, é figura da humildade de Maria, cujo odor subiu ao céu e atraiu o Verbo do seio do Eterno Pai ao seu seio virginal. De modo que o Senhor, atraído pela fragrância desta humilde virginzinha, a escolheu para sua Mãe, querendo fazer-se homem, para remir o mundo. Mas, para maior glória e merecimento desta Mãe, não se quis fazer seu Filho, sem que primeiro ela prestasse seu consentimento, diz Guilherme, abade. Eis por que, enquanto a humilde virgem suspirava em sua cela, com mais fervor que nunca, pela vinda do Redentor – conforme uma revelação a S. Isabel de Turíngia – vem o arcanjo Gabriel com a grande embaixada. Entra e saúda-a dizendo: Ave, Maria, cheia de graça; o Senhor é convosco e bendita sois entre as mulheres (Lc 1,28). Deus vos saúda, ó Virgem cheia

de graça, pois fostes sempre rica da graça, acima de todos os santos. O Senhor é convosco, porque sois tão humilde. Bendita sois entre as mulheres, porquanto as outras incorrem na maldição da culpa; mas vós, porque havíeis de ser Mãe do Bendito, sois e sereis sempre bendita e isenta de toda a mácula.

Entretanto, a humilde Maria, a esta saudação toda cheia de louvores, que responde? Nada; não respondeu, mas pensando na saudação perturbou-se. "Quando ela o ouviu, turbou-se com o seu dizer, e cogitava que saudação fosse esta" (Lc 1,29). E por que se assustou? Acaso por temor de ilusão, ou por modéstia, vendo um homem, como quer alguém, pensando que o anjo lhe apareceu em forma humana? Não; o texto é claro: turbou-se com o seu dizer. Mas não com a sua aparição, observa S. Bruno de Segni. Essa perturbação foi causada unicamente por sua humildade, que absolutamente não podia compreender semelhantes louvores. Por isso quanto mais pelo anjo ouve exaltar-se, mais se humilha e considera o seu nada. Reflete aqui S. Bernardino: Houvesse o anjo lhe declarado que era a maior pecadora do mundo, e não teria a Virgem se admirado tanto; mas ouvindo aqueles louvores tão sublimes, toda se perturbou. E isso porque, sendo tão cheia de humildade, aborrecia todo elogio e desejava que só o Criador, fonte e origem de todo bem, fosse louvado e bendito. Assim o disse Maria a S. Brígida, falando do tempo em que foi feita Mãe de Deus.

Mas, digo eu, era a Santíssima Virgem bem instruída nas Sagradas Escrituras e assim conhecia ser já chegado o tempo, predito pelos profetas, da vinda do Messias. Já eram completas as semanas de Daniel (9,24), já tinha passado o cetro de Judá às mãos de Herodes, rei estrangeiro, segundo a profecia de Jacó. Bem sabia a Senhora que uma virgem devia ser Mãe do Messias. Ouve o anjo dar-lhe aqueles louvores, que parecia servirem unicamente a uma Mãe de Deus. Não lhe veio então ao pensamento ao menos *um quem sabe*, se porventura fosse ela esta Mãe de Deus escolhida? Não; a sua profunda humildade nem tal lembrança lhe permitiu. "Serviram tão somente aqueles louvores para fazê-la entrar num grande temor, considera S. Pedro Crisólogo. À semelhança do Salvador, que foi confortado por um anjo, se tornou preciso que S. Gabriel, vendo Maria tão assustada com aquela saudação, a animasse, dizendo: não temais, ó Maria, porque achastes graça diante de Deus! Aos vossos olhos, é verdade, sois tão pequena e insignificante; mas Deus, que exalta os humildes, vos fez digna de achar a graça perdida pelos homens. Por isso vos preservou da mácula, comum a todos os filhos de Adão; por isso, desde a vossa Conceição vos ornou de uma graça maior que a de todos os santos. Por isso, finalmente, agora vos exalta a ser sua Mãe: Eis, concebereis em vosso seio e dareis à luz um filho, e pôr-lhe-eis o nome de Jesus" (Lc 1,31).

2. *O humilde consentimento de Maria*

Ora, pois, que se espera? Senhora, espera o anjo a vossa resposta, mais a esperamos nós já condenados à morte, diz S. Bernardo. Eia, ó querida Mãe, já se vos oferece o preço da nossa salvação, que será o Verbo Divino em vós feito homem. Se o aceitais por Filho, seremos imediatamente livres da morte. O mesmo Senhor nosso, pelo muito que está enamorado de vossa beleza, muito deseja o vosso consentimento, por cujo intermédio determinou salvar o mundo. Respondei, Senhora, depressa; não retardeis mais ao mundo a salvação, que de vosso consentimento agora depende.

Mas eis que Maria já responde ao anjo, dizendo-lhe: Eis aqui a escrava do Senhor; faça-se em mim segundo a tua palavra. Eis a resposta mais bela, mais humilde e mais prudente, que nem toda sabedoria dos homens e dos anjos juntamente teria podido inventar, se nela pensassem por um milhão de anos! Ó resposta poderosa que alegraste o céu e trouxeste à terra um mar imenso de graças e de bens! Resposta que, apenas saída do humilde coração de Maria, atraíste do seio do Eterno Pai o Unigênito Filho, para fazê-lo homem no seio puríssimo da Virgem. Com efeito, mal foram pronunciadas as palavras "Eis aqui a escrava do Senhor, faça-se em mim segundo a tua palavra", e já o Filho de Deus passou a ser também Filho de Maria. "Ó poderosa, ó eficaz, ó augustíssima palavra! – exclama S. Tomás de Vilanova. – Com um *fiat* criou Deus a luz, o céu, a terra, mas com este *fiat* de Maria um Deus se tornou homem como nós."

Mas não nos desviemos do nosso ponto e consideremos, primeiramente, a grande humildade de Maria nessa resposta. Bem conhecia ela quanto fosse excelsa a dignidade de Mãe de Deus. O anjo acabava de assegurar-lhe que era essa feliz Mãe, escolhida pelo Senhor. Nem com tudo isso, porém, vemo-la se adiantar na estima de si mesma, ou demorar-se em vãs complacências. Considerando de um lado o seu nada, do outro a infinita Majestade de Deus que a escolhia por Mãe, reconhece-se indigna de tanta honra. Entretanto em nada se quer opor à sua vontade. Assim, pedindo-se-lhe o seu consentimento, que faz? que diz? Toda humilhada em si mesma, toda inflamada por outra parte do desejo de unir-se assim mais com Deus, responde num completo abandono de si própria à vontade divina: Eis aqui a escrava do Senhor, obrigada a fazer o que o Senhor ordena. E queria dizer: Se o Senhor elege por Mãe a mim, que nada tenho que me pertença, é porque tudo quanto possuo dele o recebi. Quem jamais pode pensar que ele me eleja por merecimento meu? Eis aqui a escrava do Senhor! Que merecimento pode ter uma escrava, para ser feita Mãe do seu Senhor? Seja, pois, louvada somente a bondade do Senhor, e não se louve a escrava. Pois que é tudo sua bondade, pôr os olhos numa criatura tão baixa como eu, e exaltá-la tanto.

Ó grande humildade de Maria, que a faz pequena a seus olhos, mas grande diante de Deus! exclama Guerrico, abade; indigna no seu conceito, e tão digna aos olhos daquele Senhor imenso, que não cabe no mundo! Mais beleza ainda há nas palavras de S. Bernardo, na quarta alocução sobre a Assunção de Maria. Aí admira a humildade desta Virgem, nos seguintes termos: Senhora, como pudestes unir no vosso coração conceito de vós mesma tão humilde, com tanta pureza, com tanta inocência e tanta plenitude de graça, como possuís? E como, ó Virgem Santa, se pode arraigar em vós essa humildade, e tanta humildade, quando tão extraordinariamente honrada e exaltada vos víeis por Deus? Lúcifer, vendo-se dotado de grande beleza, aspirou a elevar o seu trono sobre as estrelas e fazer-se igual a Deus. Ora, que diria e que pretenderia o soberbo, se se visse ornado dos dotes de Maria? A humilde Maria não fez assim. Quanto mais se viu exaltada, tanto mais se humilhou. Ah! Senhora, por esta tão bela humildade (conclui o Santo), vós vos fizestes digna de ser olhada por Deus com amor singular; digna de enamorar vosso Rei com a vossa beleza; digna de atrair, com a suave fragrância de vossa humildade, o eterno Filho, do seu repouso no seio de Deus, ao vosso puríssimo ventre. Por isso, diz Bernardino de Busti que mais mereceu Maria com aquela resposta, do que não poderiam merecer todas as criaturas com todas as suas obras.

3. Recompensa de sua humildade

De fato, assevera S. Bernardo, essa inocente Virgem tornou-se cara a Deus por sua pureza, mas por sua humildade fez-se digna, tanto quanto possível a uma criatura, de ser Mãe do seu Criador. Da mesma opinião é o Pseudo-Eusébio de Cremona, quando afirma que Deus a tomou por Mãe, mais por sua humildade, que por todas as suas outras excelsas virtudes. A própria Virgem assim o exprimiu a S. Brígida: Como mereci eu a graça insigne de me tornar Mãe de meu Senhor, senão porque conheci o meu nada e me humilhei? E primeiro o declarou no seu humílimo canto, quando disse: Porque o Senhor pôs os olhos na baixeza de sua serva... Maravilhas me fez aquele que é poderoso (Lc 1,48ss.). Onde nota S. Lourenço Justiniano: Maria acentua que o Senhor olhou não para a sua virgindade e inocência, senão para a sua baixeza. E não se refere à sua humildade, escreve S. Francisco de Sales, para louvá-la, mas antes para dizer que Deus havia olhado para o seu nada, e por mera bondade a quisera exaltar tanto.

Em suma, na frase do Pseudo-Agostinho, foi a humildade de Maria como uma escada, pela qual se dignou o Senhor descer à terra para se fazer homem no seu seio. É também o que S. Antonino acentuou com as palavras: A humildade da Virgem foi a sua disposição mais perfeita e mais próxima para ser Mãe de Deus. E com isto se estende o que predisse Isaías: E sairá uma vara do trono de Jessé, e uma flor brotará da sua raiz (11,1). Reflete S. Alberto Magno que a flor divina, isto é, o Unigênito de Deus, devia nascer, não da sumidade ou do tronco da planta de José, mas da raiz, precisamente para denotar a humildade da Mãe. Breve e claramente o explica também Jordão, Abade de Celes: Nota-te que a flor surgirá não da fronte, mas da raiz da planta.

Falou por isso o Senhor a esta sua serva: Aparta os teus olhos de mim, porque eles são os que me fizeram partir (Ct 6, 4). Mas para onde vos fazem eles partir? pergunta S. Tomás de Vilanova. Do coração do Pai para o seio da Mãe – eis a resposta. Sobre este pensamento diz o douto intérprete Fernández: Os olhos tão humildes de Maria, com que viu sempre a divina grandeza, sem jamais perder de vista o seu próprio nada, fizeram tal violência ao mesmo Deus, que o atraíram ao seu seio virginal. E com isso se entende, diz o abade Franco, por que razão o Espírito Santo louvou tanto a beleza desta sua Esposa, aludindo aos olhos de pomba que tinha. "Oh! como és formosa, minha amiga, como és bela! Os teus olhos são como os olhos das pombas" (Ct 4,1). É que Maria, olhando para Deus com olhos de humilde e simples pombinha, tanto o cativou da sua beleza que com vínculos de amor o fez prisioneiro do seu seio virginal. Assim, portanto, (concluamos este ponto), na Encarnação do Verbo, como temos visto desde o princípio, não pôde Maria humilhar-se mais do que se humilhou. Vejamos agora como Deus, tendo-a feito sua Mãe, não pôde exaltá-la mais do que a exaltou.

PONTO SEGUNDO

A exaltação de Maria por Deus

1. *Como Mãe de Deus, é Maria*
   a criatura mais chegada ao Senhor
Necessário seria compreender quão sublime é a grandeza de Deus, para também se compreender a altura a que foi Maria elevada. Bastará, pois, somente dizer que Deus fez desta Vir-

gem sua Mãe, para entender com isso que não lhe era possível exaltá-la mais do que a exaltou. Apropriadamente afirma Arnoldo de Chartres que, em se fazendo Filho da Virgem, Deus a colocou numa altura superior a todos os santos e anjos. Exceto Deus, ela é sem comparação mais elevada do que todos os espíritos celestes, como dizem S. Efrém e S. André de Creta. Vulgato Anselmo escreve: Senhora, vós não tendes quem vos seja igual, porque qualquer outro ou está acima, ou está abaixo de vós; só Deus vos é superior, e todos os outros vos são inferiores. É tão grande, em suma, a grandeza da Virgem, conclui S. Bernardino, que só Deus pode e sabe compreendê-la.

"Por isso ninguém se maravilhe, adverte S. Tomás de Vilanova, se os santos evangelistas, tão prontos em registrar os louvores de João Batista, de Madalena, foram tão parcos em descrever as prerrogativas de Maria. Contentam-se em dizer que 'dela nasceu Jesus'. Baste-nos isso. Com tais palavras dizem tudo, resumem-lhe todas as excelências, sendo por isso desnecessário que as fossem descrevendo uma a uma." E descrevê-las por quê? Maria é Mãe de Deus, e já não excede com isso a toda grandeza e dignidade que se pode exprimir ou imaginar depois de Deus? pergunta Eádmero. Igualmente conclui Pedro Celense: Dai-lhe o nome que quiserdes, de Rainha do céu, de Senhora dos anjos, ou qualquer outro título de honra, jamais chegareis a honrá-la tanto, como chamando-lhe Mãe de Deus.

É evidente a razão do exposto. Pois S. Tomás ensina o seguinte: Quanto mais uma coisa se avizinha ao seu princípio, tanto mais recebe da sua perfeição. Ora, sendo Maria a criatura mais vizinha a Deus, do mesmo Deus ela participou mais graça, perfeição e grandeza, que todas as outras criaturas. Daqui deduz o Padre Suárez a razão por que a dignidade de Mãe de Deus é de ordem superior a toda outra dignidade criada. Pois de algum modo pertence à ordem da união de uma Pessoa Divina com a qual vai necessariamente conjunta. Assevera por isso Dionísio Cartuxo, que, depois da união hipostática, nenhuma há mais próxima que a da Mãe de Deus com seu Filho. É esta a união suprema que pode ter uma pura criatura com Deus, ensina S. Tomás. S. Alberto Magno afirma que ser Mãe de Deus é a dignidade imediata depois da dignidade de ser Deus. Por isso diz que Maria não pode ser mais unida a Deus, do que foi, senão fazendo-se Deus.

A Virgem devia ser Mãe de Deus. Precisou, portanto, na linguagem de S. Bernardino, ser exaltada a certa igualdade com as Pessoas Divinas, por meio de uma quase infinidade de graças. Moralmente falando, os filhos são reputados a mesma coisa com seus pais, de modo que comuns lhes são os bens e as honras. Daí deduz S. Pedro Damião que, se Deus habita em diversos modos nas criaturas, em Maria habitou com modo singular de idoneidade, fazendo a mesma coisa com Maria. Depois exclama com aquele célebre dito: Aqui trema e emudeça toda criatura, ousando apenas contemplar a imensidade de tão sublime dignidade! Deus habita no seio da Virgem, com ela mantém a identidade de uma natureza.

2. *Como Mãe de Deus, é Maria portadora de uma dignidade quase infinita*

Segundo S. Tomás, tendo Maria sido feita Mãe de Deus, em razão dessa união tão estreita com o Bem Infinito, recebeu certa dignidade infinita, a qual Suárez chama de infinita no seu gênero. Pois a dignidade de Mãe de Deus é a máxima que pode conferir-se a uma pura criatura. Ouçamos a explicação do Doutor Angélico: "A humanidade de Jesus Cristo podia receber de Deus maior graça habitual. Mas como assim? Porque a natureza limitada da graça, como coisa criada, é sempre capaz de aumento. Entretanto não pôde a humanidade de Cristo receber maior realce que o da união com uma Pessoa Divina. Assim a Bem-aventurada Virgem não pôde também ser constituída em maior dignidade, que ser Mãe do Infinito". E S. Bernardino garante que o estado de sua Mãe, a que Deus exaltou Maria, foi sumo, de modo que a não pôde exaltar mais. E o confirma S. Alberto Magno: Deus conferiu à Santíssima Virgem o que há de mais alto possível para uma criatura: a maternidade divina.

Eis a razão das conhecidíssimas palavras de Conrado de Saxônia: Deus pode fazer um mundo maior, um céu mais extenso, mas não pode fazer uma criatura mais excelsa, do que fazendo-a sua mãe. Melhor que todos, porém, a própria Mãe de Deus exprimiu a altura a que o Senhor a sublimou, quando disse: Maravilhas em mim operou Aquele que é poderoso. E por que não especificou ela quais eram essas maravilhas concedidas por Deus? Maria não as expôs, responde-nos S. Tomás de Vilanova, porque são tão grandes, que não se podem explicar.

Razão teve, pois, o autor da *Salve-Rainha* de dizer que Deus criou o mundo por causa dessa Virgem que havia de ser a sua Mãe. S. Boaventura podia dizer que o mundo persiste por disposição de Maria. "Por vossa intercessão, ó Santa Virgem, é conservado o mundo, que no começo fundastes juntamente com Deus". Essas palavras fazem alusão ao texto dos Provérbios, onde se lê: Estava eu com ela regulando todas as coisas (8,30). Que, por amor de Maria, Deus não destruiu o homem depois do pecado de Adão, é sentença de S. Bernardino.

Motivadamente canta, portanto, a Santa Igreja que "Maria escolheu a melhor parte". Porquanto esta Mãe e Virgem não só elegeu a ótima parte, mas das ótimas elegeu a ótima parte. É o que no-lo atesta S. Alberto Magno: Deus dotou-a em sumo grau de todas as graças, e dons gerais e particulares, conferidos a todas as outras criaturas.

3. *Inefável riqueza de graças conferidas a Maria*

Mas todo esse tesouro lhe foi dado em consequência da dignidade que lhe fora concedida de Mãe de Deus. De modo que Maria foi menina, mas desse estado teve unicamente a inocência, não o defeito de incapacidade. Pois desde o primeiro instante de sua vida teve o uso perfeito da razão. Foi Virgem, mas sem a ignomínia de estéril. Foi Mãe, mas conservando sempre a glória da virgindade. Foi bela, mas belíssima até, como diz Ricardo de S. Lourenço, com Jorge de Nicomedia e o Pseudo-Dionísio Areopagita. O Senhor revelou a S. Brígida que a beleza de sua Mãe excedeu a de todos os anjos e santos. Foi belíssima, repito, mas sem perigo para os que a contemplavam, porque a sua beleza afugentava os movimentos impuros e inspirava pensamentos de pureza, como atestam S. Ambrósio e S. Tomás. Por isso ela se chamou mirra, que impede a corrupção. "Espalhei como mirra escolhida suavidade de perfume" (Eclo 24,20). Levava a Senhora uma vida ativa, mas sem que o trabalho a distraísse da união com Deus. Na contemplativa estava recolhida em Deus, mas sem negligência do temporal e da caridade devida ao próximo. Tocou-lhe a morte, mas sem as suas angústias e sem a corrupção do corpo.

Concluamos, pois. Esta Divina Mãe é infinitamente inferior a Deus, mas é imensamente superior a todas as criaturas.

E se é impossível achar um filho mais nobre que Jesus, é impossível também achar uma mãe mais nobre que Maria. Sirva tudo isto aos devotos de Maria, não só para se regozijarem das suas grandezas, como também para aumentar-lhes a confiança no seu poderosíssimo patrocínio. Pois não diz o Padre Suárez que Maria, sendo Mãe de Deus, tem certo direito sobre seus dons, em benefício dos que a servem? Além disso, na opinião de S. Germano, Deus não pode deixar de ouvir as súplicas de Maria, porquanto precisa reconhecê-la como sua verdadeira e imaculada Mãe. Assim, pois, ó Mãe de Deus e nossa Mãe, não vos falta nem o poder nem a vontade para socorrer-nos. Sabeis, dir-vos-ei com o Abade de Celes, que Deus não vos criou para si, mas que vos deu aos anjos como sua restauradora, aos homens como sua reparadora, e aos demônios como sua debeladora. Por meio de vós recobraremos a graça divina, e por vós o inimigo é vencido e debelado.

Desejamos porventura dar um agrado à Divina Mãe? Saudemo-la então muitas vezes com a *Ave-Maria*. Apareceu um dia a Virgem a S. Matilde e disse-lhe que ninguém a podia obsequiar melhor do que com esta saudação. Se assim o praticarmos, receberemos graças singulares desta Mãe de Misericórdia, como se verá pelo seguinte.

EXEMPLO

É célebre aquele acontecimento que refere o Padre Ségneri na sua obra intitulada: *O cristão instruído*. Foi confessar-se, em Roma, ao Padre Zucchi, um jovem carregado de pecados desonestos, e mal habituado. O confessor acolheu-o com caridade, e compadecendo-

-se das suas misérias lhe disse que a devoção a Nossa Senhora podia livrá-lo daquele desventurado vício. Portanto, impôs-lhe, por penitência, que até outra confissão recitasse pela manhã e à noite, ao levantar-se e ao deitar-se, uma Ave-Maria à Virgem, oferecendo-lhe os olhos, as mãos e todo o seu corpo, e rogando-lhe que o defendesse como uma coisa sua. E, além disso, que beijasse três vezes a terra. O jovem praticou essa penitência, ao princípio com pouca emenda. Mas o padre continuou a inculcar-lhe que jamais a deixasse, animando-o a que confiasse no patrocínio de Maria. Neste tempo partiu o penitente com outros companheiros, e levou muitos anos a rodar pelo mundo. Quando voltou a Roma, foi de novo ter com o confessor, o qual com grande júbilo e maravilha o achou completamente mudado, e livre das antigas torpezas. – Filho, perguntou-lhe, como obtiveste de Deus tão feliz transformação? Respondeu-lhe o jovem: Meu padre, Nossa Senhora alcançou-me esta graça, por causa daquela pequena prática de devoção que me ensinastes. – Mas não param aqui as maravilhas. Tendo o confessor narrado do púlpito o que acabamos de referir, foi ouvido por um capitão que entretinha, havia muitos anos, relações criminosas com uma mulher. Resolveu-se ele a praticar a mesma devoção para libertar-se daquela horrível cadeia, com que o demônio o escravizava (esta intenção é necessária a todos os pecadores, para que a Virgem os possa socorrer). Por este meio conseguiu também deixar a má conduta, e mudou de vida.

    Mas o que aconteceu depois? Ao cabo de seis meses, o capitão, fiando-se loucamente nas próprias forças, quis ir um dia visitar aquela mulher, para ver se ela também tinha mudado de vida. Mas ao chegar à porta daquela casa, onde ia correr manifesto perigo de tornar a cair, sentiu-se puxado para trás por uma força invisível, e achou-se tão distante, no fim da rua, em frente à sua própria casa. Conheceu então claramente que Maria o livrara assim da sua perdição. De tudo isso se depreende quanto é solícita nossa boa Mãe, não só em arrancar-nos do pecado, se com este fim a ela nos recomendamos, mas ainda em livrar--nos do perigo de novas recaídas.

ORAÇÃO

Ó Virgem imaculada e santa, ó criatura a mais humilde e a mais excelsa diante de Deus! Fostes tão pequena aos vossos olhos, porém tão grande aos olhos do Senhor, que ele vos exaltou a ponto de vos escolher para sua Mãe e fazer-vos depois Rainha do céu e da terra. Dou, pois, graças àquele Deus, que tanto vos sublimou, e me alegro convosco por ver-vos tão unida a Deus, que mais não é possível a uma pura criatura. Diante de vós que sois tão humilde, com tantos dotes, me envergonho de comparecer, eu, miserável, tão soberbo e tão carregado de pecados. Entretanto, mesmo assim, quero saudar-vos: Ave, Maria, cheia de graça. *Sois cheia de graça, impetrai também a graça para mim.* O Senhor é convosco. *Aquele Senhor que esteve sempre convosco desde o primeiro instante de vossa criação, uniu-se agora a vós mais estreitamente, fazendo-se vosso Filho.* Bendita sois vós, entre as mulheres: *ó Mulher bendita entre todas as mulheres, alcançai-me também a divina bênção.* E bendito é o fruto de vosso ventre: *ó planta bem-aventurada, que destes ao mundo um fruto tão nobre e tão santo!* Santa Maria, Mãe de Deus: *ó Maria, confesso que sois verdadeiramente a Mãe de Deus, e por esta verdade estou pronto a dar mil vezes a vida.* Rogai por nós, pecadores. *Mas se vós sois a Mãe de Deus, sois também a Mãe de nossa salvação, e de nós pobres pecadores. Pois para salvar-nos foi que Deus se fez homem, e vos fez sua Mãe para que vossos rogos tenham a virtude de salvar qualquer pecador. Eia, pois, ó Maria, rogai por nós:* agora e na hora de nossa morte. *Rogai sempre; rogai agora, que estamos em vida no meio de tantas tentações e perigos de perder a Deus. Mas sobretudo rogai por nós na hora da nossa morte, quando estivermos a ponto de deixar este mundo, e sermos apresentados ao divino tribunal a fim de que, salvando-nos pelos merecimentos de Jesus Cristo, e pela vossa intercessão, possamos um dia, sem perigo de jamais nos perder, saudar-vos e louvar-vos com o vosso Filho no céu, por toda a eternidade. Amém.*

V. DA VISITAÇÃO DE MARIA

Resumo histórico.

Em 1247 vemos a festa da Visitação indicada na lista das festas do concílio de Le Mans. S. Boaventura a fez introduzir na Ordem Franciscana, de onde ela passou para várias dioceses. Tornou-se universal em 1404, quando Bonifácio IX a generalizou para obter o socorro do céu à Igreja desunida por antipapas. Em 1850 Pio IX deu-lhe a categoria de festa de segunda classe (Nota do tradutor).

Maria é a tesoureira de todas as graças divinas, tendo de recorrer a ela quem as deseja. Mas quem recorre a Maria deve ter a certeza de obter as graças que almeja

Reputamos feliz a família visitada por algum real personagem, não só pela honra recebida, como pelas vantagens que espera receber. Por mais feliz, porém, se tenha a alma que é visitada por Maria, Rainha do mundo. Essa bondosa Mãe não pode deixar de encher de bens e de graças tais almas bem-aventuradas. Foi abençoada a casa de Obededom, quando nela entrou a arca do Senhor: "E o Senhor abençoou a casa dele" (1Cr 13,14). Porém de muito maiores graças são enriquecidas aquelas pessoas que recebem a amorosa visita dessa Arca viva de Deus, que é Maria.

Feliz a casa onde entra a Mãe de Deus! escreve Engelgrave. Bem o experimentou a casa de João Batista. Apenas entrada, cumulou a família toda de graças e bênçãos celestiais. É este o motivo por que a festa da visitação é também chamada de Nossa Senhora das Graças. – Vamos considerar hoje como Maria é a tesoureira das graças. Disso trataremos em dois pontos. No primeiro, veremos que quem deseja graças deve recorrer a Maria; no segundo, que deve ter a certeza de ser atendido quem recorre a Maria.

PONTO PRIMEIRO

Dirija-se a Maria quem deseja graças

1. *Por meio de Maria nos vieram as primícias da graça redentora*

Do arcanjo S. Gabriel ouviu a Santíssima Virgem que Isabel, sua prima, estava grávida de seis meses. Iluminada interiormente pelo Espírito Santo, conheceu que o Verbo humanado, e já feito seu Filho, queria começar a manifestar ao mundo as riquezas de sua misericórdia. E era resolução dele começá-lo pela distribuição das primícias àquela família de Isabel. Por isso sem demora e com pressa partiu a Virgem para as montanhas (Lc 1,39). Levantando-se da tranquilidade de sua contemplação, a que estava sempre aplicada, e deixando a sua cara solidão, com grande pressa partiu para a casa de Isabel. E porque a caridade tudo suporta (1Cor 1,37) e não sabe sofrer demoras (como sobre o texto diz S. Ambrósio), pôs-se a tenra e delicada donzela a caminho, sem se atemorizar com as fadigas da viagem. Chegada que foi àquela casa, saudou sua prima.

Como reflete S. Ambrósio, foi Maria a primeira a saudar Isabel. Mas não foi a visita de Nossa Senhora como são as visitas dos mundanos, que pela maior parte se reduzem a cerimônias e falsas exibições. Sua visita trouxe àquela casa um cúmulo de graças. Com efeito, mal entrara e saudara seus habitantes, ficou já Isabel cheia do Espírito Santo, e João livre da culpa e santificado. Por isso deu aquele sinal de júbilo, exultando no ventre de sua mãe. Queria com isso manifestar as graças recebidas por meio de Maria, como declarou a mesma Isabel: Porque assim que chegou a voz da tua saudação aos meus ouvidos, logo o menino exultou de prazer em minhas entranhas (Lc 1,44). Em virtude desta saudação, observa Bernardino de Busti, recebeu João a graça do Divino Espírito Santo, que o santificou.

2. Deus continua a distribuir suas graças por meio de Maria

Os primeiros frutos da redenção passaram, pois, pelas mãos de Maria. Foi ela o canal pelo qual foi comunicada a graça ao Batista, e o Espírito Santo a Isabel, o dom de profecia a Zacarias, e tantas outras bênçãos àquela casa. Foram estas as primeiras graças que sabemos terem sido distribuídas na terra pelo Verbo, depois que se encarnou. É muito justo e razoável crer que, desde então, Deus constituiu Maria o aqueduto universal, como a chama S. Bernardo, pelo qual, depois daquele tempo, passassem todas as outras graças que o Senhor quer dispensar-nos, conforme o que já se disse no capítulo V da I parte.

Acertadamente, portanto, chamam esta divina Mãe de tesouro, de tesoureira e de dispensadora das divinas mercês. Lembremos aqui Raimundo Jordão, Abade de Celes, S. Pedro Damião, S. Alberto Magno, S. Bernardino e Crisipo de Jerusalém, escritor grego que é citado por Petávio. O mesmo lemos nas Homilias sobre Maria, entre os escritos de S. Gregório Taumaturgo: É a Virgem chamada cheia de graça porque nela está oculto todo o tesouro das graças. Segundo Ricardo de S. Lourenço, Deus depositou em Maria, como num erário de misericórdia, todos os dons da graça e desse tesouro enriquece aos que o servem.

Conrado de Saxônia compara Maria ao campo em que está escondido um tesouro, que deve comprar-se por qualquer preço, como disse Jesus Cristo. Esse campo é Maria, diz ele, porque nela está o tesouro de Deus, isto é, Jesus Cristo, e em Cristo, a origem e fonte de todas as graças. Já antes afirmara S. Bernardo que o Senhor depositou nas mãos de Maria todos os tesouros que nos quer dispensar, a fim de que saibamos que quanto bem recebemos, todo é das mãos de Maria. O mesmo nos assegura também a Senhora, dizendo: Em mim está toda a graça do caminho e da verdade (Eclo 24,25). Isto é: em mim estão, ó homens, todas as graças dos verdadeiros bens que em vossa vida podeis desejar.

Sim, Mãe e esperança nossa, bem sabemos – assim lhe fala Nicolau, monge – que todos os tesouros das divinas misericórdias estão em vossas mãos. Atribuída a S. Ildefonso há uma obra que exprime com mais energia esse pensamento: Senhora, as graças que Deus determinou fazer aos homens, determinou fazê-las todas por vossas mãos, e confiou-vos por isso todos os tesouros das graças. De modo que, ó Maria, conclui S. Germano, não há graça que não tenha sido dispensada por vossas mãos.

"Não temas, Maria, disse-lhe o anjo, pois achaste graça diante de Deus" (Lc 1,30). Sobre o texto acrescenta com elegante reflexão S. Alberto Magno: Ó Maria, não roubastes a graça como a queria roubar Lúcifer; não a perdestes como a perdeu Adão; não a comprastes, como a queria comprar Simão, o mago. Achastes a graça, porque a desejastes e buscastes. Achastes a graça, incriada, que é o próprio Deus feito vosso Filho. E juntamente com ele possuístes todos os bens criados. Esse pensamento é confirmado por S. Pedro Crisólogo, dizendo: A excelsa Mãe achou essa graça para dar a salvação a todos os homens. Em outro lugar o mesmo Santo acrescenta que Maria recebeu uma graça plena, bastante para salvar a todos, destinada a cair como chuva sobre todas as criaturas. Para iluminar a terra, criou Deus o sol, observa Ricardo de S. Lourenço. Assim também fez a Maria para que por seu intermédio se dispensem ao mundo todas as divinas misericórdias. Aqui anota S. Bernardo, muito a propósito, que a Virgem, desde que se tornou Mãe do Redentor, adquiriu uma quase jurisdição sobre todas as graças, e deste modo criatura alguma delas recebe, a não ser pelas mãos desta amável Mãe.

3. *Nós devemos nos dirigir a Maria*

Concluamos este ponto com as palavras de Ricardo de S. Lourenço: Queremos obter alguma graça? Recorramos então a Maria, que nunca deixou de alcançar a seus servos o que lhes impetra; pois achou e sempre acha a graça divina. E este pensamento extraiu-o de S. Bernardo, cujas palavras dizem assim: Procuremos a graça, mas procuremo-la por meio de Maria, que a acha com certeza. Se, pois, desejamos graças, é necessário que recorramos a esta tesoureira e dispenseira das graças, já que a vontade suprema do Doador de todo o bem, como no-lo assegura o mesmo Santo, é que todas as graças por mão de Maria se dispensem. O Santo não excetua graça alguma, porque quem diz *tudo* nada exclui.

Mas para obter mercê é indispensável a confiança. Vejamos por isso agora a certeza com que devemos esperar as graças, quando nos dirigimos a Maria.

PONTO SEGUNDO

Quem procura a graça,
a encontrará certamente nas mãos de Maria

1. *Maria nos enriquece de graças*

E para que depositou Cristo nas mãos de sua Mãe todas as riquezas das misericórdias que conosco quer usar? Não o fez, senão para que ela enriquecesse todos os seus devotos que a amam, honram e invocam cheios de confiança. "Comigo estão as riquezas... para enriquecer aos que me amam" (Pr 8,18 e 21). Assim nos afirma a mesma Virgem neste passo que a Igreja lhe aplica em tantas festividades suas. De modo que, diz o Abade Adão Perseigne, unicamente para utilidade nossa estas riquezas se conservam em Maria, em cujo seio o Salvador colocou o tesouro dos miseráveis, a fim de que dele tirassem e se enriquecessem os pobres. S. Bernardo acrescenta que Maria foi dada ao mundo como um canal de misericórdia, para que através dele descessem continuamente as graças do céu aos homens.

Continua o mesmo Santo discorrendo por que motivo S. Gabriel, tendo achado a Divina Mãe já cheia de graças, como a havia saudado, lhe diz depois que nela devia sobrevir o Espírito Santo, para enchê-la de graça. Se Maria estava já cheia de graça, que mais podia trazer-lhe a vinda do Espírito Santo? E responde em seguida: Maria, é verdade, já era cheia de graça, porém o Espírito Santo ainda mais a inundou e cumulou de graças, para bem nosso, a fim de que da sua superabundância fôssemos providos, nós, miseráveis. E, por essa razão, foi Maria chamada lua, da qual se diz que é cheia para si e para os outros.

Aquele que me achar, achará a vida e haurirá do Senhor a salvação (Pr 8,35). Bem-aventurado aquele que me acha, recorrendo a mim, diz nossa Mãe. Ele achará a vida e facilmente achá-la-á. Pois assim como é fácil tirar quanta água se deseja de uma fonte, assim é fácil achar as graças e a salvação eterna, recorrendo a Maria. Dizia uma alma santa: Pedir graças a Nossa Senhora é o mesmo que as receber. Antes do nascimento de Maria faltava no mundo tanta abundância de graças, como agora se vê correr sobre a terra. Mas por que faltava? pergunta S. Bernardo. Faltava porque não existia ainda esse almejado canal de graças, que é Maria, responde-nos o Santo. Mas agora que já possuímos esta Mãe de misericórdia, que graças podemos temer de não alcançar, prostrando-nos a seus pés? Eu sou a cidade de refúgio (assim a faz dizer S. João Damasceno), para todos aqueles que a mim recorrem. Vinde, pois, filhos meus, e obtereis de mim as graças, em maior abundância do que imaginais.

É verdade que a muitos acontece aquilo que aconteceu à venerável Sóror Villani, numa visão celeste. Viu esta serva do Senhor uma vez a Mãe de Deus, em semelhança de uma grande fonte, à qual muitos iam em busca de muita água de graças. Mas que acontecia depois? Aqueles que traziam os vasos intactos conservavam as graças recebidas; mas os que os traziam quebrados, isto é, as almas carregadas de pecados, recebiam as graças, porém depressa as tornavam a perder. Finalmente também é certo que, por intervenção de Maria, obtêm cada dia os homens graças inumeráveis, até mesmo os ingratos e os mais miseráveis pecadores, como observa o Pseudo-Agostinho: Por vós, ó Maria, recebem os miseráveis misericórdia, graça os ingratos, perdão os pecadores, dons sublimes os fracos, mercês dos céus os moradores da terra, a vida os mortais, a pátria os peregrinos.

2. *Maria é rica em misericórdia para conosco*

Avivemos, pois, cada vez mais a nossa confiança, ó devotos de Maria, sempre que a ela recorremos pedindo-lhe graças. Para avivá-las tenhamos sempre presentes duas grandes prerrogativas que possui esta boa Mãe: o desejo de nos fazer bem e o poder de conseguir do Filho tudo quanto lhe pede. Quão vivo é o seu desejo de ajudar a todos! Uma simples reflexão sobre o mistério da presente festividade de sua Visitação seria bastante para no-lo mostrar. Segundo Barônio e outros escritores, morava Isabel em Hebron, chamada por S. Lucas cidade de Judá. De Nazaré, residência de Maria, a Hebron havia cerca de 69 milhas conforme assevera o Padre José de Jesus, carmelita descalço, que se apoia em Beda e Brocardo.[3] Mas tamanha distância e demais incômodos da viagem não impediram Maria, tenra e delicada donzela, desacostumada de semelhante fadiga, de pôr-se a caminho imediatamente. Impelida por quê? Por aquela grande caridade, de que foi sempre cheio o seu terníssimo coração, para ir começar desde então o seu grande ofício de

---

[3] O lugar tem propriamente outro nome. Hoje é chamado Ain-Karim e fica na serra. – A distância regulava 20 a 30 horas, em linha reta (Nota do tradutor).

dispensadora das graças. Assim precisamente fala S. Ambrósio desta sua viagem. Não foi Maria, diz o Santo, para certificar-se se era exato o que lhe dissera o anjo, sobre o estado de Isabel. Mas, exultando pelo desejo de socorrer aquela casa, apressando-se pela alegria que sentia de fazer bem aos outros, e toda aplicada àquele emprego de caridade, "levantou-se e foi com pressa". Note-se que o evangelista, quando fala da ida de Maria à casa de Isabel, diz que foi com pressa. Falando, porém, de sua volta, já não faz menção da pressa. Diz simplesmente: E ficou Maria com Isabel perto de três meses, depois dos quais voltou para sua casa (Lc 1,56). Que outro fim, pois, pergunta Conrado de Saxônia, forçava a Mãe de Deus a apressar-se ao ir visitar a casa do Batista, senão o desejo de fazer bem àquela família?

Não diminuiu em Maria, com a subida para o céu, este afeto de caridade para com os homens. Cresceu, ao contrário, porque conhece melhor as nossas necessidades e mais se compadece de nossas misérias. Escreveu Bernardino de Busti que Maria deseja mais fazer-nos bem, que nós mesmos o desejamos. Há mesmo uma sentença atribuída a S. Boaventura, que diz sentir-se Maria ofendida por aqueles que não lhe pedem graças. Tenha embora gosto em enriquecer todos, observa Raimundo, de preferência ela cumula de graças superabundantes a seus servos fiéis. Quem acha Maria acha todo o bem. E ajunta o autor: Cada um pode achá-la, ainda que seja o pecador mais miserável do mundo; porquanto é tão benigna que não repele quem a ela recorre. Convido todos a recorrer a mim (fá-la dizer Tomás de Kempis); por todos espero, todos desejo; jamais desprezo algum pecador, por indigno que seja, quando vem pedir-

-me auxílio. Quem se volve a esta Mãe, diz Ricardo, a encontra sempre propensa a dar-lhe socorro e obter-lhe qualquer graça de salvação eterna com os seus poderosos rogos.

3. *Maria é rica em poder junto de Deus*

Há pouco falei de seus poderosos rogos. Eis o segundo motivo que deve aumentar a nossa confiança em Maria. Tudo quanto ela pede, em favor de seus servos, obtém, com certeza, de Deus. Boaventura Baduário, referindo-se à Visitação de Maria, diz: Meditai na grande virtude que tiveram as palavras de Maria. Pois que à sua voz foi conferida a graça do Espírito Santo, assim a Isabel como a João, seu filho, segundo notou o evangelista: "E aconteceu que, apenas Isabel ouviu a saudação de Maria, logo o menino estremeceu em seu seio, e Isabel ficou cheia do Espírito Santo" (Lc 1,41).

Segundo um texto atribuído a Teófilo de Alexandria, são os rogos de Maria um prazer para Jesus. Eles vencem-no, e as graças que então nos faz, considera-as como dispensadas mais à sua Mãe, do que a nós. Notem-se as palavras: Vencido pelos rogos de Maria, concede Cristo seus favores. Pois, no parecer de S. Germano, Jesus não pode deixar de ouvir Maria em tudo o que lhe pede, querendo nisto quase obedecer-lhe como sua verdadeira Mãe. Por isso, diz o Santo, esses rogos têm certa autoridade sobre Jesus Cristo, de modo que esta Mãe obtém o perdão, ainda aos maiores pecadores que se lhe recomendam. A prova disso acha-a S. João Crisóstomo no sucedido nas bodas de Caná. Pediu Maria a seu Filho o vinho que faltava. Mas, apesar de que o tempo para os milagres não fosse ainda chegado, como explicam S. João Crisóstomo e Teofilato, atendeu o Senhor à sua Mãe e mudou a água em vinho saboroso.

"Vamos, pois, cheio de confiança para o trono de graça, a fim de obtermos misericórdia e alcançarmos a graça no socorro oportuno" (Hb 5,16). Para S. Alberto Magno esse trono de graças é Maria. Se queremos pois graças, vamos ao trono da graça que é Maria, e vamos com a esperança de ser ouvidos, porquanto temos uma intercessora cujo rogos sempre são atendidos pelo Filho. Busquemos a graça, mas busquemo-la por meio de Maria, repito com S. Bernardo, em continuação às palavras da Virgem a S. Matilde: O Espírito Santo encheu-me de toda a sua doçura e tornou-me tão cara a Deus, que quantos por meu intermédio pedem graças a Deus, todos certamente as obtêm.

E se dermos crédito à célebre sentença de Eádmero, notaremos que algumas vezes mais depressa se obtêm as graças recorrendo a Maria, que recorrendo ao próprio Salvador Jesus Cristo. E tal se dá, não porque ele deixe de ser a fonte e o Senhor de todas as graças, mas porque, recorrendo nós à Mãe e intercedendo ela por nós, terão mais força as suas súplicas, como súplicas de mãe, que as nossas. Não nos apartemos jamais dos pés desta tesoureira de graças, dizendo-lhe sempre como S. João Damasceno: Ó Mãe de Deus, abri-nos as portas da vossa misericórdia, rogai sempre por nós, pois são vossas preces a salvação de todos os homens. Recorrendo a Maria, o melhor será pedir-lhe que rogue por nós e nos obtenha aquelas graças, que reconhece mais convenientes à nossa salvação. Tal era o louvável costume de Frei Reginaldo, dominicano. Estando enfermo, esse servo de Maria pedia-lhe a graça da saúde corporal. Aparece-lhe a sua Senhora, acompanhada de Santa Cecília e Santa Catarina, e lhe diz: Filho, que queres que eu faça por ti? O religioso, a esta cortês oferta de Maria, se confundiu e não sabia que responder.

Então uma daquelas santas deu-lhe este conselho: Reginaldo, sabes o que deves fazer? Não peças coisa alguma, entrega-te totalmente nas suas mãos, porque Maria saberá fazer-te uma graça melhor que aquela que tu sabes pedir. Assim fez o enfermo, e a divina Mãe obteve-lhe a graça da saúde.

Mas se desejamos também a feliz visita dessa Rainha do céu, é preciso que a visitemos muitas vezes em seus santuários ou nas igrejas que lhe são consagradas. O seguinte exemplo nos mostrará como a Senhora remunera com favores especiais as devotas visitas de seus servos.

EXEMPLO

Um fidalgo francês, chamado Ansaut de Déols, recebeu em combate uma flechada, da qual lhe ficou a ponta da flecha presa no osso do maxilar. Depois de 4 anos, tornando-se insuportáveis as dores e adoecendo Ansaut gravemente, queriam os médicos abrir novamente a ferida para retirar a ponta do ferro. O doente recomendou-se então a Nossa Senhora e lhe prometeu visitar todos os anos em seu afamado santuário, sito nas vizinhanças, e lá oferecer-lhe um sacrifício, caso recuperasse a saúde. Mal pronunciara seu voto e já percebeu como o ferro se desprendia da ferida, caindo-lhe para dentro da boca. No dia seguinte, apesar de doente, partiu em romaria para visitar a imagem milagrosa e cumprir o seu voto. Desde então sarou completamente.

ORAÇÃO

Virgem Imaculada e bendita, vós sois a dispensadora universal de todas as graças, e como tal sois a esperança de todos e a minha esperança também. Dou sempre graças ao meu Senhor, que me fez conhecer-vos e compreender o meio de obter as graças e salvar-me. O meio sois vós, ó grande Mãe de Deus, porquanto sei que principalmente pelos merecimentos de Jesus e pela vossa intercessão, me hei de salvar. Ah! Minha Rainha! Vós noutro tempo vos destes tanta pressa em visitar e santificar em vossa visita a casa de Isabel. Visitai por quem sois, e visitai depressa a pobre casa da minha alma. Apressai-vos; vós sabeis, melhor do que eu, quanto ela é pobre e enferma de muitos males, de afetos desordenados, de hábitos maus, e dos pecados cometidos: males pestíferos que a querem levar à morte eterna. Vós podeis curá-la de todas as enfermidades. Visitai-me, pois, durante a vida, e visitai-me especialmente na hora da morte, porque então me será ainda mais necessária a vossa assistência. Não pretendo, nem sou digno que me visiteis nesta terra com vossa presença visível, como tendes feito a tantos servos vossos, mas servos que não eram indignos e ingratos como eu. Contento-me de ver-vos depois no vosso reino do céu, para aí vos amar e dar graças por quantos favores me tendes feito. Por enquanto só vos peço que me visiteis com vossa misericórdia. Basta-me que rogueis por mim.

Rogai, pois, ó Maria, e recomendai-me a vosso Filho. Vós melhor do que eu conheceis as minhas misérias e necessidades. Que mais posso dizer-vos? Tende piedade de mim. Sou tão miserável e ignorante que nem sei conhecer e pedir as graças que mais necessárias me são. Mãe e Rainha minha dulcíssima, pedi por mim, e impetrai-me de vosso Filho as graças que sabeis mais convenientes e necessárias para minha alma. Nas vossas mãos todo me entrego, pedindo apenas à Divina Majestade que, pelos merecimentos de Jesus, meu Salvador, me conceda as graças que para mim solicitais. Vossas súplicas não conhecem repulsa: são súplicas de Mãe junto de um Filho que tanto vos ama, e se compraz em fazer quanto lhe pedis, para assim vos honrar mais e mostrar-vos ao mesmo tempo o grande amor que vos tem. Senhora, façamos este contrato: quero viver fiado em vós inteiramente; a vós compete cuidar de minha salvação. Amém.

VI. DA PURIFICAÇÃO DE MARIA

Resumo histórico.
No começo, a festa da Purificação foi celebrada mais como festividade de Nosso Senhor. Na lista gelasiana encontramo-la, pela primeira vez, com o nome de Purificação da Bem-aventurada Virgem Maria. No Oriente deram-lhe o nome de Encontro do Senhor com Simeão. Dela há menção no relatório da peregrina Sílvia (fim do século IV), que descreve sua celebração em Jerusalém. Por ocasião de uma terrível peste em 542, elevou-a o imperador Justiniano I à categoria de feriado nacional para o império bizantino. Pelos anos de 560 Roma também a festejava. O Papa Sérgio I (687-701) prescreveu uma procissão para esse dia, como para as demais festas de Nossa Senhora (Nota do tradutor).

Grandeza do sacrifício de Maria oferecendo a Deus neste dia a vida de seu Filho

A Lei Antiga continha dois preceitos relativos ao nascimento dos filhos primogênitos. O primeiro prescrevia que a mãe estivesse como imunda, retirada em casa por quarenta dias, findos os quais devia ir ao templo purificar-se (Lv 12). Mandava o segundo que os pais do menino o levassem ao templo e ali o oferecessem a Deus. A um e outro preceito quis obedecer a Santíssima Virgem neste dia. É verdade, como virgem pura que era e ficara, não estava sujeita à lei da purificação. Entretanto, por amor à obediência, quis ir, como as outras mães, purificar-se. Obedeceu, pois, ao segundo preceito de apresentar e oferecer o Filho ao Eterno Pai. "E tendo-se preenchido os dias da purificação de Maria segundo a lei de Moisés, levaram-no a Jerusalém, para o apresentarem ao Senhor" (Lc 2,22). Mas a Virgem o ofereceu de um modo diferente do das outras mães. Essas ofereciam os filhos, mas sabiam que esta oblação era uma simples cerimônia da lei, de modo que por meio do resgate os tornavam seus, sem receio de tê-los de oferecer à morte. Maria, pelo contrário, ofereceu o Filho à morte realmente. Estava certa de que o sacrifício que então fazia da vida de Jesus, tinha de se consumar no altar da cruz. Ora, amando vivamente seu Filho, sacrificou a si própria a Deus, ao oferecer-lhe a vida de Jesus.

Omitindo todas as outras considerações sobre os mistérios desta festividade, consideremos quanto foi grande o sacrifício que fez Maria de si mesma a Deus, na oferta da vida de seu Filho. Seja este o assunto do nosso sermão.

1. *Maria deu hoje solene consentimento para a morte de seu Filho*

Havia já o Eterno Pai determinado salvar o homem perdido pela culpa, e livrá-lo da morte eterna. Mas exigia, ao mesmo tempo, não fosse frustrada à sua justiça a digna satisfação que lhe tocava. Resolveu por isso não poupar a vida de seu próprio Filho, feito homem para remir a humanidade, e quis sofresse ele em todo rigor a pena por ela merecida. "Não perdoou a seu próprio Filho, mas entregou-o por nós todos" (Rm 8,32).

Mandou-o, portanto, à terra a fazer-se homem, destinou-lhe a Mãe, a qual quis que fosse a Virgem Maria. Mas como fez a Encarnação do Verbo Divino depender do consentimento de Maria, também dele fez questão para que Jesus se sacrificasse pela salvação dos homens. Juntamente com a vida do Filho tinha de ser sacrificado o coração da Mãe. Conforme S. Tomás, o título de mãe dá um direito especial sobre os filhos. Ora, sendo Jesus por si mesmo inocente, e não merecendo suplício algum por culpa própria, parecia conveniente que não fosse destinado à cruz, para vítima dos pecados do mundo, sem consentimento da Mãe, que espontaneamente o oferecesse à morte.

Maria, sem dúvida, já havia consentido na morte de Jesus, desde que se lhe tornou Mãe. Isso não obstante, quis o Senhor que neste dia ela fizesse no templo um solene sacrifício de si mesma, ofertando-lhe solenemente o Filho e sacrificando à divina justiça a sua vida preciosa. Por isso Maria é chamada sacerdotisa, numa homilia que se atribui a S. Epifânio. Ora, aqui passemos a ver quanta dor lhe custou este seu sacrifício, e quanto foi heroica a virtude que teve de exercer, subscrevendo ela mesma a sentença da condenação do seu caro Jesus à morte.

Eis que Maria já se encaminha para Jerusalém a oferecer o Filho. Apressa os passos para o lugar do sacrifício, levando em seus braços a vítima tão amada. Entra no templo, aproxima-se do altar, e ali, toda cheia de modéstia, humildade e devoção, apresenta seu Filho ao Altíssimo. Eis que, entretanto, se aproxima Simeão, que de Deus recebera a promessa de não morrer sem antes ter visto o Messias esperado. Toma o Divino Menino das mãos da Virgem, e, iluminado pelo Espírito Santo, anuncia-lhe quanto devia custar-lhe o sacrifício, que então fazia de seu Filho, com o qual há também de ser sacrificada a sua alma bendita. Aqui contempla S. Tomás de Vilanova o santo ancião, que, à vista do dever de anunciar à pobre a funesta nova, se perturba e não se atreve a falar. Depois Maria lhe pergunta: Por que, ó Simeão, num momento de tanta consolação vossa, assim vos perturbais? Ao que ele responde: Ó nobre e santa Virgem, não quereria anunciar-vos nova tão dolorosa; mas já que assim quer o Senhor, para maior merecimento vosso, ouvi o que vos digo: Este menino, que agora vos enche de tanta alegria, e com razão, ó Deus! um dia vos há de causar a dor mais acerba, que jamais criatura alguma experimentou no mundo. E será quando o virdes perseguido por toda casta de gente, e posto na terra como alvo dos escárnios e dos tormentos dos homens, até ao ponto de o fazerem morrer justiçado diante dos vossos olhos. Sabei que, depois de sua morte, haverá muitos mártires, que por amor deste vosso Filho serão atormentados e mortos. Mas, se o martírio deles for no corpo, o martírio vosso, ó divina Mãe, será no coração.

2. *Sofrimento de Maria após o seu consentimento na morte do Filho*

Sim, Maria sofreu o martírio no coração, porque somente a compaixão com os sofrimentos de seu amado Filho era a espada de dor, que havia de transpassar-lhe o coração de Mãe, conforme a profecia de Simeão. "E uma espada transpassará até a tua alma" (Lc 2,35). Já a Santíssima Virgem sabia pelas divinas Escrituras as penas que devia padecer o Redentor em toda a sua vida, e muito mais no tempo de sua morte. Compreendia bem os profetas, que anunciavam que ele devia ser atraiçoado por um seu familiar. "Até o homem de minha estima, que comia o meu pão, urdiu grande traição contra mim" (Sl 40,10). Bem sabia dos desprezos, escarros, das bofetadas e zombarias que devia sofrer. "Aos que me feriram, entreguei o meu corpo, e as minhas faces aos que me arrancavam os cabelos da barba" (Is 50,6). Estava ciente de que ele havia de se tornar o opróbrio dos homens e a abjeção da plebe mais vil, a ponto de ser saturado de injúrias e vilanias: "Eu sou um verme e não um homem; o opróbrio dos homens e a abjeção da plebe" (Sl 21,7). Sabia que no fim da vida as suas carnes sacrossantas deviam ser todas laceradas e rotas pelos açoites, de modo a ficar seu corpo todo desfigurado, semelhante a um leproso, todo chagado, deixando aparecer os ossos descobertos. "Mas ele foi ferido pelas nossas iniquidades, foi quebrantado pelos nossos crimes (Is 53,5). Não tem beleza, nem formosura... e o reputamos como um leproso (53,2 e 44). Contaram todos os seus ossos" (Sl 21,18). Sabia que o Filho devia ser transpassado pelos cravos, colocado entre malfeitores, pregado finalmente à cruz, na qual morreria pela salvação dos homens. "Transpassaram minhas mãos e meus pés (Sl 21,17). Ele foi posto no número dos malfeitores (Is 53,12). E eles porão os olhos em mim, a quem transpassaram" (Zc 12,10).

Todas essas penas de seu Filho eram conhecidas a Maria. Mas, nas palavras que lhe disse S. Simeão, lhe foram descobertas, como o Senhor revelou a S. Teresa, todas as circunstâncias, em particular, das dores assim externas como internas, que deviam atormentar o seu Jesus na Paixão. E ela em tudo consente, e com uma constância que faz admirar os anjos pronuncia a sentença que vota seu Filho a uma tão cruel e ignominiosa morte. Pai Eterno – diz ela –, já que vós assim o quereis, uno a minha vontade à vossa, e sacrifico-vos este meu Filho; contento-me que perca a vida pela vossa glória e salvação do mundo. Sacrifico-vos também com isto o meu coração; transpasse-o a dor, quando vos agradar; basta-me que vós, ó meu Deus, sejais com isso glorificado e satisfeito. Faça-se não a minha, mas a vossa vontade. – Ó constância sem exemplo! ó vitória digna da perene admiração do céu e da terra!

Compreensível nos é agora o silêncio de Maria na Paixão de Jesus, quando o acusam injustamente. Eis a razão por que nada absolutamente diz a Pilatos, que, conhecendo a inocência do acusado, estava inclinado a dar-lhe a liberdade. Ela só apareceu em público para assistir ao grandioso sacrifício do Calvário. Acompanha Jesus ao lugar do suplício e lhe está ao lado, desde que é pregado na cruz até que o vê expirar e consumar o sacrifício. "Estava em pé, junto à cruz de Jesus, sua mãe" (Jo 19,25). Assim procedeu em cumprimento da oferta que dela fizera outrora no templo.

Para fazer ideia da violência que Maria teve de fazer a si mesma neste sacrifício, seria necessário compreender o amor que ela tinha a Jesus. Como é, em geral, terno o amor das mães aos filhos, principalmente quando os ameaçam perigos de morte e elas temem perdê-los! Esquecem então todos os defeitos, todas as deformidades deles, e ainda as injúrias que a elas fizeram. Entretanto padecem de um modo inexplicável. Contudo o amor das mães está repartido com outros filhos ou com outras criaturas. Maria tem um único Filho, e este é belíssimo, sobre todos os outros filhos de Adão. É amabilíssimo, pois tem todas as qualidades para ser amado; é obediente, virtuoso, inocente e santo, basta dizer, é Deus. O amor desta Mãe não é repartido com outras criaturas. Ela tem colocado todo o seu amor neste único Filho, e não teme ser excessiva em o amar, porquanto ele é Deus, que merece um amor infinito. E é este Filho a vítima por ela entregue voluntariamente à morte.

Por aí veja cada um, pois, quanto deve ter custado a Maria, e que fortaleza de ânimo teve de exercitar neste ato de sacrificar à cruz a vida de um Filho tão amável. Eis por que Maria é a Mãe mais afortunada, por ser Mãe de um Deus. Porém foi ao mesmo tempo a mais angustiada de todas, por ser Mãe de um Filho que via destinado ao patíbulo, desde a hora em que o concebeu. Que mãe aceitaria um filho, sabendo que depois havia de vê-lo padecer e morrer entre tormentos e opróbrios? Maria, sim, aceita de bom grado este Filho, sujeitando-se a tão dura condição. Mais. Não só aceita, mas neste dia ela mesma, com as próprias mãos, imola-o à justiça divina. Diz S. Boaventura que a Santíssima Virgem preferia aceitar para si os tormentos e a morte do Filho. Para obedecer, contudo, a Deus, fez-lhe a grande oferta de vida divina de seu amado Jesus, vencendo, embora com suma dor, toda a ternura do amor que lhe devotava. Assim, pois, nessa oferta Maria precisou fazer-se mais violência, e foi mais generosa, do que se tivesse oferecido a si própria para sofrer os padecimentos de seu Filho. Superou então a generosidade de todos os mártires, pois que eles ofereceram as suas vidas, enquanto a Virgem ofereceu a vida do Filho, por ela amado e estimado imensamente mais que a própria vida.

Nem aqui acabou a pena desta dolorosa oferta, antes começou. Pois que, de então em diante, por toda a vida do Filho, Maria sempre teve presente a morte de todas as dores que ele devia padecer. Quanto mais Jesus se ia revelando belo, gracioso e amável, tanto mais por isso aumentava a angústia de seu coração. Ah! Mãe dolorosa, se vós fôsseis menos amante de vosso Filho, ou se vosso Filho fosse menos amável, ou não vos tivesse amado tanto, menor de certo teria sido a vossa pena em o oferecer à morte. Mas nunca houve, nem haverá, mãe mais amante de um filho, que vós. Isso porque jamais existiu, nem existirá, filho mais amável e amante de sua Mãe, que o vosso Jesus. Ó Deus, se tivéssemos visto a beleza e majestade do semblante daquele divino menino, teríamos tido porventura ânimo para sacrificar a sua vida pela nossa salvação? E vós, ó Maria, que lhe sois Mãe amantíssima, pudestes oferecer o vosso Filho inocente, pela salvação dos homens, a uma morte, a mais dolorosa e horrível das mortes, que jamais padeceu algum réu sobre a terra?

E que cena funesta, depois disto, devia o amor continuamente pôr diante dos olhos de Maria, representando-lhe todos os tormentos e desprezos, que haviam de fazer-se ao pobre Filho! Eis que o amor lho mostra agonizante de tristeza no jardim das Oliveiras; dilacerado pelos açoites e coroado de espinhos no pretório, pendente por fim do madeiro de opróbrio sobre o Calvário. Vede, ó Mãe, dizia-lhe o amor, que o Filho amável e inocente oferecestes a tantas dores, a uma morte tão horrível! De que serve subtraí-lo às mãos de Herodes, para o reservar depois a tão lastimoso fim?

3. *Maria não cessa de oferecer seu Filho*

Não foi só no templo que Maria ofereceu o Filho à morte. Ofereceu-o em todos os momentos de sua vida. Ela mesma revelou a S. Brígida que essa dor, profetizada por Simeão, só se apartou de sua alma quando de sua Assunção ao céu. Diz-lhe por isso Eádmero: "Ó Senhora, eu não creio que pudésseis viver assim um só momento, se o próprio Deus, doador da vida, não vos tivesse confortado com sua divina virtude". Também S. Boaventura fala da grande aflição que Maria experimentou precisamente neste dia, afirmando que ela "vivia morrendo a cada instante". Pois a cada instante era assaltada pela dor da morte de seu amado Jesus, "dor mais cruel que qualquer morte".

De que sublime grandeza é por isso o mérito que, na salvação do mundo, adquiriu Maria por meio de tão grande sacrifício!

Justamente, pois, S. Agostinho a chama "reparadora do gênero humano"; S. Epifânio, redentora dos escravos; Eádmero, renovadora do mundo perdido; S. Germano, auxílio em nossas misérias; S. Ambrósio, mãe de todos os fiéis; André de Creta, a mãe da própria vida. O Abade Arnoldo de Chartres diz que Maria na morte de Jesus uniu de tal modo sua vontade à do Filho, que ambos ofereceram um só e mesmo sacrifício. Por isso ambos operaram a humana redenção e obtiveram a eterna salvação aos homens: Jesus, satisfazendo pelos nossos pecados, e Maria, impetrando que nos fosse aplicada uma tal satisfação. Pelo mesmo motivo igualmente afirma o Venerável Dionísio Cartuxo que a divina Mãe pode chamar-se salvadora do mundo. E isso porque pelas penas sofridas em compadecer o Filho (por ela voluntariamente sacrificado à Divina Justiça), mereceu que fossem comunicados aos homens os merecimentos do Redentor.

4. *Efeitos do sacrifício de Maria*

Pelos merecimentos, pois, de suas dores e da oferta de seu Filho, Maria tornou-se Mãe de todos os remidos. Portanto é justo crer que só por sua mão se dê o leite das graças divinas, isto é, os frutos dos méritos de Jesus Cristo. É ao que alude S. Bernardo, quando diz que Deus tem posto na mão de Maria todo o preço na nossa Redenção. Com o que nos faz o Santo entender que, por meio da intercessão da Santíssima Virgem, se aplicam às almas os merecimentos do Redentor, já que por suas mãos se dispensam as graças que são justamente o preço dos merecimentos de Jesus Cristo.

Abraão mostrou-se pronto a oferecer seu filho a Deus. Essa disposição foi tão agradável ao Senhor, que lhe prometeu em recompensa multiplicar os seus descendentes como as estrelas do céu. "Pois que tu fizeste esta ação, e que por me obedeceres não perdoaste a teu filho único, eu te abençoarei e multiplicarei a tua raça como as estrelas do céu" (Gn 22,16ss.). Diante disso devemos crer com certeza que muito mais grato foi ao Senhor o sacrifício incomparável, que de Jesus lhe fez a excelsa Mãe. Por isso foi a ela concedido que, pelas suas súplicas, se multiplique o número dos escolhidos, isto é, a afortunada descendência dos seus filhos. Pois como tais considera e protege todos os seus servos.

S. Simeão teve promessa do Senhor, de não morrer antes de ver nascido o Messias. Mas esta graça ele não a recebeu senão por intervenção de Maria, porquanto não achou o Salvador, senão nos braços de Maria. De onde vemos que quem achar Jesus não o achará senão por meio de Maria. Vamos, pois, à Mãe de Deus, se queremos achar Jesus. Mas vamos com grande confiança. Certa vez disse Maria à sua serva, Prudência Zagnoni, que cada ano, neste dia de sua Purificação, se faria uma grande misericórdia a um pecador. Quem sabe se por acaso algum de nós será hoje este afortunado pecador? Se são grandes os nossos pecados, maior é o poder de Maria. O Filho não sabe negar coisa alguma a esta Mãe e infalivelmente a atende, diz S. Bernardo. Se Jesus está irado contra nós, Maria depressa o aplacará. Narra-nos Plutarco que Antípatro escreveu a Alexandre Magno uma longa carta de acusações contra Olímpia, mãe deste monarca. Depois de lê-la toda, respondeu Alexandre: Ignora Antípatro que uma pequena lágrima de minha mãe basta para apagar infinitas cartas de acusações? Imaginemos que também assim responda o Senhor às acusações que lhe apresenta contra nós o demônio, quando Maria roga por nós: Não sabes, Lúcifer, que uma súplica de minha Mãe, a favor de um pecador, basta para fazer-me esquecer de todas as acusações de ofensas a mim feitas?

Eis em prova disto o seguinte:

EXEMPLO

Este exemplo não está registrado em livro algum. Contou-mo, porém, um sacerdote meu companheiro, dando-se o fato com ele mesmo. Enquanto estava confessando numa igreja (cala-se o lugar por discrição, embora o penitente tenha dado licença para publicá-lo), viu um jovem, em pé, que parecia querer confessar-se. Olhando para ele o padre muitas vezes, finalmente chamou-o e perguntou-lhe se queria confessar-se. Respondeu que sim e que a confissão seria muito longa. Levou-o então o padre a um lugar mais retirado. Aí começou o penitente a dizer que era estrangeiro e nobre, e que não entendia como Deus quisesse perdoar-lhe, depois da vida criminosa que tinha levado. Além de inúmeros pecados de desonestidade, homicídios etc., disse que, desesperado de sua salvação, se pusera a cometer pecados, não tanto por paixão, mas por desprezo e ódio a Deus. Disse, entre outras coisas, que maltratara um crucifixo que consigo trazia, e que pouco antes, naquela manhã, tinha ido comungar sacrilegamente. Isto fizera para depois calcar aos pés a partícula consagrada. De fato queria pôr em execução o terrível projeto, mas não o fizera por causa das pessoas que o podiam ver. Com efeito entregou ao confessor a partícula, embrulhada num papel. Contou em seguida que, tendo passado por aquela igreja, sentira um grande impulso de entrar nela, e, não podendo resistir, entrou. Veio-lhe, então, logo um grande remorso de consciência, com certa veleidade e irresolução de confessar-se. Pusera-se por isso em frente ao confessionário. Mas aí era tão grande sua confusão e desconfiança, que queria ir embora. Alguém parecia, entretanto, retê-lo à força, ali perto. Até que – disse o jovem –, vós me chamastes, padre. Agora vejo-me aqui, e estou confessando-me nem sei como. Perguntou-lhe o padre por alguma devoção que talvez, durante esse tempo, praticara em honra de Maria Santíssima, pois que tais conversões extraordinárias são sempre obra das mãos poderosíssimas da Virgem. – Nada, senhor padre, respondeu o jovem; que devoção poderia eu praticar? Pois eu me julgava condenado. – Recordai-vos melhor, tornou o padre. – Nada, meu padre, insistiu ele. Mas, metendo a mão no peito, recordou-se, e viu que trazia o escapulário de Nossa Senhora das Dores. – Ah! filho, disse então o confessor, não vedes que foi Nossa Senhora que vos fez esta graça? E notai que esta igreja lhe é consagrada. Ouvindo isto, o pecador estremeceu e cheio de arrependimento começou a chorar, continuando depois a manifestar os seus pecados. Confessou-os entre lágrimas de tal compunção, que caiu sem sentidos aos pés do confessor. Este fê-lo tornar a si, e finalmente, terminada a confissão, absolveu-o com suma consolação. Ele, todo contrito e resoluto a mudar de vida, voltou à sua pátria, depois de ter dado licença ao confessor de pregar e publicar por toda parte a grande misericórdia em seu favor.

ORAÇÃO

Ó santa Mãe de Deus e minha Mãe, Maria! Vós tanto vos interessastes pela minha salvação, que chegastes a sacrificar à morte o objeto mais caro ao vosso coração, o vosso amado Jesus. Se tanto desejastes ver-me salvo, é justo que em vós, abaixo de Deus, ponha todas as minhas esperanças. Ó Virgem bendita, por isso é que confio em vós inteiramente. Ah! pelo merecimento do grande sacrifício da vida de vosso Filho, que oferecestes a Deus neste dia, rogai-lhe que se compadeça da minha alma, pela qual o Cordeiro imaculado não recusou morrer na cruz.

Quereria, ó minha Rainha, também eu neste dia, à vossa imitação, oferecer meu pobre coração a Deus. Mas temo que o recuse, vendo-o tão manchado e imundo. Se vós, porém, lho oferecerdes, não recusará certamente. Ele aprecia e recebe todas as ofertas que lhe são apresentadas por vossas mãos puríssimas. A vós, pois, ó Maria, apresento-me hoje, miserável como sou, e a vós inteiramente me consagro. Oferecei-me como coisa vossa, juntamente com Jesus, ao Eterno Pai. Rogai-lhe que, pelos méritos do Filho e por amor de vós, me aceite e tome para si. Ah! Mãe dulcíssima, por amor desse Filho sacrificado, ajudai-me sempre, e não me abandoneis. Não permitais que eu venha um dia a perder por meus pecados este meu amabilíssimo Redentor, hoje por vós oferecido à cruz com tanta dor. Dizei-lhe que sou vosso servo; dizei-lhe que em vós pus toda a minha esperança; dizei-lhe, enfim, que me quereis salvar e ele não poderá deixar de atender-vos. Amém.

VII. DA ASSUNÇÃO DE MARIA

Resumo histórico.
É esta a mais antiga das festas de Nossa Senhora. Não temos uma base histórica para o assunto da festa. Isso em nada a prejudica, porque a tradição em seu favor é antiquíssima. Já antes do ano 430 encontramos a festa. Até os Nestorianos, separando-se da Igreja, continuaram celebrando-a. No Ocidente é S. Gregório de Tours († 573) o primeiro que fala da Assunção corporal de Maria ao céu. Em Roma, o Papa Sérgio I (687-701) ordenou que se fizesse uma procissão no dia da festa. No século X surgiram dúvidas e apareceram escritores aconselhando cautela no assunto. Mas tinham em vista as provas históricas e não as razões teológicas. Assentadas estas últimas, cessou o receio e hoje o mundo universo canta, jubiloso e convicto: *Assumpta est Maria in caelum, gaudet exercitus angelorum*. No Ano Santo de 1950 veio a definição desta verdade como dogma de fé (Nota do tradutor).

A preciosa morte de Maria

Neste dia a Igreja nos propõe a celebração de duas solenidades em honra de Maria: seu feliz trânsito desta terra, e sua gloriosa assunção ao céu. No presente discurso falaremos do Trânsito e, no seguinte, da Assunção de Maria.

É a morte uma pena do pecado. Ora, sendo Maria toda santa e isenta de toda mancha, parece que não devia ser sujeita a padecer a mesma desventura dos filhos de Adão, atingidos todos pelo veneno do pecado. Entretanto, querendo Deus fosse Maria bem semelhante a Jesus, convinha que morresse a Mãe como tinha morrido também o Filho. Queria o Senhor dar aos justos um exemplo da morte preciosa que lhes está preparada e por isso determinou que morresse a Virgem, mas de uma morte toda doce e feliz. Isto posto, entremos a considerar quanto foi preciosa a morte de Maria.

1. pelas graças que a acompanharam;
2. pelo modo por que se operou.

PONTO PRIMEIRO

Prerrogativas da morte de Maria

Três coisas costumam tornar amarga a morte: o apego à terra, o remorso dos pecados e a incerteza da salvação. Mas a morte de Maria foi totalmente isenta dessas amarguras, e, ao contrário, acompanhada de três belíssimas graças que a tornaram sumamente preciosa e suave. Morreu, como sempre vivera, completamente desapegada dos bens mundanos; morreu com suma paz de consciência; morreu na certeza da glória eterna.

1. *Maria morreu desprendida dos bens do mundo*

Não há dúvida que o apego aos bens terrenos torna amarga e miserável a morte dos mundanos, como diz o Espírito Santo: Ó morte, quão amargosa é a tua memória para um homem que tem paz no meio de suas riquezas (Eclo 41,1). Mas, porque morrem os santos desapegados das coisas do mundo, a morte não lhes é amarga, mas doce, amável e preciosa. Isto é, na explicação de S. Bernardo, digna de comprar-se por qualquer preço. "Bem-aventurados os mortos que morrem no Senhor" (Ap 14,13). Quais são esses que morrem, já estando mortos? São justamente essas almas venturosas que na hora da morte já estão desapegadas das coisas terrenas, e só em Deus encontram todo bem, como acontecia a S. Francisco de Assis, que dizia: Meu Deus e meu tudo! Mas, que alma jamais foi tão desapegada deste mundo, e tão unida a Deus, quanto a bela alma de Maria? Foi, sem dúvida, inteiramente desapegada dos *seus parentes,* pois que, desde a idade de três anos, quando as crianças têm mais afeição aos pais e mais necessitam de seus desvelos, ela com todo valor os deixou e foi encerrar-se no templo, para atender somente a Deus. Foi desprendida dos *bens terrenos,* contentando-se de viver pobre e sustentando-se com o trabalho de suas mãos. Igual foi seu desprezo *das honras,* amando a vida humilde e abjeta, posto que descendesse dos reis de Israel, cabendo-lhe assim o competente respeito e honra. Revelou a própria Virgem a S. Isabel da Turíngia que, quando seus pais a deixaram no templo, ela estabeleceu no seu coração de não ter outro pai, nem amar outro bem senão Deus.

S. João viu Maria figurada naquela mulher vestida de sol, que tinha a lua debaixo dos pés (Ap 12,1). Pela lua explicam os intérpretes significar-se o mundo, e seus bens caducos e sujeitos a inconstâncias, como o é a lua. Todos estes bens, Maria nunca os teve no coração, mas sempre os desprezou e teve debaixo dos pés. Viveu neste mundo como solitária rola num deserto, sem afeto a coisa alguma. Dela foi dito por isso nos Cânticos: Ouviu--se em nossa terra a voz da rola (2,12). E em outro lugar: Quem é esta que sobe pelo deserto? (3,6). Sobre a Virgem diz o abade Roberto: Subiste pelo deserto porque tua alma estava na solidão. Havendo, pois, Maria vivido sempre desprendida inteiramente das coisas terrenas, e sempre unida a Deus, não amarga, mas doce e suave devia ser-lhe a morte, por uni-la mais estreitamente a Deus com vínculo eterno no paraíso.

2. *Maria morreu na mais doce paz do espírito*

Em segundo lugar faz preciosa a morte dos justos a paz de consciência. São os pecados cometidos que mais afligem e roem o coração dos pobres moribundos. Lembrando-se que hão de comparecer dentro em pouco perante o tribunal divino, se veem nessa extremidade rodeados por seus pecados, que os apavoram e lhes dizem: Somos obras tuas, não te deixaremos. Assim no-lo afirma Vulgato Bernardo. Não pôde certamente Maria ser afligida na morte por algum remorso de consciência. Pois não fora sempre santa, pura e livre de toda a sombra de culpa atual e original?

Dela por isso foi dito: És toda formosa, minha amiga, e não há mancha em ti (Ct 4,7). Desde que teve o uso da razão, isto é, no primeiro instante da sua imaculada Conceição no seio de S. Ana, começou a Virgem a amar o seu Deus com todas as veras. E assim continuou sempre, adiantando-se cada vez mais na perfeição e no amor em toda a sua vida. Todos os seus pensamentos, desejos e afetos, só a Deus tinham por objeto. Não disse palavra, não fez movimento, não deu uma vista de olhos, não respirou, que não fosse por Deus e para glória sua, sem jamais separar-se um momento do amor divino. Ah! que na hora feliz de sua morte lhe apareceram em torno do leito todas as suas belas virtudes, praticadas na vida: aquela sua fé tão constante; aquela sua confiança em Deus tão amoroso; aquela paciência tão forte no meio de tantas penas; aquela humildade no meio de tantos privilégios; aquela modéstia; aquela mansidão; aquela piedade para com as almas; aquele zelo da divina glória. Sobretudo apresentou-se-lhe aquela perfeita caridade para com Deus, ao lado daquela total conformidade com a vontade divina. Todas, em suma, lhe apareceram e, consolando-a, diziam-lhe: Somos obras vossas e não vos deixaremos. Nossa Senhora e nossa Mãe, nós somos filhas do vosso belo coração. Agora que vós deixais esta miserável vida, não queremos deixar-vos. Iremos também e formar-vos-emos eterno cortejo de honra no paraíso, onde por meio de nós assentareis como Rainha de todos os anjos e de todos os homens.

3. *Maria morreu sem cuidados por sua salvação*

Em terceiro lugar faz doce a morte a segurança da eterna salvação. A morte chama-se trânsito, porque por ela se passa de uma vida breve a uma vida eterna. Por isso é grande o espanto daqueles que morrem com dúvida da sua salvação, e se avizinham do grande momento com justo temor de uma morte eterna. Pelo contrário, é muito grande a alegria dos santos em acabar a vida.

Pois com firme confiança podem esperar pela posse de Deus no céu. Uma religiosa de S. Teresa, quando o médico lhe deu a nova da morte, teve tanta alegria, que lhe disse: E como, Sr. Doutor, me dais uma tão feliz notícia e não me pedis as alvíssaras? S. Lourenço Justiniano, estando próximo à morte, e vendo as lágrimas com que o choravam os familiares, disse-lhes: Ide chorar em outra parte! Se quereis estar aqui comigo, deveis alegrar-vos como eu me alegro, porque vejo abrir-se a porta do céu, para unir-me com o meu Deus. Assim igualmente um S. Pedro de Alcântara, um S. Luís Gonzaga e tantos outros santos, à notícia da morte, prorromperam em vozes de júbilo e de alegria. Faltava-lhes, contudo, a certeza da graça divina, nem estavam seguros da própria santidade, como o estava Maria. Mas que júbilo sentiria a Divina Mãe, ao receber a notícia da sua morte? Ela, tão certa e segura de possuir a graça divina, especialmente depois que o arcanjo S. Gabriel lhe assegurou que era cheia de graça e possessora de Deus! (Lc 1,30). Maria estava também ciente das chamas de divino amor, em que lhe ardia o coração continuamente. Mais. Na sentença de Bernardino de Busti, ela, por singular privilégio não concedido a nenhum outro santo, amava e estava sempre amando a Deus, em cada instante de sua vida. E isso com tanto ardor, que, segundo S. Bernardo, só por um contínuo milagre lhe foi possível viver no meio de tão vivo incêndio de amor.

De Maria já se disse nos Cânticos: Quem é esta que sobe pelo deserto, como uma varinha de fumo, cheia de aromas de mirra, e de incenso, e de toda a casta de polilhos odoríferos? (3,6). A sua total mortificação, figurada na mirra; as suas fervorosas orações, expressas pelo incenso; e todas as suas santas virtudes, unidas à sua perfeita caridade para com Deus, acendiam nela intenso incêndio. No meio deles sua bela alma, toda sacrificada e consumida pelo amor divino, se eleva continuamente a Deus qual varinha de fumo, que de todas as partes trescalava suavíssimo perfume. A nuvem que sobe és tu, Maria, que exalaste para o Altíssimo a suavíssima fragrância das virtudes, diz Roberto, abade. E com maior expressão ainda, disse o Pseudo-Jerônimo: Foi Maria essa varinha de incenso, porque se consumia como um holocausto, inteiramente devorada pelo fogo do amor divino, e exalava sempre suavíssimo olor. E qual viveu a amante Virgem, tal morreu. Assim como o amor divino lhe deu a vida, assim lhe deu também a morte. Pois, como dizem comumente os doutores e os Santos Padres, ela morreu não de outra enfermidade, senão de puro amor. Ou Maria não devia morrer ou só morrer de amor, afirma um escritor sob o nome de S. Ildefonso.

PONTO SEGUNDO

Particularidades da morte de Nossa Senhora

1. *Saudades que Maria Santíssima teve de seu Filho*
Mas vejamos agora como se deu a sua feliz morte. Depois da Ascensão de Jesus Cristo, ficou Maria no mundo para atender à propagação da fé. Por isso a ela recorriam os discípulos do Salvador. Resolvia-lhes a Senhora as dúvidas, confortava-os nas perseguições, animava-os nos trabalhos pela glória divina e salvação das almas remidas. Mui voluntariamente se demorava na terra, entendendo ser esta a vontade de Deus para o bem da Igreja. Mas não podia deixar de sentir a pena de ver-se longe da presença e da vista de

seu amado Filho, que subira ao céu. "Porque onde está o vosso tesouro, aí estará também o vosso coração" (Lc 12,34). Onde alguém julga estar o seu tesouro e seu contentamento, aí estará fixo o amor e o desejo de seu coração. Se, pois, Maria não amava outro bem senão Jesus, estando ele no céu, no céu estavam todos os seus desejos. Taulero escreve por isso: "A cela de Maria foi o céu, pois que, pelo afeto, lá fazia a sua contínua morada. Sua escola foi a eternidade, porque vivia sempre separada dos bens temporais. Seu mestre foi a Divina Sabedoria, pois operou sempre segundo a luz divina. Seu espelho foi a divindade, porquanto não atendia senão a Deus, para conformar-se sempre à sua vontade. Seu ornamento era a piedade, já que estava sempre pronta a executar o divino beneplácito. Sua paz estava sempre em unir-se toda com Deus. Em suma, o lugar e tesouro do seu coração era unicamente Deus". – Andava assim a Santíssima Virgem consolando o seu coração, saudoso nessa dura separação, com o visitar, segundo se conta, os santos lugares da Palestina, em que o Filho estivera em vida. Visitava amiudadas vezes ora a manjedoura de Belém, onde o Filho nasceu; ora a casa em Nazaré, dentro da qual ele viveu tantos anos esquecido; ora o horto de Getsêmani, onde iniciou a sua Paixão; ora o pretório de Pilatos, onde foi flagelado; ora o lugar em que o coroaram de espinhos. Mas com mais frequência visitava o Calvário, cenário da morte do Filho, e o santo sepulcro, onde por último o deixou. E deste modo a amantíssima Senhora e Mãe andava aliviando a pena do seu duro exílio. Mas isto não podia bastar para lhe contentar o coração, ao qual não podia a terra oferecer perfeito repouso. Eis por que lhe eram contínuos os suspiros que enviava ao Senhor, exclamando com Davi, mas com amor mais ardente: Quem me dera penas de pomba para voar ao meu Deus e nele achar o meu repouso? Como o cervo suspira pelos mananciais das águas, assim por vós suspira minha alma, ó meu Deus (Sl 41,2). Como o cervo ferido deseja a fonte, assim a minha alma, pelo vosso amor ferida, meu Deus, vos deseja e por vós suspira. Ah! que os suspiros desta santa rola não podiam deixar de penetrar o coração do seu Deus, que muito a amava. "Ouviu-se a voz da rola em nossa terra" (Ct 2,12). Assim, não querendo o Senhor diferir por mais tempo a consolação à sua amada Mãe, eis que lhe sossega as saudades e a chama ao seu reino.

Os escritores gregos citados por S. Afonso, nas linhas que se seguem, tiram sua descrição dos Apócrifos, cuja preocupação era edificar o povo fiel. Suas descrições são florações e enredos poéticos de duas verdades: da ressurreição do corpo de Maria e da sua celeste glorificação. A lenda da reunião dos apóstolos ao redor de Maria não é nem impossível nem inconveniente, observa um grande teólogo da atualidade, Scheeben. Muito bem eles representam "as 12 estrelas que coroavam a mulher revestida do sol" (Nota do tradutor).

Referem Cedreno, Nicéforo e Metafrastes, que o Senhor lhe enviou, alguns dias antes da morte, o arcanjo S. Gabriel, que outrora lhe levara a mensagem de ser ela a mulher bendita e escolhida para Mãe de Deus. Minha Senhora e Rainha, disse-lhe o anjo, Deus já ouviu os vossos santos desejos e mandou-me a dizer-vos que vos prepareis para deixar a terra, porque ele vos quer consigo no paraíso. Vinde, pois, tomar posse do vosso reino, porquanto eu e todos aqueles santos cidadãos vos esperamos e desejamos. A este feliz anúncio, que outra coisa faria a nossa humilíssima e santa Virgem, senão concentrar-se ainda mais nas profundezas de sua humildade? Que faria, senão repetir aquelas mesmas palavras que respondera ao anjo, quando lhe anunciou a divina maternidade: Eis aqui a escrava do Senhor? Ele por sua bondade me elegeu e fez sua Mãe; agora me chama ao paraíso. Eu não merecia nem aquela, nem esta honra. Mas já que ele quer sobre mim demonstrar a sua infinita liberalidade, aqui estou pronta a ir aonde me quer. "Eis aqui a escrava do Senhor; cumpra-se sempre em mim a vontade de meu Senhor."

Maria comunicou depois a S. João a grata notícia que acabara de receber. Imaginemos com que ternura e dor ouviria esta nova, ele que por tantos anos, assistindo-a como filho, gozara a celeste conversação desta Santíssima Mãe!

Ela visitou de novo os santos lugares de Jerusalém, despedindo-se deles com ternura, especialmente do Calvário, onde o amado Filho deixou a vida. Retirou-se depois à sua pobre casa, preparando-se para morrer. Durante todo esse tempo não cessavam os anjos de visitar frequentes vezes a sua amada Rainha, consolando-se em saber que brevemente a veriam no céu.

2. *Presença dos apóstolos*

Referem muitos autores, como André de Creta, João Damasceno, Eutímio, que os apóstolos e também uma parte dos discípulos vieram das diversas partes, onde estavam dispersos, reunindo-se no quarto de Maria, antes da sua morte. Ela, pois, vendo-os reunidos na sua presença, começou a falar-lhes assim: "Por amor de vós, e para ajudar-vos, meu Filho me deixou na terra. Agora já a santa fé se acha espalhada no mundo, já o fruto da divina semente se acha crescido. Por isso, vendo o meu Senhor que não é por mais tempo necessária minha presença na terra, compadeceu-se da saudade que sinto em estar longe dele. Quer agora atender ao meu desejo de deixar esta vida e ir vê-lo. Ficai, pois, vós a trabalhar pela sua glória. Se vos deixo, não vos deixo com o coração; comigo levarei e permanecerá sempre o grande amor que vos tenho. Vou ao paraíso rogar por vós". A esta dolorosa nova, quem poderá compreender quais fossem as lágrimas e os lamentos daqueles santos discípulos, pensando que em breve tinham de separar-se de sua Mãe? Então, chorando, todos começaram a dizer: "Então, ó Maria, já quereis deixar-nos? É verdade que esta terra não é lugar digno e próprio para vós, nem somos nós dignos de gozar a companhia de uma Mãe de Deus. Mas lembrai-vos que sois a nossa Mãe. Vós fostes até agora a nossa mestra nas dúvidas, a nossa consoladora nas angústias, a nossa fortaleza nas perseguições. E como quereis agora abandonar-nos, deixando-nos sós, sem o vosso conforto, no meio de tantas lutas? Perdemos já na terra o nosso Mestre e Pai, Jesus, que subiu ao céu. Nós nos consolamos neste intervalo convosco, nossa amorosíssima Mãe. Como, pois, nos quereis, também vós, agora deixar órfãos? Senhora nossa, ou ficai conosco, ou levai-nos convosco!" – Assim nos descreve a cena S. João Damasceno. – Não, filhos meus, respondeu com doçura a amorosa Rainha, não; o que pedis não é segundo a vontade de Deus; contentai-vos de fazer o que ele de mim e de vós tem disposto. Resta-vos ainda trabalhar na terra pela glória do vosso Redentor, para completar a vossa eterna coroa. Deixando-vos, não vos abandono. Pelo contrário, hei de socorrer-vos ainda mais com a minha intercessão junto de Deus no céu. Ficai contentes! Recomendo-vos a Santa Igreja, recomendo-vos as almas remidas. Seja este o derradeiro adeus e única lembrança que vos deixo. Fazei-o, se me amais; trabalhai pelas almas e pela glória de meu Filho. Porque um dia nos veremos de novo reunidos no céu, para jamais nos separarmos por toda a eternidade.

Dito isto, rogou-lhes que dessem sepultura ao seu corpo e abençoou-os. Ordenou a S. João, como referem Nicéforo e Metafrastes, que depois de sua morte entregasse duas vestes suas a duas virgens, que a tinham servido por certo tempo. Terminado o que, decentemente se compôs sobre o seu pobre leitozinho, onde se pôs com alegria a esperar a morte, e com ela o encontro do Divino Esposo. Pois em breve ele devia vir buscá-la para conduzi-la consigo ao divino reino. Eis que já sente no coração um prazer precursor da vinda do Esposo, que a inunda de uma imensa e nova suavidade.

Vendo os santos apóstolos que Maria já estava próxima a sair deste mundo, renovando o pranto, puseram-se de joelhos à roda do leito. Uns lhe beijavam os santos pés, outros lhe pediam a bênção, alguns lhe recomendavam as suas particulares necessidades. Todos, enfim, choravam copiosamente e sentiam o coração transpassado de dor, porque tinham de separar-se para sempre, nesta vida, de sua amada Senhora. A Mãe amantíssima de todos, entretanto, se compadece e procura consolá-los. A uns promete o seu patrocínio, a outros abençoa com especial afeto, e anima outros no trabalho da conversão do mundo. Especialmente chamou junto de si S. Pedro, e como chefe da Igreja e vigário de seu Filho, a ele recomendou principalmente a propagação da fé, prometendo-lhe uma especial assistência.

Mas singularmente chamou S. João, o qual mais que todos sentia grande dor no momento de separar-se daquela santa Mãe. E lembrando-se a gratíssima Senhora do afeto e atenção com que este santo discípulo a servira, durante o tempo que permaneceu no mundo depois da morte do Filho, lhe disse, com muita ternura: João, agradeço-te toda a assistência que me tens prestado. Filho meu, fica certo que não te serei ingrata. Se agora te deixo, vou rogar por ti. Fica em paz nesta vida, até que nos tornemos a ver no céu, onde te espero. Não te esqueças de mim; em todas as tuas necessidades chama-me em teu auxílio, que eu jamais me esquecerei de ti, meu amado filho. Eu te abençoo e te deixo a minha bênção. Fica em paz; adeus!

3. *Maria morre de amor para com seu Filho*

Mas já a morte de Maria está próxima. As ardentes chamas do amor divino já haviam consumido quase todos os espíritos vitais. Eis que a celeste Fênix, no meio de tanto incêndio, vai perdendo a vida. Revoadas de anjos baixavam à terra, como em ato de estarem prontos para o grande triunfo com que deviam acompanhá-la ao paraíso. Muito se consolava Maria com a visita daquela multidão de espíritos. Mas não era completo seu consolo, por não ver aparecer o seu amado Jesus, que era todo o amor do seu coração. Por isso frequentes vezes repetia aos anjos que a vinham saudar: Eu vos conjuro, filhas de Jerusalém, que, se encontrardes ao meu amado, lhe façais saber que estou enferma de amor (Ct 5,8). Santos anjos, ó formosos cidadãos da Jerusalém celeste, vindes em bandos consolar-me, e todos me consolais com a vossa amável presença; eu vos agradeço. Mas vós todos não me contentais completamente, porque não vejo ainda o meu Filho, meu único consolador: Ide-vos, se me amais, voltai ao paraíso e dizei da minha parte ao meu querido que desfaleço e desmaio por seu amor. Dizei-lhe que venha e venha depressa, porque sinto-me morrer com desejo ardente de vê-lo.

Mas eis que Jesus já vem buscar sua Mãe, para conduzi-la ao santo reino. Santa Isabel de Schoenau viu o Salvador aparecer à sua

Mãe agonizante, com a cruz na mão. Deste modo queria demonstrar a glória especial que lhe resultara da Redenção, tendo com a sua morte adquirido aquela grande criatura, que, por séculos eternos, devia honrá-lo mais que todos os homens e que todos os anjos.

Gerson é de opinião que o próprio Cristo Senhor subministrou a comunhão por viático a Maria, dizendo-lhe amorosamente: Recebe, ó Mãe, das minhas mãos aquele mesmo corpo que me deste. – E a Mãe, recebendo com maior amor aquela última comunhão, entre os últimos suspiros lhe disse: Filho, nas vossas mãos recomendo o meu espírito, recomendo-vos a alma, que vós criastes desde o princípio, rica de tantas graças, e por singular privilégio preservastes de toda mancha de culpa. Recomendo-vos o meu corpo do qual vos dignastes tomar carne e sangue. Recomendo-vos estes meus queridos filhos (referia-se aos santos discípulos que a rodeavam). Eles ficam aflitos com a minha partida. Consolai-os vós, que mais do que eu os amais, e dai-lhes forças para fazerem prodígios pela vossa glória!

Chega, finalmente, o termo da vida de Maria. Ouve-se, no quarto em que morre, uma celeste harmonia, como narra o Pseudo-Jerônimo. Um grande esplendor ilumina o aposento, conforme uma revelação feita a S. Brígida. Aos sons dessa harmonia, aos clarões desse esplendor, compreenderam os apóstolos que era chegada a hora do trânsito de Maria. Por isso renovaram as lágrimas e as súplicas, elevando as mãos disseram todos a uma voz: Ó Mãe nossa, já ides para o céu e nos deixais. Dai-nos a derradeira bênção e não vos esqueçais de nós, miseráveis. – Mais uma vez volve Maria os olhos para todos, como por última despedida e diz-lhes: Adeus, meus filhos, eu vos abençoo; ficai certos de que não me esquecerei de vós. – E então veio a morte, mas sem as vestes do luto e da tristeza como vem aos homens. Vem ornada de luz, circundada de alegria. Mas por que falamos em morte? Digamos melhor, veio o amor divino cortar o fio daquela nobre vida. Uma luz, que se vai apagando, bruxuleia, atira vivos lampejos e clarões, e depois se extingue. Assim também a Virgem, formosa borboleta, convidando-a o Filho a segui-lo, imersa na chama de sua caridade e no meio de seus amorosos suspiros, dá um maior suspiro de amor, expira e morre. E deste modo aquela grande alma, aquela formosa pomba do Senhor, se desprendeu dos laços desta vida e voou à glória eterna, onde permanece e permanecerá Rainha por toda a eternidade.[4]

Assim, pois, deixou Maria a terra e está no céu. De lá a piedosa Mãe olha para nós, que ainda estamos neste vale de lágrimas. De nós se compadece e nos promete o seu auxílio, se o queremos. Roguemos-lhe sempre, pelos merecimentos de sua santa morte, nos obtenha uma morte feliz. Peçamos-lhe até a graça de ser a nossa morte num sábado, que é dedicado à sua honra, ou num dia da novena ou do oitavário de alguma de suas festividades; se porventura for isso do agrado de Deus. Já obteve a Senhora esse favor a tantos de seus servos, especialmente a S. Estanislau Kostka, que conseguiu morrer no dia da sua gloriosa Assunção.

EXEMPLO

Este santo jovem, tão dedicado ao amor de Maria, ouviu no primeiro dia do mês de agosto uma conferência, que o padre Canísio fizera aos noviços da Companhia. Aconselhou-lhes o santo pregador, e com

---

[4] Não foi nem podia ser a morte de Maria consequência do pecado, do qual fora sempre isenta. À imitação de Jesus, ela aceitou livremente a morte, em humilde obediência a Deus (Scheeben).

muita insistência, que vivessem cada dia como se fosse o último de sua vida, findo o qual lhes fosse preciso comparecer perante o tribunal divino. Terminada a conferência, dissera Estanislau aos companheiros que aquele conselho era, particularmente para ele, a voz de Deus, porquanto havia de morrer naquele mesmo mês. Isto disse, ou porque Deus expressamente lho revelou, ou ao menos por certo pressentimento do que ia acontecer. Quatro dias depois foi o santo jovem com o padre Emanuel de Sá visitar a igreja de S. Maria Maior. Em caminho discorreu sobre a próxima festa da Assunção e disse: Padre, creio que nesse dia se vê um novo paraíso, no paraíso, contemplando-se a glória da Mãe de Deus, coroada Rainha do céu e colocada tão próxima ao Senhor, sobre todos os coros dos anjos. Dizem que em cada ano se renova esta festa no céu. Creio nisso e espero que verei a primeira que lá se fizer. Segundo uma aceitável narração, nesse mesmo dia Estanislau escreveu uma carta à sua querida Mãe do céu, na qual lhe pedia a graça de assistir à celebração de sua festa no paraíso. Tocando-lhe então por sorte o glorioso mártir S. Lourenço, como protetor do mês (segundo o uso da Companhia), comungou no dia de sua festa e depois suplicou ao Santo que apresentasse a carta à Mãe de Deus, e intercedesse por ele para um favorável despacho da mesma. No fim desse mesmo dia veio-lhe a febre e, embora fraca, deu-lhe contudo como certa a graça pedida quanto a uma próxima morte. Com efeito, ao deitar-se na cama, disse muito alegre e risonho: Daqui não me levantarei mais. E ao padre Cláudio Aquaviva acrescentou: Meu padre, creio que S. Lourenço já me obteve de Maria a graça de me achar no céu pela festa de sua Assunção. Mas ninguém ligou importância às suas palavras. Na vigília da festa o mal continuava a parecer leve. Disse, contudo, o Santo a um irmão, que morreria na noite seguinte. Ao que este respondeu: Ó irmão, maior milagre seria morrer, do que sarar de um mal tão insignificante. Entretanto, eis que, passada a meia-noite, caiu o Santo num desfalecimento mortal, começando a suar frio e a perder as forças. Acudiu o Superior, a quem Estanislau rogou que o mandasse pôr sobre o chão, para morrer como penitente. Isto se lhe concedeu para o contentar e foi posto no chão sobre uma coberta. Depois confessou-se e recebeu o viático, não sem comover até às lágrimas os assistentes. Ao entrar no quarto o Santíssimo Sacramento, viram estes o Santo jovem todo radiante de celeste alegria nos olhos, e o rosto todo ruborizado nas chamas de um santo amor, que até parecia um serafim. Recebeu também a Extrema-Unção e entrementes nada fazia senão levantar os olhos ao céu, e ora contemplar, ora beijar e apertar contra o peito amorosamente uma imagem de Maria. Perguntou-lhe um padre: De que vos serve nas mãos este rosário, se o não podeis recitar? Serve para consolar-me – responde o Santo – pois é uma coisa que pertence à minha Mãe. Se assim é, tornou-lhe o padre, quanto maior será vossa consolação, vendo-a e beijando-lhe em breve as mãos, no céu! Então o santo, com o rosto todo inflamado, levantou as mãos para o céu, exprimindo assim o desejo de achar-se na presença de Maria. Apareceu-lhe depois essa querida Mãe como ele mesmo disse aos circunstantes. E pouco depois ao amanhecer do dia 15 de agosto, expirou como um bem-aventurado, com os olhos fitos no céu, sem fazer movimento algum. Tendo-lhe alguém apresentado a imagem de Maria e notando que ele não se interessava mais por ela, conheceram os presentes que Estanislau passara desta à melhor vida no céu. Já havia partido para ir beijar os pés de sua Rainha no paraíso.

ORAÇÃO

Ó dulcíssima Senhora e Mãe nossa, já deixastes a terra e chegastes ao vosso reino, onde imperais como Rainha sobre todos os coros dos anjos, segundo canta a Santa Igreja. Bem sabemos que nós, pecadores, não éramos dignos de possuir-vos conosco, neste vale de lágrimas. Mas sabemos também que, no meio de vossas grandezas, não vos esquecestes de nós, miseráveis, e que, por terdes sido sublimada a tanta glória, não perdestes, antes aumentou em vós a compaixão para com os pobres filhos de Adão. Do trono excelso em que reinais, volvei--nos ó Maria, os vossos piedosos olhos, e tende compaixão de nós. Lembrai-vos que, ao deixar esta terra, prometestes que não nos havíeis de esquecer. Olhai para nós, e socorrei-nos. Vede no meio de quantos perigos e tempestades nos achamos e acharemos até ao fim da nossa vida. Pelos merecimentos de vosso bem-aventurado trânsito, alcançai-nos a santa perseverança na amizade divina, para sairmos enfim desta vida na graça de Deus. Desse modo iremos um dia beijar também vossos pés no paraíso, unindo-nos aos espíritos bem-aventurados, para louvar-vos e cantar vossas glórias, como mereceis. Amém.

VIII. DA FESTA DA ASSUNÇÃO

Triunfo e glorificação de Maria no céu

Parecia justo que a Santa Igreja, neste dia da Assunção de Maria ao céu, antes nos convidasse a chorar que nos alegrar. Pois a nossa doce Mãe abandona a terra e deixa-nos privados da sua cara presença, como diz S. Bernardo. Entretanto, não; a Santa Igreja convida-nos para o júbilo com as palavras: Alegremo-nos no Senhor, agora que celebramos o dia festivo da Santíssima Virgem Maria! E com razão assim exclama. Pois, se temos amor a esta nossa Mãe, devemos cuidar antes de sua glória que de nossa consolação. Qual filho não se alegra, posto que se separe de sua mãe, se sabe que ela vai tomar posse de um reino? Maria vai hoje ser coroada Rainha do céu. E não deveríamos celebrar festivamente esse dia, se em verdade a amamos? Sim, alegremo-nos, mas nos alegremos todos de coração. Para aumento de nosso júbilo festivo consideremos.

1. a glória do triunfo de Maria no céu;
2. a sua elevação no excelso trono celeste.

PONTO PRIMEIRO

Triunfal entrada de Maria no céu

Desde que Jesus Cristo, nosso Salvador, completou a obra da Redenção com a sua morte, anelavam os anjos tê-lo no céu. Em suas preces repetiam por isso incessantemente as palavras de Davi: Levantai-vos, Senhor, para o vosso descanso, vós e a arca de vossa santificação (Sl 131,8). Eia, Senhor, já que remistes os homens, vinde habitar conosco em vosso reino. Conduzi também convosco a arca viva de vossa santificação, isto é, vossa Mãe, a qual santificastes habitando em seu seio. Precisamente assim faz S. Bernardo dizer aos anjos.

1. *Jesus em pessoa glorifica*
a entrada de sua Mãe no céu

Quis finalmente o Senhor atender ao desejo destes celestes cidadãos, chamando Maria ao paraíso. Ordenara outrora que a arca do Testamento fosse com grande pompa introduzida na cidade de Davi. "Davi e toda a casa de Israel conduziram a arca com júbilo e ao som das trombetas" (2Rs 6,14). Porém com pompa muito mais nobre e gloriosa ordenou que sua Mãe entrasse no céu. O profeta Elias foi transportado ao céu num carro de fogo, que, como dizem os intérpretes, não foi senão um grupo de anjos. Mas para vos conduzir ao céu, ó Mãe de Deus, não bastou um grupo de anjos, observa Roberto abade. O mesmo Rei da glória veio acompanhar-vos com toda a sua corte celeste.

Também S. Bernardino de Sena é de opinião que, para honrar o triunfo de Maria, veio do paraíso o próprio Jesus Cristo; desceu para encontrá-la e acompanhá-la. E Eádmero diz: O Salvador quis subir ao céu antes de Maria, não só para preparar-lhe o trono, mas também para tornar-lhe mais gloriosa a entrada no céu, pela sua presença e pelo luminoso séquito dos espíritos bem-aventurados. Nicolau, monge, vê mais fulgores na Assunção de Maria, que na Ascensão de Jesus Cristo. Porque, ao Redentor, somente vieram encontrá-lo os anjos, enquanto que a Santíssima Virgem subiu à glória, saindo-lhe ao encontro, e acompanhando-a o mesmo Senhor da glória e toda a bem-aventurada companhia dos santos e anjos. A tal respeito faz Guerrico, abade, falar assim o Verbo Divino: Para glorificar meu Pai desci do céu à terra; mas depois, para honrar minha Mãe, subi de novo ao céu, a fim de lhe sair ao encontro e acompanhá-la ao paraíso.

Consideremos como, descendo o Salvador do céu para encontrar a Mãe, lhe disse, consolando-a: Levanta-te, apressa-te, amiga minha, pomba minha, formosa minha, e vem. Porque já passou o inverno, já se foram e cessaram de todo as chuvas (Ct 2,10). Vamos, minha cara Mãe, minha bela e pura pomba, deixa este vale de lágrimas, onde tens sofrido tanto por meu amor. "Vem do Líbano, esposa minha, vem do Líbano e serás coroada" (Ct 4,8). Vem com alma e corpo, gozar o prêmio de tua santa vida. Se tens padecido muito no mundo, maior é a glória que te darei de Rainha do universo.

Eis que Maria já deixa a terra. Vêm-lhe à memória as muitas graças que aí recebera de seu Senhor. Olha-a por isso com afeto e juntamente com compaixão, recordando-se dos pobres que deixa expostos a tantas misérias e a perigos tantos. Jesus lhe estende a mão, e a santa Mãe já se eleva no ar, já passa as nuvens e as esferas. E chega enfim às portas do céu. Quando entra um monarca para tomar posse de um reino, não passa pelas portas da cidade, como as demais pessoas. Tiram-se então completamente as portas e ele entra triunfante. Por isso à entrada de Cristo no céu cantaram os anjos: Suspendei as vossas portas, ó príncipes; levantai-vos, portas eternas; o rei da glória entrará (Sl 23,7). Repetem eles a exclamação, agora que Maria vai tomar posse do reino dos céus. Os anjos da comitiva gritam aos outros, que estão dentro: Príncipes do céu, depressa, levantai, tirai as portas, porque deve entrar a Rainha da glória!

Já entra na celeste pátria. Mas, à sua entrada, veem-na aqueles espíritos celestes tão bela e tão gloriosa, que perguntam aos anjos que chegaram de fora, como contempla Vulgato Orígenes: Quem é esta que sobe do deserto inundando delícias e firmada sobre o seu amado? (Ct 8,5). E quem é esta criatura tão formosa que vem do deserto da terra, lugar de espinhos e abrolhos? Vem tão pura e rica de virtudes, com o seu amado Senhor, que se digna ele mesmo acompanhá-la com tanta honra? Quem é? Respondem os anjos que a acompanham: Esta é a Mãe do nosso Rei; é a bendita entre as mulheres, a cheia de graça, a Santa dos santos, a amada de Deus, a Imaculada, a mais formosa de todas as criaturas. E rompem imediatamente todos aqueles espíritos celestes em hinos de louvor e de júbilo, bendizendo-a com mais razão que os hebreus a Judite: Tu és a glória de Jerusalém, a alegria de nosso povo (Jt 15,10). Ah! Senhora, vós sois a glória do paraíso, a alegria de nossa pátria, a honra de todos nós! Eis o vosso reino, eis-nos todos aqui, vossos vassalos, prontos a obedecer-vos!

2. *Os santos saúdam a sua Rainha*

Vieram depois dar-lhe a boa-vinda, e saudá-la como sua Rainha, todos os santos que então estavam no paraíso. Vieram primeiro as santas virgens. "As filhas a viram e elas apregoaram-na pela mais bem-aventurada" (Ct 6,8). Nós, disseram, ó belíssima Senhora, somos também rainhas deste reino, mas vós sois a Rainha nossa. Fostes a primeira a dar-nos o grande exemplo de consagrar a nossa virgindade a Deus. Por isso vos louvamos e damos graças. Depois vieram os santos confessores saudá-la como sua Mestra, em cuja vida haviam aprendido tantas virtudes excelentes. Vieram os santos mártires saudá-la como sua Rainha, porque com sua grande constância, nas dores da Paixão de seu Filho, lhes ensinara e também alcançara com seus merecimentos a fortaleza para testemunhar a fé com a vida. Veio também S. Tiago, o único dos apóstolos que então se achava no paraíso, agradecer-lhe da parte de todos os outros apóstolos aquele conforto e auxílio que lhes dera estando na terra. Vieram depois os profetas saudá-la, e estes lhe diziam: Ah! Senhora, vós sois aquela, que pelas nossas profecias foi figurada. Vieram os santos patriarcas e lhe diziam: Ó Maria, vós então fostes a nossa esperança, tanto e por tão longo tempo por nós suspirada. Mas entre eles, com afeto maior vieram dar-lhe agradecimentos os nossos primeiros pais Adão e Eva. Ah, Filha amada! lhe diziam: Vós reparastes o dano feito por nós ao gênero humano; vós alcançastes ao mundo aquela bênção que perdemos por nossa culpa; por vós somos salvos. Para sempre sejais por isso bendita!

Vem depois beijar-lhe os pés S. Simeão e recordou-lhe com júbilo aquele dia em que tinha recebido das suas mãos o Menino Jesus. Vieram S. Zacarias e S. Isabel e novamente lhe agradeceram aquela amorosa visita, que com tanta humildade e caridade lhes fizera em sua casa, e pela qual receberam tantos tesouros. Veio S. João Batista, com maior amor, dar-lhe graças por tê-lo santificado por meio da sua voz. Mas que deveriam dizer-lhe, quando vieram saudá-la seus caros pais, Joaquim e Ana? Oh! Deus, com que ternura a deveriam abençoar dizendo: Filha dileta, que fortuna foi a nossa de ter tal filha! Eis que agora és a nossa Rainha, porque és Mãe do nosso Deus. Como tal nós te saudamos e veneramos. Mas quem nos dirá do afeto com que veio saudá-la seu caro esposo S. José? Quem nos poderá descrever o júbilo que experimentou o santo patriarca vendo a sua esposa chegada ao céu com tanto triunfo e aclamada Rainha de todo o paraíso? Com que ternura devia lhe dizer então: Ah! Senhora e esposa minha! Quando poderei chegar a agradecer quanto devo ao nosso Deus, por ter-me dado por esposa a vós, que sois a sua verdadeira Mãe? Por vós eu mereci na terra assistir à infância do Verbo Encarnado, tê-lo tantas vezes nos braços e dele receber graças especiais. Sejam benditos os momentos que gastei na vida a servir a Jesus e a vós, minha santa esposa! Eis o nosso Jesus, consolemo-nos que já não está agora deitado numa manjedoura sobre palhas, como nós o vimos nascido em Belém; já não vive pobre e desprezado, como outrora viveu conosco em Nazaré; já não está pregado num patíbulo infame, no qual morreu pela salvação do mundo em Jerusalém. Mas agora está sentado à direita do Pai, qual Rei e Senhor do céu e da terra. E eis que nós, Rainha minha, não nos separaremos mais dos seus santos pés, a louvá-lo e amá-lo eternamente.

3. *Homenagem dos anjos*

Finalmente vieram saudá-la todos os anjos. A todos a excelsa Rainha agradece a assistência que lhe haviam prestado na terra. Primeiramente lhe recebe os agradecimentos o arcanjo S. Gabriel, o feliz mensageiro de sua ventura, ao anunciar-lhe sua escolha para Mãe de Deus.

4. *Maria diante do trono de Deus*
Depois, de joelhos, a humilde e santa Virgem adora a majestade divina e abisma-se no conhecimento do seu nada. Agradece a Deus todas as graças que por mera bondade lhe havia concedido, especialmente de a ter feito Mãe do Verbo Eterno. Imagine e compreenda agora, quem o puder, com que amor a Santíssima Trindade a abençoou! Quem nos descreverá o afável e afetuoso acolhimento que fez o Pai Eterno à sua Filha, o Filho à sua Mãe, o Espírito Santo à sua Esposa! O Pai a coroa, participando-lhe o seu poder, o Filho a sabedoria, o Espírito Santo o amor. As três Pessoas divinas, colocando-lhe o trono à direita de Jesus, a declaram Rainha universal do céu e da terra. Aos anjos também ordenam, e a todas as criaturas, que a reconheçam por sua Rainha e como tal a sirvam e lhe obedeçam.

PONTO SEGUNDO

A sublimidade do trono de Maria

1. *Sua elevação sobre todos os anjos*
Na frase de S. Paulo, não pode a inteligência humana compreender a glória imensa que Deus reserva aos que o amam (1Cor 2,9). Quem poderá então, pergunta S. Bernardo, compreender jamais a glória que o Senhor reservou a sua Mãe? Pois desde o primeiro momento de sua existência ela o amou, na terra, mais que todos os anjos e homens juntamente. E já que esse amor foi em Maria maior do que em todos os anjos, canta-lhe por conseguinte com razão a Igreja: A Santa Mãe de

Deus foi exaltada acima de todos os coros dos anjos. Sim, diz o Abade Guerrico, exaltada acima dos anjos, de modo que só tem acima de si seu Filho, o Unigênito de Deus.

Dividem-se todas as ordens de anjos e santos em três jerarquias, como ensinam S. Tomás e o Pseudo-Dionísio Areopagita. Mas, segundo Gerson, constitui Maria no céu uma jerarquia à parte, de todas a mais sublime, a segunda depois de Deus. A senhora está incomparavelmente acima dos servos, observa S. Antonino; e assim também a glória de Maria é sem comparação maior do que a dos anjos. Para bem o compreender, basta recordar as palavras do Salmista: A rainha foi colocada à tua direita (44,10). Sim, à direita do Filho de Deus – comenta um antigo escritor, sob o nome de S. Atanásio.

É certo que as obras de Maria, diz Vulgato Ildefonso, sobrepujam incomparavelmente em mérito às de todos os santos. Por isso ninguém pode compreender a recompensa e a glória por ela merecidas. Entretanto, é certo que Deus remunera segundo o mérito (Rm 2,6). É então indiscutível, observa S. Tomás, que a Virgem por exceder em mérito todos os anjos e homens, deve ter sido exaltada acima de todas as ordens celestiais. Em suma, conclui S. Bernardo, sua glória celestial é única no seu gênero; para avaliá-la é mister não olvidar as graças singulares que recebeu na terra.

2. *Elevação de Maria sobre todos os santos*

Um santo autor, Padre La Colombière, observa que a glória de Maria foi uma glória plena, completa, ao contrário da glória dos demais santos. É verdade que todos os bem-aventurados gozam perfeita paz e pleno contentamento. Entretanto é inegável que nenhum deles goza a glória que teria podido merecer, se com maior fidelidade tivesse amado e servido a Deus. Embora, pois, *de fato,* os santos no céu nada mais desejem além do que gozam, *poderiam,* contudo, desejar-se uma glória ainda maior. Outrossim, é verdade, eles nada sofrem com a lembrança dos pecados cometidos e do tempo perdido. Todavia não se pode negar que dá sumo contentamento o bem que se fez em vida, a inocência conservada e o tempo bem empregado. Maria no céu nada deseja e nada tem que desejar. Qual dos santos, no paraíso, diz S. Agostinho, perguntado se cometeu pecados, pode responder que não, exceto Maria? Segundo a definição do Sagrado Concílio de Trento, Maria nunca cometeu alguma culpa, algum mínimo defeito. Não somente ela não perdeu jamais a graça divina, nem jamais a ofuscou, mas nunca a teve ociosa. Nada fez que fosse sem mérito. Não disse palavra, não teve pensamento, não deu respiração, que não dirigisse à maior glória de Deus. Em suma, nunca afrouxou ou parou um momento de correr para Deus. Nada perdeu por sua negligência. Correspondeu, pois, sempre à graça com todas as suas forças e amou a Deus quanto pôde. Senhor, diz-lhe agora no céu, se não vos amei quanto vós mereceis, ao menos vos amei quanto pude.

Nos santos as graças têm sido diversas, como diz S. Paulo: Há, em verdade, diferenças de graças (1Cor 12,4). Cada um deles, correspondendo à graça recebida, se tornou excelente em alguma virtude, este no zelo da salvação das almas, aquele na vida penitente, este nos sofrimentos de tormentos, aquele na contemplação. Por isso a S. Igreja, celebrando as respectivas festividades, diz de cada um: Não se achou ninguém semelhante a ele. E segundo os merecimentos, são no céu distintos na glória: "Como uma estrela difere da outra" (1Cor 15,41). Dos mártires distinguem-se os apóstolos, das virgens os confessores, dos penitentes os inocentes. Mas a Santíssima Virgem, tendo sido Virgem, tendo sido cheia de todas as graças, foi mais sublime que cada um dos santos, em toda espécie de virtudes. Foi apóstola dos apóstolos, foi Rainha dos mártires, porquanto padeceu mais que todos. Foi o modelo das virgens, o exemplo das casadas. Uniu em si a inocência perfeita à perfeita mortificação. Em suma, possuiu em seu coração todas as virtudes mais heroicas, que jamais praticou algum santo. Dela se diz isso: À tua direita assiste a rainha, em vestes tecidas de ouro, cobertas de variegados atavios (Sl 44,10). Pois que todas as graças, dotes e merecimentos dos outros santos, todos se acham reunidos em Maria, explica o Abade Raimundo Jordão.

O resplendor do sol ofusca o brilho de todas as estrelas. Também assim a glória da Mãe de Deus excede a de todos os bem-aventurados, diz Basílio de Seleucia. E acrescenta aqui Nicolau, monge: Ao raiar do sol, a luz da lua e das estrelas desaparece como se deixasse de existir; igualmente diante dos fulgores da Santíssima Virgem empalidece o brilho dos santos e dos anjos, de tal modo que uns e outros quase não se distinguem no céu. Por esta razão afirma S. Bernardo que os bem-aventurados participam em parte da glória de Deus, mas a Virgem, em certo modo, foi de tal maneira dela enriquecida, que parece impossível a uma criatura unir-se a Deus mais do que Maria. Com isso concordam as palavras de S. Alberto Magno, ao declarar que nossa Rainha contempla a Deus muito de perto e incomparavelmente melhor que todos os espíritos celestes. E S. Bernardino de Sena vai mais longe e escreve: Semelhantes aos planetas que são iluminados pelo sol, assim todos os bem-aventurados recebem luz e gozo maior pela vista de Maria. Noutro lugar, do mesmo modo afirma que a Mãe de Deus, subindo ao céu, aumentou muito o gozo a todos os seus habitantes. Por isso, segundo Nicolau, monge, os bem-aventurados, depois da visão de Deus, não têm maior glória a gozar no céu que a vista desta formosíssima Rainha. Da mesma opinião é também Conrado de Saxônia.

Alegremo-nos, pois, com Maria, pelo excelso trono em que Deus a sublimou no céu. E alegremo-nos também por nossa causa, porque se a nossa Mãe nos privou de sua presença subindo ao céu, não nos deixou com o afeto. Antes, estando ali mais vizinha, e unida a Deus, conhece ainda mais as nossas misérias, e de lá se compadece mais de nós e melhor nos pode socorrer. Porventura – pergunta-lhe Nicolau, monge, – ó bendita Virgem, por que fostes tão elevada no céu, vos esquecereis de nós miseráveis? Não, Deus nos livre de o pensarmos; não pode um coração tão piedoso deixar de compadecer-se das nossas misérias tão grandes. Se tanta foi a piedade que teve Maria conosco, quando vivia no mundo, assaz maior, observa Conrado de Saxônia, é no céu onde reina.

Dediquemo-nos, entretanto, a servir esta Rainha, a honrá-la e amá-la quanto pudermos. Ela não nos oprime com encargos à maneira de outros soberanos, diz Ricardo de S. Lourenço; nossa Rainha ao contrário, enriquece os seus servos em graça, merecimentos e prêmios. E digamos-lhe com Guerrico, abade: Ó Mãe de Misericórdia, vós estais assentada tão junto de Deus, imperando como Rainha do mundo. Saciai-vos da glória do vosso Jesus e mandai a nós servos os restos que sobejam. Vós já gozais à mesa do Senhor; nós, debaixo da mesa aqui na terra, quais pobres cãezinhos, vos pedimos piedade.

EXEMPLO

S. Pedro Damião conta-nos o seguinte de seu irmão Marino, apoiando-se no testemunho de um outro seu irmão, que se fez monge depois de haver deixado o arquidiaconato. Marino pecara gravemente contra a pureza e pouco depois fora rezar diante de um altar de Nossa Senhora, e a ela se consagrou. Em sinal de sua entrega, cingiu o pescoço com uma corda e disse à Mãe de Jesus: Ó Senhora, espelho da pureza, eu, miserável pecador, ofendi a Deus e a vós, faltando contra essa virtude. Não conheço remédio melhor do que me consagrar ao vosso serviço. Eis que por isso eu me consagro a vós; aceitai este rebelde e não me desprezeis. Deixou ao pé do altar uma quantia de dinheiro e prometeu todos os anos pagar a mesma importância, em sinal de sua escravidão. Estando para morrer, depois de uma longa vida passada no temor de Deus, disse: Levantai-vos, levantai-vos; mostrai à Senhora o vosso respeito. Que extraordinária graça me dispensais, ó Rainha do céu, dignando-vos visitar o vosso escravo. Abençoai-me, minha Senhora, e não permitais que eu me perca, depois de haver recebido a vossa visita. – Nesse ínterim chegou seu irmão Damião. A este Marino falou da visão e da bênção que Nossa Senhora lhe dera. Ao mesmo tempo queixou-se de que os presentes tinham ficado assentados, quando Maria apareceu. Pouco depois entregou sua alma a Deus.

ORAÇÃO

Ó grande, excelsa e gloriosíssima Senhora, prostrados aos pés do vosso trono, nós vos rendemos nossas homenagens, daqui deste vale de lágrimas. Nós nos comprazemos na glória imensa, de que vos enriqueceu o Senhor. Agora que já reinais como Rainha do céu e da terra, ah! não nos esqueçais, pobres servos vossos. Não vos dedigneis, desse excelso sólio em que reinais, de volver vossos piedosos olhos a nós miseráveis. Vós, quanto mais vizinha estais da fonte das graças, tanto mais nos podeis delas prover. No céu, descobris melhor as nossas misérias, portanto é preciso que tenhais maior compaixão de nós e mais nos socorrais. Fazei que sejamos na terra vossos fiéis servos, para podermos mais tarde bendizer-vos no paraíso. Neste dia em que fostes feita Rainha do universo, nós nos queremos consagrar ao vosso serviço. No meio de vossa grande alegria, consolai-nos também, aceitando-nos hoje por vossos vassalos. Sois vós a nossa Mãe. Ah! Mãe suavíssima, Mãe amabilíssima, vossos altares estão rodeados de muita gente que vos pede: uns vos pedem a cura de suas enfermidades, outros o vosso auxílio em suas necessidades; outros, uma boa colheita; outros, a vitória em qualquer demanda. Nós, porém, vos pedimos graças mais agradáveis ao vosso coração. Alcançai-nos o ser humildes, desapegados da terra, e resignados à divina vontade. Impetrai-nos o santo amor de Deus, a boa morte, o paraíso. Senhora, mudai-nos, mudai-nos de pecadores em santos. Fazei este milagre, que vos dará mais honra que se désseis a vista a mil cegos e ressuscitásseis mil mortos. Vós sois tão poderosa junto de Deus. Basta dizer que sois sua Mãe, a mais querida, cheia da sua graça: que vos poderá ele recusar? Ó Rainha formosíssima, nós não pretendemos ver-vos na terra, mas queremos ir ver-vos no paraíso. A vós compete alcançar-nos esta graça. Assim o esperamos decerto. Amém, amém.

TRATADO II
AS DORES DE NOSSA SENHORA

Resumo histórico.

Duas vezes no ano lembra-se a Igreja das Dores de Maria Santíssima: na Sexta-feira que antecede ao domingo de Ramos e no dia 15 de setembro. Já antes dessas solenidades vinha o povo cristão consagrando terna lembrança às Dores da Mãe de Deus. No século XIII a tendência geral fixa-se na celebração das Sete Dores. A Ordem dos Servitas, principalmente, fundada em 1240, muito contribuiu para propagar essa devoção. Pois seus membros deviam santificar a si e aos outros pela meditação das Dores de Maria e de seu Filho. Pelos fins do século XV era quase geral no povo cristão o culto compassivo das dores de Maria. Os poetas de vários países consagraram-lhe inúmeras poesias. O hino Stabat Mater dolorosa tem por autor o franciscano Jacopone da Todi (1306). A festa foi primeiramente introduzida pelo Sínodo de Colônia em 1423, sob o título de Comemoração das Angústias e Dores da Bem-aventurada Virgem Maria, para expiação das injúrias cometidas pelos Hussitas contra as imagens sagradas. Propagou-se rapidamente, tomando o nome de festa de Nossa Senhora da Piedade. Em 1725 introduziu-a o papa Bento XII no Estado Pontifício, e em 1727 estendeu-a para a Igreja universal. Mas, porque perdia um pouco de seu valor, por estar na quaresma, Pio VII, em 1804, mandou que fosse celebrada também no terceiro domingo de setembro. Com a reforma do Breviário, por Pio X, veio a festa a ter uma data fixa no dia 15 de setembro (Nota do tradutor).

I. MARIA FOI A RAINHA DOS MÁRTIRES POR CAUSA DA DURAÇÃO E INTENSIDADE DE SUAS DORES *

Quem poderia ouvir sem comoção a história mais triste que jamais houve no mundo? Uma nobre e santa senhora tinha um único filho, o mais amável que se possa imaginar. Era inocente, virtuoso e belo. Ternamente retribuía o amor de sua mãe. Nunca lhe havia dado o mínimo desgosto, mas sempre lhe havia testemunhado todo respeito, toda obediência, todo afeto. Nele, por isso, a mãe tinha posto todo o seu amor, aqui na terra. Ora, que aconteceu? Pela inveja de seus inimigos, foi esse filho acusado injustamente. O juiz reconheceu, é verdade, a inocência do acusado e proclamou-a publicamente. Mas, para não desgostar os acusadores, condenou-o a uma morte infame, como lhe haviam pedido. E a pobre mãe, para sua maior pena, teve de ver como aquele tão amante e amado filho lhe era barbaramente arrancado, na flor dos anos. Fizeram-no morrer diante de seus olhos maternos, à força de torturas e esvaído em sangue num patíbulo infamante. Que dizeis, piedoso leitor? Não vos excita à compaixão a história dessa aflita mãe?

Já sabeis de quem estou falando? Esse Filho, tão cruelmente suplicado, foi Jesus, nosso amoroso Redentor. E essa Mãe foi a bem-aventurada Virgem Maria, que por nosso amor se resignou a vê-lo sacrificado à justiça divina pela crueldade dos homens. Portanto é digna de nossa piedade e gratidão essa dor imensa que Maria sofre por nosso amor. Mais lhe custou sofrê-la, do que suportar mil mortes. E se não podemos corresponder dignamente a tanto amor, demoremo-nos hoje, ao menos por algum tempo, na consideração de suas acerbíssimas dores. Digo, por isso: Maria é Rainha dos mártires, porque as dores de seu martírio excederam às dos mártires 1° em duração; 2° em intensidade.

PONTO PRIMEIRO

Duração do martírio de Maria

1. *Maria é realmente uma mártir*
Jesus é chamado Rei das dores e Rei dos mártires, porque em sua vida mortal padeceu mais que todos os outros mártires. Assim também é Maria chamada com razão Rainha dos Mártires, visto ter suportado o maior martírio que se possa padecer depois das dores de seu Filho. Mártir dos mártires é por isso o nome que lhe dá Ricardo de S. Lourenço. E bem lhe pode aplicar o texto do profeta Isaías: Ele te há de coroar com uma coroa de amargura (22,18). A coroa, com a qual foi constituída Rainha dos mártires, foi justamente sua dor tão acerba, que excedeu à de todos os mártires reunidos. É fora de dúvida o real martírio de Maria, como assaz o provam Dionísio Cartuxo, Pelbarto, Catarino e outros. Pois, conforme uma sentença incontestada, para ser mártir é suficiente sofrer uma dor capaz de dar a morte, ainda que em realidade se não venha a morrer. S. João Evangelista é reverenciado como mártir, não tenha embora morrido na caldeira de azeite fervendo, senão haja saído dela mais robustecido, como diz o Breviário. Para a glória do martírio, segundo Tomás, basta que uma pessoa leve a obediência ao ponto de oferecer-se à morte. Maria, no sentir do Abade Oger, foi mártir não pelas mãos dos algozes, mas sim pela acerba dor de sua alma. Se não lhe foi o corpo dilacerado pelos golpes do algoz, foi seu bendito coração transpassado pela Paixão de seu Filho. E essa dor foi suficiente para dar-lhe não uma, porém mil mortes. Vemos por aí que Maria não só

foi verdadeiramente mártir, mas que seu martírio excedeu a todos os outros por sua duração. Pois que foi sua vida, senão um longo e lento martírio?

2. *Duração do martírio de Maria*

Assim como a Paixão de Jesus começou com seu nascimento, diz S. Bernardo, também assim sofreu Maria o martírio durante toda a sua vida por ser em tudo semelhante ao Filho. Como observa S. Alberto Magno, o nome de Maria significa, entre outras coisas, *amargura do mar*. Aplica-lhe o Santo por isso o texto de Jeremias: Grande como o mar é a minha dor (Jr 2,13). Com efeito, é o mar amargo e salgado. Assim foi também toda a vida de Maria sempre cheia de amarguras, porque não lhe desaparecia do espírito a lembrança da Paixão do Redentor. Mais iluminada pelo Espírito Santo que todos os profetas, compreendia melhor do que eles as predições a respeito do Messias, registradas na Escritura. Está isso acima de toda e qualquer dúvida. Assim instruiu um anjo a S. Brígida, e ainda ajuntou que Nossa Senhora sentia terna compaixão com o inocente Salvador, mesmo antes de lhe ser Mãe. E tudo por causa do conhecimento que possuía sobre as dores a serem suportadas pelo Verbo Divino, para a salvação dos homens, e sobre a cruel morte que o aguardava em vista de nossos pecados. Já então começou portanto o padecimento de Maria.

Mas sem medida tornou-se essa dor, desde o dia em que a Virgem ficou sendo Mãe de Jesus. Sofreu daí em diante um perene martírio, observa Roberto de Deutz, tendo em vista as dores que esperavam por seu Filho. É também o que significa a visão de S. Brígida, em Roma, na igreja de S. Maria. Aí lhe apareceu a Santíssima Virgem em companhia de S. Simeão, e de um anjo que trazia uma longa espada a gotejar sangue. Essa espada era um emblema da mui longa e acerba dor que dilacerou o coração de Maria, durante toda a sua vida. O supracitado abade põe nos lábios de Maria as seguintes palavras: Almas remidas, filhas diletas, não vos deveis compadecer de mim, só por aquela hora em que assisti à morte de meu amado Jesus. Pois a espada, prenunciada por Simeão, transpassou minha alma em todos os dias de minha vida. Quando eu aleitava meu Filho, o aconchegava ao colo, já contemplava a morte cruel que lhe estava reservada. Considerai por isso que áspera e intensa dor eu devia sofrer!

Maria, pois, teve razão para dizer com Davi: A minha vida se consome na dor e os meus anos em gemidos (Sl 30,11). A minha dor está sempre ante os meus olhos (Sl 37,18). Passei toda a minha vida entre dores e lágrimas, porque a minha dor, que era a compaixão com meu Filho, nunca se apartava dos meus olhos. Eu estava sempre contemplando todos os seus tormentos e a morte que ele um dia havia de sofrer. Revelou a Divina Mãe a S. Brígida que, mesmo depois da morte e da ascensão de seu Filho ao céu, continuava viva e recente em seu materno coração a lembrança dos sofrimentos dele. Acompanhava-a até nos trabalhos e nas refeições. Vulgato Taulero escreve, por isso, que a Virgem passou toda a sua vida em perpétua dor, carregando no coração luto e pesar.

3. *O tempo não mitigou os sofrimentos de Maria*

O tempo, que costuma mitigar a dor dos aflitos, não pôde aliviá-la em Maria. Aumentava-lhe, pelo contrário, a aflição. Crescendo, ia Jesus mostrando cada vez mais a sua beleza e amabilidade. Mas de outro lado ia também se avizinhando da morte. Com isso cada vez mais a dor por haver de perdê-lo apertava também o coração da Mãe. Tal como a rosa que cresce por entre espinhos, crescia a Mãe de Deus em anos no maior dos sofrimentos. E como crescem os espinhos à medida que a rosa desabrocha, cresceram também em Maria – rosa mística do Senhor – os penetrantes espinhos das aflições.

Passemos agora à consideração da intensidade das dores de Nossa Senhora.

□

PONTO SEGUNDO

Intensidade do martírio de Maria

Maria é Rainha dos mártires
Pois entre todos os martírios foi o seu o mais longo e também o mais doloroso. Quem lhe poderá medir jamais a extensão? Ao considerar o sofrimento dessa Mãe dolorosa, não sabia Jeremias a quem compará-lo. Pois não exclama: A quem te compararei? Porque é grande como o mar o teu desfalecimento. Quem te remediou? (Lm 2,13). – "Ó Virgem bendita, como a amargura do mar excede todas as amarguras, assim tua dor excede todas as outras dores" – desta forma explica Hugo de S. Vítor o citado texto. Na opinião de Eádmero, a dor de Maria era suficiente para causar-lhe a morte a cada instante, se Deus não lhe tivesse conservado a vida por um singular milagre. E S. Bernardino de Sena chega a dizer que a intensidade de seu sofrimento tão aniquiladora foi, que, dividida por todos os homens, bastaria para fazê-los morrer todos, repentinamente.

1. *Os mártires sofreram tormentos no corpo,
Maria sofreu-os na alma*

Vejamos contudo as razões por que o martírio de Maria foi mais doloroso que o de todos os mártires. Devemos refletir, em primeiro lugar, que estes sofreram em seus corpos por meio do fogo e do ferro, enquanto a Virgem padeceu o martírio na alma. Nesse sentido lhe dissera Simeão: E uma espada transpassará até a tua alma (Lc 2,35). O santo ancião queria dizer: Ó Virgem sacrossanta, os outros mártires hão de ter o corpo ferido pela espada, porém vós tereis a alma transpassada e dilacerada pela Paixão de vosso Filho. Quanto a alma é mais nobre que o corpo, tanto a dor de Maria foi superior à de todos os mártires. Não são as dores da alma comparáveis aos tormentos do corpo, disse o Senhor a S. Catarina de Sena. Por isso, escreve Arnoldo de Chartres: Por ocasião do grande sacrifício do Cordeiro imaculado, que morria por nós na cruz, poderíamos ter visto dois altares: um no Calvário, no corpo de Jesus, outro no Coração de Maria. Enquanto que o Filho sacrificava seu corpo pela morte, Maria sacrificava sua alma pela compaixão.

2. *Os mártires sofreram imolando a própria vida, enquanto
Maria sofreu oferecendo a vida de seu Filho*

A estas palavras dá S. Antonino por motivo: Maria amava a vida do Filho muito mais que a própria vida. Sofreu por isso no espírito tudo o que no corpo padeceu o Filho. Mais ainda. Seu coração afligiu-se mais presenciando os tormentos do Filho, do que se ela própria os tivesse sofrido em si. Sem dúvida alguma a Virgem padeceu em seu coração todos os suplícios com que viu atormentado o seu amado Jesus. Sabem todos que as penas dos filhos são também penas das mães que os veem sofrer.

Quanto suplício de espírito não suportou a mãe dos Macabeus, à vista do martírio dos seus sete filhos! Isto considera S. Agostinho e diz: Vendo-os, sofreu com todos; amava-os a todos e por isso só em vê-los sentiu o que eles experimentaram no corpo. Deu-se o mesmo com Maria. Todos os tormentos, açoites, espinhos, cravos e a cruz afligiram, juntamente com o corpo de Jesus, o coração de Maria para lhe consumar o martírio. O que Jesus suportou na sua carne, em seu coração o suportou a Mãe, comenta o Beato Amadeu. Este tornou-se, pois, como que um espelho, diz S. Lourenço Justiniano. As pancadas, as chagas, os ultrajes, e tudo mais que sofreu Jesus, se via refletido nesse espelho. Segundo S. Boaventura*, as mesmas chagas que estavam espalhadas pelo corpo de Jesus, se achavam todas reunidas no coração de Maria. Assim a Virgem, por sua compaixão para com o Filho, em seu terno coração foi flagelada, coroada de espinhos, carregada de opróbrios, pregada à cruz. Às citadas palavras que nos descrevem a Mãe no Calvário, segue-se a pergunta do suposto S. Boaventura: Dizei-me, Senhora, onde estáveis então? Porventura junto da cruz, apenas? Não; melhor posso dizer que estáveis na própria cruz, crucificada juntamente com vosso Filho. Com Isaías diz o Redentor: Eu calquei o lagar sozinho e das gentes não se acha homem comigo (63,3). Sobre isto observa Ricardo de S. Lourenço: Senhor, tínheis razão de dizer que padecestes sozinho, quando da Redenção do gênero humano, e que nenhum homem tivestes compadecido de vós. Porém, uma mulher, vossa Mãe, sofreu em seu coração tudo quando sofrestes em vosso corpo.

Mas tudo isso ainda é dizer pouco sobre as dores de Maria. Como já se disse, a Santíssima Virgem mais sofreu à vista de seu atormentado e querido Jesus, do que se pessoalmente houvesse suportado os tormentos e a morte do Filho. Erasmo, falando dos pais em geral, diz: Mais do que as próprias, sentem os pais as dores dos filhos. Nem sempre isso é verdade. Mas certamente o era em Maria, porque amou imensamente mais a seu Filho e a vida dele, que a si mesma e as mil vidas que tivera. É bem-acertada por isso a observação do Beato Amadeu, ao dizer que Maria, diante das dolorosas penas de seu amado Jesus, padeceu muito mais do que se tivesse sofrido toda a sua Paixão. E é clara a razão de tudo. Pois não está a alma humana mais com aquilo que ama, do que com aquilo que anima? E não afirmou o próprio Salvador: Onde está o vosso tesouro, aí estará o vosso coração? (Lc 12,34). Assim, pois, Maria, se pelo amor vivia mais no Filho do que em si mesma, ao vê-lo morrer tinha de suportar dores incomparavelmente mais acerbas, do que se a fizessem sofrer a morte mais cruel do mundo. ▫

3. *Os mártires sofreram consolados.*
   Maria padeceu sem consolo   *

Há ainda uma circunstância a mostrar-nos como o martírio de Maria excedeu incomparavelmente ao dos mártires todos. Não só ela sofreu dores indizíveis, como também as sofreu sem alívio algum, na Paixão de seu Filho. Padeciam os mártires os tormentos a que os condenavam maus tiranos, porém o amor de Jesus lhes tornava as dores amáveis e suaves. Quanto não sofreu um S. Vicente, por exemplo! Atormentaram-no sobre um cavalete, descarnando-o com unhas de ferro, com lâminas candentes o queimaram também. Entretanto, dele que vemos e ouvimos? S. Agostinho nos diz: Parecia ser um a sofrer e outro a falar. Com tal fortaleza de ânimo e tal desprezo dos tormentos falou o mártir ao tirano, que parecia ser um Vicente que sofria, e outro que falava. Tanta lhe era a doçura do amor com que Deus o confortava naquelas torturas! Dolorosos suplícios teve de suportar também um S. Bonifácio. Picaram-no, meteram-lhe pontinhas de ferro debaixo das unhas, entornaram-lhe pela boca chumbo derretido. Mas o Santo repetia sem cessar: Eu vos dou graças, Senhor Jesus Cristo. Horrivelmente sofreram igualmente um S. Marcos e S. Marcelino, com os pés pregados numa estaca. Disse-lhes então o tirano: Miseráveis, retratai-vos e sereis livres dessas penas! – Mas de que penas falais? Nunca passamos tempo tão delicioso como este, em que estamos sofrendo voluntariamente por amor de Jesus Cristo, responderam-lhe os santos. Um S. Lourenço, enquanto assava sobre uma grelha, sofria horrores. Mas a chama interior do amor divino, diz S. Leão, era mais poderosa para consolar-lhe a alma, que o fogo externo para lhe atormentar o corpo. Tal era o ânimo que lhe comunicava esse amor, que o Santo chegava a desafiar o tirano, dizendo: Queres comer minha carne? Anda depressa; já de um lado está assada. Vira e come! Ah! responde S. Agostinho, é que ele estava embriagado com o vinho do amor divino, e por isso não sentia os tormentos nem a morte.

Quanto mais os santos mártires amavam, pois, a Jesus, menos sentiam os tormentos e a morte. Bastava-lhes a lembrança dos sofrimentos de um Deus crucificado para consolá-lo. Podia, porém, nossa Mãe dolorosa achar consolo no amor a seu Filho e na lembrança de seus sofrimentos? Não; justamente esse padecimento era todo o motivo de sua maior dor. Único e crudelíssimo algoz lhe foi tão somente o amor que consagrava ao Filho. Todo o martírio de Maria consistiu em vê-lo, amado e inocente, sofrer tanto, e em compadecer-se de suas dores. Tanto mais acerba e sem alívio lhe era a dor, quanto mais o amava. Grande como o mar é a tua dor e quem te curará? (Lm 2,13). Ah! Rainha dos céus, aos outros mártires o amor mitigou as penas e pensou as feridas. A vós, porém, quem suavizou jamais a grande aflição? Quem curou jamais as chagas doloríssimas de vosso coração? O Filho que vos podia dar consolo era a causa única de vosso penar, e o amor que lhe tínheis constituía todo o vosso martírio. Cada um com o instrumento de seu martírio, representam-se os mártires: S. Paulo com a espada; S. André com a cruz; S. Lourenço com a grelha. No entanto Maria é representada com o Filho morto, nos braços. Só Jesus foi o instrumento de seu martírio, por causa do amor que lhe consagrava. Ricardo de S. Vítor reduz tudo isso à concisa sentença: Nos mártires o amor era um consolo nos sofrimentos, em Maria, pelo contrário, cresciam as penas e o martírio na proporção de seu amor.

É certo que, quanto mais se ama uma pessoa, tanto mais se sente a pena de perdê-la. A morte de um irmão, de um filho, aflige mais, certamente, que a de um amigo. Cornélio a Lápide diz, por isso: Para medir a dor de Maria pela morte do Filho, é preciso ponderar a grandeza do amor que lhe devotava. Mas quem poderá medi-lo? Era duplo o amor de Jesus no coração de Maria, observa o Beato Amadeu: um sobrenatural, com que o amava como a seu Deus, e natural o outro, com que o estremecia como Filho. Esse duplo amor reuniu-se num só, imenso e incalculável amor, a ponto de Guilherme de Paris ousar dizer: Tanto era o amor da Santíssima

Virgem a Jesus, que uma pura criatura não seria capaz de amá-lo mais. Ora, conclui Ricardo de S. Vítor, como o amor de Maria não comporta comparações, também não as comporta a sua dor. Imenso era o amor da Senhora a seu Filho e também incalculável devia ser a sua pena ao perdê-lo, observa S. Alberto Magno.

Imaginemos que a Mãe de Deus, junto ao Filho moribundo na cruz, nos dirige as palavras de Jeremias: Ó vós todos que passais pelo caminho, atendei e vede se há dor semelhante à minha dor (Lm 1,12). Ó vós que viveis na terra, e não vos compadeceis de mim, parai um pouco a contemplar-me neste momento em que estou vendo morrer meu Filho diletíssimo. Vede em seguida se, entre todos os aflitos e atormentados, há dor se-melhante à minha dor. – Não há, nem pode haver mais amarga tortura do que a vossa, diz o Ofício das Dores de Maria; pois nunca houve no mundo Filho mais amável que o vosso.

Também S. Lourenço Justiniano afirma: Não houve jamais Filho mais amável que Jesus, nem mãe alguma mais amante que Maria. Se, pois, nunca houve na terra amor semelhante ao de Maria, como poderia haver então sofrimento semelhante ao seu? Eis por que um escritor não hesita em apresentar como testemunho de S. Ildefonso esta sentença: Ainda é pouco dizer que as dores da Virgem excedem aos tormentos, mesmo reunidos, de todos os mártires. Eádmero acrescenta que os suplícios mais cruéis infligidos aos santos mártires foram leves e como que nada, em comparação ao martírio de Maria. No mesmo sentido escreve S. Basílio de Seleucia: À semelhança do sol, que ofusca o esplendor de todos os outros planetas, o sofrimento de Maria fez desaparecer o de todos os mártires. O douto Pinamonti conclui com este belíssimo pensamento:

Tamanha foi a dor que essa Mãe sofreu na Paixão de Jesus, que só essa dor foi compaixão digna da morte de um Deus.

S. Boaventura*, dirigindo-se à Bem-aventurada Virgem, pergunta: Quisestes, Senhora minha, ser também imolada no Calvário? Para remir-nos não bastava porventura um Deus crucificado? E por que então quisestes também vós, sua Mãe, ser igualmente crucificada? Certamente bastava a morte de Jesus para a redenção do mundo, e até de uma infinidade de mundos. Amando-nos, porém, quis essa boa Mãe concorrer de sua parte para nossa redenção com o merecimento de suas dores, suportadas por nós no Calvário. De onde as palavras de S. Alberto Magno: Somos obrigados a Jesus pela Paixão que sofreu por nosso amor, mas o somos também a Maria pelo martírio que, na morte do Filho, quis sofrer espontaneamente pela nossa salvação. *Espontaneamente* o fez, pois um anjo revelou a S. Brígida que nossa tão compassiva e benigna Mãe preferiu sofrer todas as penas, a ver as almas privadas de redenção e entregues à antiga miséria. Pode-se até dizer, com Simeão de Cássia, que o único consolo de Maria, no meio da acerbíssima dor pela Paixão de Jesus, era pensar no mundo resgatado e ver reconciliados com Deus os homens inimizados outrora com ele. ☐

4. *Maria recompensa a veneração de suas dores* *

Tão grande amor de Maria bem merece toda a nossa gratidão. Mostremo-la ao menos pela meditação e compaixão de suas dores. Queixou-se, por isso, a Virgem Santíssima a S. Brígida que muito poucos são os que dela se compadecem, sendo que a maior parte dos homens vivem esquecidos de suas aflições. Recomendou-lhe em seguida, com muita insistência, que delas guardasse contínua memória. Quanto é agradável a Maria essa meditação de suas dores podemos deduzi-lo da aparição com que contemplou em 1239 aqueles 7 devotos seus, fundadores da Ordem dos Servitas. Apresentou-se-lhes tendo nas mãos um hábito negro, ordenou-lhes meditassem com frequência e amor em suas dores, e que em memória delas vestissem aquela lúgubre roupeta. O próprio Jesus Cristo revelou a S. Verônica de Binasco que ele mais se agrada em ver meditados os sofrimentos de Maria, que contemplados os seus próprios. Filha, disse o Senhor, caras me são as lágrimas derramadas sobre minha Paixão; mas, como amo imensamente a minha Mãe, ainda me é mais cara a meditação das dores que ela padeceu, vendo-me morrer.

Assim é que Jesus prometeu graças extraordinárias aos devotos das dores de Maria. Pelbarto refere-nos a seguinte revelação de S. Isabel a esse respeito. S. João Evangelista, depois da Assunção da Senhora, muito desejava revê-la. Obteve com efeito essa graça e sua Mãe querida apareceu-lhe em companhia de Jesus Cristo. Ouviu em seguida Maria pedir ao Filho algumas graças especiais para os devotos de suas dores, e Jesus prometer quatro principais graças. Ei-las: 1. esses devotos terão a graça de fazer verdadeira penitência por todos os seus pecados, antes da morte; 2. Jesus guardá-los-á em todas as tribulações em que acharem, especialmente na hora da morte; 3. ele lhes imprimirá no coração a memória de sua Paixão, dando-lhes depois um prêmio especial no céu; 4. por fim os deixará nas mãos de sua Mãe para que deles disponha a seu agrado, e lhes obtenha todos e quaisquer favores.

Comprovando tudo isso, leia-se o exemplo seguinte que mostra quanto é útil à salvação eterna venerar as dores de Maria.

EXEMPLO

Lê-se nas Revelações de S. Brígida que havia um senhor tão nobre pelo nascimento como vil e depravado pelos costumes. Fizera pacto expresso com o demônio, a quem havia servido como escravo durante sessenta anos seguidos, sem se aproximar dos sacramentos, e levando a pior vida que se pode imaginar. Ora, estando para morrer esse fidalgo, Jesus Cristo, para usar com ele de misericórdia, ordenou a S. Brígida que pedisse a seu diretor espiritual que o fosse visitar e exortar a confessar-se. O padre foi, mas o doente respondeu que já se tinha confessado muitas vezes, não necessitando mais de confissão. Foi segunda vez, porém o infeliz escravo do inferno obstinou-se na sua impenitência. Jesus de novo disse à Santa que o padre não devia desanimar. Este voltou terceira vez e referiu ao doente a revelação feita à Santa, dizendo-lhe que tinha voltado por ordem do Senhor, o qual queria usar de misericórdia em seu favor. Isto ouvindo, o infeliz começou a enternecer-se e a chorar. Mas como, (exclamou em seguida), poderei ser perdoado? Durante sessenta anos servi ao demônio, e dele me fiz escravo e tenho a alma tão carregada de inúmeros pecados! – Filho, respondeu- lhe o padre, animando-o, não duvides; se te arrependeres, prometo-te o perdão em nome de Deus. Começando então a ter confiança, disse o infeliz ao confessor: Meu Pai, eu me julgava condenado e desesperava da minha salvação; mas agora sinto uma dor de meus pecados, que me anima a ter confiança. Com efeito, confessou-se no mesmo dia quatro vezes, com muita contrição. No dia seguinte comungou, e morreu seis dias depois, muito contrito e resignado. Depois de sua morte, Jesus Cristo falou de novo a S. Brígida e disse-lhe que aquele pecador se tinha salvado, que estava no purgatório, e devia a salvação à intercessão da Virgem, sua Mãe, pois apesar da vida perversa que levara, tinha conservado a devoção às suas dores, recordando-as sempre com compaixão.

ORAÇÃO

Ó minha Mãe dolorosa, Rainha dos mártires e das dores, chorastes tanto vosso Filho, morto por minha salvação; mas de que me servirão vossas lágrimas, se eu me perder? Pelos merecimentos, *pois, de vossas dores, impetrai-me uma verdadeira emenda de vida, com uma perpétua e terna compaixão de Jesus e vossas dores. E já que Jesus e vós, sendo inocentes, tanto padecestes por mim, obtende-me que eu, réu do inferno, padeça também alguma coisa por amor de vós. Digo-vos com S. Boaventura:* "Ó minha Senhora, se eu vos magoei, feri e enternecei meu coração, para castigar-me; se eu vos tenho servido, fazei-o então em recompensa disso. Considero uma vergonha me ver sem chagas, quando vós e Jesus estais feridos por meu amor". Finalmente, ó minha Mãe, ainda um pedido. Pela aflição que sentistes vendo diante de vossos olhos vosso Filho, entre tantos tormentos, inclinar a cabeça e expirar na cruz, suplico-vos que me alcanceis uma boa morte. Ah! não me abandoneis na última hora, ó advogada dos pecadores. Não deixeis de assistir minha alma aflita e combatida, na terrível e inevitável passagem da vida à eternidade. E como é possível que eu perca então a palavra e a voz, para invocar vosso nome e o de Jesus, que sois toda a minha esperança, invoco-vos desde já, a vosso Filho e a vós, pedindo-vos que me socorrais no instante final, e dizendo: Jesus e Maria, a vós recomendo a minha alma. Amém.*

II. REFLEXÕES SOBRE CADA UMA DAS SETE DORES DE MARIA

1ª Dor: PROFECIAS DE SIMEÃO

Neste vale de lágrimas o homem nasce para chorar. Deve padecer e suportar os males que lhe sobrevêm cada dia. Entretanto, muito mais infeliz seria a vida se cada um soubesse os males futuros que o esperam. Desgraçadíssimo seria aquele a quem tocasse tal sorte, disse Sêneca. Usando de misericórdia conosco, oculta-nos o Senhor as cruzes vindouras. Quer que só uma vez as padeçamos, à hora e momento certos. Não usou entretanto da mesma compaixão com Maria. Destinara-a para ser a Rainha dos mártires e em tudo semelhante a seu Filho. Devia por isso sofrer continuamente e ter sempre diante dos olhos as penas que a esperavam. E elas eram a Paixão e morte de seu amado Filho.

1. *Nas palavras de Simeão reconhece Maria os pormenores da Paixão de Jesus*

Eis que S. Simeão recebe em seus braços o Menino-Deus, e prediz a Maria que aquele Filho seria o objeto das contradições e perseguições dos homens. "Eis aqui está posto este Menino como alvo a que atirará a contradição: e uma espada de dor transpassará até a tua alma" (Lc 2,34). Disse a Virgem a S. Matilde que a esse vaticínio se lhe mudou toda alegria em tristeza. Efetivamente, como foi revelado a S. Teresa, a bendita Mãe sabia dos sacrifícios que seu Filho devia fazer da vida para a salvação do mundo. Mas naquele momento, de um modo mais particular e distinto, conheceu as penas e a cruel morte, reservadas a seu pobre Filho no futuro. Conheceu, então, que o havia de contradizer, e contradizer em tudo: *em sua doutrina,* porque, em vez de nele crerem, o haviam de condenar como blasfemador, por ter dado testemunho da divindade. Pois não disse o ímpio Caifás: Ele blasfemou contra Deus; é réu de morte? (Mt 26,65). Contradizê-lo *na honra e na estima,* porque, apesar de sua nobre e real estirpe, o desprezaram como vilão: Porventura não é ele o Filho do carpinteiro? Não é sua mãe essa, que é chamada Maria? (Mt 63,55). Sendo ele a própria Sabedoria, foi tratado como ignorante: Como sabe este as letras, não tendo aprendido? (Jo 7,15). Foi escarnecido como falso profeta: E vendavam-lhe os olhos, davam-lhe na face, o interrogavam, dizendo: Adivinha quem foi que te deu? (Lc 22,64). Chamavam-no de louco. Muitos diziam: Perdeu o juízo; por que o estais ouvindo? (Jo 10,20). Disseram-no ébrio, glutão, amigo dos vinhos: Eis o homem, glutão, que bebe vinho e faz amizades com publicanos e pecadores (Lc 7,34).

Espalharam que era feiticeiro: É pelo príncipe dos demônios que ele expulsa demônios (Mt 10, 34); que era herege e endemoninhado: Não dizemos nós bem que tu és samaritano e que tens um demônio? (Jo 8, 48, 52). Em suma, Jesus foi apontado por celerado tão notório, que nem se precisava processo para condená-lo. Pois não disseram os judeus a Pilatos: Se este não fosse malfeitor, não to entregaríamos! (Jo 18,30). Sofreu também contradição *na alma*. Até o Eterno Pai para satisfazer a justiça divina o contrariou, desatendendo-lhe o pedido: "Meu Pai, se é possível, passe de mim este cálice" (Mt 26,39). No excesso de seu sofrimento, chegou a suar sangue. Contradisseram e perseguiram-no, enfim, no corpo e na alma. Basta dizer que foi ele martirizado em todos os seus membros sagrados: nas mãos, nos pés, no rosto, na cabeça, em todo o corpo, e finalmente morreu consumido pelas dores, já sem sangue e coberto de opróbrios, sobre um madeiro infame.

2. *Maria sofreu sempre à vista de seu Filho*

O profeta Natã comunicou a Davi o castigo pelo pecado cometido: Morrerá certamente o filho que te nasceu (2Rs 12,14). Desde então, não pôde o rei já encontrar descanso no meio de todas as delícias e grandezas reais. Chorou, jejuou e deitou-se na terra nua. Maria, pelo contrário, recebeu com suma paz a profecia sobre a morte do Filho, e continuou a sofrer sempre em paz. Mas, vendo sempre diante dos olhos aquele amável Filho, que dor padeceria então continuamente! Não o ouvia sempre pronunciar as palavras da vida eterna? Não era contínua testemunha da santidade de todos os seus atos?

Grande foi o tormento de Abraão durante os 3 dias de jornada para o monte Mória, com seu amado Isaac, ciente de que ia perdê-lo. Entretanto, ó Deus! não três dias, mas trinta e três anos, sofreu Maria pena semelhante. Semelhante, digo? Não; tanto maior quanto mais amável era o seu Filho, que o de Abraão. Maria revelou a S. Brígida não ter vivido um momento na terra, em que não fosse dilacerada por essa dor. Sempre que via meu Filho, disse a Virgem, sempre que o vestia, que lhe olhava as mãozinhas e os pés, abismava-se novamente minha alma no sofrimento, porque me lembrava da Paixão que o aguardava.

O abade Roberto contempla a Mãe, aleitando o Filho e dizendo-lhe: O meu amado é para mim como um ramalhete de mirra (Ct 1,12). Ah! Filho meu, aperto-te em meus braços porque és muito querido. Porém, quanto mais me és querido, mais te tornas para mim um ramalhete de mirra e de dores, ao lembrar-me de tuas penas.

Considerava a Senhora, diz S. Bernardino, como seu Filho, a fortaleza dos santos, seria reduzido à agonia; sendo a beleza do paraíso, ficaria desfigurado; sendo Senhor do mundo, seria preso como réu; sendo Criador do universo, estaria coberto de chagas; sendo Juiz dos juízes, sofreria condenação; sendo glória do céu, ouviria desprezos; sendo Rei dos reis, levaria uma coroa de espinhos e um irrisório manto de rei de comédia.

Apoiando-se numa revelação de S. Brígida, diz o Padre Engelgrave, jesuíta, que a aflita Mãe sabia de todos os pormenores das penas preparadas a seu Filho. Ao dar-lhe de beber, pensava no vinagre e no fel que lhe haviam de oferecer. Ao envolvê-lo em faixas, já em mente antevia as cordas de sua prisão. Ao carregá-lo nos braços, recordava a cruz de sua crucificação. Ao vê-lo dormindo, lembrava-se do sono da morte que o esperava. "Cada vez que vestia a túnica ao meu Filho, disse a Virgem a S. Brígida, pensava que um dia lha arrancariam violentamente para crucificá-lo. Quando lhe contemplava as mãos e os pés, parecia-me ver os cravos, que os haviam de transpassar. E isso contemplando, aljofravam lágrimas aos meus olhos e acerba dor invadia-me a alma."

3. A dor de Maria aumentou com a crescente amabilidade do Filho

De Jesus afirma o Evangelho que, como em anos, ia crescendo também em graça, diante de Deus e dos homens. "E Jesus crescia em sabedoria e em idade e em graça, diante de Deus e dos homens" (Lc 2,52). Crescia em graça e sabedoria perante os homens, isto é, na opinião deles. Perante Deus, porém, neste sentido o explica S. Tomás: As ações de Jesus teriam servido para lhe aumentar cada vez mais o mérito, se a plenitude da consumada graça não lhe tivesse sido conferida desde o princípio, em razão da união hipostática. Ora, se Jesus crescia em estima e amor para os homens, quanto mais então para sua Mãe Santíssima! Mas, ah! com o aumento do amor, mais aumentava também a dor, à só lembrança de perder esse Filho por uma tão cruel morte. E quanto mais se avizinhava o tempo da Paixão, mais cruelmente a espada, predita por Simeão, atravessava o coração materno de Maria. Assim o revelou o anjo a S. Brígida.

Se, pois, Jesus e sua Mãe Santíssima não recusaram sofrer

por nosso amor pena tão atroz, durante a vida toda, não é justo que nos queixemos em nossos pequenos padecimentos. Jesus Crucificado apareceu, certa vez, a Sóror Madalena Orsini, dominicana, experimentada, havia muito tempo, pela tribulação. Animou-a a ficar com ele na cruz, suportando aquele sofrimento. Mas ela respondeu: Senhor, só penastes na cruz três horas e eu já sofro há muitos anos. Então o Redentor replicou: Mas como falas com ignorância! Desde o primeiro instante em que fui concebido, sofri no coração tudo quanto depois, ao morrer, padeci na cruz – Quando, pois, sofrermos qualquer tribulação e quisermos nos queixar, imaginemos que Jesus e Maria nos dão a mesma resposta.

EXEMPLO

Narra o Padre Roviglione, da Companhia de Jesus, que certo jovem tinha a devoção de visitar todos os dias uma imagem da Senhora das Dores, cujo peito era transpassado por sete espadas. Uma noite teve ele a infelicidade de cair em pecado mortal. No dia seguinte, indo visitar a imagem da Virgem, viu-lhe no peito oito espadas em lugar de sete. Enquanto contemplava o prodígio, ouviu uma voz interna que lhe disse que seu pecado tinha transpassado com mais uma espada o coração de Maria. Isso muito o enterneceu e foi logo confessar-se com grande contrição, e pela intercessão de sua advogada recuperou a graça divina.

ORAÇÃO

Ó minha bendita Mãe, não só uma espada, porém tantas quantas foram os meus pecados, tenho eu acrescentado ao vosso coração. Não a vós, que sois inocente, minha Senhora, mas a mim, réu de tantos delitos, são devidas as penas. Já que contudo quisestes sofrer tanto por meu amor, impetrai-me pelos vossos merecimentos uma grande dor de minhas culpas, e a paciência necessária para sofrer os trabalhos desta vida. Por maiores que sejam, sempre serão leves em comparação dos castigos que tenho merecido, e de meus pecados, que me têm tornado tantas vezes digno do inferno. Amém.

2ª Dor: FUGIDA DE JESUS PARA O EGITO

1. *O próprio Jesus é espada de dor para sua Mãe*

Ferida pelo caçador, aonde vai, leva a corça consigo a sua dor, carregando no corpo a seta cruel. Assim também Maria, depois do funesto vaticínio de S. Simeão, levou consigo a dor, que consistia na contínua memória da Paixão do Filho. Algrino aqui aplica o texto dos Sagrados Cânticos: Os cabelos de tua cabeça são como a púrpura do rei, que é atada em dobras (7,8). Essa cabeleira cor de púrpura simboliza a constante contemplação da Paixão de Jesus. A Virgem a tinha tão viva diante dos olhos, como se já estivesse vendo o sangue a correr das chagas dele. Era assim Jesus a espada que atravessava o coração de Maria. E, à medida que ele lhe parecia mais amável, mais profundamente a feria a dor por ter de perdê-lo um dia.

Consideremos agora a segunda espada de dor que feriu o coração de nossa Mãe, quando fugiu para o Egito, a fim de livrar o Menino-Deus da perseguição de Herodes.

2. *A ordem de fugir*

Mal ouviu Herodes que era nascido o Messias esperado, temeu loucamente que o recém-nascido lhe quisesse usurpar o trono. S. Fulgêncio de Ruspe censura-lhe a loucura, dizendo: Por que estás inquieto, Herodes? Esse rei, nascido agora, não vem para vencer os reis em combate. Não; ele vem para subjugá-los de um modo admirável, morrendo por eles. Esperava, pois, o ímpio rei lhe viessem os santos Magos revelar o lugar do nascimento do real Menino, a fim de tirar-lhe a vida. Vendo-se contudo logrado, ordenou a morte de todos os meninos que então se achavam em Belém e seus arredores. Foi então que o anjo apareceu em sonhos a José com a ordem: Levanta-te, toma o menino e sua mãe, e foge para o Egito (Mt 2,13). Segundo o parecer de Gerson, S. José avisou a Maria logo na mesma noite, e, tomando ambos o Menino Jesus, puseram-se a caminho. É isso o que se deduz das palavras do Evangelho: "E levantando-se, José tomou consigo, ainda noite, o Menino e sua Mãe e retirou-se para o Egito". Ó Deus, disse então Maria (como contempla S. Alberto Magno), assim deve fugir dos homens aquele que veio para salvá-los? Logo conheceu a aflita Mãe como já começava a verificar-se no Filho a profecia de Simeão: Eis aqui está posto este Menino como alvo a que atirará a contradição (Lc 2,34). Viu que, apenas nascido, já o perseguiam e queriam matar. "Que pesar para o coração de Maria, escreve S. Pedro Crisólogo, ao ouvir a intimação do cruel exílio, ao qual ela e o Filho eram condenados! Foge dos teus para os estranhos, do templo do verdadeiro Deus para a terra dos ídolos! Há lástima que se compare à de uma criança que, apenas nascida, já se vê obrigada a fugir, levada nos braços de sua Mãe?"

3. *Incômodos da fugida*

Bem pode cada qual adivinhar o que padeceu Maria nessa viagem. Da Judeia ao Egito era muito longe a jornada. Com Sebastião Barradas, fala-se, geralmente, em mais de cem horas de caminho. Por isso a viagem durou pelo menos trinta dias. Além disso, como descreve Boaventura Barrádio, era o caminho desconhecido e péssimo, cortado de carrascais e pouco frequentado. Estava-se no inverno e a Sagrada Família teve de viajar debaixo de aguaceiros, neves e ventos, por estradas alagadas e lamacentas. Quinze anos tinha então Maria; era uma donzela delicada, nada afeita a semelhantes viagens. Finalmente não tinham os fugitivos quem lhes servisse. José e Maria, na frase de S. Pedro Crisólogo, não tinham nem criados nem criadas; eram senhores e criados ao mesmo tempo. Meu Deus! como excita a compaixão ver essa tenra virgenzinha, com esse Menino recém-nascido ao colo, fugindo por este mundo! Boaventura Baduário pergunta: Aonde iam comer e dormir? Em que hospedagem ficariam? Qual podia ser o alimento deles, senão um pedaço de pão duro trazido por S. José ou recebido como esmola? Onde hão de ter dormido durante a viagem, especialmente durante as 50 horas da travessia do deserto, sem casas e hospedarias? Onde, senão sobre a areia ou debaixo de alguma árvore do bosque, ao relento, expostos aos ladrões e às feras, tão abundantes no Egito? Oh! quem encontrasse então esses três grandes personagens, tê-los-ia certamente tomado por ciganos e mendigos.

4. *A pobreza da Sagrada Família no Egito*

No Egito Maria habitou em um lugar chamado Matarieh, conforme afirmam Burcardo de Saxônia e Jansênio Gandense, embora Strabo diga que moravam na cidade de Heliópolis.[13] Aí

---

[13] Era Matarieh um subúrbio de Heliópolis e não deve ser trocado pela cidade de Mênfis, nem pela atual Cair. – (Nota do tradutor).

sofreram extrema pobreza, durante os sete anos que permaneceram escondidos, segundo S. Antonino e S. Tomás e outros autores. Eram estrangeiros, desconhecidos, sem rendimentos, sem dinheiro e sem parentes. A muito custo conseguiam sustentar-se com o fruto de suas fadigas. Por serem pobres, escreve S. Basílio, era-lhes bem penoso conseguir o indispensável para passar a vida. Ludolfo de Saxônia dá conta – e sirva isso de consolo aos pobres –, que tal era a pobreza de Maria, que muitas vezes nem tinha um pedaço de pão para o Filho, quando, obrigado pela fome, lhe pedia algum.

Morto Herodes, de novo apareceu em sonhos o anjo a José, ordenando-lhe que voltasse à Judeia. Aqui, descreve Boaventura Baduário a aflição da Santíssima Virgem pelo muito que sofreu Jesus durante o regresso. Tinha ele então sete anos, sendo grande demais para os braços de Maria, e ainda pequeno para vencer a pé tão longas estradas.

5. *Imitação da Sagrada Família pela paciência
e desprendimento*

Jesus e Maria passaram pelo mundo como fugitivos. Eis uma lição para nós. Temos de viver na terra como peregrinos, sem apegos aos bens que o mundo nos oferece. Pois depressa teremos de deixá-los para passarmos à eternidade. "Não temos aqui cidade permanente, mas procuramos a futura" (Hb 13,14). És um hóspede neste mundo; apenas o vês de passagem, acrescenta S. Agostinho. Aprendamos com Jesus e Maria a abraçar as cruzes, porque sem elas não podemos viver neste mundo. Neste sentido foi concedido à venerável Verônica de Binasco, agostiniana, acompanhar, numa visão, a viagem de Maria e do Menino Deus para o Egito. No fim da jornada disse-lhe a Mãe de Deus: Filha, viste com que trabalho chegamos a esta terra. Fica sabendo que ninguém recebe graças sem ter padecido. – Quem, entretanto, desejar sentir menos os trabalhos desta vida, deve levar em sua companhia a Jesus e Maria.

"Toma o Menino e sua Mãe", disse o anjo a S. José. Àquele que traz com amor a esse Filho e a essa Mãe em seu coração, tornam-se leves e até suaves e agradáveis todas as penas. Amemo-los portanto; consolemos Maria, acolhendo em nosso coração a seu Filho, que hoje ainda continua a ser perseguido pelos pecados dos homens.

EXEMPLO

Um dia apareceu Nossa Senhora à venerável Coleta, religiosa franciscana, e mostrou-lhe o Menino Deus todo chagado, dizendo-lhe então: Vê, assim é que os pecadores tratam continuamente meu Filho; renovam-lhe sua morte e minhas dores. Reza muito, minha filha, reza por eles para que se convertam. Semelhante visão teve Sóror Joana de Jesus e de Maria. Meditando na perseguição feita ao Menino Deus por Herodes, ouviu um ruído, como se gente armada andasse perseguindo alguém. Viu em seguida um menino muito formoso que, completamente esgotado, buscava refúgio junto dela. Joana – disse-lhe o Menino –, ajuda-me a esconder-me; estou fugindo dos pecadores, que, como Herodes, me perseguem e querem matar.

ORAÇÃO

Assim, pois, ó Maria, nem depois de vosso Filho ter sido imolado pelos homens, que o perseguiram até à morte, cessaram esses ingratos de persegui-lo com seus pecados, e de afligir-vos, ó Mãe dolorosa? E eu mesmo, ó meu Deus, não tenho sido um desses ingratos? Ah! minha Mãe dulcíssima, impetrai-me lágrimas para chorar tanta ingratidão. E pelas muitas penas que sofrestes na viagem para o Egito, assisti-me com vosso auxílio na viagem que estou fazendo para a eternidade, a fim de que possa um dia ir amar convosco meu Salvador perseguido, na pátria dos bem-aventurados. Amém.

3ª Dor: PERDA DE JESUS NO TEMPLO

1. *Maria perde a venturosa presença de Jesus*

Que nossa perfeição consiste na paciência, é aviso que nos dá o apóstolo S. Tiago. "A paciência efetua uma obra perfeita, para que perfeitos e íntegros sejais, em nada deficientes" (1,4). Deu-nos o Senhor como um exemplo de perfeição a Virgem Maria. Por conseguinte, a cumulou de padecimentos, para que assim nós pudéssemos nela admirar e imitar a heroica paciência. Uma das maiores dores de sua vida foi esta que hoje vamos meditar: a perda de seu Filho no templo. Quem é cego de nascença, pouco sente a privação da luz do dia. Mas quem já teve vista e gozou da luz, muito sofre vendo-se dela privado pela cegueira. O mesmo se dá com as almas que estão espiritualmente cegas por causa do pó das coisas deste mundo. Pouco conhecem a Deus e pouco sentem a pena de não o encontrar. Mas aquele que, iluminado pela luz celeste, foi achado digno de gozar simultaneamente do amor e da presença do Sumo Bem, oh! esse sofre amargamente, quando se vê privado de tudo isso. Por aí meçamos quanto foi dolorosa para Maria essa terceira espada de dor. Estava acostumada à contínua alegria da dulcíssima presença de seu Jesus, e eis que agora o perde em Jerusalém e dele se vê longe, durante três dias.

Conforme S. Lucas, costumava a bem-aventurada Virgem ir com José, seu esposo, e com Jesus visitar todos os anos o templo, por ocasião da festa da Páscoa. Foi então que Jesus, já na idade de doze anos, ficou-se em Jerusalém sem que Maria o percebesse. Julgava-o na companhia de outras pessoas, mas, não o encontrando à tarde do primeiro dia de jornada, depois de haver perguntado por ele, voltou imediatamente à cidade para procurá-lo. Finalmente, depois de três dias de ansiedade, o encontrou no templo. Meditemos qual deve ter sido a aflição dessa atribulada Mãe durante esses três dias. Em toda parte perguntava por ele, com as palavras dos Cânticos: Vós porventura não vistes aquele a quem ama a minha alma? (3,3). Mas perguntava em vão. Rubem lastimava-se por causa de seu irmão José: O menino não está mais aqui e para onde irei agora? (Gn 37,30). Exausta de fadiga, sem encontrar seu amado Filho, com quanto maior ternura Maria tinha de se lastimar: Meu Jesus não aparece, e eu não sei mais o que fazer para o encontrar; aonde irei sem o meu tesouro?

Das lágrimas que derramou durante esses três dias, podia então dizer o mesmo que Davi dizia das suas: Minhas lágrimas foram para mim o pão, dia e noite; enquanto se me diz todos os dias: Onde está o teu Deus? (Sl 41,4).

Mui judiciosamente Pelbarto faz observar que a aflita Mãe não dormiu naquelas noites, passando-as em pranto e rogos para que Deus a fizesse achar o Filho. Frequentemente dirigia-se ao Filho, diz Vulgato Bernardo, e gemia com as palavras dos Cânticos: Dize-me onde descansas pelo meio-dia, para que eu não ande como uma desnorteada (1,6). Meu Filho, dize-me onde estás, a fim de que eu cesse de errar à tua procura, em vão.

2. *Grandeza desta dor*
a) Pela ausência de Jesus. – Há quem diga que essa dor não só foi uma das maiores, senão que foi a maior e mais acerba de todas as dores na vida de Nossa Senhora. E não falha razão a esse parecer. Em primeiro lugar, Maria nas outras dores tinha Jesus consigo. Padeceu amargamente pela profecia de Simeão no templo. Padeceu na fugida para o Egito, mas sempre com Jesus. Na presente dor, porém, sofreu longe de Jesus e sem saber onde ele estaria. Desfeita em lágrimas, suspirava por isso com o Salmista: Até a luz dos meus olhos não a tenho (Sl 37,11). Ai de mim! a luz dos meus olhos, o meu caro Jesus, não está comigo, vive longe de mim, e nem sei onde. Pelo amor que tinha a seu Filho, diz Vulgato Orígenes, essa Mãe Santíssima sofreu mais na perda de seu Jesus, que qualquer mártir no padecimento da morte. Que longos foram esses três dias para Maria, a quem eles pareciam três séculos. Dias cheios de amarguras, em que nada a podia consolar! Quem me poderá consolar? suspirava com Jeremias. "Por isso eu choro e os meus olhos derramam rios de lágrimas, porque se alongou de mim o consolador" (Lm 1,16). Queixava-se sempre com Tobias: Que alegria poderei eu ter, eu que sempre estou em trevas, e que não vejo a luz do céu? (5,12).

b) Pela ignorância do motivo da ausência. – Razão e finalidade das outras dores compreendia-as a Virgem Maria, sabendo que eram a redenção do mundo e a vontade de Deus. Nesta, porém, ignorava a causa da ausência de seu Filho. Sofria a Mãe dolorosa vendo-se privada de Jesus, diz Landspérgio, porque em sua humildade se julgava indigna de estar ao lado dele e tomar conta de um tão grande tesouro. Pensava talvez: Quem sabe se não o servi como devia? se cometi alguma negligência que tenha motivado a sua partida? Orígenes escreve: Maria e José receavam que Jesus os tivesse abandonado. Não há, certamente, pena mais cruciante para uma alma amante de Deus, do que o receio de o haver desgostado. Por isso, somente nesta dor é que ouvimos Maria queixar-se. Tendo achado Jesus, amorosamente lhe perguntou: Filho, por que fizeste assim conosco? Olha que teu pai e eu te buscamos aflitos! (Lc 2,48). Essas palavras não encerram censura, como pretendem blasfemamente os hereges. Revelam apenas a intensa dor que a mãe experimentou na ausência do amado Filho. Dionísio Cartuxo também as considera como amorosa queixa e não como censura.

3. *Nosso consolo na aridez espiritual*

Essas penas de nossa Mãe devem primeiramente servir de conforto às almas que se veem privadas das consolações e da suave presença do Senhor. Chorem, se quiserem, mas chorem com paz e resignação, como Maria chorou a ausência de seu Filho. Cobrem ânimo e não temam por isso ter perdido a graça divina. O próprio Deus disse a S. Teresa: Ninguém se perde sem o saber, e ninguém fica enganado sem querer ser enganado. Por apartar-se dos olhos da alma que o ama, não se aparta ainda o Senhor de seu coração. Esconde-se, muitas vezes, para ser procurado com maior amor e mais desejo. Mas quem quiser achar Jesus, precisa procurá-lo não entre os prazeres e as delícias do mundo, porém entre as cruzes e mortificações, como Maria. "Nós te procuramos com aflição." Aprendamos com a Virgem Maria, diz Orígenes, o modo de procurar a Jesus.

4. Jesus deve ser tudo para nós

Outro bem fora de Jesus não devemos procurar neste mundo. Jó não era infeliz quando perdeu tudo quanto possuía na terra: fortuna, filhos, saúde e honras, a ponto de passar de um trono para um monturo. Como sempre, tinha a Deus consigo, e ainda assim era feliz. Perdera os dons de Deus, mas não o perdera, a Deus, escreve S. Agostinho. Verdadeiramente infelizes são aqueles que perderam a Deus. Se Maria se lamentou da perda do Filho, por três dias, quanto mais deveriam os pecadores chorar a perda da graça divina. Pois não lhes diz o Senhor: Não sois o meu povo e eu não quero ser o vosso Deus? (Os 1,9). Não é pecado um rompimento entre Deus e a alma? Vossas iniquidades vos separam de vosso Deus (Is 59,2). Ainda que os pecadores possuíssem todos os bens da terra, tendo perdido a Deus, tudo o mais outra coisa não é que "fumaça e aflição", como confessou Salomão (Ecl 1,14). Como é grande a infelicidade desses pobres obcecados! Deles afirma Vulgato Agostinho: Perdem um boi e não deixam de ir procurá-lo; perdem um jumento e não têm repouso. Entretanto descansam, comem e bebem, tendo perdido a Deus, o Sumo Bem!

EXEMPLO

A Venerável Benvenuta rogou a Nossa Senhora a graça de poder sentir a dor que ela sentiu, quando perdeu seu Filho no templo. Apareceu-lhe então a Mãe de Deus, tendo nos braços o Menino Jesus. À vista daquela encantadora criança, caiu Benvenuta em êxtase, mas de repente se viu privada da presença do Menino-Deus. Tamanha dor sentiu então, que invocou a Maria para não morrer de pesar. Depois de três dias apareceu-lhe a Santíssima Virgem e lhe disse: Ouve, minha filha; tua dor não foi senão uma pequena parcela da minha, ao perder no templo o meu Filho.

ORAÇÃO

Ó Virgem bendita, por que assim vos afligis, buscando o vosso Filho, como se não soubésseis onde ele está? Não vos recordais que está em vosso coração? Não sabeis que ele se compraz entre os lírios? Vós mesma o dissestes: "O meu amado é para mim e eu sou para ele, que se apascenta entre as açucenas" (Ct 2,16). Vossos pensamentos e afetos, tão humildes, tão puros, tão santos, são outros lírios que convidam o Divino Esposo a habitar em vós. Ah! Maria, vós suspirais por Jesus, vós que não amais senão a Jesus! Eu é que devo suspirar, eu e tantos pecadores que o não amamos, e o temos perdido por nossas ofensas. Minha Mãe amabilíssima, se por minha culpa vosso Filho ainda não tornou à minha alma, fazei que eu o ache de novo. Bem sei que ele se faz achar por quem o busca. Mas fazei que eu o procure como devo. Vós sois a porta pela qual se chega a Jesus, fazei que também eu chegue a ele por meio de vós. Amém.

4ª Dor: ENCONTRO COM JESUS CAMINHANDO PARA A MORTE

1. *Como o amor é também o sofrimento de uma mãe*

Para avaliar a grandeza da dor de Maria perdendo seu Filho pela morte, devemos – na frase de S. Bernardino – representar-nos vivamente o amor que a tal Mãe consagrava a tal Filho. Todas as mães sentem como próprias as dores dos filhos. A mulher cananeia, quando pediu ao Senhor lhe livrasse a filha do demônio, disse tão somente: Senhor, tem compaixão de mim; minha filha está atormentada pelo demônio (Mt 15,22). Que mãe, porém, jamais amou a seu filho, quanto Maria amou a Jesus? Era-lhe Jesus Filho e Deus ao mesmo tempo. Que viera ao mundo para atear em todos os corações o fogo do amor divino, foi o que o próprio Salvador protestou: Eu vim trazer fogo à terra; e que quero senão que ele se acenda? (Lc 12,49). Ora, de que chamas devia ter ele abrasado o coração de sua santa Mãe, tão puro e limpo de todo o afeto mundano? Em suma, como o disse a Santíssima Virgem a S. Brígida, seu coração, pelo amor, estava unido completamente ao de seu Divino Filho. Este misto de serva e Mãe, de Filho e Deus, ateou no coração de Maria um incêndio composto de mil incêndios. Porém em mar de dores converteu-se toda essa fogueira de amor, quando chegou a dolorosa Paixão de Jesus. Escreve por isso S. Bernardino: Se ajuntássemos as dores do mundo, não igualariam todas elas às penas da Virgem gloriosa. Segundo a sentença de Ricardo de S. Lourenço, tanto maior foi o seu sofrimento vendo padecer o Filho, quanto maior lhe era a ternura com que o amava. E isso especialmente ao encontrá-lo com a cruz às costas, rumo ao Calvário. Vamos contemplar agora essa quarta espada de dor.

2. *Agonia da Virgem no começo da Paixão de seu Filho*

Inundados de lágrimas andavam os olhos de nossa Mãe, ao ver chegar o momento da Paixão e ao notar que faltava pouco tempo para perder o seu Filho. Um suor frio lhe cobria o corpo, causado pelo vivo terror que a assaltava à ideia do próximo e doloroso espetáculo. Assim lemos nas revelações de S. Brígida.[2] Finalmente che-

---

[2] A passagem fala propriamente do Salvador. Algum texto mutilado é que levou o santo autor a referi-lo a Nossa Senhora (Nota do tradutor).

gou o dia marcado e Jesus despediu-se, chorando, de sua Mãe, antes de ir ao encontro da morte. O Ofício da Compaixão de Maria, que figura entre as obras de S. Boaventura, assim descreve o procedimento da Santíssima Virgem na noite em que foi preso o Salvador: "Passastes em claro a noite, enquanto repousavam os outros". Pela manhã, vieram os discípulos, uns após outros, trazer-lhe notícias de Jesus, cada qual mais aterradora. Verificaram-se então as palavras de Jeremias: Chorou sem cessar durante a noite, e as suas lágrimas correm pelas faces; não há quem a console entre todos os seus amados (Lm 1,2). Quem lhe falava dos maus-tratos feitos a seu Filho, em casa de Caifás. Quem lhe descrevia os desprezos recebidos no palácio de Herodes. Mas deixo tudo para chegar ao nosso ponto. Finalmente veio João e anunciou a Maria que o iníquo Pilatos tinha condenado Jesus à morte da cruz. De juiz injustíssimo o chamo eu, porque o iníquo condenou o Senhor com os mesmos lábios que lhe reconheceram a inocência, diz S. Leão Magno. Ah! Mãe dolorosa, disse-lhe João, já vosso Filho foi condenado à morte; já o levam para o Calvário carregando ele mesmo a cruz aos ombros. Assim escreveu depois no seu Evangelho: E levando a cruz aos ombros, saiu para aquele lugar que se chama Calvário (Jo 19,17). Se quereis vê-lo, Senhora, e dar-lhe o último adeus, vinde comigo à rua por onde deve passar.

3. *Encontro de Maria com seu Filho*

Partiu Maria com S. João. Da passagem do Filho lhe faltavam os rastos de sangue pelo caminho, conforme ela mesma o disse a S. Brígida. Boaventura Baduário fala de um atalho que a Mãe aflita tomou para ficar depois esperando numa esquina pelo Filho atribulado. Aí estava à espera dele, quando foi reconhecida pelos judeus e deles teve de ouvir injúrias contra seu amantíssimo Jesus. Talvez tivesse de escutar até motejos contra si mesma. E ai! que martírio lhe não causou a vista dos cravos, dos martelos, das cordas, funestos instrumentos da morte do Filho! Em lúgubre desfile, passavam eles diante da Mãe de Jesus. De repente, fere seus ouvidos um estridente som de trombeta; vão ler a sentença de morte lavrada contra Jesus. Meu Deus! que espada de dor transpassou então a alma dessa Mãe dolorosa! Mas já desfilaram o arauto, e os instrumentos do martírio, os oficiais da justiça. Maria ergue os olhos e vê... ó Deus, um homem, na flor dos anos, todo coberto de sangue e de chagas, da cabeça aos pés, coroado de espinhos, carregando às costas um pesado madeiro. Olha-o e quase não o reconhece mais. Tem de exclamar com Isaías: Vimo-lo, e não tinha parecença do que era (53,2). As feridas, as contusões e o sangue enegrecido desfiguraram-no de tal modo, que se lê: Seu rosto se achava como que encoberto e parecia desprezível, por onde nenhum caso fizemos dele (Is 53,3). No entanto o amor o revelou a Maria. Tendo-o reconhecido, que temor e que amor transpassaram seu coração materno! Assim geme S. Pedro de Alcântara em suas meditações: De um lado desejava contemplá-lo, de outro não tinha coragem de olhar para o seu rosto, tão digno de comiseração. Fitaram-se, finalmente. Como se lê em S. Brígida, o filho afastou dos olhos o sangue coalhado que lhe impedia a vista, então Mãe e Filho fitaram-se! Ó céus, que olhares cheios de dor! Transpassaram, como setas, esses dois corações que tanto se amavam e queriam.

Margarida, filha de Tomás Morus, encontrando o pai que era levado ao cadafalso, apenas pôde exclamar duas vezes: Meu pai, meu pai! e caiu-lhe aos pés desmaiada. Maria, à vista do Filho que caminhava para o Calvário, não desmaiou. Não era conveniente que a Mãe de Deus perdesse o uso da razão, como diz Suárez. Não morreu, porque o Senhor a reservava para maiores aflições. Embora não morresse, padeceu, entretanto, tormento suficiente para lhe dar mil mortes. Queria a Mãe abraçar o Filho, mas os algozes injuriosamente a repeliam, e empurraram para diante o acabrunhado Salvador. E Maria o foi seguindo. – Eis a descrição que da cena nos dá um autor sob o nome de S. Anselmo.

4. *Maria segue Jesus até o Calvário*

Ah! Virgem Santíssima, aonde ides? Ao Calvário? Tereis ânimo de ver pregado à cruz Aquele que é a vossa vida? Moisés falou como um profeta: E a tua vida estará como suspensa diante de ti (Dt 28,66).

Faz S. Lourenço Justiniano dizer a Jesus: Ó minha Mãe, não venhas comigo; aonde vais? aonde pretendes ir? Se me acompanhares, serás atormentada pelo meu, e eu pelo teu suplício! Entretanto, a amorosa Mãe não quer abandonar a seu Jesus, embora vê-lo morrer lhe deva causar acerbíssima dor. Adiante vai o Filho, e atrás segue a Mãe para ser crucificada com ele, diz Guilherme, abade.

Escreve S. João Crisóstomo: Até das feras nós nos compadecemos. Víssemos uma leoa acompanhando seus leõezinhos à morte, e mesmo dessa fera teríamos compaixão. E não nos apiedaremos de Maria, que vai seguindo o Cordeiro Imaculado, levado ao suplício? Participemos, pois, de sua dor; com ela acompanharemos seu Divino Filho, levando pacientemente as cruzes que nos manda o Senhor. Pergunta S. João Crisóstomo: por que razão quis Jesus

Cristo sofrer sozinho nas outras dores, e somente nesta aceitar que o ajudasse o Cirineu a levar a cruz? E responde: para ensinar-nos que só a cruz de Jesus não bastará para nossa salvação, se não carregamos também a nossa com resignação até à morte.

EXEMPLO

Apareceu, um dia, o Salvador a Sóror Diomira, religiosa em Florença, e disse-lhe: Pensa em mim e ama-me, que eu pensarei em ti e te amarei. Apresentou-lhe ao mesmo tempo um ramalhete de flores com uma cruz, querendo-lhe assim significar que as consolações dos santos na terra hão de ser sempre acompanhadas da cruz. A cruz une as almas a Deus.

S. Jerônimo Emiliano sendo soldado, carregado de vícios, foi encarcerado pelos inimigos numa torre. Aí, movido pelo sofrimento e iluminado por Deus a mudar de vida, recorreu a Maria Santíssima, e com auxílio dessa divina Mãe começou a viver santamente. Desse modo mereceu a graça de ver um dia, no céu, o lugar de honra que lhe estava preparado por Deus! Foi depois fundador dos Padres Somascos, morreu como um Santo e foi canonizado pela Santa Igreja.

ORAÇÃO

Ó minha Mãe dolorosa! pelo merecimento da dor que sentistes, vendo vosso amado Jesus conduzido à morte, impetrai-me a graça de também levar com paciência as cruzes que Deus me envia. Feliz serei, se souber acompanhar-vos com minha cruz até à morte. Vós e Jesus, que éreis inocentes, carregastes uma cruz tão pesada, e eu, pecador, que tenho merecido o inferno, recusarei carregar a minha? Ah! Virgem imaculada, de vós espero socorro para sofrer com paciência todas as cruzes. Amém.

5ª Dor: MORTE DE JESUS

1. *Maria assistiu à agonia de seu Filho na cruz*

Aqui temos a contemplar uma nova espécie de martírio. Trata-se de uma mãe condenada a ver morrer diante de seus olhos, no meio de bárbaros tormentos, um Filho inocente e diletíssimo. "Estava em pé junto à cruz de Jesus, sua Mãe" (Jo 19,25). É desnecessário dizer outra coisa do martírio de Maria, quer com isso declarar S. João; contemplai-a junto da cruz, ao lado de seu Filho moribundo e vede se há dor semelhante à sua dor. Demoraremo-nos a considerar essa quinta espada de dor que transpassou o coração de Maria: a morte de Jesus.

Quando nosso extenuado Redentor chegou ao alto do Calvário, despojaram-no os algozes de suas vestes, transpassaram-lhe as mãos e os pés com cravos, não agudos, mas obtusos (segundo a observação de um autor), para maior aumento de suas dores, e pregaram-no à cruz. Tendo-o crucificado, elevaram e fixaram a cruz e o abandonaram à morte. Abandonaram-no os algozes, mas não o abandonou Maria. Antes ficou mais perto da cruz para lhe assistir à morte, como ela mesma revelou a S. Brígida. Mas de que servia, ó Senhora minha, irdes presenciar no Calvário a morte de vosso Filho? pergunta S. Boaventura.* Não vos deveria reter o vexame, já que o opróbrio dele era também o vosso, que lhe éreis a Mãe? Pelo menos não deveria reter-vos então o horror ao delito de criaturas que crucificavam o seu próprio Deus? Mas, ah! o vosso coração não cuidava então da própria, e sim da dor e da morte do Filho querido. Por isso quisestes assisti-lo e acompanhá-lo com vossa compaixão. Ó Mãe verdadeira, diz o Vulgato Boaventura, ó Mãe amante, que nem o horror da morte pode separar do Filho amado!

Mas, ó meu Deus, que doloroso espetáculo! Na cruz, agonizando, está o Filho e junto à cruz a Mãe agoniza também, toda compadecida das penas desse Filho. O lastimoso estado em que viu seu Jesus moribundo na cruz, revelou-o Maria a S. Brígida, dizendo: "Estava meu Jesus pregado ao madeiro, saturado de tormentos e agonizante. Seus olhos encovados estavam quase cerrados e extintos; os lábios pendentes e aberta a boca; as faces alongadas, afilado o nariz, triste o semblante. Pendia-lhe a cabeça sobre o peito; seus cabelos estavam negros de sangue, o ventre unido aos rins, os braços e as pernas inteiriçados, e todo o resto do corpo coalhado de chagas e de sangue".

Todas essas penas de Jesus eram outras tantas chagas no coração de Maria, observa o Pseudo-Jerônimo. Aquele que então estivesse presente no Calvário, diz Arnoldo de Chartres, veria dois altares onde se consumavam dois grandes sacrifícios: um era o corpo de Jesus, outro era o coração de Maria. Mais me agradam, porém, as palavras de S. Boaventura,* declarando que só havia um altar: a cruz do Filho onde a Mãe era sacrificada juntamente com o Cordeiro Divino. Por isso, pergunta-lhe: "Ó Maria, onde estáveis? Junto à cruz? Ah! com muito maior razão digo que estáveis na mesma cruz, imolando-vos crucificada com vosso Filho". O Pseudo-Agostinho assevera: A cruz e os cravos feriram ambos, o Filho e a Mãe; juntamente com o primeiro foi também crucificada a segunda. O que faziam os cravos no corpo de Jesus, prossegue o Vulgato Bernardo, operava o amor no coração de Maria. De modo que, enquanto o Filho sacrificava o corpo, a Mãe sacrificava a alma, como se expressa S. Bernardino.

2. Maria não pôde aliviar as penas de seu Filho

Fogem as mães da presença dos filhos moribundos. Quando, porém, uma mãe é obrigada a assistir um filho em agonia, procura dar-lhe todo alívio possível. Ajeita-o na cama, para que fique mais a gosto, e dá-lhe algum refresco. Desse modo a pobrezinha vai disfarçando sua dor. Ah! Mãe de todas a mais aflita! ó Maria, a vós é imposto assistir Jesus moribundo, mas não vos é facultado procurar-lhe alívio algum. Maria ouve o Filho dizer que tem sede, sem que lhe seja permitido dar-lhe um pouco de água para dessedentá-lo. Pode dizer-lhe apenas, conforme as palavras de S. Vicente Ferrer: Meu Filho, tenho tão somente a água de minhas lágrimas. Vê como seu pobre Jesus, pregado àquele leito de dores por três cravos de ferro, não podia achar repouso. Queria abraçá-lo para consolá-lo, e para que ao menos expirasse em seus braços, mas não o podia fazer. Nota que seu Filho, mergulhado num mar de angústias, procura quem o conforte, segundo a predição de Isaías: Eu calquei o lagar sozinho... Eu olhei em roda e não havia auxiliar; busquei e não houve quem me ajudasse (63, 3 e 5). Mas que consolação podia ele achar entre os homens, se todos lhe eram inimigos? Mesmo pregado na cruz, uns blasfemavam dele e outros o escarneciam: E os que iam passando blasfemavam dele (Mt 27,39). Outros lhe diziam no rosto: Se és Filho de Deus, desce da cruz (27,40). Desafiavam-no alguns: Salvou a todos e a si mesmo não se pode salvar... Se é o rei de Israel, desça agora da cruz (27,42). Além disso, a Santíssima Virgem revelou a S. Brígida: "Ouvi alguns dizerem do meu Filho que era um ladrão; outros, que era um impostor; outros, que ninguém merecia tanto a morte como ele. Esses insultos eram para mim espadas de dor".

O que mais aumentou, contudo, a dor de Maria, na sua compaixão para com o Filho, foi ouvir-lhe a queixa: Meu Deus, meu Deus, por que me desamparastes? (Mt 27,46). Palavras foram essas que nunca mais me saíram da mente, disse a divina Mãe a S. Brígida. Assim a aflita Mãe via Jesus atormentado por todos os lados. Queria aliviá-lo e não podia fazê-lo.

Maior era ainda o sofrimento, ao ver que com sua presença aumentava a pena do Filho. Daí, pois, a frase do Vulgato Bernardo: "A plenitude das dores do coração de Maria derramou-se como uma torrente no Coração de Jesus. Sim, Jesus na cruz sofria mais pela compaixão de sua Mãe, que por suas próprias dores. Junto à cruz estava a Mãe, muda de dor; vivia morrendo, sem poder morrer". Jesus Cristo, assim refere Passino, revelou à Bem-av. Batista Varano de Camerino, que nada o fez sofrer tanto como a comiseração de sua Mãe ao pé da cruz, e que por isso morreu sem consolação. E conhecendo a bem-aventurada, por uma luz sobrenatural essa dor de Jesus, exclamou: Senhor, não me faleis dessa vossa pena, que eu não posso mais!

3. *Maria ao pé da cruz é nossa Mãe espiritual*

Pasmavam as pessoas que então consideravam essa Mãe, diz Simeão Fidato de Cássia, por verem-na quedar-se silenciosa, sem uma queixa ou lamento, no meio de tamanha dor. Mas, se os lábios guardavam silêncio, não o guardava contudo o coração. Pois a Virgem não cessava de oferecer à Divina Justiça a vida do Filho pela nossa salvação. Por aí vemos o quanto cooperava pelos seus sofrimentos para fazer-nos nascer à vida da graça. E se nesse mar de mágoas, que era o coração de Maria, entrou algum alívio, então este único consolo foi certamente o animador pensamento de que, por suas dores, cooperava para nossa eterna salvação. O próprio Salvador revelou a Santa Brígida: Minha Mãe tornou-se Mãe de todos no céu e na terra, por sua compaixão e seu amor. Com efeito, outro sentido não tinham as palavras com que Jesus se despediu de sua Mãe. Como derradeira lembrança deu-nos a ela por filhos, na pessoa de S. João: Mulher, eis o teu filho (Jo 19,26). Começou desde então a Senhora a exercer para conosco esse ofício de mãe estremecida. Atesta S. Pedro Damião (assinala-o Salmeron) que estando por isso Maria entre a cruz do Filho e do bom ladrão, por suas preces converteu e salvou este último. Assim o recompensou por serviços prestados outrora, quando a Sagrada Família procurava o Egito. Nessa ocasião mostrara-se o bom ladrão prestimoso e afável, conforme contam vários autores. E a Santíssima Virgem continua e continuará sempre a exercer este ofício de Mãe desvelada.

EXEMPLO

O Venerável Joaquim Piccolomini, um fervoroso servo de Maria, já em criança, costumava visitar três vezes ao dia uma imagem de Nossa Senhora das Dores. Aos sábados, jejuava em honra da Virgem. Fazia mais. Levantava-se no meio da noite, para meditar sobre as dores de sua Mãe celeste. Vejamos como Maria recompensou o seu servo. Joaquim era ainda moço quando ela lhe apareceu e o fez entrar na Ordem dos Servitas. Outra vez lhe apareceu pelos últimos anos da vida, tendo nas mãos duas coroas. Uma era de rubis como prêmio pela compaixão com os sofrimentos dela; era de pérolas a outra, em recompensa da virgindade guardada por Joaquim. Pela terceira vez veio vê-lo à hora da morte. O Venerável pediu-lhe a graça de morrer na Sexta-feira Santa. Ao que a Virgem o consolou, dizendo: Eia, pois, prepara-te; amanhã é Sexta-feira Santa e morrerás, como desejas, indo comigo ao céu. E assim de fato aconteceu. Quando se cantava na igreja a Paixão do Senhor, entrou Joaquim em agonia. E às palavras "Inclinando a cabeça (Jesus) morreu", o Venerável entregou sua alma a Deus. No mesmo instante espalhou-se pela igreja um vivo fulgor e uma suave fragrância.

ORAÇÃO

Ó aflitíssima entre todas as mães, morreu, pois, vosso Filho tão amável e que tanto vos ama. Chorai, que bem razão tendes para chorar. Quem poderia vos consolar jamais? Só pode dar-vos algum lenitivo o pensar que Jesus com sua morte venceu o inferno, abriu aos homens o paraíso, que lhes estava fechado, e fez a conquista de tantas almas. Do trono da cruz Ele reinará sobre tantos corações que, pelo amor vencidos, o servirão com amor. Dignai-vos, entretanto, ó minha Mãe, consentir que me conserve a vossos pés, chorando convosco, já que eu, pelos meus grandes pecados, tenho mais razão de chorar que vós. Ah! Mãe de Misericórdia, em primeiro lugar pela morte de meu Redentor, e depois pelo merecimento de vossas dores, espero o perdão e a salvação eterna. Amém.

6ª Dor: A LANÇADA E A DESCIDA DA CRUZ

1. *Maria saúda as chagas de Jesus,*
   como fontes de nossa salvação

Ó vós todos, que passais pela estrada, atendei e vede se há dor semelhante à minha dor (Lm 1,12). Almas devotas, escutai o que hoje vos diz a Mãe dolorosa: Filhas diletas, não quero que procureis consolar-me, porque meu coração já não pode achar consolação na terra, depois da morte de meu caro Jesus. Se quereis dar-me gosto, vinde e vede se houve no mundo dor semelhante à minha, ao ver como me arrebataram com tanta crueldade Aquele que era todo o meu amor. Mas, Senhora, já que não buscais consolo, mas antes sofrimento, eu vos direi que nem com a morte de vosso Filho findaram as vossas dores. Ainda hoje, daqui a pouco, sereis ferida dolorosamente por uma espada. Vereis uma lança cruel transpassar o lado de vosso Filho, já sem vida. E depois tereis de receber, em vossos braços, seu corpo descido da cruz.

Estamos na sexta dor da pobre Mãe de Jesus. Contemplemo-la com atenção e lágrimas de piedade. Até então vieram as dores cruciar Maria, uma a uma. Mas agora assaltaram-na todas juntas. Basta dizer a uma mãe que seu filho morreu, para toda inflamá-la o amor ao filho que a deixou. Para consolo das mães atribuladas com a perda de algum filho, costumam pessoas recordar-lhes os desgostos que deles receberam. Porém eu, ó minha Rainha, se quisesse consolar-vos pela morte de Jesus, onde acharia algum desgosto dado por ele, para vo-lo recordar? Ah! Ele sempre vos amara, sempre vos obedecera e respeitara. Agora o perdestes. Quem há que possa exprimir vossa aflição? Exprimi-a vós mesma, que cruelmente a sofrestes!

Morto nosso Redentor, diz um piedoso autor, acompanharam-lhe a alma santíssima os amorosos afetos da excelsa Mãe, para apresentá-la ao Eterno Pai. Disse talvez o seguinte: "Apresento-vos, ó meu Deus, a alma imaculada do meu e vosso Filho, que vos obedeceu até a morte; recebei-a em vossos braços. Eis satisfeita a vossa justiça e executada a vossa vontade; eis consumado o grande sacrifício para eterna glória vossa".

Voltando-se depois para o corpo inanimado de seu Jesus: "Ó chagas, disse então, chagas amáveis, congratulo-me convosco, porque por meio de vós foi dada a salvação ao mundo. Permanecereis abertas no corpo de meu Filho, como refúgio de todos quantos recorrem a vós. Quantos por vós hão de receber o perdão de seus pecados e inflamar-se no amor do Sumo Bem!

2. *A dolorosa cena do lanceamento*
Porque não ficasse desfeita a festa do dia seguinte, sábado pascal, exigiram os judeus fosse logo retirado da cruz o corpo do Senhor. Mas como não podiam retirar o sentenciado antes de estar certamente morto, vieram alguns algozes, com pesadas clavas de ferro, e quebraram as pernas aos dois ladrões crucificados. Aproximaram-se também do corpo de Jesus. Enquanto chorava a morte de seu Filho, vê Maria esses homens armados que se chegam a Jesus. Estremece de terror, mas logo lhes diz: Ai! meu Filho já está morto: deixai de ultrajá-lo ainda mais, e de ainda mais me atormentar o pobre coração de mãe desolada! Pediu que não lhe quebrassem as pernas, observa Boaventura Baduário. Mas enquanto assim falava, ó Deus! vê um soldado erguer com ímpeto a lança e com ela abrir o lado de Jesus. "Um dos soldados lhe abriu (a Jesus) o lado com uma lança, e imediatamente saiu sangue e água" (Jo 19,34). A esse golpe de lança tremeu a cruz, e o Coração de Jesus foi dividido, como por revelação o soube S. Brígida. Saiu sangue e água, pois do primeiro restavam apenas essas últimas gotas. Quis o Salvador derramá-las para nos mostrar que já não tinha sangue que nos dar. Foi para Jesus a injúria desse golpe de lança, mas a dor sentiu-a a Virgem Mãe, diz Landspérgio. Querem os Santos Padres que tenha sido propriamente essa a espada

predita à Virgem por Simeão. Não foi uma espada de aço, mas de dor que transpassou a sua alma bendita, no Coração de Jesus onde sempre morava. Entre outros, diz S. Bernardo: A lança, que abriu o lado de Jesus, transpassou a alma da Virgem, que não podia separar-se do Filho. Ao ser retirada a lança – revelou a Mãe de Deus a S. Brígida – o sangue de meu Filho tingia-lhe a ponta; parecia-me nesse momento que meu coração estava transpassado, ao ver que o do meu Filho fora rasgado pelo golpe. E à mesma santa disse o anjo, que só por um milagre escapou Maria de morrer naquela ocasião. Nas outras dores, a Virgem tinha o Filho a seu lado, mas nem semelhante conforto lhe resta agora.

3. *A Mãe dolorosa recebe nos braços o Filho sem vida*

A atribulada Senhora receava, entretanto, que fizessem outras injúrias a seu amado Filho. Pediu a José de Arimateia lhe obtivesse, por isso, de Pilatos o corpo de Jesus, para que ao menos depois de morto o pudesse preservar dos ultrajes dos judeus. Foi José ter com Pilatos, expôs-lhe a dor e o desejo da aflita Mãe. Segundo o Pseudo-Anselmo, Pilatos, compadecendo-se da Mãe, lhe concedeu o corpo do Redentor. Eis que descem o Salvador da cruz em que morrera! Ó Virgem sacrossanta, destes com tanto amor vosso Filho ao mundo, e vede como ele vo-lo entrega! Por Deus, exclama a Senhora, em que estado, ó mundo, me entregas meu amado Filho! Era ele o meu querido, branco e rosado (Ct 5,10); e tu mo entregas negro pelas contusões e rubro não pela cor, mas pelas chagas de que o cobriste?! Era belo e ei-lo agora desfigurado! Encantava com seu aspecto, mas causa horror agora a quem o vê! Quantas espadas feriram a alma dessa Mãe, quando em seus braços depuseram o Filho descido da cruz! diz um autor sob o nome de S. Boaventura. Contemplemos o indizível sofrimento de uma mãe à vista do seu filho sem vida.

Conforme as revelações de S. Brígida, encostaram três escadas para descerem o corpo de Jesus. Primeiro desprenderam os santos discípulos as mãos, depois os pés e entregaram os cravos a Maria, como refere Metafrastres. Segurando o corpo de Jesus, um por cima e outro por baixo, o desceram da cruz.

Ergue-se a Mãe, relata Bernardino de Busti, estende os braços para o Filho, abraça-o e senta-se aos pés da cruz. Contempla-lhe a boca aberta e os olhos obscurecidos; examina seu corpo rasgado pelas chagas e os ossos descobertos. Tira-lhe a coroa, e vê que horríveis chagas os espinhos fizeram naquela sagrada cabeça. Olha finalmente as mãos e os pés transpassados pelos cravos e diz: Ah! Filho, a que extremos te reduziu teu amor pelos homens! Que mal lhes fizeste para que assim te maltratassem? Tu me eras pai, irmão e esposo, fá-la dizer Bernardino de Busti; eras minha glória, minha delícia e meu tudo. Filho, vê como estou aflita, olha-me e consola-me. Mas ai! não me falas mais, porque estás morto. E dirigindo-se aos instrumentos de martírio: Ó espinhos cruéis, ó desapiedada lança, como pudestes assim atormentar vosso Criador? Mas por que acuso os espinhos, os cravos? Ah! pecadores, fostes vós que assim maltratastes a meu Filho!

4. *Queixas de Maria sobre os pecadores*

Assim então Maria se queixou de nós. E se agora pudesse sofrer, que diria? Que pena sentiria, vendo que os homens, mesmo após a morte de Jesus, continuam a maltratá-lo e crucificá-lo com seus pecados? Nunca mais atormentemos, pois, essa Mãe aflita! Se pelo passado a afligimos com nossas culpas, façamos agora o que ela nos diz. Mas que é que nos diz? "Tomai isto a sério, vós prevaricadores" (Is 46,8). Pecadores, voltai ao ferido Coração de Jesus; arrependei-vos, que ele vos acolherá. Pelo abade Guerrico, nos diz ainda a Senhora: Fugi de Jesus, vosso Juiz, para Jesus, vosso Salvador; fugi do tribunal para a cruz!

A Santíssima Virgem revelou a S. Brígida que, quando desceram seu Filho da cruz, ela lhe cerrou os olhos, mas não pôde fechar os braços. Jesus dava-nos assim a entender que seus braços hão de ficar sempre abertos para acolher todos os pecadores arrependidos.

Ó mundo, continua Maria, "eis que agora estás no tempo, no tempo de amor" (Ez 16,18). Meu Filho morreu para salvar-te; já não é para ti um tempo de temor, mas de amor. É tempo de amares Aquele que tanto quis sofrer, para provar quanto te ama. O Coração de Jesus foi ferido, diz S. Boaventura, a fim de nos mostrar pela chaga visível o seu amor invisível. E alhures o Santo faz Maria dizer: Se meu Filho quis que lhe fosse aberto o lado para dar-te seu coração, é justo que lhe dês também o teu.

Se, portanto, quereis, ó filhos de Maria, achar lugar no Coração de Jesus, sem receio de repulsa, ide a ele juntamente com Maria, por quem alcançareis tal graça. Assim nos exorta Hubertino de Casale.

EXEMPLO

Na cidade de Casena, viviam dois amigos muito viciados. Um deles, Bartolomeu, apesar da má vida, tinha por costume recitar todos os dias o Stabat Mater. Recitando-o, certa vez, pareceu-lhe que, com um seu amigo, se achava dentro de uma enorme fogueira. Viu então como a Santíssima Virgem lhe estendeu a mão, a ele, Bartolomeu, para o tirar do meio das chamas e dela recebeu o conselho de pedir perdão a Nosso Senhor. E Jesus Cristo mostrou-se pronto a perdoar por causa da intercessão de sua Mãe Santíssima. Mal terminara essa visão, quando vieram contar a Bartolomeu que seu amigo tinha sido morto a tiros. Viu assim o pecador que não fora puro sonho o que a imaginação lhe mostrara. Deixou por isso o mundo, e entrou para a Ordem dos Capuchinhos. No convento, levou uma vida austera e penitente, morrendo, por fim, em fama de santidade.

ORAÇÃO

Ó Virgem dolorosa, ó alma grande pelas virtudes e também pelas dores, pois que ambas nascem do grande incêndio do amor que tendes a Deus, o único objeto amado por vosso coração. Ah! minha Mãe, tende piedade de mim, que não tenho amado a Deus e tanto o tenho ofendido. Vossas dores me enchem de grande confiança, e me fazem esperar o perdão. Mas isso não me basta; quero amar a meu Senhor. E quem me pode alcançar essa graça melhor que vós, que sois a Mãe do belo amor? Ah! Maria, a todos consolastes; consolai também a mim. Amém.

7ª Dor: SEPULTURA DE JESUS

1. *Queixa da Mãe dolorosa*

Uma mãe, que se acha presente aos sofrimentos e à morte do filho, sente e sofre incontestavelmente todas as suas dores. Mas depois, quando o vê morto e prestes a ser sepultado, oh! então, o pensamento de deixá-lo, para nunca mais tornar a vê-lo, causa-lhe uma dor que excede todas as outras dores. Eis a sétima e última espada de dor que hoje vamos meditar. A Mãe Santíssima vira o

Filho morrer na cruz, recebera-o depois de morto, e agora vê-se obrigada a deixá-lo finalmente no sepulcro, para não mais gozar de sua amável presença. Compreenderemos melhor esta última dor da Senhora, se subirmos ao Calvário e aí contemplarmos a desolada Mãe, ainda abraçada com o Filho morto. Então bem podia repetir com Jó: Meu Filho, mudastes-vos em cruel comigo (Jó 30,21). Todas as vossas belas prendas, vossa beleza, vossa graça, vossas virtudes, vossas amáveis maneiras: todos os vossos testemunhos de especial amor, todos os singulares favores que me dispensastes – tudo, em outras tantas penas, se me tem mudado. Quanto mais vossos benefícios em vosso amor me inflamaram, tanto mais agravam agora a perda vossa. Ah! Filho dileto, tudo perdi em vos perdendo! Ó verdadeiro Filho de Deus, – assim a faz queixar-se Bernardino de Busti com Pseudo-Bernardo – Vós me éreis pai, filho e esposo e vida; agora estou sem pai, sem esposo, sem filho; perdi tudo, numa palavra.

2. *Maria acompanha Jesus à sepultura*
Deste modo expandia a Mãe a sua dor, abraçada ao Filho sem vida. Mas os santos discípulos receavam lhes expirasse de dor a pobre Mãe, e por isso se apressam em tirar-lhe do regaço o Filho sem vida. Fazendo-lhe, pois, respeitosa violência, tiram-lho dos braços, o embalsamam com aromas, envolvem-no numa mortalha, preparada de propósito para ele. Nela quis o Senhor deixar impressa sua imagem, como hoje ainda se vê em Turim.

Levam o Sagrado Corpo à sepultura. Forma-se o cortejo fúnebre e os discípulos acompanham-no, juntamente com as santas mulheres. Entre as últimas, caminha a Mãe dolorosa, levando também ela o Filho à sepultura. Ter-se-ia a Senhora de boa mente sepultado viva com o Filho, como reza uma sua revelação a S. Brígida. Mas, esta não sendo a divina vontade, acompanhou resignada o sacrossanto corpo de Jesus ao sepulcro, no qual, como refere Barônio, depositaram também os cravos e a coroa de espinhos. No momento de fechá-lo com a pedra, voltaram-se os discípulos para Maria com as palavras: Eia, Senhora, vai ser fechado o túmulo. Ânimo! contemplai vosso Filho pela última vez e dai-lhe um derradeiro adeus! Assim, pois, ó dileto Filho, – teria então dito talvez a Senhora, – assim, pois, não mais te tornarei a ver? Recebe com meu último olhar o último adeus de tua aflita Mãe; recebe meu coração, que deixo contigo no sepulcro! – Era-lhe ardente o desejo de sepultar também sua alma com o Filho, observa Vulgato Fulgêncio. A pobre Virgem assim falou a S. Brígida: Na sepultura de meu Filho estavam sepultados dois corações. – Finalmente, os discípulos tomaram a pedra e fecharam no túmulo o corpo de Jesus, aquele tesouro que não tem igual nem no céu nem na terra. Intercalemos aqui uma digressão. Maria deixa seu coração sepultado com Jesus, porque lhe é Jesus o único tesouro. "Porque onde está o vosso tesouro, aí está também o vosso coração" (Lc 12,34). E nós onde sepultaremos o nosso? Nas criaturas, talvez? no desprezível pó? Por que não em Jesus? Ainda que haja subido ao céu, quis entretanto permanecer no meio de nós no Sacramento, justamente para possuir e guardar nossos corações. Voltemos, porém, a Maria. Antes de se afastar do sepulcro, bendisse aquela pedra sagrada, como refere Boaventura Baduário: Ó pedra feliz, que agora encerras Aquele que tive nove meses no seio, eu te bendigo e invejo. Deixo-te guardando este meu Filho que é todo o meu bem, todo o meu amor". E dirigindo-se ao Pai Eterno, rezou: Meu Pai, a vós encomendo este Filho, que é vosso e meu.

3. *Maria despede-se da sepultura do Filho*

Tais foram as despedidas de Maria junto ao sepulcro do Filho, de onde depois voltou a casa. Triste e aflita ia a pobre Mãe, diz Pseudo-Bernardo, despertando lágrimas em quantos a viam passar. Acrescenta também que os santos discípulos e as santas mulheres choravam mais por causa de Maria do que sobre a perda do Mestre.

Quer Boaventura Baduário que as parentas de Maria a tenham velado com um lúgubre manto. Na volta – diz ele – passou a Virgem pela cruz, banhada ainda com o sangue de seu Jesus. Foi a primeira a adorá-la com as palavras: Ó Cruz, eu te beijo e te adoro; agora não és mais um madeiro infame, mas o trono do amor e o altar da misericórdia, consagrado com o sangue do divino Cordeiro, sacrificado em teus braços pela salvação do mundo. Assim se despede da cruz e volta para casa. Aí olha em torno de si e não vê mais o seu Jesus. Em vez da presença de seu querido Filho, surgem-lhe à memória todos os quadros de sua desapiedada morte. Recorda os abraços dados ao Filho no presépio de Belém, os colóquios durante tantos anos, os mútuos afetos, os olhares cheios de amor, e as palavras de vida eterna saídas daqueles lábios divinos. Então se lhe apresenta ante os olhos a cena funesta daquele dia: vê os cravos, os espinhos, as carnes diceradas do Filho, suas chagas tão profundas, seus ossos tão descarnados, sua boca assim aberta, seus olhos assim apagados. Ai! que noite de dores foi aquela para a Mãe de Deus! Dirigia-se a S. João e lhe perguntava cheia de tristeza: João, onde está o teu

Mestre? Perguntava depois a Madalena: Filha, dize-me, onde está o teu dileto? Quem no-lo arrebatou? – Em prantos se expandiam a Senhora e os que a rodeavam. E tu, minha alma, não choras? Dirige-te à Virgem Dolorosa e pede-lhe lágrimas, como S. Boaventura:* Deixa-me chorar, ó Senhora, porque sou eu o culpado e vós sois inocente! Pede-lhe admita que chores com ela: Deixa que eu chore contigo. Ela chora de amor; chora tu de dor por teus pecados. E poderás assim ter a felicidade daquele de quem se trata no seguinte exemplo.

EXEMPLO

Conta o Padre Engelgrave que havia certo religioso tão atormentado pelos escrúpulos, que às vezes quase se entregava ao desespero. Mas como era devotíssimo de Nossa Senhora das Dores, recorria sempre a ela em suas angústias espirituais, e, contemplando suas dores, se sentia confortado. Na hora da morte, perseguiu-o o demônio mais que nunca com os escrúpulos, induzindo-o à desesperação. Mas a piedosa Mãe, vendo seu pobre filho tão angustiado, apareceu-lhe e disse-lhe: Filho meu, por que tanto temes e te entristeces, tu que tantas vezes me consolaste, compadecendo-te de minhas dores? Ânimo! Mandou-me Jesus a consolar-te. Anda, consola-te, enche-te de alegria e vem comigo para o céu. A essas palavras, o devoto religioso, cheio de consolação e de confiança, expirou placidamente.

ORAÇÃO

Ó minha Mãe dolorosa, não vos quero deixar chorando sozinha. Quero acompanhar-vos com minhas lágrimas. Esta graça hoje vos peço: obtende-me uma contínua memória com uma terna devoção à Paixão de Jesus e à vossa, para que os dias que me restam de vida me não sirvam senão para cho-

rar vossas dores, ó minha Mãe, e as de meu Redentor. Essas vossas dores, espero eu, na hora de minha morte, me hão de dar coragem, força e confiança para não desesperar à vista do muito que ofendi ao meu Senhor. E elas me hão de impetrar o perdão, a perseverança e o paraíso, onde espero depois alegrar-me convosco, e cantar as misericórdias infinitas de meu Deus, por toda a eternidade. Assim o espero, assim seja. Amém.

*

Ó minha Senhora, vós roubais os corações dos homens pela vossa suavidade. Pois então já não roubastes o meu? Ó arrebatadora dos corações, quando me restituireis o meu? Não; guardai-o convosco e colocai-o, juntamente com o vosso, no lado aberto de vosso Filho. Tenho assim o que desejo, já que sois vós a minha esperança.

TRATADO III
AS VIRTUDES DE NOSSA SENHORA

Diz o Pseudo-Agostinho que, para obter com mais certeza e profusão os favores dos santos, é necessário imitá-los porque nosso esforço nesse sentido fá-los dispostos a rogar por nós. Depois de ter subtraído alguma alma das garras de Lúcifer, unindo-a com Deus, quer Maria, Rainha dos santos e nossa primeira advogada, que ela se aplique a imitá-la. Do contrário não poderá enriquecê-la de suas graças como desejaria, vendo--a a si oposta nos costumes. Chama por isso de bem-aventurados os que diligentemente lhe imitam a vida. "Agora, pois, filhos, ouvi-me: Bem-aventurados os que guardam os meus caminhos" (Pr 8,32).

Quem ama, se assemelha ou procura assemelhar-se à pessoa amada, segundo um afamado provérbio. Daí a exortação do Pseudo-Jerônimo para mostrarmos nosso amor a Maria pela imitação de suas virtudes, sendo esse o maior obséquio que lhe podemos ofertar. Segundo Ricardo de S. Lourenço, são e podem chamar-se verdadeiros filhos de Maria somente aqueles que buscam copiar-lhe em tudo a vida. Esforce-se, pois, o filho (conclui o autor da *Salve-Rainha*) por imitar a Mãe, se deseja seus favores. Vendo-se ela honrada como Mãe, como filho o tratará e favorecerá. É verdade, poucas particularidades registram os evangelistas, quando falam das virtudes de Maria. Entretanto, chamando-a "cheia de graça" nos fazem saber, bem claramente, que teve todas as virtudes em grau heroico. De modo que, diz S. Tomás, enquanto os demais santos sobressaíam, cada um em alguma virtude particular, foi a Bem-aventurada Virgem extraordinária em todas e de todas nos foi dada como modelo. É idêntico o testemunho de S. Ambrósio: A sua só vida é uma escola de virtudes para todos. Exorta-nos por isso: Seja-vos como uma imagem e luminoso modelo a virgindade e a vida de Maria. Nela tendes exemplos para vossa vida, mostrando-vos o que deveis corrigir ou evitar ou guardar.

E já que os Santos Padres chamam a humildade de base de todas as virtudes, meditemos, em primeiro lugar, quanto foi grande a humildade da Mãe de Deus.

I. HUMILDADE DE MARIA

De todas as virtudes é a humildade o fundamento e a guarda, lê-se com razão nos sermões sobre a *Salve-Rainha*. Sem humildade, não há virtude que possa existir numa alma. Possua embora todas as virtudes, fugiriam todas ao lhe fugir a humildade. Pelo contrário, Deus tão amante é da humildade, que se apressa em correr onde a vê, escreve S. Francisco de Sales a S. Joana de Chantal.

No mundo era desconhecida essa virtude tão bela e necessária. Mas, para ensiná-la, veio à terra o próprio Filho de Deus, exigindo que, principalmente nesse particular, lhe procurássemos imitar o exemplo. "Aprendei de mim, porque sou manso e humilde de coração" (Mt 11,29). E assim como em todas as virtudes foi Maria a primeira e mais perfeita discípula de Jesus Cristo, o foi também na humildade. Por ela mereceu ser exaltada sobre todas as criaturas. Essa foi a virtude em que, desde pequena, se singularizou. Assim nos consta de uma revelação feita a S. Matilde.

1. *O primeiro traço da humildade é o modesto conceito de si mesmo*

Vemo-la em Maria, conforme fala a supracitada revelação. Embora se visse mais enriquecida de graças que os outros todos, nunca ela se julgou acima de quem quer que fosse. Ao contrário, teve sempre modesta opinião de si mesma. Este é o sentido que, no parecer de Roberto, abade, têm as palavras dos Cânticos: Tu feriste meu coração, minha irmã, tu feriste meu coração com uma madeixa de teu pescoço (4,9). O humilde conceito de si mesma foi o encanto com que Maria prendeu o coração de Deus. Não podia, é claro, a Santíssima Virgem julgar-se uma pecadora. Pois, na frase de S. Teresa, a humildade é a verdade, e Maria tinha consciência de nunca haver ofendido a Deus. Não é também que deixasse de confessar a preferência com que Deus lhe concedera maiores favores do que às demais criaturas. Para humilhar-se ainda mais, reconhece o coração do humilde as singulares dádivas do Senhor. A nítida compreensão da infinita grandeza e dignidade de Deus, porém, aprofundava na Virgem o conhecimento da própria pequenez. Por isso, mais que ninguém, se humilhava, dizendo com a esposa dos Cânticos: Não olheis para o ser morena, porque o sol me mudou a cor (1,5). O que, segundo S. Bernardino, significa: Comparando-me com Deus, me vejo toda escura. Segundo o mesmo Santo, jamais ela perdia de vista a grandeza de Deus e o seu próprio nada.

Vendo-se uma mendiga revestida de custosas vestes, que lhe foram dadas, não se envaidece, mas antes se humilha ao contemplá-las diante de seu benfeitor. Justamente essa presença fá-la recordar sua pobreza. Assim a Virgem quanto mais enriquecida se via, mais se humilhava. Lembrava-se, sem cessar, de que tudo aquilo era dom de Deus. Daí a sua palavra a S. Isabel de Turíngia:

Creia-me, filha, sempre me tive pela última das criaturas e indigna das graças de Deus. Exatamente por isso, conforme S. Bernardino, nunca houve no mundo criatura tão sublimada como Maria, porque nunca ninguém a igualou em humildade.

2. *Também é efeito da humildade ocultar os dons celestes*

Nem a S. José quis a Senhora revelar a graça de se haver tornado Mãe de Deus. O pobre esposo viu como ela ia ser mãe, e necessitava de esclarecimentos que o libertassem de cruciantes suspeitas da honestidade da esposa, e dele afastassem vexames e confusões. De um lado, José não podia duvidar da castidade de Maria e de outro ignorava o mistério da Encarnação. Resolveu por isso deixá-la ocultamente, para sair de tão embaraçosa situação. Tê-lo-ia feito certamente, se o anjo não lhe houvesse revelado que sua esposa se tornara Mãe por obra do Espírito Santo.

3. *O humilde recusa os louvores referindo-os todos a Deus*

Tal foi o procedimento de Maria, ao perturbar-se diante dos louvores que lhe dirigia o arcanjo S. Gabriel. E foi outro talvez seu procedimento, quando Isabel a chamou de bendita entre todas as mulheres e de Mãe do Senhor? Imediatamente Maria atribui toda a glória a Deus, respondendo no seu humilde cântico: Minha alma engrandece ao Senhor. Vale como se dissesse: Isabel, tu me louvas, porém eu louvo ao Senhor, a quem unicamente é devida toda a honra. Tu te admiras de vir eu a ti, mas eu admiro a bondade divina, na qual, tão somente, meu espírito se alegra. Louvas-me porque eu acreditei, mas eu louvo a meu Deus que quis exaltar o meu nada. Na baixeza de sua serva pôs os seus olhos. É esse o motivo por que

Maria disse a S. Brígida: Por que me humilhei tanto ou por que mereci, minha filha, uma tão extraordinária graça? Só porque estava plenamente convencida de não valer nada, de não possuir algo de mim mesma. Procurava por isso o louvor de meu Criador e Benfeitor e nunca o meu próprio. – Admirado de tanta humildade em Maria, exclamava o Pseudo-Agostinho: Ó realmente abençoada humildade, que abriu o paraíso e livrou as almas do inferno.

4. *É próprio do humilde prestar serviços*
Maria não se negou a servir Isabel durante três meses. Sobre isto escreve S. Bernardo: Admirou-se Isabel da vinda de Maria, porém mais admirável era ainda o motivo de sua vinda: vinha para servir e não para ser servida.

5. *O humilde gosta de uma vida retirada*
   e despercebida
Maria procedeu de modo semelhante, diz-nos o citado Santo, quando seu Filho pregava numa casa e ela lhe desejava falar. Não se animou a entrar (Mt 12,46). Ficou de fora e não confiou no prestígio de mãe, mas evitou de interromper a pregação do Filho; não entrou por isso na casa onde ele falava, observa o mesmo santo Padre. Pelo mesmo motivo, quis também tomar o último lugar, quando estava no cenáculo com os apóstolos. Todos perseveravam de comum acordo em oração com as mulheres, e Maria, Mãe de Jesus" (At 1,14). Bem conhecia S. Lucas qual o mérito da Divina Mãe, devendo por isso nomeá-la antes de todos. Porém, de fato, Maria tinha tomado o último lugar, depois dos apóstolos e das santas mulheres. S. Lucas – na opinião de um autor – os nomeou a todos e por último a Virgem,

segundo o lugar que ocupava. Isso motiva a observação de S. Bernardo: Com razão tornou-se a primeira a que era a última porque, sendo a primeira, se fizera a última.

6. *Os humildes amam finalmente os desprezos*

Eis por que não se lê que Maria aparecesse em Jerusalém no domingo de Ramos, quando seu Filho foi recebido com tanta pompa pelo povo. Mas, por ocasião da morte de Jesus, não receou comparecer em público no Calvário, aceitando assim a desonra de se dar a conhecer por mãe de um sentenciado, que ia sofrer a morte de um criminoso. Ela mesma disse uma vez a S. Brígida: Que há de mais humilde, do que ser chamado de louco, sofrer privação de tudo e ter a si mesmo por último de todos? Ó filha, era assim a minha humildade, na qual estava minha alegria e todo desejo de meu coração; pois minha única preocupação era ser em tudo semelhante a meu Filho.

7. *Em um êxtase foi dado a conhecer à Venerável Paula de Foligno quanto foi grande a humildade de Maria*

Relatando essa graça a seu confessor, dizia-lhe atônita: A humildade de Nossa Senhora! Ó meu pai, a humildade de Nossa Senhora! Não existe no mundo, nem ainda no menor grau, humildade que se compare à de Maria. – O Senhor também mostrou um dia a S. Brígida duas mulheres: uma toda luxo e vaidade. Esta – disse ele – é a Soberba. Sobre a outra, disse: Contempla essa que tem a cabeça baixa, que é serviçal para com todos, pensando em Deus unicamente e convencida de seu nada: é a Humildade e chama-se Maria. Deus assim mostrava que sua bem-aventurada Mãe era tão humilde, como se fora a própria humildade.

Para nossa natureza corrompida pelo pecado, não há talvez, como avisa S. Gregório Nisseno, virtude mais difícil de praticar que a humildade. Entretanto não há remédio: nunca poderemos ser verdadeiros filhos de Maria, se não formos humildes. De onde então as palavras de S. Bernardo: "Se não podes imitar a humilde Virgem em sua pureza, imita ao menos a pura Virgem em sua humildade. Ela aborrece os soberbos e só chama a si os humildes. Todo o que é simples venha a mim (Pr 9,4). É de Ricardo de S. Lourenço a sentença: Maria protege-nos sob o manto da humildade. O mesmo queria ela dizer a S. Brígida com as palavras: Vem também tu, minha filha, e esconde-te debaixo do meu manto, que é a humildade. E ajuntou que a meditação de sua humildade era um manto bom e aquecedor. Um manto aquece só quem o traz, não em pensamento, mas em realidade. Assim também minha humildade aproveita só àqueles que se esforçam por imitá-la". Oh! como são queridas de Maria as almas humildes! Eis a razão por que diz o autor dos sermões sobre a *Salve-Rainha*: A Virgem Santíssima conhece e ama todos os que a amam; está ao lado dos que a invocam, principalmente quando se lhe assemelham pela pureza e humildade. Martinho d'Alberto, jesuíta, costumava varrer a casa e ajuntar o lixo por amor da Virgem. Apareceu-lhe um dia a Mãe de Deus, refere o Padre Nieremberg, agradeceu-lhe esse obséquio, dizendo: Como me é agradável a humilde ação que praticas por amor de mim!

Assim, pois, ó minha Rainha, não poderei ser vosso filho, se não for humilde. Não vedes, porém, que meus pecados, depois de me terem tornado ingrato ao meu Senhor, me tornaram também soberbo? Ó minha Mãe, remediai a este mal e, pelos merecimentos de vossa humildade, impetrai-me a graça de ser humilde e tornar-me vosso filho. Amém.

II. SUA CARIDADE PARA COM DEUS

Diz S. Alberto Magno: Quanto é grande a pureza, é também grande o amor. Quanto mais um coração é puro e vazio de si mesmo, tanto mais cheio é de caridade para com Deus. Assim Maria, sendo sumamente humilde e vazia de si, foi cheia do divino amor e nesse amor excedeu a todos os anjos e homens, como disse S. Bernardino de Sena. Com razão, a chama S. Francisco de Sales Rainha do amor.

1. *Deu o Senhor aos homens o preceito: Amarás ao Senhor, teu Deus, de todo o teu coração* (Mt 22,37)

Entretanto os homens, diz S. Tomás, não na terra, mas no céu, poderão cumpri-lo perfeitamente. Na opinião de S. Alberto Magno, semelhante preceito, por ninguém cumprido com perfeição, de certo modo teria sido indecoroso ao Senhor, que o decretou, se não houvesse existido sua santa Mãe que o cumpriu perfeitamente. Tal pensamento é confirmado por Ricardo de S. Vítor: A mãe de nosso Emanuel em todo sentido praticou as virtudes com consumada perfeição. Quem como ela cumpriu o preceito de amar a Deus de todo o coração? Tão intenso era-lhe o incêndio do amor divino, que não restava lugar para a menor imperfeição. De tal modo o amor divino feriu a alma de Maria, observa S. Bernardo, que não lhe deixou parte alguma que não fosse ferida de amor. Deste modo, pois, cumpriu a Senhora perfeitamente o primeiro preceito divino. Bem podia dizer de si: O meu amado é para mim, e eu para ele (Ct 2,9). Até os serafins, exclama Ricardo, podiam descer do céu para aprender no coração de Maria a maneira de se amar a Deus.

2. *Deus é o amor* (1Jo 4,16) *e à terra veio para atear em todos os corações a chama de seu amor*

Mas, como o de Maria, não inflamou nenhum outro. Puro completamente de afetos terrenos, estava ele preparadíssimo a arder nesse bem-aventurado fogo. Daí então as palavras do Pseudo--Jerônimo: Tanto o abrasou o amor divino, que nada de terreno lhe prendia as inclinações. Ardia, completa e totalmente, no amor divino e dele estava inebriado. Sobre esse amor lê-se nos Cânticos: Seus abrasamentos são abrasamentos de fogo, chamas do Senhor (8,6). Fogo e chamas tão somente era, pois, o coração de Maria. Fogo, porque ardia inteiramente pelo amor, como fala um texto atribuído a S. Anselmo. Chamas, porque resplandecia externamente pelo exercício das virtudes. Quando Maria, na terra, trazia o Menino Jesus ao colo, bem se podia dizer dela que era um fogo levando outro fogo. E isso em melhor sentido do que Hipócrates disse um dia de uma mulher que levava fogo na mão. De fato, explica S. Ildefonso, como o fogo encandesce o ferro, assim o Espírito Santo abrasou a Maria, a ponto de nela brilhar somente o fogo do Espírito Santo e manifestar-se a chama do divino amor. S. Tomás de Vilanova aponta como figura do coração da Virgem a sarça de Moisés, a qual ardia sem se consumir. Com razão, portanto, declara S. Bernardo: A mulher que João Evangelista (Ap 12,1) viu revestida do sol, foi Maria, que esteve tão unida a Deus pelo amor, quanto de tal união podia ser passível uma criatura.

3. *Sobre isso apoia-se o pensamento de S. Bernardino de Sena, de que Maria nunca foi tentada pelo inferno*

Eis as suas palavras: Assim como de um intenso fogo fogem as moscas, assim do coração de Maria, fogueira de caridade, eram expulsos os demônios, de modo que nem tentavam aproximar-se dele. Lemos o mesmo pensamento em Ricardo de S. Vítor: Os príncipes das trevas de tal maneira temiam a Virgem Santíssima, que nem ousavam chegar-se para tentá-la, porque as chamas de sua caridade os afugentavam. Maria revelou a S. Brígida que no mundo nunca teve outro pensamento, outro desejo, outra alegria, senão Deus. Sua alma bendita gozava de uma contínua contemplação, sendo sem conta os atos de amor que fazia, escreve o Padre Suárez. Mais ainda me agrada este pensamento de Bernardino de Busti: Maria não vivia repetindo atos de amor, à maneira dos santos; mas, por singular privilégio, lhe foi a vida um ato único e contínuo de amor de Deus. Qual águia real conservava os olhos fitos no sol divino, de modo que diz Nicolau, monge, nem os trabalhos cotidianos da vida lhe impediam o amor, nem o amor lhe impedia o trabalho. Essa é a razão por que S. Germano vê uma figura de Maria no altar propiciatório, onde o fogo nunca se extinguia, nem de dia nem de noite.

4. *Nem mesmo o sono impedia a Mãe de Deus de amar ao seu Criador*

Tal privilégio foi concedido aos nossos primeiros pais no estado de inocência, como assevera S. Agostinho. Certamente por isso não foi recusado a Maria, como pensam Suárez e Recupito, abade, com S. Bernardino e S. Ambrósio. Este último afirma: Enquanto o seu corpo repousava, vigiava sua alma. Realizou-se assim na Virgem a passagem dos Provérbios: A sua candeia não se apagará de noite (31,18). Com efeito, enquanto seu corpo bem-aventurado tomava, num ligeiro sono, o necessário repouso, sua alma elevava-se até Deus, diz S. Bernardino; e mesmo no sono, praticava a contemplação em grau mais perfeito do que outros quando acordados. Podia, por conseguinte, dizer com a esposa dos Cânticos: Eu durmo, mas meu coração vigia (5,2). Tanto adormecida como acordada, era feliz a Virgem, diz-nos o Padre Suárez. Em suma, repete S. Bernardino, enquanto Maria viveu na terra, estava continuamente amando a Deus; nunca fez, senão o que conhecia ser do agrado de Deus; e amou-o tanto quanto julgou de seu dever amá-lo. Com muito acerto exprime-se por conseguinte S. Alberto Magno: Maria foi cheia de tanto amor, que quase não se pode conceber maior em uma pura criatura, nesta terra. Segundo S. Tomás de Vilanova, a Virgem, com sua ardente caridade, de tal modo se tornou formosa e encantou a Deus, que ele, atraído por seu amor, desceu a seu seio, fazendo-se homem. Daí, pois, a exclamação de S. Bernardino de Sena: Eis uma Virgem, que, com sua virtude, feriu e arrebatou o coração de Deus.

5. *Mas já que Maria ama tanto a seu Deus,*
   nada exige de seus servos senão que o amem,
   tanto quanto possível

Disse ela uma vez à Bem-aventurada Angela de Foligno, que havia comungado: Angela, abençoada sejas por meu Filho, e procura amá-lo quanto puderes. Igualmente falou a S. Brígida: Filha, se queres prender-me a ti, ama a meu Filho. – Maria não tem maior desejo, do que ver amado seu dileto Filho, que é Deus. Pergunta Novarino por que razão a Santíssima Virgem rogava aos anjos, com a esposa dos Cânticos, que dessem parte ao Senhor do grande amor que lhe consagrava? "Eu vos conjuro, filhas de Jerusalém, que, se encontrardes o meu amado, lhe façais saber que estou enferma de amor" (5,8). Por acaso não conhecia Deus o seu amor? Por que tem ela tanto empenho em mostrar-lhe a chaga que ele mesmo abriu? E Novarino responde que desse modo a Mãe de Deus queria patentear seu amor, não a Deus, mas a nós mesmos, para nos ferir com o amor divino, assim como já estava por ele ferida. Como é toda fogo para amar a Deus, a todos os que a amam e dela se aproximam inflama e torna semelhantes a si mesma, observa S. Boaventura. Chama-lhe por isso S. Catarina de Sena *a portadora do fogo* do divino amor. Portanto, se nós também queremos arder nessa chama bem-aventurada, procuremos sempre estar junto de nossa Mãe, com as orações e os afetos.

Ó Maria, Rainha do amor, a mais amável, a mais amada e a mais amante de todas as criaturas (como vos dizia S. Francisco de Sales), ah! minha Mãe! Vós ardestes sempre no amor de Deus, dignai-vos, pois, conceder-me ao menos uma centelha desse amor. Vós pedistes a vosso Filho por aqueles esposos, a quem faltava o vinho. E não pedireis por nós, a quem falta o amor de Deus, que somos tão obrigados a ter? Dizei a Jesus: Eles não têm amor. E só o que vos pedimos. Ó minha Mãe, pelo amor que tendes a Jesus, atendei-nos, rogai por nós. Amém.

III. SUA CARIDADE
PARA COM O PRÓXIMO

O amor para com Deus e para com o próximo nos é imposto pelo mesmo preceito: "E nós temos de Deus este mandamento que o que ama a Deus ame também o seu irmão" (1Jo 4,21). S. Tomás dá-nos a razão: Quem ama a Deus ama todas as coisas amadas por ele. Disse um dia S. Catarina de Sena: Meu Deus, quereis que eu ame ao próximo e só a vós eu posso amar. Ao que lhe respondeu o Senhor: Quem me ama também ama tudo aquilo que é amado por mim. Ora, como nunca houve, nem haverá quem ame a Deus mais do que Maria, tão pouco nunca houve, nem haverá, quem mais do que ela ame ao próximo.

1. *Lemos nos Cânticos: O rei Salomão fez um trono portátil de madeira do Líbano...; por dentro ornou-o do que há de mais precioso, um mimo das filhas de Jerusalém* (3, 9 e 10)

Sobre o texto observa Cornélio a Lápide que o trono portátil é o seio de Maria, no qual habitou o Filho de Deus, enchendo de caridade sua divina Mãe, a fim de que ela valesse, com isso, a todos que a implorassem.

Passou Maria uma vida tão cheia de caridade que socorria aos necessitados, ainda quando não lhe pediam solícito auxílio. Assim o fez, por exemplo, nas bodas de Caná. Com as palavras "Eles não têm vinho", rogou ao Filho livrasse milagrosamente os esposos do inevitável vexame. Quão pressurosa era, quando se tratava de socorrer ao próximo! Quando, movida pelo dever de caridade, foi assistir Isabel, diz o Evangelho que então "teve pressa em passar pelas montanhas". Mais brilhante prova dessa grande caridade não nos pôde dar, do que oferecendo seu Filho à morte pela nossa salvação. Tanto amou o mundo, que, para salvá-lo, entregou à morte Jesus, o seu Filho Unigênito, diz um texto atribuído a S. Boaventura. De onde assim lhe fala S. Anselmo: Ó bendita entre as mulheres, tu excedes aos anjos em pureza, e aos santos em compaixão.

2. *Nem diminuiu esse amor de Maria para conosco, agora que nos céus se encontra; tornou-se, pelo contrário, muito maior, escreve Conrado de Saxônia, porque agora conhece mais claramente a miséria humana*

Também o anjo declarou a S. Brígida que não há quem recorra a Maria sem receber graças de sua caridade. Pobres de nós, se em nosso favor faltasse a intercessão de Maria! Sem os rogos de minha Mãe, disse Jesus a S. Brígida, não haveria esperança de perdão para os pecadores.

Bem-aventurado aquele, diz a Mãe de Deus, que ouve a minha doutrina e observa a minha caridade, para desse modo aprender de mim. "Bem-aventurado o homem que me ouve e que vela todos os dias à entrada de minha casa, e que está feito espia às ombreiras de minha porta" (Pr 8,34).

Para captar a estima de Maria, melhor meio não há, diz S. Gregório Nazianzeno, do que usar de caridade para com o próximo. Exorta-nos o Senhor: Sede misericordiosos, assim como também vosso Pai é misericordioso (Lc 6,36). Assim parece que Maria diz também a seus filhos: Sede misericordiosos, como também vossa Mãe é misericordiosa. E é certo que Deus e Maria usarão conosco da mesma caridade que usarmos com o nosso próximo. "Dai aos pobres, e dar-se-vos-á... Porque com aquela mesma medida com que tiverdes medido, se vos há de medir a vós" (Lc 6,38). Insiste, pois, S. Metódio: Dai aos pobres e recebereis o paraíso em troca. Escreveu igualmente o apóstolo, que a caridade para com o próximo nos torna felizes nesta e na outra vida. "A piedade, porém, a tudo é útil, abrangendo a promessa da vida presente e da futura" (1Tm 4,8). Lemos no livro dos Provérbios: O que se compadece do pobre dá o seu dinheiro a juros ao Senhor (19,17). Explicando essa passagem, diz S. João Crisóstomo: Quem ajuda ao pobre tem a Deus por devedor.

Ó Mãe de misericórdia, sois cheia de caridade para com todos: não vos esqueçais das minhas misérias. Vós bem as vedes. Encomendai-me àquele Deus que nada vos recusa. Obtende-me a graça de poder imitar-vos na santa caridade para com Deus e para com o próximo. Amém.

IV. SUA FÉ

A bem-aventurada Virgem, assim como é Mãe do amor e da esperança, também é Mãe da fé. "Eu sou a Mãe do belo amor, do temor e do conhecimento e da santa esperança" (Eclo 24,24). Acertadamente tal se chama, diz S. Ireneu, porque o dano que Eva com sua incredulidade causou, Maria o reparou com sua fé. Palavra essa que Tertuliano confirma, dizendo: Eva deu crédito à serpente, em oposição à palavra de Deus, e com isso trouxe a morte; nossa Rainha, ao invés, crendo na palavra do anjo, segundo a qual devia ser Mãe do Senhor e permanecer virgem, gerou ao mundo a salvação. De acordo está com isso a seguinte sentença, atribuída a S. Agostinho: Dando Maria seu consentimento à Encarnação do Verbo, abriu aos homens o paraíso por sua fé. Identicamente exprime-se também Ricardo de S. Vítor, com referência à palavra de S. Paulo: O marido infiel é santificado pela mulher fiel (1Cor 7,7). É Maria, diz Ricardo, essa mulher fiel, porque com sua fé salvou Adão e a toda descendência dele. Por causa desta fé, proclamou-a Isabel bem-aventurada: "E bem-

-aventurada tu, que creste, porque se cumprirão as coisas que da parte do Senhor te foram ditas" (Lc 1,45). Porque abriu seu coração à fé em Cristo, é Maria mais bem-aventurada do que por haver trazido no seio o corpo de Jesus Cristo.

1. *Suárez acentua que Maria tem mais fé do que todos os homens e anjos*

Via o Filho na manjedoura de Belém e cria-o Criador do mundo. Via-o fugir de Herodes, sem entretanto deixar de crer que era ele o verdadeiro Rei dos reis. Pobre e necessitado de alimento o viu, mas reconheceu seu domínio sobre o universo. Viu-o reclinado no feno e confessou-o onipotente. Observou que ele não falava e venerou-lhe a infinita sabedoria. Ouviu-o chorar e o bendisse como as delícias do paraíso. Viu finalmente como morria vilipendiado na cruz, e, embora outros vacilassem, conservou-se firme, crendo sempre que ele era Deus. "Junto à cruz estava a Mãe de Jesus" (Jo 19,25). Aqui observa S. Antonino: Maria ficou firme na sua jamais abalada fé na divindade de Cristo. Em memória disso, explica o Santo, é que no Ofício das Trevas se conserva uma única vela acesa. Com muito acerto, S. Leão refere a Maria a seguinte passagem dos Provérbios: A sua candeia não se apagará de noite (31,18). Vem a propósito agora o texto de Isaías: Eu calquei o lagar sozinho, e das gentes não se acha homem algum comigo (63,3). Comentando-o, observa S. Tomás: As palavras "homem algum" devem ser acentuadas por causa da Virgem, cuja fé nunca vacilou. Assim Maria – conclui S. Alberto Magno – exercitou a fé por excelência; enquanto até os discípulos vacilaram em dúvidas, ela afugentou toda e qualquer dúvida.

"Virgem da luz para todos os fiéis" é título que lhe dá S. Metódio, justamente por causa dessa sua inabalável e grande fé. S. Cirilo de Alexandria saúda-a como Rainha da fé ortodoxa. A própria Santa Igreja atribui aos merecimentos de sua fé a extirpação de todas as heresias. "Alegra-te, ó Virgem Maria, porque sozinha extirpaste todas as heresias." Dizem os Cânticos: Feriste o meu coração, minha irmã, esposa minha, com um dos teus olhares (4,9). Na explicação de S. Tomás de Vilanova os olhares de Maria foram a sua fé, pela qual se tornou tão agradável a Deus.

2. *Aqui nos exorta S. Ildefonso*
   a imitarmos Maria na fé

Mas imitá-la como? A fé ao mesmo tempo é dom e virtude. E dom de Deus, enquanto é uma luz na alma. E virtude, enquanto ao exercício que dela faz a alma. Assim a fé nos deve servir de norma, não só para crer, senão também para agir. Por isso, diz S. Gregório: Quem pôs a vida de acordo com a fé, esse crê de verdade. E escreve S. Agostinho: Tu me dizes: eu creio; procede então segundo essa palavra e de fato estás crendo. A prova de uma fé viva é viver conforme o que se crê. "O meu justo vive da fé" (Hb 10,38). Assim foi a vida da Bem-aventurada Virgem, bem diferente da de muitos que vivem de modo oposto ao que creem. Destes é morta a fé, como diz S. Tiago. "Porque assim como sem o espírito o corpo está morto, morta é a fé, sem as obras" (2,26). Diógenes andava procurando um homem, na terra. Assim também parece que Deus anda procurando um cristão, no meio de tantos fiéis. Com efeito, poucos são cristãos pelas obras. A maior parte dos homens só o é de nome. Dever-se-iam repetir-lhes as palavras de Alexandre a um seu homônimo e covarde soldado: Muda ou de nome ou de vida! Ou antes (segundo o Padre Mestre Ávila) se deveriam encerrar esses infelizes como loucos numa prisão. Pois eles creem que há uma eternidade feliz preparada para os bons, e uma infeliz para os maus, e entretanto vão vivendo como se não cressem em tal doutrina.

Exorta-nos S. Agostinho a vermos as coisas com olhos cristãos, isto é, à luz da fé. S. Teresa dizia que todos os pecados nascem da falta de fé. Peçamos, pois, à Santíssima Virgem que, pelos merecimentos de sua fé, nos alcance uma fé viva. Senhora, aumentai a nossa fé!

V. SUA ESPERANÇA

Da fé nasce a esperança. Pois Deus nos ilumina com a fé, fazendo-nos conhecer sua bondade e suas promessas, para que nos elevemos pela esperança ao desejo de possuí-lo. Possuindo Maria a virtude da fé por excelência, teve também, por excelência, a virtude da esperança. Bem podia dizer com Davi: Para mim a felicidade é apegar-me a Deus, pôr no Senhor Deus a minha esperança (Sl 22,28). Maria foi a fiel esposa do Espírito Santo, aplaudida nos Cânticos: Quem é esta que sobe do deserto inundando delícias, e firmada sobre o seu amado? (8,5). Sobre o texto diz o Cardeal Algrino: "Maria foi sempre e totalmente desapegada dos afetos do mundo, que lhe passava por um deserto. Não confiava nem nas criaturas, nem nos próprios merecimentos, mas só contava com a graça divina, na qual estava toda a sua confiança. E assim se adiantou cada vez mais no amor de seu Deus".

1. *Mostrou, de fato, a Santíssima Virgem quanto lhe era grande essa confiança em Deus, primeiramente ao ver a perplexidade de S. José, seu esposo, que, ignorando a misteriosa maternidade de sua esposa, pensava em deixá-la*

Parecia, então, como já consideramos, ser necessário que lhe revelasse o oculto mistério. Entretanto ela não quis manifestar por si mesma a graça recebida, diz Cornélio a Lápide. Preferiu abandonar-se à Providência divina, na certeza de que o próprio Deus viria defender-lhe a inocência e a reputação.

Provou ainda sua confiança em Deus quando, próxima ao parto, se viu em Belém, expulsa até da hospedaria dos pobres, e reduzida a dar à luz numa estrebaria. "E o reclinou numa manjedoura, porque não havia lugar para eles na estalagem" (Lc 2,7). Nem a menor queixa lhe escapou dos lábios. Abandonou-se, pelo contrário, completamente nas mãos de Deus e confiou que então a assistiria nesse transe.

Igual confiança mostrou também na Providência quando S. José a avisou de que era necessário fugir para o Egito. Ainda na mesma noite, partiu para a longa e penosa viagem a um país desconhecido, sem provisões, sem dinheiro e sem outro acompanhamento senão o do Menino Jesus e de seu pobre esposo. "E levantando-se, José tomou consigo, ainda noite, o Menino e sua Mãe e retirou-se para o Egito" (Mt 2,14).

Melhor ainda demonstrou, porém, sua confiança, quando pediu ao Filho o milagre do vinho em favor dos esposos de Caná. Disse-lhe apenas: Eles não têm vinho. Ao que respondeu Jesus: Que nos importa isso, a mim e a ti? Minha hora ainda não chegou (Jo 2,4). Apesar da aparente repulsa, confiada na divina bondade, ordenou a Virgem aos servos que fizessem resolutamente o que lhes ordenasse o Filho. Pois era garantida a graça rogada. Com efeito, Cristo Senhor mandou encher com água os vasos e depois a mudou em vinho.

2. *Aprendamos, portanto, de Maria, como ter esperança em Deus, principalmente no grande assunto da salvação eterna*
Para resolvê-lo, é indispensável a nossa cooperação; contudo só de Deus devemos esperar a graça para consegui-lo. Desconfiando de nossas próprias forças, devemos dizer com o apóstolo: Tudo posso naquele que me fortifica (Fl 4,13).

VI. SUA CASTIDADE

Depois da queda de Adão, rebelaram-se os sentidos contra a razão, e não há para o homem mais difícil virtude a praticar do que a castidade. Conforme o Pseudo-Agostinho, por ela luta-se todos os dias, mas raramente se ganha a vitória. Mas o Senhor nos deu em Maria um grande modelo dessa virtude. Ela, com razão, é chamada Virgem das virgens, lemos em S. Alberto; e isso porque sem conselho, nem exemplo de outros, foi a primeira a oferecer sua virgindade a Deus, dando-lhe assim as outras virgens que a imitaram. Predisse-o Davi com as palavras: Virgens que te seguem serão conduzidas até ao rei...; entram no palácio do rei (Sl 44,15 e 16). Sem conselho nem exemplo, digo eu, firmado em S. Bernardo. Ó Virgem – pergunta o Santo – quem te ensinou a agradar a Deus pela virgindade, levando na terra uma vida angélica? Ah! torna o Pseudo-Jerônimo, certamente Deus escolheu para sua Mãe esta Virgem puríssima, para que servisse a todos de exemplo de castidade. Eis a razão por que S. Ambrósio a chama de porta-bandeira da virgindade.

1. *Por causa de tanta pureza, diz o Espírito Santo, é que a Virgem "é bela como a rola" (Ct 1,9)*

Essa rola é Maria, a modestíssima Virgem, diz Apônio. De açucena chamam-na também: Assim como a açucena entre os espinhos, é a minha amiga entre as filhas (Ct 2,2). Na opinião de Dionísio Cartuxo, é ela açucena entre os espinhos, porque as outras virgens, em oposição a Maria, são espinhos para si ou para os outros. Ao contrário, Maria, com a sua só presença, insinuava a todos pensamentos e afetos de pureza. Isso confirma as palavras de S. Tomás: A beleza da Santíssima Virgem despertava em quantos a viam o amor à pureza. S. Jerônimo é do parecer que S. José conservou a virgindade pela companhia de Maria. Refutando a heresia de Elvídio, que negava a virgindade da Mãe de Deus, diz o Santo doutor: Dizes que Maria não foi sempre Virgem; mas eu vou mais longe e afirmo que também José permaneceu virgem por causa de Maria.

2. *Na opinião de S. Gregório Nazianzeno, a Santíssima Virgem era tão amante dessa virtude, que para conservá-la, estaria pronta a renunciar à dignidade da Mãe de Deus*

É isso, com efeito, que se deduz da pergunta de Maria ao arcanjo: Como se fará isso, pois que não conheço varão? (Lc 1,34). O mesmo afirma a resposta que deu: Faça-se em mim segundo a vossa vontade. Com esses termos significa que dá o seu consentimento, por ter sido certificada pelo anjo de que se tornaria Mãe, unicamente, por obra do Espírito Santo.

3. *Na frase de S. Ambrósio é um anjo quem guarda
a castidade e é um demônio quem a perde*

Sim, por esta virtude os homens assemelham-se aos anjos, como diz o Senhor: Eles serão como os anjos de Deus (Mt 22,30). Porém os desonestos tornaram-se odiosos a Deus, como os demônios. Uma sentença, atribuída a S. Remígio, afirma que a maior parte dos adultos se perdem por esse vício. E raro vencê-lo, repetimos com o Pseudo-Agostinho. Mas por quê? Porque não se empregam os meios para esse fim.

4. *Três são esses meios, dizem com Belarmino os mestres
da vida espiritual: o jejum, a fugida das ocasiões
e a oração*

Sob jejum entende-se a mortificação, principalmente dos olhos e da gula. Maria Santíssima, embora cheia da divina graça, foi mortificadíssima nos olhos. Trazia-os sempre baixos e nunca os fixava em pessoa alguma, como referem o Pseudo-Epifânio e S. João Damasceno. E acentuam que, desde pequenina, causava admiração a todos por sua modéstia. Por isso foi *apressadamente* em visita a Isabel (Lc 1,39), para ser menos vista em público. Narra Felisberto que Maria, quando criança, só tomava leite uma vez por dia; assim foi revelado a um ermitão chamado Félix. Durante toda a sua vida jejuou sempre, como atesta S. Gregório de Tours. Conrado de Saxônia acentua que jamais teria recebido a Virgem tantos e tamanhos favores, se não tivesse sido tão temperante, pois a gula e a graça não se dão bem. Em suma, foi ela mortificada em todas as coisas, como insinua o texto dos Cânticos: As minhas mãos destilam mirra (Ct 5,5).

A fugida das ocasiões é o segundo meio para vencer o vício.

Assim falam os Provérbios: O que evita os laços estará em segurança (11,5). De onde então a palavra de S. Felipe Néri: Na guerra aos sentidos só vencem os poltrões, isto é, aqueles que fogem da ocasião do pecado. Maria fugia, tanto quanto possível, à vista dos homens, como indica a pressa com que foi visitar a sua prima. Aqui adverte um autor que ela deixou Isabel, antes de esta dar à luz, como se conclui das palavras de S. Lucas: E ficou Maria com Isabel perto de três meses; depois dos quais voltou para sua casa. Entretanto completou-se o tempo de Isabel dar à luz, e deu à luz um filho (Lc 1,56 e 57). E por que não esperou? A fim de evitar as conversas e as visitas que se sucederiam então em casa de Isabel.

O terceiro meio é a oração: "E como eu sabia que de outra maneira não podia ter continência, se Deus não ma desse... encaminhei-me ao Senhor e fiz-lhe a minha súplica" (Sb 8,21). Sem trabalho e contínua oração a nenhuma virtude chegou a Santíssima Virgem, como consta de uma sua revelação a S. Isabel. Maria é pura e amante da oração, diz S. João Damasceno; por isso não pode suportar os impuros. Mas quem a ela recorre, basta pronunciar-lhe o nome para ser livre desse vício. Dizia o venerável João d'Ávila que muitas pessoas venceram nas tentações contra a castidade, só por meio da invocação de Maria Imaculada.

VII. SUA POBREZA

Nosso amoroso Redentor, para ensinar-nos a desprezar os bens do mundo, quis viver pobre na terra. "Por vosso amor Cristo se fez pobre, a fim de que vós fôsseis ricos" (2 Cor 8,9). Daí a exortação do Senhor a quantos o querem seguir: Se queres ser perfeito, vai, vende o que tens, e dá-o aos pobres (Mt 19,21). Maria, sua mais perfeita discípula, também lhe quis seguir o conselho.

Com a herança de seus pais, teria ela podido viver folgadamente, como prova S. Pedro Canísio. Preferiu, no entanto ser pobre, muito pouco reservando para si e o mais distribuindo em esmolas ao templo e aos pobres. Afirmam muitos autores que a Virgem fez voto de pobreza. De fato, nas revelações de S. Brígida lemos estas palavras de Maria: Desde o começo prometi a meu Senhor nada possuir neste mundo. Não deviam certamente ter pouco valor os presentes dos Santos Magos. Fê-los, porém, a Senhora repartir com os pobres, pelas mãos de S. José, conforme atesta S. Antonino. Que os distribuiu imediatamente, prova-o a oferta que trouxe quando da apresentação no templo. Não ofertou o cordeiro, que era o presente dos ricos, imposto pelo Levítico, mas as duas rolas ou pombas, oferta dos pobres (Lc 2,24). O que possuía – disse a Virgem Santíssima a S. Brígida – dei-o aos pobres; só guardei o indispensável para vestir e comer.

> 1. *Por amor à pobreza também não recusou desposar um pobre carpinteiro, qual foi S. José; sustentou-se por isso com o trabalho de suas mãos, fiando ou cosendo, como escreveu Boaventura Baduário*

Conforme as palavras do anjo a S. Brígida, os bens deste mundo não valiam para Nossa Senhora mais do que cisco. Em suma, ela viveu sempre pobre e pobre morreu. Pois não se sabe que por sua morte deixasse outra coisa, senão duas pobres vestes a duas mulheres que a tinham assistido durante a vida, como referem Nicéforo e Metafrasto.

2. *De S. Filipe Néri é a sentença que diz:*
   Aquele que ama as riquezas nunca há de ser Santo
   E quem anda atrás das coisas perdidas, acrescenta S. Teresa, também se perde. Pelo contrário, na sua opinião, a virtude da pobreza é um bem que encerra todos os outros bens. Eu digo a *virtude* da pobreza, porque esta, segundo S. Bernardo, não consiste somente em ser pobre, mas em amar a pobreza. Por isso Jesus Cristo exclamou: Bem-aventurados os pobres de espírito, porque deles é o reino dos céus (Mt 5,3). Bem-aventurado porque em Deus encontra todos os bens, quem só a ele quer. Sim, encontra na pobreza o paraíso na terra, como S. Francisco de Assis o dizia: Meu Deus e meu tudo! Amemos, pois, esse único bem, em que todos os bens estão encerrados, aconselha-nos S. Agostinho. Só peçamos ao Senhor seu santo amor, a exemplo de S. Inácio: Dá-me, Senhor, tua graça e teu amor e eu serei mais do que rico. Se nos afligir a pobreza, consolo nos seja o pensamento de Conrado de Saxônia, de que pobres como nós foram também Jesus e Maria.

   Ah! minha Mãe Santíssima, bem razão tínheis de dizer, que em Deus estava a vossa alegria. Pois neste mundo não ambicionastes, nem amastes a outro bem, senão a Deus. Ó Senhora minha, desapegai-me do mundo, e atraí-me para vós, a fim de que eu ame esse Bem único, que merece ser amado unicamente.

VIII. SUA OBEDIÊNCIA

1. *A Santíssima Virgem amava a obediência*
   Quando da embaixada de S. Gabriel não quis tomar outro nome senão o de escrava. "Eis aqui a escrava do Senhor". Com efeito, testemunha S. Tomás de Vilanova, essa fiel escrava do Se-

nhor nunca o contrariou, nem por ações, nem por pensamentos. Obedeceu sempre e em tudo à divina vontade, completamente despida de toda vontade própria. Ela mesma declarou que Deus se tinha agradado de sua obediência. "Ele olhou a baixeza de sua serva." A humildade própria de uma serva é ser sempre pronta a obedecer. Por sua obediência, reparou Maria o dano causado pela desobediência de Eva, afirma S. Irineu. "Como a desobediência de Eva causou a morte ao gênero humano, assim pela obediência foi a Virgem, para si e para a humanidade, a causa da salvação."

2. *A obediência de Maria foi muito mais perfeita que a de todos os santos*

É óbvia a razão disso. Pois todos os homens, sendo inclinados ao mal por causa do pecado original, sentem dificuldades na prática do bem. Mas tal não se deu com a Santíssima Virgem. Isenta da culpa original, nada tinha que a impedisse de obedecer a Deus, escreve S. Bernardino de Sena. Como uma roda segue facilmente o impulso que lhe é dado, movia-se também a Virgem a cada impulso, com prontidão. Viveu observando e executando fielmente o divino beneplácito, continua o mesmo Santo. Bem lhe ficam as palavras dos Cânticos: A minha alma se derreteu, assim que meu amado falou (5,6). Na opinião de Ricardo, a alma da Virgem se liquefazia, semelhante a um metal derretido, estando disposta a tomar todas as formas que Deus lhe quisesse dar.

3. *Maria mostra, com efeito, quanto era pronta na obediência*

Para agradar a Deus, quis obedecer ao imperador romano, fazendo uma longa viagem de 30 milhas a Belém. Fê-la nos rigores do inverno, quando esperava dar à luz o seu filhinho. Sobre isso era tão falta de recursos, que se viu reduzida a ver nascer-lhe o filho numa estrebaria. Mostrou-se igualmente pronta ao receber o aviso de S. José, pondo-se imediatamente a caminho, na mesma noite, para a viagem ainda mais longa e penosa do Egito. Aqui pergunta Silveira por que razão a necessidade de fugir para o Egito foi revelada a S. José, e não à bem-aventurada Virgem, a quem a viagem devia custar ainda mais. Responde então: Foi para que ela desse modo pudesse exercer a obediência. Porém Maria demonstrou sobretudo sua heroica obediência à divina vontade, quando ofereceu o Filho à morte. Na grandeza de sua constância, dizem o Vulgato Ildefonso e S. Antonino, estaria disposta a crucificá-lo, se houvessem faltado os algozes.

4. *À exclamação da mulher que o interrompia com as palavras: "Bem-aventurado o ventre que te trouxe e os peitos que te amamentaram", respondeu o Salvador: Antes, bem-aventurados aqueles que ouvem a palavra de Deus e a põem em obra* (Lc 11,27-28)

S. Beda, o Venerável, assim comenta a passagem: Maria era mais bem-aventurada por sua obediência a Deus, do que por motivo de sua dignidade como Mãe do Senhor. Razão é essa pela qual muito lhe agradam por isso as almas amantes da obediência. Apareceu ela um dia a um religioso franciscano, chamado Acúrcio. Mas eis que da cela o chamam para confessar um enfermo. Deixou-a, portanto, o religioso, mas de volta a encontrou ainda. A Virgem o estava esperando e muito lhe louvou a obediência. Pelo contrário, repreendeu outro religioso que, ouvindo o sino chamar para o refeitório, se demorou a concluir certas devoções.

5. *Também falou a Virgem a S. Brígida da segurança que há em obedecer ao diretor espiritual, e disse-lhe que a obediência, a quantos a praticam, leva-os ao paraíso*

Donde, dizia S. Filipe Néri, que Deus não pede conta do que fizemos por obediência, porque tornou essa virtude uma obrigação para nós. "O que vos ouve, a mim ouve; o que vos despreza, a mim despreza" (Lc 10,16). A S. Brígida disse também a Mãe de Deus que, pelo merecimento de sua obediência, havia ela obtido do Senhor a graça de alcançar o perdão a todos os pecadores, que arrependidos a ela recorressem.

Ó amável Rainha e Mãe, rogai a Jesus que nos conceda, pelos méritos de vossa obediência, a graça de seguir fielmente as ordens de Deus e as disposições de nossos diretores espirituais. Amém.

IX. SUA PACIÊNCIA

1. *Sendo a terra lugar de merecimentos, é com razão chamada vale de lágrimas, porque nós todos aqui fomos postos para sofrer, e por meio da paciência conquistar a vida eterna para nossas almas*

Pois, não disse o Senhor: Por vossa paciência possuireis vossas almas? (Lc 21,19). Deu-nos ele a Virgem Maria para exemplo de todas as virtudes, mas principalmente para modelo de paciência.

Entre outras reflexões, diz S. Francisco de Sales que Jesus, nas bodas de Caná, só dirigiu à Santíssima Virgem uma resposta, na qual parecia fazer pouco caso de seu pedido. "Mulher, que nos importa isso, a mim e a ti? A minha hora ainda não chegou". Fê-lo para nos dar um exemplo da paciência de sua Mãe Santíssima.

Mas por que citar detalhes particulares? Toda a vida de Nossa Senhora foi um contínuo exercício de paciência. Segundo a revelação do anjo a S. Brígida, a Bem-aventurada Virgem sempre viveu entre as tribulações. Tal como entre os espinhos viça a rosa, viveu assim entre padecimentos contínuos a Mãe de Jesus. Só a compaixão com as penas do Redentor foi bastante para torná-la mártir de paciência. Daí a palavra de S. Bernardino de Sena: A crucificada concebeu o Crucificado. Quanto ao que sofreu na viagem e estadia no Egito, assim como no tempo em que viveu com o Filho na oficina de Nazaré, já o consideramos acima quando tratamos de suas dores. Bastava sua assistência junto a Jesus moribundo no Calvário, para fazer conhecer quanto foi constante e sublime sua paciência. Foi então, precisamente pelos merecimentos de sua paciência, que se tornou Maria nossa Mãe e nos gerou a vida da graça, diz S. Alberto Magno.

Se, pois, desejamos ser filhos de Maria, é necessário que nos esforcemos por imitá-la na paciência. E qual dos meios o melhor para aumentar os cabedais de nossos méritos nesta vida e de glória na outra, senão o sofrer os trabalhos com paciência? "Eu hei de cercar teu caminho com espinhos", é uma palavra de Deus a Oseias, a qual, na opinião de S. Gregório Magno, tem valor a respeito de todos os eleitos. A cerca de espinhos guarda a vinha, e assim Deus circunda de tribulações a seus servos, para que não se apeguem à terra. De modo que a paciência nos livra do pecado e do inferno, conclui S. Cipriano.

2. *É também a paciência que plasma os santos,*
   porque "a paciência efetua uma obra perfeita" (Tg 1,4)
Ela aceita as cruzes vindas diretamente de Deus, tais

como: a doença, a pobreza etc., bem como as que nos vêm dos homens, como as perseguições, as injúrias e outras mais.

S. João Evangelista viu todos os santos trazendo palmas, símbolo do martírio (Ap 7, 9). Isso significa que todos os adultos que se salvam devem ser mártires, ou pelo sangue ou pela paciência.

3. *Eia, pois, exclama o Papa Gregório Magno, nós podemos ser mártires mesmo sem os instrumentos do martírio, guardando paciência*

Ou então, como diz S. Bernardino, se sofrermos, alegre e pacientemente, as penas desta vida. Oh! como frutifica, no céu, cada pena padecida por Deus! Daí as animadoras palavras do apóstolo: Pois aquilo que de tribulação nos vem no presente, momentâneo e leve, produz em nós, de modo incomparável e maravilhoso, um peso eterno de glória (2Cor 4,17). Belas foram as palavras de S. Teresa sobre este assunto. Quem abraça a cruz não a sente, dizia a Santa. Em outro lugar: Quando alguém se resolve a padecer, a pena está acabada. Quando nos sentirmos acabrunhados pelas cruzes, recorramos a Maria. Pois de consoladora dos aflitos a chama a Igreja, e de remédio para todas as doenças, S. João Damasceno.

Ah! Senhora minha dulcíssima, vós, inocente, padecestes com tanta paciência; e eu, merecedor do inferno, me recusarei a sofrer? Minha Mãe, esta graça hoje vos peço; fazei, não que eu seja livre das cruzes, mas que as suporte com paciência. Rogo-vos, pelo amor de Jesus, que me alcanceis de Deus esta graça; de vós a espero.

X. SEU ESPÍRITO DE ORAÇÃO

Nunca viu a terra uma alma que, como Maria, com tanta perfeição pusesse em prática o grande preceito do Salvador: Importa orar sempre e nunca cessar de o fazer (Lc 18,1). Ninguém melhor do que Maria nos pode servir de exemplo, diz Conrado de Saxônia, e ensinar a necessidade da oração perseverante. S. Alberto Magno escreve que a Divina Mãe foi, abaixo de Jesus, a mais perfeita na oração, de quantos têm existido e hão de existir.

1. *Primeiramente, a sua oração foi contínua e perseverante. Desde o primeiro instante de sua vida, gozava Maria do uso perfeito da razão, como consideramos na festa da Natividade*

Já então começou a orar, e, para melhor se entregar à oração, quis encerrar-se no retiro do templo sendo ainda menina de três anos. Aí, além das horas destinadas a esse santo exercício, erguia-se de noite e ia orar ante o altar do templo, como revelou a S. Isabel de Turíngia. Segundo Odilon de Cluni, visitava mais tarde os lugares do nascimento, da Paixão e do sepultamento de Cristo, para meditar continuamente nas dores de seu Filho.

2. *A Santíssima Virgem rezava também completamente recolhida e livre de qualquer distração, ou afeto desordenado, escreve Dionísio Cartuxo*

Ao amor pela oração uniu o desejo de conversar com seus pais, como revelou a S. Brígida. Sobre o texto de Isaías: "Eis que a Virgem conceberá e dará à luz" (7,4), observa S. Jerônimo que, em hebreu, a palavra *almah* significa *virgem que vive retraída*. Empregando-a, pois, já predisse o profeta o amor de Maria à solidão. No parecer de Ricardo de S. Lourenço, também as palavras: "O Senhor é contigo" insinuam essa predileção. Por isso, com todo o direito, exprime-se S. Vicente Ferrer: Maria só saía de casa para visitar o templo, guardando sempre a modéstia dos gestos e do olhar. Foi com pressa que passou pelas montanhas em visita a Isabel, diz S. Ambrósio, ensinando que às virgens convém o fugir do público.

3. *Afirma S. Bernardo que Maria, pelo amor à oração e ao retiro, estava sempre atenta em fugir ao trato com o mundo*

Rola é por isso o nome que lhe dá o Espírito Santo. "As tuas faces têm toda a beleza, assim como as da rola" (Ct 1,9). Para Vergelo é a rola uma ave solitária e por esse motivo também é imagem da alma recolhida em Deus. Sim, a Virgem sempre viveu solitária neste mundo, como num deserto. A ela aplica-se o texto dos Cânticos: Quem é esta que sobe pelo deserto, como uma varinha de fumo? (5,6). Eis o comentário que faz Roberto às ditas palavras: Subiste pelo deserto até a Deus, porque tua alma amava a solidão. Já Filon dizia: A palavra de Deus é ouvida em lugar silencioso. O próprio Deus declara, por boca de Oseias: Eu a levarei à solidão e falarei a seu coração (Os 2,14).

Eis o motivo da exclamação do Pseudo-Jerônimo: Ó solidão, na qual Deus fala e trata familiarmente com os seus! Assim é, confessa S. Bernardo; pois a solidão e o silêncio, que se gozam no retiro, convidam a alma a deixar com o pensamento a terra, e a meditar nos bens celestiais.

Virgem Santíssima, impetrai-nos o amor ao retiro e à oração, para que, desapegados do amor às criaturas, possamos aspirar só a Deus e ao paraíso, onde vos esperamos ver um dia, para louvar-vos e amar-vos sempre, juntamente com vosso Filho Jesus Cristo, por todos os séculos dos séculos. Amém.

TRATADO IV

PRÁTICAS DE DEVOÇÃO EM HONRA DE MARIA SANTÍSSIMA

É tão liberal e tão grata a Rainha do céu, que retribui com grandes favores os pequenos obséquios de seus servos, diz S. André de Creta. Todavia duas coisas são precisas para que ela assim nos recompense. Em primeiro lugar devemos oferecer-lhe nossos obséquios com a alma limpa de pecado. Do contrário nos acontecerá o que S. Pedro Celestino relata. Um soldado viciado tinha por costume fazer todos os dias um ato de devoção em honra de Nossa Senhora. Certa vez sentiu muita fome. Apareceu-lhe a Virgem e apresentou-lhe um manjar delicioso, mas dentro de um vaso tão sujo, que ele teve nojo de comer.

– Eu sou a Mãe de Deus, disse-lhe então Maria, e vim saciar tua fome.

– Mas a falta de asseio que noto me impede de comer, observou o soldado.

– E como queres tu, replicou a Virgem, que eu aceite as tuas devoções, oferecidas com uma alma tão imunda?!

Com isso o pobre converteu-se, fez-se eremita e viveu 30 anos no deserto. Na hora da sua morte, apareceu-lhe de novo a Santíssima Virgem, levando-o para o céu.

Afirmamos, na Parte Primeira desta obra, ser impossível, moralmente falando, que se perca um devoto de Maria. Verifica-se, entretanto, isso com a condição de que ele viva sem pecado, ou que pelo menos tenha desejo de converter-se. Nesse caso, certamente, Maria o ajudará. Quisesse alguém, ao contrário, pecar na esperança de ser salvo por Nossa Senhora, e se tornaria por sua culpa indigno e incapaz da proteção de Maria.

Em segundo lugar nossa devoção deve ser perseverante. Só quem persevera recebe a coroa, diz S. Bernardo. Tomás de Kempis, sendo menino, costumava todos os dias recorrer à Virgem Maria, com certas orações. Um dia, porém, delas se esqueceu, e depois omitiu-as durante umas semanas. Finalmente, as abandonou por completo. Certa noite, viu em sonho como Maria abraçava os seus companheiros, mas em lhe chegando a vez de ser abraçado, ela disse: Que esperas de mim, tu que deixaste as tuas devoções? Afasta-te, que és indigno de um abraço meu. – Tomás despertou aterrorizado e recomeçou com as costumadas devoções.

Com razão assegura por isso Ricardo de S. Lourenço: Quem é perseverante na devoção de Maria, pode nutrir a bela esperança de ver realizados todos os seus desejos. Como ninguém entretanto pode estar certo de tal perseverança, ninguém por isso pode também ter certeza de sua salvação, antes da morte. Memorável ensinamento deixou a seus companheiros S. João Berchmans, da Companhia de Jesus. Estando ele para morrer, perguntaram-lhe por um obséquio que fosse muito agradável a Nossa Senhora e dela lhes obtivesse a proteção. O Santo respondeu: Pouca coisa, mas com constância.

Vou, contudo, indicar, de um modo simples e sucinto, diversos obséquios que podemos ofertar à nossa boa Mãe para alcançar sua benevolência. É esta, em minha opinião, a coisa mais importante de quantas deixo escritas nesta obra. Mas não recomendo a meu leitor que as pratique todas. Pratique antes aquelas que escolher, mas com perseverança e com temor de perder a proteção da divina Mãe, se vier a deixá-las. Ah! quantos dos condenados de hoje se teriam salvado, se houvessem perseverado nas práticas de devoção em honra de Nossa Senhora!

I. A AVE-MARIA

Resumo histórico.
Até o século XV, a Ave-Maria terminava com as palavras "Jesus Cristo. Amém". Daí em diante ajuntou-se-lhe a jaculatória "Santa Maria, Mãe de Deus, rogai por nós, pecadores. Amém". A partir do século XVI, veio então o final da oração com as palavras: Agora e na hora de nossa morte. O Papa Pio V colocou no Breviário a Ave-Maria assim rezada. Mas ainda no ano de 1732 em muitos lugares o povo rezava só a primeira parte da Ave-Maria. – *(Nota do tradutor).*

1. *Muito agrada à Santíssima Virgem*
   a saudação angélica

Por ela lhe renovamos a alegria que sentiu, quando S. Gabriel lhe anunciou que fora eleita para Mãe de Deus. Nessa intenção devemos saudá-la muitas vezes com a *Ave-Maria.*

Saudai-a com a *Ave-Maria,* diz Tomás de Kempis, porque ela gosta muito dessa saudação. Que não lhe podemos dirigir saudação mais agradável, do que com a *Ave-Maria,* disse-o a Virgem a S. Matilde. Por ela será também saudado todo aquele que a saúde. S. Bernardo, certa ocasião, ouviu de uma estátua da Senhora as palavras: Eu te saúdo, Bernardo! Ora, a saudação de Maria consiste sempre em alguma nova graça, diz Conrado de Saxônia. Pergunta Ricardo: É possível que Maria recuse mais uma graça a quem dela se aproxima e lhe diz: Ave, Maria? A S. Gertrudes prometeu a Mãe de Deus tantos auxílios na hora da morte, quantas Ave-Marias lhe houvesse recitado em vida. Alano de Rupe afirma que, ao ouvir essa saudação angélica, alegra-se o céu, treme o inferno e foge o demônio. Com efeito, atesta-o Tomás de Kempis, pois com uma Ave--Maria pôs em fuga o demônio que lhe aparecera.

2. *A prática dessa devoção pode ser a seguinte:*

a) Dizer de manhã e de noite, ao levantar e ao deitar-se, 3 *Ave-Marias,* ajuntando depois de cada uma a pequena jaculatória: Por vossa pura e imaculada Conceição, ó Maria, purificai meu corpo e santificai minha alma. Em seguida, devemos pedir a bênção a Maria, conforme fazia sempre S. Estanislau, pondo-nos sob o manto de nossa Mãe e pedindo que naquele dia ou naquela noite nos livre de todo pecado. É recomendável que, para esse fim, tenhamos juntos ao leito uma bela imagem da Santíssima Virgem.

b) Recitar o *Anjo do Senhor* com as 3 Ave-Marias usuais, pela manhã, ao meio-dia e à noite. Foi João XXII o primeiro Papa que indulgenciou esta devoção (1328).[1] Em 1724, Bento XIII concedeu cem dias de indulgências a quem recitar o *Anjo do Senhor,*[2] e indulgência plenária a quem o rezar durante um mês, confessando-se e comungando.

---

[1] S. Afonso cita a piedosa lenda a respeito de um criminoso, condenado ao fogo. Por haver rezado as *Ave-Marias*, saiu ileso das chamas.

[2] Pelos meados do século XII é que se originou o costume de recitar o Anjo do Senhor, à tarde. Em alguns países, "Itália e Alemanha", começaram os fiéis a recitá-lo também de manhã. A forma atual do Anjo do Senhor data de 1571, época em que o papa Pio V o incluiu no Breviário. No tempo de S. Canísio († 1597) tão popular era a recitação do Anjo do Senhor, que valia por uma profissão de fé. Quem não o rezasse ao toque das *Ave-Marias*, ficava suspeito de ser protestante e herege. – (Nota do tradutor).

Outrora, ao som das *Ave-Marias*, todos se ajoelhavam para rezar o Anjo do Senhor. S. Carlos Borromeu não se acanhava de descer da carruagem, para recitá-lo de joelhos na rua, mesmo na lama muitas vezes. Aos sábados de tarde e durante todo o domingo recita-se de pé. No tempo da Páscoa, como explica Bento XIV, em lugar dele, recita-se a antífona *Regina caeli laetare* (Rainha do céu, alegra-te).

c) Saudar a Mãe de Deus com a *Ave-Maria*, sempre que se ouve soar o relógio, à imitação de S. Afonso Rodríguez, irmão da Companhia de Jesus († 1617), o qual à noite era acordado pelos anjos para saudar a Senhora. Saudá-la ao *sair de casa e ao entrar nela*, para que a Virgem dentro e fora de casa nos livre do pecado. E depois, em espírito, beijar-lhe os pés, como fazem os Cartuxos.

d) Fazer o mesmo quando se passa diante de *uma imagem da Mãe de Deus*. É bom colocar, quando se pode, uma bela imagem de Maria na parede da casa, para que os transeuntes a possam venerar. Em Nápoles e Roma há esse belo costume.

e) Por ordem da Santa Igreja, começa e termina cada hora do Divino Ofício com a recitação da *Ave-Maria*. Assim, pois, é bom rezar uma A*ve-Maria* ao principiar e ao terminar qualquer ação, quer espiritual, como a oração, a confissão, a comunhão, a leitura espiritual, e assistência ao sermão etc., quer temporal, como estudar, dar conselhos, trabalhar, comer, deitar-se etc. Felizes as ações praticadas entre duas *Ave-Marias!* Saudemos a Virgem com essa oração, ao despertar pela manhã, ao fechar os olhos para dormir. Saudemo-la em todas as tentações, em todos os perigos, em todos os ímpetos de cólera e em semelhantes ocasiões. Praticai essa devoção, caro leitor, e lhe vereis os abençoados frutos. Refere Auriema que a Santíssima Virgem prometeu a S. Matilde uma boa morte, se rezasse todos os dias três *Ave-Marias,* em honra de seu poder, de sua sabedoria e de sua bondade. Declarou também à venerável Joana de França ser-lhe muito agradável a recitação de *dez Ave-Marias,* em honra de suas dez virtudes.

II. AS NOVENAS

Os devotos de Maria celebram com muita atenção e fervor as novenas de suas festividades. E durante elas a Santíssima Virgem lhes dispensa, com muito amor, as graças inúmeras e especialíssimas. Viu um dia Santa Gertrudes, debaixo do manto de Maria, uma multidão de almas que nos dias precedentes se tinham preparado, por meio de devotos exercícios, para celebrar a festa da Assunção.

São os seguintes os exercícios que se podem praticar nas novenas:

1. *Práticas piedosas*
a) Fazer oração mental, de manhã e à tarde, e visitar o Santíssimo Sacramento, acrescentando 9 *Pai-nossos* e *Gloria Patri.*

b) Todos os dias visitar alguma imagem da Virgem e então agradecer ao Senhor as mercês que lhe concedeu, e pedir a Maria um favor especial para si mesmo.

c) Fazer numerosas jaculatórias a Jesus e a Maria. Nada podemos fazer, que seja mais agradável à nossa Mãe do que amar a seu Filho. Disse-o ela a S. Brígida: Se queres que eu seja tua devedora, ama a meu Filho Jesus.

d) Ler, durante um quarto de hora, algum livro que lhe trate das glórias.

2. *Exercícios de penitência*. Com a devida licença do confessor, impor-se alguma mortificação exterior, como o cilício, o jejum, a abstinência de frutas à mesa, de comidas mais saborosas. Melhores são, entretanto, durante essas novenas, as mortificações interiores, como abster-se de ver e ouvir curiosidades, entregar-se ao retiro, ao silêncio, à obediência; evitar a impaciência nas respostas, suportar as contrariedades e outras semelhantes. Elas se podem praticar com menor perigo de vanglória, e maior merecimento, dispensando até a licença do diretor espiritual.

3. Exercício mais proveitoso, porém, será tomar, desde o princípio da novena, o propósito de *corrigir-se de algum defeito* a que se é mais inclinado. Por isso é bom, por ocasião das visitas acima mencionadas, pedir perdão das culpas passadas, renovar o propósito de nunca mais cair, e implorar para esse fim o auxílio de Maria.

4. O obséquio mais agradável a Maria, entretanto, é *a imitação de suas virtudes*. Assim é bom, em cada novena, propormo-nos alguma virtude especial de Maria, a mais adaptada ao mistério que se celebra. Por exemplo: na festa da *Conceição,* a pureza de intenção; na festa da *Natividade,* a renovação do espírito; *na Apresentação,* o desapego daquilo a que nos sentimos mais presos; na *Anunciação,* a humildade e o amor dos desprezos; na *Visitação,* a caridade para com o próximo, fazendo esmolas, ou pelo menos rezando pelos pecadores; na *Purificação,* a obediência aos superiores; e finalmente, *na Assunção,* a prática do desapego, fazendo tudo como preparação à morte, e aplicando-nos em viver cada dia como se fosse o último da vida. Desse modo as novenas produzirão grandes resultados.

5. Muito recomendável é a *comunhão frequente, e mesmo diária,* durante a novena. Dizia o Padre Ségneri que não podemos honrar melhor a Maria, do que por meio de Jesus. A Virgem (segundo o Padre Crasset) revelou a uma alma santa que não se lhe pode oferecer coisa mais cara do que a santa comunhão, porque é aí que o Salvador colhe nas almas os frutos de sua Paixão. É claro, pois, que a Santíssima Virgem nada deseja mais de seus devotos, que os ver receber a santa Comunhão.

6. Finalmente, no *dia da festa,* depois da comunhão, é preciso oferecermo-nos ao serviço dessa divina Mãe, pedindo-lhe a virtude que nos propusemos na novena, ou alguma outra graça especial. E é bom escolher cada ano, entre as festas da Virgem, uma para a qual nos prepararemos com maior fervor. Nesse dia então de novo nos consagraremos de um modo mais especial ao seu serviço, elegendo-a por Senhora nossa, Advogada e nossa Mãe. Então lhe pediremos perdão das negligências cometidas em seu serviço, durante o ano findo, com a promessa de maior fidelidade para o ano vindouro. Pedir-lhe-emos, finalmente, que nos aceite por servos, e nos alcance uma santa morte.

III. O ROSÁRIO E O OFÍCIO

Observação: S. Afonso diz: "A devoção do santo Rosário, como se sabe, foi revelada a S. Domingos pela divina Mãe, quando, estando o Santo aflito e queixando-se a sua Senhora dos hereges albigenses, que naquele tempo causavam grande dano à Igreja, a Virgem lhe disse: Este terreno há de ser estéril até que nele caia a chuva. Entendeu então S. Domingos que essa chuva era a devoção, do Rosário, que ele devia publicar". – Esse conceito do Santo autor mostra o que se tinha por certo sobre o Rosário, a partir dos meados do século XV. Hoje, as pesquisas históricas não repetem esse conceito. Entretanto, piamente continua o Rosário ligado a S. Domingos, e seus filhos tornaram-se os apóstolos dessa devoção no mundo inteiro. Em 1470 Alano de Rupe fundou a primeira confraria do Rosário. A atual maneira de rezá-lo fixou-se no século XVI. A partir do ano 1726 proibiu Bento XIII qualquer mudança nessa forma de recitação (*Nota do tradutor*).

1. Atualmente não há devoção mais praticada pelos fiéis de toda classe, do que esta do santo Rosário. Os hereges modernos como Calvino, Bucero e outros, que não têm dito para desacreditá-lo? Mas é assaz notório o bem que trouxe ao mundo esta augusta devoção. Quantos, por meio dela, têm sido livres dos pecados! Quantos conduzidos a uma vida santa! Quantos, depois de uma boa morte, foram por ela salvos! Podemos ler a esse respeito uma quantidade de livros. Para nós basta dizer que esta devoção foi aprovada pela Santa Igreja, e enriquecida pelos Sumos Pontífices com muitas indulgências. Para lucrar as indulgências dos Dominicanos, unidas à recitação do Rosário, é necessário ir meditando nos mistérios que o compõem. Os livros referentes ao assunto dão as necessárias e cabais explicações para o caso.

A – Quem recita o terço ganha: 1) cada vez 5 anos de indulgência (Sixto IV); 2) se se rezar em comum, indulgência de 10 anos; 3) indulgência plenária, no último domingo do mês, se se rezar ao menos 3 vezes cada semana. Condições: Confissão e comunhão e oração segundo a intenção do Papa (Bento XII).

B – Se o terço tiver indulgências dos Crucíferos, ganham-se 500 dias em cada Pai-nosso e Ave-Maria, ainda que se o não reze todo, mas alguns Pai-nossos e Ave-Marias, à vontade.

C – Os associados da confraria do Rosário lucram mais indulgências em certas ocasiões como vem especialmente nos manuais da confraria. – (Nota do tradutor).

É preciso recitar o terço com devoção, sem esquecer o que a S. Virgem disse a S. Eulália. Cinco dezenas, disse-lhe a Senhora, recitadas com pausa e devoção, me são mais agradáveis do que quinze, ditas às pressas e com menor devoção. Por isso, é bom recitá-lo de joelhos, diante de uma imagem da Virgem, e fazer no princípio de cada dezena um ato de amor a Jesus e a Maria, pedindo-lhes alguma graça. Note-se também que é melhor recitar o Rosário em comum do que só.

2. *Quanto ao Ofício Parvo de Nossa Senhora,* diz-se que S. Pedro Damião o compôs. A quem o recita, concedeu a Igreja várias indulgências, e a Santíssima Virgem tem mostrado muitas vezes quanto lhe é agradável essa devoção, como se pode ver em Auriema.

(O Ofício Mariano é antiquíssimo e foi recomendado pelo Doutor e Cardeal da Santa Igreja, S. Pedro Damião [1072]. Já existia 300 anos antes dele, mas o Santo tornou-o mais usado e recomendou-o como proteção em várias tribulações, como por experiência lhe sentira a eficácia. A atual forma do Ofício vem das mãos de S. Carlos Borromeu, santo Cardeal de Milão [1584]. – (Nota do tradutor).

3. Agradam também muito a Nossa Senhora suas *Ladainhas,* pelas quais se ganham indulgências; o hino *Ave Maris Stella* (Eu te saúdo, Estrela do mar), que ela encomendou a S. Brígida recitasse todos os dias. Sobretudo estima o *Magnificat,* porque, recitando-o, louvamos a Deus com as mesmas palavras com que ela o louvou.

IV. O JEJUM

Muitos são os devotos de Maria que, nos sábados, ou nas vigílias de suas festas, lhe oferecem o jejum. Como se sabe, a Santa Igreja consagrou à Virgem o sábado, porque nesse dia ela se conservou firme na fé, depois da morte de seu Filho, diz um venerável escritor nas obras de S. Bernardo. Não deixam, por isso, os servos de Maria de oferecer-lhe nesse dia algum obséquio particular, especialmente o jejum (ou outra qualquer mortificação). S. Carlos Borromeu, o Cardeal Toledo e tantos outros nos deixaram exemplos neste ponto. Nitardo, Bispo de Bamberg, e Arriaga, da Companhia de Jesus, até se abstinham de qualquer alimento aos sábados. Auriema fala das grandes mercês obtidas por Maria aos que praticam essa devoção. Não deve parecer difícil esse jejum do sábado àqueles que se dizem especialmente filhos de Maria, e que têm consciência de ter merecido o inferno. Afirmo que quem pratica esta devoção dificilmente se há de condenar. Pois é fácil para Maria obter-lhe a perseverança na graça de Deus e uma morte bem-aventurada. Todos os irmãos de nossa pequena Congregação, que podem fazê-lo, observam ao sábado esse jejum, em honra de Maria. Mas se alguém não o pode fazer por falta de saúde, ao menos faça qualquer outro sacrifício de alguma coisa que lhe agrade.

Finalmente, se pode mostrar aos sábados especial amor a Nossa Senhora, por meio de algum exercício de piedade, como fazendo a comunhão, ouvindo Missa, visitando alguma imagem da Virgem, trazendo o cilício etc. E ao menos nas vigílias das sete festas de Maria, procurem seus devotos oferecer-lhe esse jejum ou outra abstinência conforme lhes for possível.

Observação. Desde os séculos IX e X vem sendo o sábado dedicado especialmente a Nossa Senhora. Nessa época cantava-se uma missa votiva em sua honra. Mais tarde foi o sábado distinguido por penitências em honra de Maria Santíssima. Os teólogos do século XII motivavam o culto do sábado, em honra de Nossa Senhora, pela constância que ela mostrou no sábado da soledade após o sepultamento de Jesus.

Interpretando o sentimento de S. Afonso, lembramos aqui a veneração de Maria nos meses de maio e de outubro, dedicados a seu culto com especial solenidade. – (Nota do tradutor).

V. VISITAR AS IMAGENS DE MARIA

Diz o Padre Ségneri que o demônio não achou meio melhor para consolar-se das perdas que sofreu com a extinção da idolatria, que fazendo perseguir as imagens pelos hereges. Porém a Santa Igreja defende-se até com o sangue dos mártires. A própria Mãe de Deus tem demonstrado, mesmo com milagres, quanto lhe agradam as visitas e o culto às imagens.[3]

Assim certa vez abriu-se, diante de S. João de Deus, o véu que caía sobre uma estátua de Nossa Senhora. Julgando o sacristão que se tratasse de um ladrão, correu e deu um pontapé no santo, mas instantaneamente teve ele o pé paralisado.

Todos os servos de Maria costumam visitar frequentemente e com grande afeto as imagens e as igrejas erguidas em sua honra. São essas, segundo S. João Damasceno, as cidades de refúgio, onde nos achamos ao abrigo das tentações e castigos que merecemos por nossas culpas. Ao entrar em qualquer cidade, a primeira coisa que o imperador S. Henrique fazia era visitar alguma igreja de Nossa Senhora. O Padre Tomás Sánchez nunca voltava para casa sem ter feito a mesma coisa.

Não nos seja, portanto, demasiado trabalho o visitar todos os dias nossa Rainha em alguma igreja ou capela, ou mesmo em casa, onde seria bom arranjar para esse fim, no lugar mais retirado, um pequeno oratório com uma imagem sua, e adorná-lo com cortinas, flores e velas, ou lâmpadas, para aí re-

---

[3] S. Afonso cita aqui a piedosa lenda, segundo a qual S. João Damasceno teve cortada a mão com que escrevia em defesa do culto das imagens. A lenda teve sua origem em João, patriarca de Jerusalém, biógrafo do Santo. – (Nota do tradutor).

citarmos as Ladainhas, o Rosário etc. Com esse intento escrevi um livrinho,[4] que contém visitas ao Santíssimo Sacramento e à Bem-aventurada Virgem, para todos os dias do mês.

Convém narrar aqui o fato citado pelo Padre Spinelli nos *Milagres de Nossa Senhora*. No ano de 1611, no célebre santuário de Maria em Monte-Virgem, aconteceu que, na vigília de Pentecostes, tendo a multidão que aí concorrera profanado a festa com bailes, crápulas e imodéstia, se ateou de repente um incêndio na casa de tábuas em que estavam os romeiros, e em menos de hora e meia reduziu-a a cinzas, morrendo mais de 400 pessoas. Só sobreviveram cinco que depuseram, com juramento, terem visto a Mãe de Deus com duas tochas acesas pondo fogo no edifício. Peço, pois, com instância aos devotos de Maria, que se abstenham e impeçam também aos outros de ir a semelhantes santuários de Nossa Senhora em dias de tais folguedos profanos. Pois, nessas ocasiões, há muito mais lucro para o inferno, do que honra para a Mãe de Deus. Romeiros tementes a Deus vão visitar os santuários, quando não há tanta aglomeração de povo.

VI. O ESCAPULÁRIO

Certos senhorios se gloriam de ter servos que tragam suas librés. Assim Maria Santíssima também estima que seus devotos tragam seu escapulário, em sinal de que são dedicados a seu serviço e fazem parte de sua família. Pessoas sem religião riem, segundo o costume, dessa devoção; mas a Santa Igreja a tem aprovado com muitas bulas e indulgências.

---

[4] Do livrinho existem agora duas mil e nove edições, espalhadas pelo mundo inteiro. Em português acaba de aparecer uma nova edição.

Os Padres Crasset e Lezena, falando do escapulário do Carmo, referem que, aos 16 de julho de 1251, apareceu a Santíssima Virgem a S. Simão Stock, na Inglaterra, e entregou-lhe um escapulário, garantindo-lhe que aqueles que o trouxessem seriam livres da condenação eterna. "Recebe, meu filho, disse a Virgem, esse escapulário de tua Ordem, distintivo da minha confraria e um privilégio para ti e para todos os carmelitas. Quem morrer revestido dele, não experimentará o fogo eterno." Fora disso, outra vez apareceu Nossa Senhora ao Papa João XXII (1322), refere Crasset, dando-lhe ordem de publicar que ela, a quantos trouxessem o escapulário, os livraria no sábado que lhes seguisse à morte. Isso declarou o Papa numa Bula de 3 de março de 1322, a qual foi aprovada mais tarde por Alexandre V, Clemente VII e outros Papas. Assim fala Crasset. Como já se falou em outra parte. Paulo V também recorda essa aparição e parece determinar melhor as Bulas de seus antecessores, expondo as condições necessárias para lucrar as indulgências. Essas condições são: guardar a castidade própria ao estado e rezar o Ofício Parvo de Nossa Senhora. Quem o não puder rezar, deve ao menos guardar os jejuns da Igreja e abster-se de carne às quartas-feiras e sábados.

Ao escapulário do Carmo, das Sete Dores de Nossa Senhora, da Santíssima Trindade e especialmente ao da Imaculada Conceição, estão anexas muitas indulgências, parciais e plenárias, aplicáveis a si próprio na vida e na hora da morte.

Ao escapulário da Imaculada Conceição, entre outras, estão anexas as indulgências das sete principais igrejas de Roma, da Porciúncula, de Jerusalém e de S. Tiago de Compostella. Podem ser ganhas toda vez que se rezarem 6 Pai-nossos, Ave-Marias e Glória Patri.

VII. ENTRAR
NAS CONGREGAÇÕES DE MARIA

Alguns há que desaprovam as congregações, dizendo que muitas vezes são fontes de litígios, e que muitos encontram nelas por fins humanos. Mas assim como não se condenam as igrejas e os sacramentos por haver muitos que deles abusam, pela mesma razão não se deve condenar as confrarias. Longe de reprová-las, os Sumos Pontífices as têm com muito louvor recomendado e enriquecido de indulgências. S. Francisco exorta com empenho os seculares a entrarem nelas. E que não fez S. Carlos Borromeu para fundá-las e multiplicá-las? Em seus sínodos, sobretudo, insinua aos confessores que se esforcem para que nelas entrem os seus penitentes. E com razão, porque essas confrarias, especialmente as da Virgem, são como outras tantas arcas de Noé, onde os pobres seculares acham refúgio contra o dilúvio. Nós, com a prática das missões, bem temos podido conhecer a utilidade dessas pias associações. Em regra geral, acham-se mais pecados em um homem que não pertence à confraria do que em vinte que a frequentam. Pode-se compará-la à torre de Davi "edificada com antemuralhas e da qual pendem mil escudos para a defesa dos heróis" (Ct 4,4). As confrarias proporcionam a seus congregados muitas armas de defesa contra o inferno, e fornecem-lhes, para conservar a graça divina, muitos meios que fora delas dificilmente serão empregados.

Das principais graças
oferecidas pelas confrarias

1. *Um dos primeiros meios de salvação é a meditação das verdades eternas*
"Lembra-te das últimas coisas e não pecarás jamais"

(Eclo 7,40). Se tantos pecadores se perdem é porque não as meditam. "Tem sido desolada inteiramente toda a terra, porque não há nenhum que considere no seu coração" (Jr 2,11). Ora, os associados das congregações são levados a pensar nelas, por tantas meditações, leituras e sermões que aí se fazem. "Minhas ovelhas ouvem a minha voz" (Jo 10,27).

2. *Em segundo lugar, para salvar-se é necessário encomendar-se a Deus*

Fazem-no os membros das congregações continuamente, e Deus os atende com mais facilidade, porquanto ele mesmo declarou que de boa vontade concede suas graças às preces feitas em comum. "Ainda vos digo que, se dois de vós se unirem entre si sobre a terra, qualquer coisa que pedirem, ser-lhes-á concedida, por meu Pai que está nos céus" (Mt 18, 19). Aqui observa Ambrosiasta: Muitos fracos tornam-se fortes quando se mantêm unidos, e a oração de muitos não pode ficar desatendida.

3. *Em terceiro lugar, nas confrarias é mais fácil a frequência dos sacramentos, não só pelos estatutos, como pelos bons exemplos dos confrades*

Ora, com isso garante-se a perseverança na graça. O Santo Concílio de Trento chama a comunhão um remédio que nos livra das faltas de cada dia e nos preserva do pecado mortal.

4. *Além de tudo, fazem-se nas congregações muitos exercícios de mortificação, de humildade e de caridade para com os confrades enfermos e pobres*

E bom seria que em cada congregação se introduzisse o santo costume de assistir os doentes pobres do lugar.[5]

Já dissemos quanto aproveita à nossa salvação servirmos a Mãe de Deus. Ora, que fazem os confrades nas congregações, senão servi-la? Aí, quantos a louvam! Quantas orações lhe apresentam! Consagram-se desde o princípio a seu serviço, elegendo-a de um modo especial por sua Senhora e Mãe. Inscrevem-se no livro dos filhos de Maria, e como são servos e devotos distintos da Virgem, ela os trata e protege com distinção, na vida e na morte. De modo que o associado mariano pode dizer que com a congregação recebeu todos os bens.

A duas coisas, porém, precisa atender cada confrade: à intenção com que entra e à fidelidade aos compromissos. A primeira deve referir-se à glória de Deus e de Maria e à salvação da própria alma. Depois seja fiel em comparecer às reuniões marcadas, que não se devem perder para atender aos negócios do mundo. Pois na congregação se trata do mais importante de todos os negócios: a salvação eterna. Deve também procurar para sua associação novos confrades, e especialmente fazer voltar para ela aqueles que a têm abandonado. Tais egressos já têm sido às vezes rudemente punidos por Deus. (Em Nápoles, certo congregado egresso, sendo exortado a voltar para a congregação, respondeu: Voltarei quando me tiverem quebrado as pernas, e cortado a cabeça. Profetizou sem querer: pouco tempo depois lhe quebraram seus inimigos as pernas e cortaram a cabeça.) Pelo contrário, os confrades que perseveram são cumulados por Maria de bens espirituais e temporais. "Todos os seus domésticos trazem vestidos forrados" (Pr 31,21).

---

[5] Omitimos aqui o que é dito unicamente para confrarias napolitanas. – (Nota do tradutor).

Auriema fala de graças que Maria concede a seus congregados durante a vida e na hora da morte, principalmente. Conta Crasset que, em 1586, um jovem perto de morrer, tendo adormecido, disse a seu confessor ao acordar: "Ó meu padre, estive em grande perigo de perder-me, porém a Senhora me livrou. Os demônios apresentaram meus pecados no tribunal de Deus, e já estavam prontos para me arrastarem ao inferno, quando sobreveio a Santíssima Virgem e lhes disse: Para onde levais este moço? Que tendes que ver com um servo meu, que me serviu tanto tempo em minha congregação? O mesmo autor conta que outro rapaz congregado, também na hora da morte, teve de sustentar luta renhida com o inferno; mas triunfando, finalmente, exclamou cheio de júbilo: Oh! que grande bem é servir a Mãe Santíssima em sua congregação! E morreu cheio de consolação. Também em Nápoles, o duque de Popoli, moribundo, disse a seu filho: Meu filho, fica sabendo que à minha congregação devo o pouco bem que fiz em vida. Por isso a maior riqueza que tenho para deixar-te é a congregação de Maria. Estimo mais ter sido congregado, que ter sido duque de Popoli.

VIII. DAR ESMOLAS EM HONRA DE MARIA

Costumam os servos de Maria, sobretudo aos sábados, dar esmolas em sua honra. S. Gregório fala de um irmão leigo, chamado Deusdedit, que distribuía aos pobres, no sábado, o que tinha ganho durante a semana, como sapateiro. Ora, a uma alma santa foi mostrado, em visão, um palácio suntuoso que Deus estava preparando no céu a esse servo de Maria, e em cuja construção só se trabalhava aos sábados. O santo confessor Gerardo de Monza († 1207) não recusava coisa alguma que lhe fosse pedida em nome de Maria. O mesmo fazia o jesuíta, padre Martinho Gutiérrez. Por essa razão, como ele mesmo confessou, nunca pediu uma graça a Maria sem que a alcançasse. Tendo sido ele morto pelos Huguenotes, apareceu a Virgem a seus companheiros com algumas virgens, pelas quais mandou envolver o corpo num lençol. S. Eberardo, Arcebispo de Salzburgo, tinha a mesma devoção. Por isso o viu um santo religioso, sob a forma de um menino, nos braços de Maria. "Eis o meu filho Eberardo, que nunca me recusou coisa alguma", disse Maria. Igual prática era usada por Alexandre de Hales. Tendo-lhe um leigo de S. Francisco pedido em nome de Maria que se fizesse franciscano, deixou ele o mundo e entrou para a Ordem.

Não deixem, pois, os devotos de Maria de dar cada dia, em sua honra, uma pequena esmola, que devem aumentar nos sábados. E se não podem fazer mais, ao menos, pelo amor de Maria, pratiquem alguma outra obra de caridade, como assistir os enfermos, rezar pelos pecadores e pelas almas do purgatório etc. As obras de misericórdia são muito agradáveis ao coração dessa Mãe de misericórdia.

IX. RECORRER FREQUENTEMENTE A MARIA

Afirmo que, entre todas as práticas devotas, nenhuma há que tanto agrade a nossa Mãe, como recorrer frequentemente à sua intercessão. Peçamos-lhe, pois, auxílio em todas as necessidades particulares. Por exemplo: quando vamos tomar ou dar conselhos, nos perigos, nas aflições e tentações, principalmente nas tentações contra a pureza. Certamente nos há de socorrer a divina Mãe, se a ela recorremos com a antífona *Sub tuum praesidium,* ou com a *Ave-Maria,* ou com a simples invocação de seu santíssimo nome, que tem uma força particular contra os demônios.

O beato Sante, franciscano, em uma tentação contra a pureza, recorreu a Maria e ela, aparecendo-lhe imediatamente, lhe pôs a mão sobre o peito e o livrou. Em tais ocasiões também é bom beijar ou tomar na mão o Rosário ou o escapulário, ou então olhar para uma imagem da Virgem Maria. Note-se que lucra cada vez 300 dias de indulgência quem pronunciar devotamente os nomes de Jesus ou de Maria.

X. ALGUNS OUTROS OBSÉQUIOS

1. Celebrar ou fazer celebrar, ou pelo menos ouvir Missa em honra da Santíssima Virgem. É verdade que o Santo Sacrifício só se pode oferecer a Deus, principalmente em reconhecimento de seu supremo domínio. Isso, porém, não impede, diz o Sagrado Concílio de Trento, que ele possa ser oferecido ao mesmo tempo a Deus para agradecer-lhe as graças concedidas aos santos e à divina Mãe, a fim de que, celebrando nós sua memória, eles se dignem interceder por nós. Assim o indicam as próprias palavras da Santa Missa. Essa prática, assim como a recitação de três Pai-nossos, Ave-Marias e Glória Patri à Santíssima Trindade, para agradecer-lhe as graças feitas a Maria, revelou a própria Santíssima Virgem a uma alma ser-lhe muito

agradável. Pois, não podendo agradecer plenamente ao Senhor todos os benefícios que lhe foram concedidos, muito gosta que seus filhos a ajudem para esse fim.

2. Venerar os santos que mais próximos foram de Maria, como S. José, S. Joaquim, S. Ana. A própria Virgem encomendou a um seu servo a devoção a S. Ana, sua mãe. Não nos esqueçamos também dos santos mais devotos da Mãe de Deus, como S. João Evangelista, S. João Batista, S. Bernardo, S. João Damasceno, defensor de suas imagens, S. Ildefonso, defensor de sua virgindade.[6]

3. Ler cada dia algum livro que fale das glórias de Maria. Os padres preguem com gosto sobre assuntos marianos e todos se esforcem em insinuar, sobretudo aos parentes, a devoção para com a Mãe de Deus. Disse um dia a Virgem a S. Brígida: Faze que teus filhos sejam também meus filhos!

4. Rezar todos os dias pelos vivos e defuntos mais devotos de Maria.

5. Notem-se as muitas indulgências concedidas aos que honram por diversos modos a esta Rainha do céu. Eis algumas:

1. Bendita seja a santa e imaculada Conceição da Bem-aventurada Virgem Maria e Mãe de Deus (300 dias de indulgência).

2. 5 anos quando se recitam a *Salve-Rainha* e o *Sub tuum praesidium*.

3. 7 anos pelas Ladainhas de Nossa Senhora, cada vez.

4. 300 dias quando se diz: Jesus e Maria.

---

[6] Nesta lista coloquemos o Santo autor deste livro, S. Afonso Maria de Ligório. Demos preferência ao seu livro sobre Maria, nas leituras piedosas – (Nota do tradutor).

5. Jesus, Maria, José (7 anos).

6. A quem faz diariamente meia hora de oração mental, concedeu Bento XIV indulgência plenária no mês, na forma de costume.

8. 7 anos a quem acompanha o Santo Viático com tocha acesa. Quem não puder acompanhar, ganha 100 dias recitando um *Pai-nosso* e uma *Ave-Maria,* segundo a intenção do Papa.

9. 300 dias a quem reverenciar de qualquer forma o Santíssimo Sacramento, ao passar por uma igreja ou capela.

10. 500 dias ao sacerdote que, antes da Missa, recita *Ego volo celebrare Missam* etc.[7]

Prepare-se, pois, cada um para ganhar essas indulgências, fazendo um bom ato de contrição. Omito ainda outras devoções, que se acham em outros livros, e termino esta obra com as belas palavras de S. Bernardino: Ó bendita entre todas as mulheres, sois a honra do gênero humano, a salvação de vosso povo. Vosso merecimento não tem limites, e vosso império estende-se sobre todas as criaturas. Sois Mãe de Deus, Senhora do mundo, Rainha do céu. Sois a dispensadora de todas as graças, o adorno da Santa Igreja, o modelo dos justos, a consolação dos santos, a raiz de nossa salvação. Do paraíso sois a alegria, do céu a porta, de Deus a glória. Temos publicado vossos louvores. Rogamos, pois, ó Mãe de bondade, que vos digneis suprir a nossa fraqueza, escusar a nossa audácia, aceitar nossa servidão e abençoar nosso trabalho, imprimindo no coração de todos o vosso amor, para que, depois de termos honrado e amado na terra vosso Filho, possamos louvá-lo e bendizê-lo eternamente no céu. Amém.

---

[7] Muitas são hoje as preces indulgenciadas, como indicam os livros de reza – (Nota do tradutor).

CONCLUSÃO

E agora, leitor querido e fiel servo de Maria, nossa Mãe amantíssima, eu vos deixo, dizendo: Continuai fervorosamente a amar e honrar a essa boa Senhora. Esforçai-vos também por fazê-la amar por quantos conheceis, na firme convicção de que vos salvareis, se perseverardes na verdadeira devoção a Maria até a morte. Termino. Não que me falte o que dizer sobre as glórias dessa grande Rainha, mas para não vos enfastiar por mais tempo. O pouco que escrevi bem pode bastar para arrebatar-vos em entusiasmo diante desse grande tesouro que é a devoção à Mãe de Deus, à qual ela sempre corresponde com seu poderoso patrocínio. Cumpri agora o desejo que me levou a escrever esta obra: ver-vos salvo e santo, vendo-vos feito filho amante e apaixonado dessa amabilíssima Rainha. Se para esse fim contribuí com este meu livro, então encomendai-me a Maria e pedi-lhe para mim a graça que para vós peço: Deus permita que nos vejamos no paraíso, reunidos aos pés de Maria juntamente com os outros seus queridos filhos. E dirigindo-me a vós, ó Maria, Mãe de meu Senhor e minha Mãe, rogo-vos que aceiteis este meu pobre trabalho e o desejo que tenho tido de ver-vos louvada e amada por todos. Sabeis com que ardor desejava terminar esta pequena obra das vossas glórias, antes que findasse minha vida, que já vai tocando ao termo.[8] Agora posso dizer que morro contente, por deixar na terra este meu livro que continuará a louvar-

---

[8] Era em 1750, quando Afonso tinha 53 anos de idade. O Santo chegou a 91 anos, morrendo no dia 1º de agosto de 1787.

-vos e a pregar o vosso amor, como tenho sempre procurado fazer durante estes anos que têm seguido a minha conversão, a qual por meio de vós alcancei de Deus.[9] Ó Maria Imaculada, eu vos encomendo todos os que vos amam, especialmente aqueles que lerem este meu livro, e mais particularmente aqueles que tiverem a caridade de encomendar-me a vós.[10] Senhora, dai-lhes a perseverança; fazei-os todos santos e levai-os assim a louvar--vos, todos juntos, no céu. Ó minha Mãe dulcíssima, é verdade que sou um pobre pecador, mas eu me glorio de amar-vos e espero de vós grandes coisas, entre outras, morrer em vosso amor. Espero que nas angústias de minha morte, quando o demônio me recordar meus pecados, primeiramente a Paixão de Jesus, e depois a vossa intercessão, me hão de confortar, para que eu saia desta miserável vida na graça de Deus, a fim de ir amá-lo e dar-vos graças, ó minha Mãe, por todos os séculos dos séculos. – Amém. Assim espero, assim seja.

Ó Virgem Senhora, dizei por nós a vosso Filho: Eles não têm vinho. Quão preclaro é o cálice desse vinho que inebria no amor divino! Esse amor nos faz esquecer o mundo; aquece--nos, e fortalece-nos, faz-nos indiferentes para tudo que é terreno (Autor da *Salve-Rainha*).

Vós sois o "campo bem-cheio", cheio de virtudes e de graças. Surgistes qual lúcida e rubicunda aurora. Vencendo a culpa original, nascestes em plena luz da verdade, em plenos fulgores

---

[9] A conversão do Santo consistiu na resolução que ele tomou de deixar o mundo, onde, aliás, levava uma vida edificantíssima – (Nota do tradutor).

[10] O Santo autor já não precisa de orações; está na glória, bendizendo a Nossa Senhora. Mas o tradutor faz o seu pedido.

do amor. Nada conseguiu contra nós o inimigo do gênero humano, porque de vós estão pendentes mil escudos e todas as armas dos valentes. Não há virtude que não resplandeça em vós, e o que os santos possuíram repartido, possuís reunido (o mesmo autor).

Nossa Senhora, ó nossa Medianeira, nossa Advogada, recomendai-nos ao vosso Filho. Ó bendita, vós merecestes a graça de, por vosso intermédio, haver o Senhor se revestido de nossa fraqueza e indigência. Alcançai-nos por vossa intercessão que ele nos faça participantes de sua glória (Idem).

Ó bela rosa, mostrai a vossa misericórdia: já que me amais tanto, fazei que meu coração se inflame de tal modo no vosso amor, que chegue a morrer por vós.

Doce Maria, esperança minha, sois aquela bendita estrela que guia ao porto: vós me guiareis ao céu.

Viva Jesus, Maria, José e Teresa!

MAIO COM MARIA (ano ímpar)

No texto está marcado com um asterisco (*), onde começa a reflexão e com um quadradinho (□), onde termina.

Dia 1 – A necessidade da intercessão de Maria provém da sua cooperação na Redenção: pág. 141
Oração: pág. 150
Dia 2 – Outras provas tiradas da doutrina dos santos e dos doutores: pág. 143
Oração: pág. 150
Dia 3 – Uma segunda objeção: pág. 145
Oração: pág. 150
Dia 4 – Maria é todo-poderosa junto de Deus: pág. 151
Oração: pág. 158
Dia 5 – Maria é toda bondade para com os homens: pág. 153
Oração: pág. 158
Dia 6 – O grande poder de Maria funda-se na sua dignidade de Mãe de Deus: pág. 155
Oração: 158
Dia 7 – Maria ama-nos ternamente e de modo especial os pecadores: pág. 160
Oração: pág. 165
Dia 8 – Maria intercede sem cessar pelos pecadores: pág. 161
Oração: pág. 165
Dia 9 – Maria, a fiel cópia da misericórdia divina: pág. 163
Oração: pág. 165
Dia 10 – Maria é Medianeira entre Deus e os homens: pág. 166
Oração: pág. 173
Dia 11 – A meditação de Maria apoia-se na sua divina maternidade: pág. 169
Oração: pág. 173

Dia 12 – Maria cuida de cada um de nós: pág. 172
Oração: pág. 173
Dia 13 – Maria foi misericordiosa na terra: pág. 175
Oração: pág. 181
Dia 14 – Ainda mais misericordiosa é Maria no céu: pág. 176
Oração: pág. 181
Dia 15 – Para todos é Maria um trono de misericórdia: pág. 178
Oração: pág. 181
Dia 16 – Um verdadeiro devoto de Maria não se perde: pág. 182
Oração: pág. 189
Dia 17 – A devoção a Maria é penhor de eterna bem-aventurança: pág. 183
Oração: pág. 189
Dia 18 – A devoção a Maria protege contra a fúria de Satanás: pág. 185
Dia 19 – Maria consola as pobres almas do purgatório: pág. 190
Oração: 195
Dia 20 – Maria livra as almas do purgatório: pág. 192
Oração: pág. 195
Dia 21 – Pela devoção a Maria salvaram-se os bem-aventurados: pág. 196
Oração: pág. 202
Dia 22 – A devoção a Maria é um penhor da bem-aventurança: pág. 198
Oração: pág. 202
Dia 23 – Maria é toda clemência e bondade: pág. 204
Oração: pág. 211
Dia 24 – Particular clemência de Maria para com os pecadores: pág. 207
Oração: pág. 211
Dia 25 – O nome de Maria vem do céu: pág. 213
Oração: pág. 220

Dia 26 – O nome de Maria é suave na vida: pág. 213
Oração: pág. 220
Dia 27 – O nome de Maria é doce sobretudo na hora da morte: pág. 218
Oração: pág. 220
Dia 28 – Maria foi a Rainha dos mártires por causa da duração e intensidade de suas dores: Ponto 1º:
1) Maria é realmente uma mártir
2) Duração do martírio de Maria
3) O tempo não mitigou os sofrimentos de Maria: pág. 355-359
Oração: pág. 369

Dia 29 – Ponto 2º: Maria é Rainha dos Mártires
1) Os mártires sofreram tormentos no corpo, Maria sofreu-os na alma
2) Os mártires sofreram imolando a vida própria, enquanto Maria sofreu oferecendo a vida de seu Filho
Pág. 360-363
Oração: pág. 369
Dia 30 – Ponto 2º: Maria é Rainha dos Mártires
3) Os mártires sofreram consolados. Maria padeceu sem consolo: pág. 363
Oração: pág. 369
Dia 31 – Ponto 2º: Maria é Rainha dos Mártires
4) Maria recompensa a veneração de suas dores: pág. 367
Oração: pág. 369

MAIO COM MARIA (ano par)

Dia 1 – Maria é Rainha: pág. 35
Oração: pág. 43
Dia 2 – Maria é Rainha de Misericórdia: pág. 36
Oração: pág. 43
Dia 3 – Maria é Rainha de Misericórdia até para os mais miseráveis: pág. 39
Oração: pág. 43
Dia 4 – Maria é nossa Mãe espiritual: pág. 44
Oração: pág. 51
Dia 5 – Maria é Mãe muito solícita e desvelada: pág. 48
Oração: pág. 51
Dia 6 – Maria não pode deixar de amar-nos: pág. 52
Oração: pág. 64
Dia 7 – Os motivos do amor de Maria para conosco: pág. 53
Oração: pág. 64
Dia 8 – Grandeza de seu amor para conosco: pág. 57
Oração: pág. 64
Dia 9 – Nosso amor para com Maria: pág. 59
Oração: 64
Dia 10 – Condições para o amor de Maria aos pecadores: pág. 65
Oração: pág. 72
Dia 11 – Efeitos do amor de Maria para com os pecadores: pág. 68
Oração: pág. 72
Dia 12 – A oração de Maria obtém-nos a graça da justificação: pág. 74
Oração: pág. 79
Dia 13 – Devem os pecadores procurar com Maria a graça de Deus: pág. 75
Oração: pág. 79

Dia 14 – Sem Maria não alcançamos a graça da perseverança: pág. 80
Oração: pág. 87
Dia 15 – Por intermédio de Maria obtemos a graça da perseverança: pág. 83
Oração: pág. 87
Dia 16 – Maria é nosso conforto na morte: pág. 88
Oração: pág. 95
Dia 17 – Maria é o nosso auxílio no tribunal divino: pág. 91
Oração: pág. 95
Dia 18 – Maria é realmente nossa esperança: pág. 97
Oração: pág. 103
Dia 19 – Maria é a esperança de todos: pág. 100
Oração: pág. 103
Dia 20 – Maria é realmente a esperança dos pecadores: pág. 104
Oração: pág. 111
Dia 21 – Maria é para os pecadores uma segura esperança: pág. 107
Oração: pág. 111
Dia 22 – Maria é, às vezes, a última esperança dos pecadores: pág. 110
Oração: pág. 111
Dia 23 – Maria ajuda em muitos apuros da vida: pág. 113
Oração: pág. 120
Dia 24 – Maria ajuda pronta e alegremente: pág. 114
Oração: pág. 120
Dia 25 – Maria ajuda eficazmente: pág. 117
Oração: pág. 120
Dia 26 – O demônio tem medo da Mãe de Deus: pág. 121
Oração: pág. 128

Dia 27 – O demônio tem medo até do nome da Mãe de Deus: pág. 126
Oração: pág. 128
Dia 28 – É muito salutar a intercessão dos santos: pág. 130
Oração: pág. 140
Dia 29 – Em que sentido nos é necessária a intercessão de Maria: pág. 131
Oração: pág. 140
Dia 30 – Objeções contra a necessidade da intercessão de Maria: pág. 132
Oração: pág. 140
Dia 31 – Refutação e demonstração: pág. 133
Oração: pág. 140

- ÍNDICE BIOGRÁFICO

- ÍNDICE GERAL

ÍNDICE BIOGRÁFICO
DOS AUTORES CITADOS

A

Adão, abade de Perseigne, douto e considerado; * 1221.
Agostinho, santo Bispo de Hipona, doutor da Igreja, célebre escritor e profundo pensador, verdadeiro gênio como teólogo; *430.
Agostinho (Pseudo, Vulgato), sermões apócrifos no apêndice da edição Maurina.
Alano de Lille, chamado Doutor universal; *1203.
Alano de Rupe, dominicano e professor em Zwolle; trabalhou muito pela difusão do Rosário; *1475.
Alberto Magno, dominicano, doutor da Igreja, professor de S. Tomás, bispo de Ratisbona; *1280, em Colônia, canonizado em 1931.
Algrino (Algrain), bispo e cardeal em Sabina; *1233.
Amadeu de Lausanne, sábio e virtuoso cisterciense e depois bispo de Lausanne; *1159.
Ambrosiasta chama-se um comentário para as cartas de S. Paulo, composto nos anos de 366-84 e erradamente atribuído a S. Ambrósio.
Ambrósio, santo Bispo de Milão e doutor da Igreja; *397.
Anastácio, sinaíta, monge do Sinai, lutador contra os monofisitas; *700.
André de Creta, (ou de Jerusalém), santo monge em Jerusalém, depois Bispo da ilha de Creta; *726.
Anfilóquio, santo bispo de Icônio, grande amigo de S. Basílio, grande lutador contra os arianos; *394.
Anselmo de Cantuária, santo beneditino e Arcebispo de Cantuária (Canterbury) e como tal defensor dos direitos da Igreja contra os reis Guilherme II e Henrique II da Inglaterra; *1108.

---

* O asterisco denota o ano da morte.

Antonio, santo dominicano, arcebispo de Florença, franco censurador do procedimento de Cósimo de Médici; *1459.
Antônio de Pádua, santo franciscano e Doutor da Igreja, conhecido taumaturgo, nascido em Lisboa e falecido em Pádua em 1231.
Apônio, um comentador dos Cânticos dos Cânticos, já no século VI.
Arnoldo de Chartres, beneditino e abade de Bonneval, amigo de S. Bernardo; *1156.
Árias Montano, exegeta espanhol e orientalista de nomeada; dirigiu a publicação da Poliglota de Antuérpia; *1598 em Sevilha.
Atanásio, (Pseudo), um autor que leva o nome de S. Atanásio, patriarca de Alexandria.
Auriema, jesuíta, autor de um livro sobre Nossa Senhora; colecionou muitos exemplos entre os quais não poucos são hoje insustentáveis.
Autperto, Ambrósio, santo beneditino, escritor que às vezes é trocado e citado em lugar de S. Ambrósio ou de S. Agostinho; *829.
Ávila, João d', santo apóstolo de Andaluzia; *1569; canonizado por Pio XI.

B

Barônio, cardeal, oratoriano e como tal sucessor de S. Felipe Néri no governo da Congregação; historiador eclesiástico; *1607.
Barradas, Sebastião, jesuíta e professor em Évora, comentador da Escritura; *1615.
Basílio, santo bispo e doutor da Igreja, introdutor da vida monástica entre os gregos; em 370 era bispo de Cesareia.
Basílio, bispo de Seleucia, monofisita.
Beda Venerável, santo doutor da Igreja, professor e escritor; *735.
Belarmino Roberto, jesuíta, santo doutor da Igreja e cardeal; escritor fecundo e afamado teólogo; foi canonizado em 1931 por Pio XI; *1621.

Bernardo, santo doutor da Igreja, insigne batalhador pelos direitos da Igreja, homem extraordinário e escritor melífluo; *1153 como abade de Clairvaux.

Bernardino de Sena, santo franciscano, célebre pregador e escritor asceta; *1444 e foi canonizado em 1450.

Bernardino de Busti, franciscano e afamado pregador da Itália; *1500.

Blósio Luís (de Blois), abade beneditino e escritor asceta; desde 1530 abade de Liesse.

Boaventura, santo franciscano, cardeal e doutor da Igreja, amigo de S. Tomás, afamado professor e escritor Geral da Ordem; *1274.

Boaventura Baduário, venerável, natural de Peraga, cardeal escritor. Foi morto por ordem do príncipe de Carrara em 1388.

Bolandistas, nome dos escritores que, seguindo o Padre Boland (*1665), publicaram as Atas dos Santos. São padres jesuítas.

Bruno de Segni, abade de monte Cassino, célebre como sábio; *1123.

Burcardo de Saxônia, dominicano e escritor da Terra Santa; brilhou pelo ano de 1283.

C

Canísio Pedro, jesuíta, santo e doutor da Igreja; foi o grande apóstolo da Alemanha nos tempos da desbragada reforma protestante; escreveu muitos livros, principalmente um popularíssimo catecismo; foi canonizado em 1931; *1597.

Carlos Borromeu, santo e cardeal da Igreja, arcebispo de Milão, benemérito do Concílio de Trento e grande reformador; *1584.

Catarina de Sena, dominicana e célebre penitente, anjo de paz nas lutas da Itália; fez o Papa voltar de Avinhão; *1380.

Catarino Ambrósio, dominicano e arcebispo, grande teólogo e controversista; *1553.

Cedreno Jorge, historiador grego; viveu pelo meado do século XI.
Cesário de Heisterbach, cisterciense, escritor douto e pio; *1240.
Crisólogo Pedro, santo arcebispo de Ravena e doutor da Igreja; foi célebre orador; *450.
Crisóstomo João, santo doutor da Igreja, amigo de S. Basílio, orador afamado, patriarca de Constantinopla, exilado pela imperatriz; era chamado coluna da Igreja; morreu no exílio em 407.
Colombière, Cláudio, jesuíta, santo diretor de Margarida de Alacoque, preso como defensor da fé e salvo da morte por Luís XIV; *1682.
Conrado de Saxônia, franciscano, professor de teologia e Provincial da Ordem; morreu em viagem para Assis em 1279.
Contenson Vicente, dominicano e afamado teólogo; *1674.
Coppenstein, dominicano e publicador dos escritos de Alano de Rupe, propagandista do Rosário.
Cornélio a Lápide, jesuíta, afamado comentador das Sagradas Escrituras; *1637.
Cosme de Jerusalém, irmão adotivo de S. João Damasceno e bispo de Majuma; *781.
Crasset João, escritor piedoso e muito conhecido; *1692.
Cusano Nicolau, cardeal e pregador da cruzada contra os Turcos, escritor polemista, grande jurista e naturalista; *1464.
Cipriano Táscio Cecílio, bispo, mártir e santo doutor da Igreja; escreveu muitas obras; *258.
Cirilo de Alexandria, santo doutor da Igreja; enérgico lutador contra os nestorianos; *444.

D

Dante Alighieri, príncipe dos poetas italianos, autor da Divina Comédia; 1321-1365.
Dionísio Areopagita, Pseudo, provavelmente um escritor ao findar o século V, segue o neoplatonismo de Proclo.

Dionísio Cartuxo, douto e pio monge, grande teólogo e escritor; *1471.
Dionísio, o Grande, santo bispo de Alexandria e intrépido defensor da fé católica; *264.

E

Eádmero, beneditino, bispo na Escócia; *1124.
Ecolampádio, pregador e adepto de Lutero, violento reformador protestante; *1531.
Egiberto, beneditino e sábio teólogo controversista; *1184.
Efrém, o sírio, santo, doutor da Igreja; morreu em 373 como diácono.
Epifânio, santo bispo de Sálamis; *403.
Eusébio de Cremona, Pseudo, autor de uma carta falsamente atribuída ao bispo Eusébio de Cremona, que era amigo de S. Jerônimo.
Eutímio Zigabeno; monge sábio e pio autor de uma obra polêmica contra as heresias e ótimo exegeta; brilhou entre 1081-1118.
Eutímio, autor de uma pouco conhecida História Eutimíaca.

F

Fábio Pancíades Fulgêncio, escritor do século VI, autor de uma mitologia em três volumes.
Fernández Benedito, jesuíta português, comentador da Escritura; *1660.
Flávio Josefo, historiador judeu e governador da Galileia na revolta contra os romanos; morreu no tempo do imperador Trajano.
Flodoardo, historiador francês; escreveu os Anais da Igreja; *966.

Francisco de Sales; santo bispo de Genebra, doutor da Igreja, autor de muitas obras populares, fundador da Congregação das Visitandinas. Seu livro mais conhecido é a Filoteia; *1622

Fulberto de Chartres, fundador da afamada escola de Chartres e bispo da mesma cidade, grande venerador de Nossa Senhora; *533.

Fulgêncio de Ruspe, Pseudo, desconhecido autor de uns Sermões; erradamente atribuídos a S. Fulgêncio.

G

Galatino Pedro, franciscano e penitenciário sob Leão X, sábio teólogo, afamado orientalista; *depois de 1539.

Gelásio I, papa e santo, lutador contra os maniqueus e pelagianos; *496.

Germano I, santo arcebispo de Cízico, depois patriarca de Constantinopla; *733.

Gerson, chanceler da Universidade de Paris e grande teólogo; *1429.

Gertrudes, a Grande, santa cisterciense, amável figura na floração religiosa dos mosteiros, da Idade Média; são célebres as Revelações que recebeu; *1302.

Gonet J. Batista, dominicano, célebre moralista; *1681.

Gottfried, abade, beneditino, de Vendôme, cardeal defensor dos direitos da Igreja na questão da investidura; *1132.

Gregório Magno, papa e santo, lutador contra heresias, reformador da disciplina eclesiástica e monástica, afamado na música sacra do coral; *604.

Gregório VII, papa e santo, mártir nas lutas contra prepotências políticas; *1085.

Gregório Nazianzeno, santo teólogo e doutor da Igreja, bispo de Constantinopla; *389.

Gregório de Nissa, santo bispo de Nissa, defensor da doutrina sobre a Santíssima Trindade; *394.

Gregório de Tours, santo bispo de Tours, homem extraordinário no tempo dos Merovíngios; *594.

Gregório Taumaturgo, milagroso e santo bispo de Cesareia; *270. São apócrifos os sermões que se lhe atribuem sobre Nossa Senhora.

Guerrico, venerável abade beneditino em Igny, contemporâneo e discípulo de S. Bernardo; desde 1889 venerável para o culto religioso.

Guilherme de Neuburgo, agostiniano e historiador inglês; *1208.

Guilherme de Paris, bispo de Paris, chamado "pérola e ornamento do clero", e estimadíssimo pelo Papa e rei; *1248.

H

Hildeberto, arcebispo de Tours e célebre mestre; *1133.

Hildegardis, santa monja em Bingen, escritora de obras admiráveis; *1179.

Hugo a S. Caro, dominicano, jurista e primeiro cardeal de sua Ordem, legado pontifício. Reformador dos Estados Pontifícios; *1263.

Hugo de S. Vítor, agostiniano, em S. Vítor (Paris), teólogo e místico; *1141.

I

Ildefonso, monge e abade de Agil, depois arcebispo de Toledo, célebre na veneração de Nossa Senhora; *667; é santo.

Inocêncio III, papa, entre os grandes o maior; *1216.

Ireneu, santo doutor da Igreja, perseguido pelos hereges; foi bispo de Lião; viveu pelo ano 130.

Isabel de Schoenau, santa beneditina, abadessa, favorecida com muitas visões; *1165.

Isabel da Turíngia, santa muito popular, favorecida com revelações; *1235.
Isidoro de Sevilha, arcebispo na mesma cidade, grande literato, escritor fecundo; *636; foi canonizado em 1598 e declarado doutor da Igreja por Bento XIV.

J

Jacob, monge piedoso e douto; viveu no segundo quartel do século XI.
Jacob de Sarug, poeta monofisita sírio; *521.
Jacob de Voragine, dominicano, afamado pregador e escritor; é dele a célebre Legenda Áurea, obra, contudo, de pouca segurança crítica; *1298.
Jacopone da Todi, doutor em ambos os direitos e advogado em Todi; converteu-se, após a morte da esposa, para a vida de irmão leigo na Ordem franciscana; envolveu-se na questão entre Bonifácio VIII e os adeptos de Celestino V; é autor do célebre Stabat Mater; *1306.
Jansênio de Gandes; professor afamado em Louvain, representante da Universidade no Concílio de Trento; *1576.
Jerônimo, santo doutor da Igreja, exegeta; publicou a Vulgata, tradução latina da Escritura Sagrada; viveu em Belém, numa gruta; *420.
João Damasceno, o maior dogmático da Igreja oriental; célebre como defensor das imagens; em 730 foi para a Laura de S. Sabas; é desconhecido o ano de sua morte; vários sermões lhe são erradamente atribuídos.
João Geômetra, monge e escritor. Poeta apreciadíssimo; viveu no século X.
Jordão de Saxônia, segundo Geral da Ordem dominicana, orador admirável e homem que chamou muitos noviços à Ordem dominicana; *1237.
Justino, Mártir, filósofo cristão e apologeta dos primeiros tempos; *166, como mártir.

L

Landspérgio João, piedoso religioso, cujos escritos eram procuradíssimos; morreu em fama de santidade no ano de 1539.

Leão Magno, papa extraordiário, orador, lutador destemido contra as heresias; livrou Roma de Átila e Genserico; foi papa de 440-61; Bento XIV o declarou doutor da Igreja.

Lezena Lezana de, carmelita e professor da teologia em Alcalá; *1659.

Leopoldo de Saxônia, prior da Cartuxa de Coblença; escreveu a Vida de Cristo, um dos livros mais populares da Idade Média; *1377.

Luís de Ponte, jesuíta, venerável professor de teologia e mestre de noviços; *1624.

M

Maria de Ágreda, religiosa franciscana, espanhola, célebre pelas visões; *1665.

Matilde, religiosa cisterciense, amável pela sua vida mística; viveu com S. Gertrudes no mesmo convento de Helfta; *1299.

Mayron de Maironis, franciscano, discípulo de Duns Escoto; *1327.

Metafrastes Simão, célebre hagiógrafo bizantino; viveu no segundo quartel do século X.

Metódio Vulgato, autor de um sermão sobre Simeão, atribuído ao santo mártir e bispo do mesmo nome.

Miechov Justino, escreveu um comentário sobre a Ladainha; prior em Dantzig em 1634; era dominicano.

Muratori Luís, um verdadeiro luminar da ciência, historiador; *1750.

N

Natal Alexandre, dominicano, doutor da Sorbonne; *1724.

Nicéforo Calisto, teólogo e poeta em Constantinopla; *depois de 1341.
Nicolau, monge, cisterciense e secretário de S. Bernardo em Clairvaux, de cujo sinete abusou; escreveu várias obras.
Nicole Pierre, tonsurista e companheiro de Arnaldo no jansenismo; *1695.
Nieremberg João, jesuíta em Madri, professor exegeta e afamado confessor; *1658.
Novarino Luís, teatino, teólogo e exegeta; *1650.

O

Odilo, santo abade de Cluny; *1408.
Oger, venerável, abade cisterciense em Vercelli; *1214.
Orígenes, célebre teólogo na Igreja antiga, diretor da escola de Alexandria, lutador contra os judeus e hereges; *254.

P

Pacciucchelli Ângelo, dominicano e escritor no ano de 1657.
Pascásio Radberto, santo abade de Corbie; *856.
Paulo, diácono, escreveu o Homiliarium na corte de Carlos Magno; era beneditino; *provavelmente em 799.
Paulo diácono, de Nápoles, traduziu a história de Theophilus poenitens.
Paulo diácono, chama-se também um monge de Monte Cassino, em 1100.
Pedro Damião, cardeal e reformador extraordinário, santo doutor; *1102.
Pelbarto de Temesvar, franciscano; escreveu o Stellarium da coroa de Nossa Senhora, em 1490.
Pepe Francisco, jesuíta.
Petávio Dionísio, jesuíta e professor de teologia em Paris, um dos maiores sábios do século XVII.
Petrus Cellensis, abade de la Celle e depois bispo de Chartres; *1183.
Plutarco, historiador grego, autor de várias biografias; *depois de 120.
Proclo, santo bispo de Cízico e depois patriarca de Constantinopla; *446.

R

Raimundo Jordão, agostiniano; chamava-se por humildade o *Idiota;* abade de Celles em 1381.
Ribeira Francisco, jesuíta e exegeta em Salamanca; *1591.
Ricardo de S. Lourenço, Penitenciário em Ruão escreveu no ano de 1245.
Ricardo de S. Vítor, escocês, discípulo e sucessor de Hugo de S. Vítor; místico; *1173.
Roberto de Deutz, monge beneditino e grande escritor; *1135.

S

Ségneri Paulo, jesuíta e afamado missionário na Toscana e por fim pregador na corte pontifícia até 1694.
Sêneca, filósofo romano; *65; tem muitos pontos de contato com o Cristianismo.
Simão Fidatus de Cássia, agostiniano em Florença; *1348; declarado venerável em 1833.
Sofrônio, santo patriarca de Jerusalém, grande defensor da fé católica; *638 provavelmente.
Strabo Walafrido, beneditino, poeta e exegeta; *849.
Suárez Francisco, jesuíta, afamado teólogo, chamado "doutor exímio"; *1578.
Súrio, cisterciense e hagiógrafo; *1578.

T

Tauler João, dominicano, místico afamado; *1361.
Tertuliano, apologeta cristão e depois herege montanista; *260.
Teófanes Graptos, monge de Jerusalém, defensor das imagens e por isso martirizado; foi depois arcebispo de Niceia; *845.
Teófilo de Alexandria, homem imprudente na luta contra os pagãos; S. Afonso o chama de "santo", baseado em alguns autores. Mas Teófilo é o causador de desordens na região eclesiástica em que trabalhou.

Tomás de Aquino, o príncipe dos teólogos, dominicano e santo doutor da Igreja, professor em várias Universidades; *1274.
Tomás de Estraburgo, agostiniano e Geral da Ordem; *1357.
Tomás de Vilanova, santo agostiniano, professor da Universidade de Salamanca e arcebispo de Valência; *1555.

U

Ubertino de Casale, franciscano e escritor; não se sabe a data da sua morte; escreveu pelo ano de 1305.
Usuardo, beneditino, autor do Martirólogo reformado e usado como base no atual; *875.

V

Valério, Máximo, retórico romano e historiador no tempo de Tibério.
Vega, Cristóforo, jesuíta, professor de moral e filosofia em Valência; *1672.
Vergello, minorista, secretário de Inocêncio VII, teólogo no Concílio de Constança; *1445.
Vicente de Beauvais, enciclopedista e pedagogo; *1264.
Vicente Ferrer, santo dominicano de Valência; grande pregador que converteu muitos hereges; *1419.
Vitalis a Furno, franciscano, cardeal; *1327.
Viva Domingos, jesuíta e professor; *1726.

W

Wadding Lucas, franciscano irlandês; escreveu sobre a Imaculada Conceição; *167.

ÍNDICE

Apresentação 5
Prefácio do tradutor 13
Prece do autor a Jesus e a Maria 21
Advertência ao leitor 24
Introdução que muito importa ler 27
Oração a Nossa Senhora 32

PARTE I
EXPLICAÇÃO DA *SALVE-RAINHA*
As abundantes e numerosas graças dispensadas pela Mãe de Deus

Capítulo I
SALVE, RAINHA, MÃE DE MISERICÓRDIA
I. Nossa confiança em Maria deve ser ilimitada porque ela é Rainha de Misericórdia

1. Maria é Rainha 35
2. Maria é Rainha de Misericórdia 36
3. Maria é Rainha de Misericórdia até para os mais miseráveis 39
Exemplo: Uma pecadora que é salva na hora da morte 42

II. Da confiança ainda maior que devemos ter em Maria por ser nossa Mãe

1. Maria é nossa Mãe espiritual 44
2. Maria é Mãe muito solícita e desvelada 48
Exemplo e Oração: Elfinstônio, noviço 50

III. Grandeza do amor de Maria para conosco

1. Maria não pode deixar de amar-nos 52
2. Os motivos do amor de Maria para conosco 53
3. Grandeza de seu amor para conosco 57
4. Nosso amor para com Maria 59
Exemplo: Bela morte de uma pastorinha 63

IV. Maria também é Mãe dos pecadores arrependidos

1. Condições para o amor de Maria aos pecadores 65
2. Efeitos do amor de Maria para com os pecadores 68
Exemplo: Esquil, regenerado por Maria 71

Capítulo II
VIDA E DOÇURA NOSSA
I. Maria é nossa vida, porque nos obtém o perdão

1. A oração de Maria obtém-nos a graça da justificação 74
2. Devem os pecadores procurar com
Maria a graça de Deus 75
Exemplo: Conversão pelo terço 78

II. Maria é também nossa vida, porque nos alcança a perseverança

1. Sem Maria não alcançamos a graça da perseverança 80
2. Por intermédio de Maria obtemos a graça da perseverança 83
Exemplo: Santa Maria do Egito 85

III. Maria suaviza a morte a seus servos

1. Maria é nosso conforto na morte 88
2. Maria é nosso auxílio no tribunal divino 91
Exemplo: São João de Deus 94

Capítulo III
ESPERANÇA NOSSA, SALVE
I. Maria é a esperança de todos os homens

1. Maria é realmente nossa esperança 97
2. Maria é a esperança de todos 100
Exemplo: A virgem Musa 102

II. Maria é a esperança dos pecadores

1. Maria é realmente a esperança dos pecadores 104
2. Maria é para os pecadores uma segura esperança 107

3. Maria é, às vezes, a última esperança dos pecadores 110
Exemplo: A balança da justiça divina 111

Capítulo IV
A VÓS BRADAMOS, OS DEGREDADOS FILHOS DE EVA
I. Da prontidão de Maria em socorrer os que a invocam

1. Maria ajuda em muitos apuros da vida 113
2. Maria ajuda pronta e alegremente 114
3. Maria ajuda eficazmente 117
Exemplo: São Francisco de Sales 119

II. O poder de Maria para defender os que a invocam nas tentações do demônio

1. O demônio tem medo da Mãe de Deus 121
2. O demônio tem medo até do nome da Mãe de Deus 126
Exemplo: A morte de Arnaldo 127

Capítulo V
A VÓS SUSPIRAMOS, GEMENDO E CHORANDO NESTE VALE DE LÁGRIMAS
I. Necessidade de intercessão de Maria para nossa salvação

1. É muito salutar a intercessão dos santos 130
2. Em que sentido nos é necessária a intercessão de Maria 131
3. Objeções contra a necessidade da intercessão de Maria 132
4. Refutação e demonstração 133
Exemplo: Má leitura 139

II. Continuação do mesmo assunto

1. A necessidade da intercessão de Maria provém
da sua cooperação na Redenção 141
2. Outras provas tiradas da doutrina dos santos
e dos doutores 143
3. Uma segunda objeção 145
Exemplo: A conversão de Teófilo 148

Capítulo VI
EIA, POIS, ADVOGADA NOSSA
I. Maria é advogada poderosa para a todos salvar

1. Maria é todo-poderosa junto de Deus 151
2. Maria é toda bondade para com os homens 153
3. O grande poder de Maria funda-se na sua dignidade
   de Mãe de Deus 155
Exemplo: Vencendo a falsa vergonha na confissão 158

II. Como advogada compassiva Maria defende as causas mais desesperadas

1. Maria ama-nos ternamente e de modo especial os pecadores 160
2. Maria intercede sem cessar pelos pecadores 161
3. Maria, a fiel cópia da misericórdia divina 163
Exemplo: Reparando confissões sacrílegas..................................... 165

III. Maria reconcilia os pecadores com Deus

1. Maria é Medianeira entre Deus e os homens 166
2. A mediação de Maria apoia-se na sua divina maternidade 169
3. Maria cuida de cada um de nós 172
Exemplo: O moço de Bragança 173

Capítulo VII
A NÓS VOLVEI ESSES VOSSOS OLHOS MISERICORDIOSOS
Tem Maria olhos compassivos sobre nós para aliviar nossas misérias

1. Maria foi misericordiosa na terra 175
2. Ainda mais misericordiosa é Maria no céu 176
3. Para todos é Maria um trono de misericórdia 178
Exemplo: Conversão de um grande pecador 180

Capítulo VIII
E DEPOIS DESDE DESTERRO, MOSTRAI-NOS JESUS, BENDITO FRUTO DO VOSSO VENTRE

I. Maria livra do inferno os seus devotos

1. Um verdadeiro devoto de Maria não se perde 182
2. A devoção a Maria é penhor de eterna bem-aventurança 183
3. A devoção a Maria protege contra a fúria de Satanás 185
Exemplo: Dois estudantes perdidos 188

II. Maria socorre seus devotos no purgatório

1. Maria consola as pobres almas do purgatório 190
2. Maria livra as almas do purgatório 192
Exemplo: Generoso amor ao inimigo 194

III. Maria leva seus devotos ao paraíso

1. Pela devoção a Maria salvaram-se os bem-aventurados 196
2. A devoção a Maria é um penhor da bem-aventurança 198
Exemplo: A visão do Irmão Leão 202

Capítulo IX
Ó CLEMENTE, Ó PIEDOSA
Da grande clemência e piedade de Maria

1. Maria é toda clemência e bondade 204
2. Particular clemência de Maria para com os pecadores 207
Exemplo: Conversão de uma pecadora 211

Capítulo X
Ó DOCE VIRGEM MARIA
É suave na vida e na morte o nome de Maria

1. O nome de Maria vem do céu 213
2. O nome de Maria é suave na vida 213

3. O nome de Maria é doce sobretudo na hora da morte 218
Exemplo: São Camilo de Lélis... 220

Orações muito devotas de alguns Santos à Mãe de Deus
De Santo Efrém – 222; São Bernardo – 223; São Germano – 225; de Raimundo Jordão – 225; São Metódio – 226; São João Damasceno – 227; Santo André de Creta – 227; Santo Ildefonso – 228; do Pseudo-Atanásio – 228; de Eádmero – 229; de Nicolau, monge – 230; de Guilherme de Paris – 231.

PARTE II
TRATADOS E REFLEXÕES SOBRE AS FESTAS E DORES DE MARIA SANTÍSSIMA

Tratado I: AS FESTAS DE NOSSA SENHORA

I. DA IMACULADA CONCEIÇÃO
Capítulo I
Quanto convinha às três pessoas divinas preservar
Maria da culpa original..235

PONTO PRIMEIRO – Convinha ao Pai Eterno isentar da culpa
original a Maria
1. É Maria a filha primogênita do Pai Eterno....................................236
2. A missão de reparadora do mundo perdido e de medianeira
  entre Deus e os homens apresenta o segundo motivo para a
  preservação da Virgem Maria..237
3. Sua missão de vencedora da serpente infernal............................... 238
4. A eleição dessa Virgem para Mãe de seu Filho unigênito................238

PONTO SEGUNDO – Convinha a Deus Filho preservar
da culpa a Maria, como sua Mãe
1. Podia o Filho criar para si uma Mãe ilibada................................... 241
2. A honra do Filho reclamava-lhe por
  Mãe uma criatura imaculada...242
3. A dignidade do Filho exigia uma Mãe nos esplendores
  de consumada santidade 243

4. Convinha ao Legislador do IV mandamento preservar
sua Mãe da Mancha original.. 245

PONTO TERCEIRO – Sendo-lhe Maria Esposa, convinha
ao Espírito Santo preservá-la da mancha original
1. À Esposa do Espírito Santo convinha uma formosura ilibada......... 247
2. À Esposa do Espírito Santo convinha uma santidade sem par........ 248

Capítulo II
Certeza da Imaculada Conceição
1. O unânime testemunho dos Santos Padres..................................... 252
2. O primeiro é o consenso universal dos fiéis sobre esse ponto......... 253
3. A introdução da festa de Nossa Senhora da Conceição
pela Igreja universal..254
Exemplo: Conversão admirável: Fim de uma inimizade....................255

II. DA NATIVIDADE DE MARIA
A grandeza da santidade de Maria provém das graças abundantes
com que Deus a enriqueceu desde o princípio, e da sua admirável
correspondência às mesmas..258

PONTO PRIMEIRO – A primeira graça em Maria excede
em grandeza a graça de todos os anjos e santos
1. Testemunho dos teólogos 258
2. Outras provas: sua eleição para Mãe de Deus................................ 260
         seu ofício de Medianeira do mundo 263

PONTO SEGUNDO – A grande fidelidade na pronta cooperação
com a graça
1. Maria teve o uso da razão desde o primeiro instante de sua
   Imaculada Conceição 266
2. Maria esteve livre de toda inclinação desordenada
   e de toda distração 266
3. Maria foi fiel à divina graça 268
Exemplo: Abuso das graças de Deus 270

III. DA APRESENTAÇÃO DE MARIA

A oferta que Maria de si mesma fez a Deus foi pronta
e sem demora, inteira e sem reserva 272

PONTO PRIMEIRO – Maria oferece-se a Deus sem demora
1. Como criança ainda, ela conhecia a grandeza de Deus.................. 273
2. Maria aprova a promessa de seus pais.. 274
3. Rumo ao templo 275

PONTO SEGUNDO – Maria ofereceu-se inteiramente a Deus
1. Pelo voto de virgindade... 277
2. Pela prática de todas as virtudes... 278
3. Maria ofereceu a Deus todos os trabalhos do dia........................... 278
Exemplo: Sóror Domingas... 281

IV. DA ANUNCIAÇÃO DE MARIA

Maria, na Encarnação do Verbo, não podia humilhar-se
mais do que se humilhou; Deus, pelo contrário, não podia
exaltá-la mais do que a exaltou.. 284

PONTO PRIMEIRO – A humildade de Maria na Anunciação do Anjo
1. Ao ser saudada pelo Anjo 285
2. O humilde consentimento de Maria 287
3. Recompensa de sua humildade 290

PONTO SEGUNDO – A exaltação de Maria por Deus
1. Como Mãe de Deus, é Maria a criatura mais
   chegada ao Senhor 291
2. Como Mãe de Deus, é Maria portadora de uma
   dignidade quase infinita.. 293
3. Inefável riqueza de graças conferidas a Maria 295
Exemplo: Auxílio de Maria na conversão 296

V. DA VISITAÇÃO DE MARIA

Maria é a tesoureira de todas as graças divinas, tendo de recorrer a ela quem as deseja. Mas quem recorre a Maria deve ter a certeza de obter as graças que almeja 299

PONTO PRIMEIRO – Dirija-se a Maria quem deseja graças
1. Por meio de Maria nos vieram as primícias
   da graça redentora 300
2. Deus continua a distribuir suas graças por meio de Maria 301
3. Nós devemos nos dirigir a Maria 303

PONTO SEGUNDO – Quem procura a graça, a encontrará certamente nas mãos de Maria
1. Maria nos enriquece de graças 304
2. Maria é rica em misericórdia para conosco 306
3. Maria é rica em poder junto de Deus 308
Exemplo: Cura milagrosa 310

VI. DA PURIFICAÇÃO DE MARIA

Grandeza do sacrifício de Maria oferecendo
a Deus neste dia a vida de seu Filho... 312
1. Maria deu hoje solene consentimento para a morte de seu Filho 313
2. Sofrimento de Maria após o seu consentimento
   na morte do Filho 315
3. Maria não cessa de oferecer seu Filho 319
4. Efeitos do sacrifício de Maria 320
Exemplo: Conversão de um grande criminoso 322

VII. DA ASSUNÇÃO DE MARIA
A preciosa morte de Maria

PONTO PRIMEIRO – Prerrogativas da morte de Maria
1. Maria morreu desprendida dos bens do mundo 326
2. Maria morreu na mais doce paz do espírito 327
3. Maria morreu sem cuidados por sua salvação 328

PONTO SEGUNDO – Particularidade da morte de Nossa Senhora
1. Saudades que Maria Santíssima teve de seu Filho 330
2. Presença dos apóstolos 333
3. Maria morre de amor para com seu Filho 336
Exemplo: Morte de S. Estanislau 338

VIII. DA FESTA DA ASSUNÇÃO
Triunfo e glorificação de Maria no céu

PONTO PRIMEIRO – Triunfal entrada de Maria no céu
1. Jesus em pessoa glorifica a entrada de sua Mãe no céu 342
2. Os santos saúdam a sua Rainha 344
3. Homenagem dos anjos 346
4. Maria diante do trono de Deus 347

PONTO SEGUNDO – A sublimidade do trono de Maria
1. Sua elevação sobre todos os anjos 347
2. Elevação de Maria sobre todos os santos 348
Exemplo: Marino, escravo de Maria 352

Tratado II: AS DORES DE NOSSA SENHORA

I. MARIA FOI A RAINHA DOS MÁRTIRES POR CAUSA DA DURAÇÃO E INTENSIDADE DE SUAS DORES

PONTO PRIMEIRO – Duração do martírio de Maria
1. Maria é realmente uma mártir... 357
2. Duração do martírio de Maria... 358
3. O tempo não mitigou os sofrimentos de Maria 359

PONTO SEGUNDO – Intensidade do martírio de Maria
1. Os mártires sofreram tormentos no corpo, Maria sofreu-os na alma 361
2. Os mártires sofreram imolando a própria vida, enquanto Maria
   sofreu oferecendo a vida de seu Filho 361

3. Os mártires sofreram consolados. Maria padeceu sem consolo 363
4. Maria recompensa a veneração de suas dores 367
Exemplo: Conversão de um impenitente 369

II. REFLEXÕES SOBRE CADA UMA DAS SETE DORES DE MARIA
1ª Dor: PROFECIAS DE SIMEÃO
1. Nas palavras de Simeão reconhece Maria os pormenores
  da Paixão de Jesus 371
2. Maria sofreu sempre à vista de seu Filho 372
3. A dor de Maria aumentou com a crescente amabilidade do Filho 374
Exemplo: Recompensa de Maria a um moço que a venera 375

2ª Dor: FUGIDA DE JESUS PARA O EGITO
1. O próprio Jesus é espada de dor para sua Mãe 376
2. A ordem de fugir 376
3. Incômodos da fugida 377
4. A pobreza da Sagrada Família no Egito 378
5. Imitação da Sagrada Família pela paciência e desprendimento 379
Exemplo: Visão de duas religiosas 380

3ª Dor: PERDA DE JESUS NO TEMPLO
1. Maria perde a venturosa presença de Jesus 381
2. Grandeza desta dor.. 383
3. Nosso consolo na aridez espiritual 384
4. Jesus deve ser tudo para nós 385
Exemplo: Benvenuta sente a dor de Maria na perda de Jesus 385

4ª Dor: ENCONTRO COM
JESUS CAMINHANDO PARA A MORTE
1. Como o amor é também o sofrimento de uma mãe 386
2. Agonia da Virgem no começo da Paixão de seu Filho 387
3. Encontro de Maria com seu Filho... 388
4. Maria segue Jesus até o Calvário 390
Exemplo: Sóror Diomira: conversão de Jerônimo Emiliano 391

5ª Dor: MORTE DE JESUS
1. Maria assistiu à agonia de seu Filho na cruz 392
2. Maria não pôde aliviar as penas de seu Filho 394
3. Maria ao pé da cruz é nossa Mãe espiritual 395
Exemplo: Joaquim Piccolomini, servo de Maria 396

6ª Dor: A LANÇADA E A DESCIDA DA CRUZ
1. Maria saúda as chagas de Jesus, como fontes de nossa salvação... 397
2. A dolorosa cena do lanceamento... 399
3. A Mãe dolorosa recebe nos braços o Filho sem vida.................... 400
4. Queixas de Maria sobre os pecadores... 401
Exemplo: Nossa Senhora salva um servo seu................................... 402

7ª Dor: SEPULTURA DE JESUS
1. Queixa da Mãe dolorosa 403
2. Maria acompanha Jesus à sepultura 404
3. Maria despede-se da sepultura do Filho 406
Exemplo: Maria vem consolar um aflito 407

Tratado III: AS VIRTUDES DE NOSSA SENHORA

I. HUMILDADE DE MARIA
1. O primeiro traço de humildade é o modesto
   conceito de si mesmo 411
2. Também é efeito da humildade ocultar os dons celestes 412
3. O humilde recusa os louvores referindo-os todos a Deus 412
4. É próprio do humilde prestar serviços 413
5. O humilde gosta de uma vida retirada e despercebida 413
6. Os humildes amam finalmente os desprezos 414
7. Em um êxtase foi dado a conhecer à Venerável Paula
   de Foligno quanto foi grande a humildade de Maria 414

II. SUA CARIDADE PARA COM DEUS

1. Deu o Senhor aos homens o preceito: Amarás ao Senhor, teu Deus, de todo o teu coração (Mt 22,37) 416
2. Deus é o amor (1Jo 4,16) e à terra veio para atear em todos os corações a chama de seu amor 417
3. Sobre isso apoia-se o pensamento de S. Bernardino de Sena, de que Maria nunca foi tentada pelo inferno 417
4. Nem mesmo o sono impedia a Mãe de Deus de amar ao seu Criador 418
5. Mas já que Maria ama tanto a seu Deus, nada exige de seus servos senão que o amem, tanto quanto possível 419

III. SUA CARIDADE PARA COM O PRÓXIMO

1. Lemos nos Cânticos: O rei Salomão fez um trono portátil de madeira do Líbano...; por dentro ornou-o do que há de mais precioso, um mimo das filhas de Jerusalém (3, 9 e 10) 421
2. Nem diminuiu esse amor de Maria para conosco, agora que nos céus se encontra; tornou-se, pelo contrário, muito maior, escreve Conrado de Saxônia, porque agora conhece mais claramente a miséria humana 422

IV. SUA FÉ

1. Suárez acentua que Maria tem mais fé do que todos os homens e anjos 424
2. Aqui nos exorta S. Ildefonso a imitarmos Maria na fé 425

V. SUA ESPERANÇA

1. Mostrou, de fato, a Santíssima Virgem quanto lhe era grande essa confiança em Deus, primeiramente ao ver a perplexidade de S. José, seu esposo, que, ignorando a misteriosa maternidade de sua esposa, pensava em deixá-la 427
2. Aprendamos, portanto, de Maria, como ter esperança em Deus, principalmente no grande assunto da salvação eterna 428

VI. SUA CASTIDADE

1. Por causa de tanta pureza, diz o Espírito Santo, é que a Virgem "é bela como a rola" (Ct 1,9) 429
2. Na opinião de S. Gregório Nazianzeno, a Santíssima Virgem era tão amante dessa virtude, que para conservá-la, estaria pronta a renunciar à dignidade da Mãe de Deus 429
3. Na frase de S. Ambrósio é um anjo quem guarda a castidade e é um demônio quem a perde 430
5. Três são esses meios, dizem com Belarmino os mestres da vida espiritual: o jejum, a fugida das ocasiões e a oração 430

VII. SUA POBREZA

1. Por amor à pobreza também não recusou desposar um pobre carpinteiro, qual foi S. José; sustentou-se por isso com o trabalho de suas mãos, fiando ou cosendo, como escreveu Boaventura Baduário 432
2. De S. Filipe Néri é a sentença que diz: Aquele que ama as riquezas nunca há de ser Santo 433

VIII. SUA OBEDIÊNCIA

1. A Santíssima Virgem amava a obediência 433
2. A obediência de Maria foi muito mais perfeita que a de todos os santos 434
3. Maria mostra, com efeito, quanto era pronta na obediência 434
4. À exclamação da mulher que o interrompia com as palavras: "Bem-aventurado o ventre que te trouxe e os peitos que te amamentaram", respondeu o Salvador: Antes, bem-aventurados aqueles que ouvem a palavra de Deus e a põem em obra (Lc 11,27-28) 435
5. Também falou a Virgem a S. Brígida da segurança que há em obedecer ao diretor espiritual, e disse-lhe que a obediência, a quantos a praticam, leva-os ao paraíso 436

IX. SUA PACIÊNCIA

1. Sendo a terra lugar de merecimentos, é com razão chamada vale de lágrimas, porque nós todos aqui fomos postos para sofrer, e por meio da paciência conquistar a vida eterna para nossas almas............ 436
2. É também a paciência que plasma os santos, porque "a paciência efetua uma obra perfeita" (Tg 1,4) 437
3. Eia, pois, exclama o Papa Gregório Magno, nós podemos ser mártires mesmo sem os instrumentos do martírio, guardando paciência............ 438

X. SEU ESPÍRITO DE ORAÇÃO

1. Primeiramente, a sua oração foi contínua e perseverante. Desde o primeiro instante de sua vida, gozava Maria do uso perfeito da razão, como consideramos na festa da Natividade 439
2. A Santíssima Virgem rezava também completamente recolhida e livre de qualquer distração, ou afeto desordenado, escreve Dionísio Cartuxo............ 439
3. Afirma S. Bernardo que Maria, pelo amor à oração e ao retiro, estava sempre atenta em fugir ao trato com o mundo............ 440

Tratado IV: PRÁTICAS DE DEVOÇÃO EM HONRA DE MARIA SANTÍSSIMA

I. A Ave-Maria............ 443
II. As Novenas............ 446
III. O Rosário e o Ofício 448
IV. O Jejum 450
V. Visitar as Imagens de Maria 452
VI. O Escapulário 453
VII. Entrar nas Congregações de Maria 455
VIII. Dar esmolas em honra de Maria 458

IX. Recorrer frequentemente a Maria 459
X. Alguns outros obséquios 460

CONCLUSÃO 463
MAIO COM MARIA (Ano ímpar) 467
MAIO COM MARIA (Ano par) 471
ÍNDICE BIOGRÁFICO DOS AUTORES CITADOS 477